OTHER WORKS BY ANGEL FLORES

Lope de Vega, Monster of Nature. N. Y., Brentano's 1930; translated into Spanish by Guillermo de Torre, Madrid, Editorial La Nave, 1935, Buenos Aires, Losada, 1949.

Fiesta in November. Boston, Houghton, Mifflin, 1942.

The Kafka Problem. N. Y., New Directions, 1946.

Cervantes Across the Centuries. N. Y., Dryden Press, 1948.

Great Spanish Stories. N. Y., Modern Library, 1956.

Masterpieces of the Spanish Golden Age. N. Y., Rinehart, 1957.

Franz Kafka Today. University of Wisconsin Press, 1958.

An Anthology of French Poetry from Nerval to Valéry. N. Y., Anchor Books, 1958.

Nineteenth Century German Tales. N. Y., Anchor Books, 1959.

Historia y Antología del Cuento y la Novela en Hispanoamérica. N. Y., Las Américas Pub. Co., 1959.

An Anthology of German Poetry from Hölderlin to Rilke. N. Y., Anchor Books, 1960.

Spanish Stories. N. Y., Bantam, 1960 [Dual-Language].

Nineteenth Century French Tales, N. Y., Anchor Books, 1960.

An Anthology of Spanish Poetry from Garcilaso to García Lorca. N. Y., Anchor Books, 1961.

Spanish Drama. N. Y., Bantam, 1962.

An Anthology of Medieval Lyrics. N. Y., Modern Library, 1962.

Great Spanish Short Stories. N. Y., Dell, 1962.

Medieval Age. N. Y., Dell, 1963; London, Dent, 1965.

First Spanish Reader. N. Y., Bantam, 1964 [Dual-Language].

THE LITERATURE OF SPANISH AMERICA

I.   THE   COLONIAL   PERIOD

A Critical Anthology

edited and annotated

by

ANGEL   FLORES

1966

LAS AMERICAS PUBLISHING COMPANY

NEW YORK

for
Diana

*the prettiest of my
future readers*

CONTENTS

PREFACE

The present volume is intended to serve student and general reader as an introduction to the literary achievements of Spanish American writers of the Colonial Period. By Spanish American writers I mean those born or bred in America. Thus Caviedes and Balbuena, although born in Spain, came to the New World in their childhood, grew up here and became so identified with their adopted countries that Caviedes seems to be the very quintessence of Lima, and the Balbuena of *Grandeza mexicana* was prouder of Mexico City than most Mexicans of his time. On the other hand writers such as Ercilla and "Concolorcorvo," though they revealed interesting aspects of American life, have been omitted since they were natives of Spain and part of its literary heritage. This principle has been followed consistently in the case of all writers born in Spain even though they may have lived in or written about America. Thus the contemporaries Valle Inclán and Cela, though they wrote novels dealing with Mexico and Venezuela respectively (*Tirano Banderas, La Catira*), could scarcely be considered Spanish American writers.

In covering two centuries of literary production I have left out secondary writers in order to concentrate on important trends and give adequate representation to the really significant figures; thus instead of limiting Sor Juana to her justly famous "Portrait" and two or three of her satirical *redondillas* against men, twenty-three of her poems and a revealing prose piece are here reprinted. With a wider and more varied choice before him, the reader is better able to understand and judge her genius. The same is true of Heredia and Melgar, who is rarely included in anthologies. In the case of prose writings, substantial excerpts or abridgements of entire works are included in an effort to give the reader a sense of the original.

In the course of my reasearches I discovered that *Viajes de Enrique Wanton a las tierras incógnitas australes y al país de las*

XI

monas has been erroneously attributed mainly by Ecuadorean critics (Isaac J. Barrera, Jorge Carrera Andrade, etc.) to the Ecuadorean Ignacio Flores; actually it is by the Italian writer Zaccaria Seriman (1709-1784), and the title of the book is *Viaggi di Enrico Walton alle terre incogniti Australi ed ai regni delle sciemie* (Venice 1749).

Another rectification which needs to be made is chronological. In most literary manuals it is conveniently stated that Romanticism began in Spanish America on June 23, 1830, when the Argentine poet Esteban Echeverría returned from France. However by the 1820's and much before, certainly long before Echeverría even left for Europe (1826), there were Romantic poets in Spanish America. Even as early as Manuel de Navarrete (1768-1809), one feels a mood, a tonality, in "La mañana" for instance, that is unmistakably precursory of Romanticism. With the Peruvian Mariano Melgar (1790-1815), a Romantic in body and spirit, the poetic climate —conveyed by his odes to liberty, his sentimental despondency, his intimations, his gloom and exaltation— is as Romantic as that of the Cuban José María Heredia (1803-1839) who in the 1820's penned some of the most memorable Romantic lyrics in the Spanish language: "En el teocalli de Cholula" (1820), "A mi caballo" (1821), "En mi cumpleaños" (1822), etc.

Some readers may be surprised to find Lizardi, Melgar and Heredia included among the Colonial writers, but they do belong to the Colonial Period. All three were born and grew up in the colonies, they were all critical of the Spanish tyranny and fought against it. None of them however lived to see their respective countries as free, independent nations.

Because of the involved language and syntax used by most of the seventeenth century and some eighteenth century writers, I have felt that numerous explanatory notes were necessary to clarify rare and obsolete words, Americanisms, peculiar turns of phrase, conceits, Latinisms, and the like; in some cases these developed into long textual explications.

Of the many colleagues who encouraged me during the preparation of my manuscript I wish to thank Albert A. Sicroff, for simplifying for me some of "Amarilis' " complexities; William M. Davis, who elucidated "Amarilis' " geography, for the critical reading of most of my notes and biographical sketches and his valuable corrections; Francisco Aguilera, for corroborating my Ignacio Flores' exposé; and finally, to the kind friends who helped me with books, many of them long out of print: Eugenio Chang-Rodríguez, Kenneth Freyer, Mimi B. Penchansky, Seymour Resnick, Carlos Ripoll, all of Queens College; Ernesto Mejía Sánchez, of Columbia University; John M. Flores, of Yale University; and most especially, the very generous Gaetano Massa, my publisher.

I should also like to express my gratitude to Marty Browne and Leila Woolley for reading some of the galley proofs.

Angel Flores
Queens College
Flushing, New York 11367
November, 1965

GARCILASO DE LA VEGA EL INCA

b. Cuzco, Peru, April 12, 1539.
d. Cordova, Spain, April 23, 1616.

The Inca Garcilaso de la Vega was the first American-born writer of world significance. Born in Cuzco, Peru, he was the natural son of one of the conquerors, Captain Sebastián Garcilaso de la Vega Vargas, a descendant of a noble family which included some of Spain's outstanding poets: the Marqués de Santillana, Jorge Manrique, Garcilaso de la Vega. His mother, Champu Ocllo, was a princess, a direct descendant of the rulers of the Inca Empire. Through his parents and relatives Garcilaso succeeded in mastering the languages of the conquerors and the conquered. From early childhood he had ample opportunities to make a first-hand study of the life, internal struggles and frequent deaths of the conquerors, and of the lore, mythology and modus vivendi of the Incas as well.

Since Spanish law and tradition compelled Spanish nobles to marry only women of their own status and origin, Captain de la Vega Vargas married not Champu Ocllo (Garcilaso's mother) but the Spanish lady Luisa Martel. At his death in 1560, doña Luisa became his sole heir. Incensed by this injustice Garcilaso sailed for Spain and spent several years in courts and litigations. But it was a hopeless case and he lost.

Utterly disappointed, Garcilaso joined the Spanish army in 1564, fighting for almost two decades in Navarre and in Italy, where he learned Italian. He also helped to quell the Morisco insurrection of the Alpujarras (1568). His bravery and achievements did not go unnoticed, for, by the time of his retirement, he was already a captain.

In 1580 he settled down in Seville, devoting himself to the study of Latin and Italian writers, especially Plutarch,

1

Boccaccio and Ariosto. In 1590 he published a version from the Italian of Leon Hebreo's *Dialoghi di amore,* an impeccable translation which is perhaps superior to the original.

Somewhat disillusioned with man's ways, Garcilaso joined a religious order and spent his last years in a cell reading and writing. In his *La Florida del Inca* he narrated in vivid detail the expedition of Hernando de Soto, and in his *Comentarios Reales,* his masterpiece, the origin and history of his Inca ancestors and the story of the conquest of Peru. The *Florida* was published in Lisbon in 1605, and Part I of *Comentarios Reales* in 1609. Part II appeared only posthumously, for Garcilaso had died in 1616—the same day as Cervantes and Shakespeare—in a Cordova hospital. His laconic epitaph in the Cathedral of Cordova, where he is buried, read: "Perito en letras; valiente en armas;" indeed, expert in letters and brave in arms, the ideal synthesis of the Renaissance for which his contemporary Cervantes strove and also achieved.

In spite of inevitable inaccuracies and prejudices, all to be expected in so vast a canvas, Garcilaso's *Comentarios Reales* is nevertheless an authentic panorama of Peruvian life. Part I is concerned with the customs and lore of the Inca Empire, while Part II highlights its conquest by the Spaniards and the consequent violent struggle for power among the conquistadores and their henchmen. The tone of the book is melancholy, often lugubrious, depicting as it does the conquest of the author's maternal ancestors by the author's paternal ancestors, and what is worse—their own destruction. To this must be added that Garcilaso was a disillusioned man, an exile unable to return to his beloved Cuzco. Then, too, he was a Spaniard living at the time of the defeat of the Great Armada, the event foretelling the end of the Spanish Empire. Garcilaso is thus a distressed witness standing at the crossroads, watching the painful transitional moments of two great cultures. Thence the elegiac, ever poetic aura of his prose and the acute precision with which he reflected the spiritual climate of his day. Yet paradoxically, as Durán observed: "Aunque para él la historia, vista en panorama o entendida a fondo, resultara cosa esencialmente trágica, miraba la vida

2

cotidiana como algo empapado de encanto, y así supo na-
rrarla y describirla, recreándose en ella con la mayor delicia."

Included here are two selections from the *Comentarios
Reales*. The first one, which has nothing to do with the Incas, shows Garcilaso's delight in story-telling. In Chapter 7,
Part I, as he traces the origin of certain geographical names,
he mentions Serrana Island: "La isla Serrana, que está en
el viaje de Cartagena a La Habana, se llamó así por un español llamado Pedro Serrano, cuyo navío se perdió cerca de
ella, y él solo escapó nadando, que era grandísimo nadador,
y llegó a aquella isla, que es despoblada, inhabitable, sin agua
ni leña, donde vivió siete años con industria y buena maña
que tuvo para tener leña y agua y sacar fuego—es un caso
historial de grande admiración, quizá lo diremos en otra parte." But Garcilaso has little patience, for a page later he states:
"Será bien, antes que pasemos adelante digamos aquí el suceso de Pedro Serrano" and he creates a miniature *Robinson
Crusoe* a century ahead of Defoe's!

The other excerpt included here comes from Part I, Book
IV, Chapters 20-24, and Book V, Chapters 17-21, and presents
Garcilaso as the historian of the Incas, with his elegant prose,
his feeling for dramatic situations, his inventiveness, his psychological penetration. Once again the reader may ponder
about literary influences: was Calderón de la Barca acquainted
with Garcilaso's story when he sat down to write his famous
play *La Vida es Sueño?*

EDITIONS: *Obras completas del Inca Garcilaso de la Vega*,
edited by Carmelo Sáenz de Santa María, Madrid, Biblioteca de
Autores Españoles, 1960, 4 vols.; *Comentarios Reales*, edited by
Angel Rosenblat, Buenos Aires, Emecé, 1944 (2nd. ed.), 2 vols.;
Los Comentarios Reales de los Incas, edited by Horacio H. Ur-
teaga, Lima, Imprenta Gil, 1941-1943 (2nd. ed.), 3 vols.; *Comentarios Reales de los Incas*, edited by José Durán, Lima, Universidad
Mayor de San Marcos, 1959, 3 vols.; *La Florida del Inca*, edited
by Emma S. Speratti Piñero, México, Fondo de Cultura Económica,
1956; *Comentarios Reales*, edited by Aurelio Miró Quesada S., Lima, Librería Internacional del Perú, 1959.

ABOUT GARCILASO DE LA VEGA EL INCA: Luis A. Arocena: *El Inca Garcilaso y el humanismo renacentista*, Buenos Aires, Centro de Profesores Diplomados de Enseñanza Secundaria, 1949; Juan Bautista Avalle Arce: *El Inca Garcilaso en sus "Comentarios,"* Madrid, Gredos, 1964; Emilio Carilla: "El Robinson americano," in his *Pedro Henríquez Ureña y otros estudios*, Buenos Aires, Tempera, 1949; José Durán: "Estudio preliminar" to his edition of *Comentarios Reales*, listed above; Julia Fitzmaurice-Kelly: *El Inca Garcilaso*, London, Oxford University Press, 1921; Julián Marías: "Robinson Crusoe y Pedro Serrano," *Insula* (Madrid), XII, No. 131, (October 1957), pp. 1 and 3; Rafael Martí Abello: "Garcilaso Inca de la Vega, un hombre del Renacimiento." *Revista Hispánica Moderna* (New York), XVI (1950), 99-112; Aurelio Miró Quesada Sosa: *El Inca Garcilaso*, Madrid, Cultura Hispánica, 1948 (2nd. ed.); Raúl Porras Barrenechea: *El Inca Garcilaso en Montilla* (1561-1614), Lima, Editorial San Marcos, 1955; José de la Riva Agüero: introduction to his *Antología de los "Comentarios Reales"*, Madrid, Aguilar, 1929; Luis Alberto Sánchez: *Garcilaso Inca de la Vega, primer criollo*, Santiago de Chile, 1939; Luis E. Valcárcel: *Garcilaso el Inca visto desde el ángulo indio*, Lima, 1939.

Excerpts from Part I, Book I, Chapter 7, and
Part I, Book IV, Chapters 20-24 and
Book V, Chapters 17-21

A ROBINSON CRUSOE PREVIEW

Pedro Serrano salió a nado a aquella isla desierta[1] que,
antes de él, no tenía nombre, la cual, como él decía, tendría
dos leguas en contorno.[2] Casi lo mismo dice la carta de ma-
rear,[3] porque pinta tres islas muy pequeñas, con muchos bajíos a la redonda;[4] y la misma figura le da a la que llaman
Serranilla, que son cinco isletas pequeñas, con muchos más
bajíos que la Serrana. En todo aquel parage[5] los hay, por lo
cual huyen los navíos de ellos por no caer en peligro.

A Pedro Serrano le cupo en suerte perderse en ellos[6] y llegar nadando a la isla donde se halló desconsoladísimo, porque no halló en ella agua, ni leña,[7] ni aun hierba que pudiera
comer, ni otra cosa alguna con que mantener la vida mientras
pasase algún navío que lo sacase de allí para que no pere-
ciese de hambre y sed. Le parecía muerte más cruel que haber
muerto ahogado porque ésta es más breve.[8]

Así pasó la primera noche, llorando su desventura, tan
afligido como se puede imaginar que estaría un hombre pues-

1. by swimming reached that desert island (which was named after
   him and is located in the western Caribbean, latitude 80 west,
   14 north)
2. two leagues in circumference (a league is approximately four
   miles)
3. sea card, i.e. navigation chart
4. surrounded by many reefs
5. i.e. **paraje**, place, part
6. It was Pedro Serrano's luck (fate) to be lost (cast away) in
   them
7. firewood
8. This seemed to him to be a crueler death than drowning, which
   would have been quicker

5

to en tal extremo.⁹ Luego que amaneció, volvió a pasearse por la isla; halló algún marisco¹⁰ que salía de la mar como son cangrejos, camarones y otras sabandijas,¹¹ de las cuales cogió las que pudo y se las comió crudas ¹² porque no había candela donde asar o cocerlas.¹³ Así se mantuvo hasta que vió salir tortugas.¹⁴ Viéndolas lejos de la mar, arremetió con una de ellas y la volvió de espaldas.¹⁵ Lo mismo hizo de todas las que pudo, pues para volverse a enderezar, son torpes;¹⁶ sacando un cuchillo, que de ordinario solía traer en la cinta¹⁷ y que fue el medio para escapar de la muerte, la degolló¹⁸ y bebió la sangre en lugar de agua. Lo mismo hizo de las demás; la carne la puso al sol para comerla hecha tasajos,¹⁹ y desembarazó las conchas²⁰ para coger agua en ellas de la lluvia, porque toda aquella región, como es notorio, es muy lluviosa.²¹

De esta manera se sustentó los primeros días, con matar todas las tortugas que podía. Algunas había tan grandes, y mayores que las mayores adargas, y otras como rodelas y como broqueles, de modo que las había de todos tamaños.²² Con las más grandes Serrano no podía valer para volverlas de espaldas porque le vencían de fuerzas ²³ y, aunque subía sobre ellas para cansarlas y sujetarlas, no le aprovechaba nada, porque con él a cuestas se iban a la mar;²⁴ de manera que la experiencia le decía a cuáles tortugas había de acometer y a

9. in such a predicament
10. shellfish
11. crabs, shrimps and other creatures (lit. insect, marine reptiles)
12. he ate them raw
13. there was no fire to cook (lit. to roast or boil) them with
14. Thus he fed himself until he saw some turtles come forth
15. he tackled one of them and turned it over
16. since they are dumb (helpless) when it comes to right themselves up
17. waistband
18. beheaded
19. as jerked meat
20. cleaned out the shells
21. for, as is well know, all that region is very rainy
22. larger than the biggest shields, and others like bucklers and like circular targets, so that they were of all sizes
23. Serrano could not manage to turn the biggest ones over on their backs because they were too much for him
24. although he would sit on their backs in order to subdue them by tiring them out, this proved to be useless since they would crawl off anyway into the water with him on their backs

cuáles se había de rendir. En las conchas recogió mucha agua, porque algunas había que cabían a dos arrobas,[25] y de allí abajo. Viéndose Pedro Serrano con bastante recaudo para comer y beber,[26] le pareció que si pudiese sacar fuego para siquiera asar la comida, y para hacer ahumadas[27] cuando viese pasar algún navío, que no le faltaría nada. Con esta imaginación, como hombre que había andado por la mar, que cierto los tales en cualquiera trabajo hacen mucha ventaja a los demás,[28] dio en buscar un par de guijarros que le sirviesen de pedernal, porque del cuchillo pensaba hacer eslabón;[29] para lo cual no hallándolos en la isla, porque toda ella estaba cubierta de arena muerta,[30] entraba en la mar nadando y se zambullía,[31] y en el suelo con gran diligencia buscaba ya en unas partes, ya en otras lo que pretendía; y tanto porfió en su trabajo, que halló guijarros, y sacó los que pudo, y de ellos escogió los mejores, y quebrando los unos con los otros para que tuviesen esquinas donde dar con el cuchillo, tentó su artificio, y viendo que sacaba fuego, hizo hilas de un pedazo de la camisa muy desmenuzadas que parecían algodón carmenado, que le sirvieron de yesca;[32] y con su industria y buena maña,[33] habiéndolo porfiado muchas veces, sacó fuego. Cuando se vio con él, se dio por bien andante,[34] y para sustentarlo recogió las horruras[35] que la mar echaba en tierra, y por horas las recogía, donde hallaba mu-

25. some of the tortoise-shells would hold as much as two **arrobas** (i.e. as much as fifty pounds)
26. with sufficient supplies for eating and drinking
27. if he could make a fire only to cook a meal and to make smoke (for signalling ships passing by)
28. for certainly men of that type are much better able to cope with any problem than are other men
29. he went in search of two pebbles to serve as flints from which he might strike fire with his knife
30. dead sand, i.e. without any vegetation
31. he would dive
32. breaking one upon another, so as to make sharp corners to strike against the knife, he then tried his plan, and seeing the sparks come out, he shredded a piece of his shirt, so minutely that the threads resembled lint of finely combed cotton: this served for tinder
33. skill, handiness
34. When he saw he had a fire, he considered himself fortunate
35. garbage

7

cha hierba, que llaman ovas marinas, y madera de navíos que por la mar se perdían,[36] y conchas y huesos de pescados, y otras cosas con que alimentaba el fuego. Y para que los aguaceros no se lo apagasen hizo una choza de las mayores conchas que tenía de las tortugas [37] que había muerto, y con grandísima vigilancia sebaba el fuego, porque no se le fuese de las manos.[38] Dentro de dos meses y aun antes se vio como nació,[39] porque con las muchas aguas, calor y humedad de la región, se le pudrió la poca ropa que tenía.[40] El sol con su gran calor le fatigaba mucho, porque ni tenía ropa con que defenderse, ni había sombra a que ponerse. Cuando se veía muy fatigado se entraba en el agua para cubrirse con ella. Con este trabajo y cuidado vivió tres años, y en este tiempo vio pasar algunos navíos; mas aunque él hacía su ahumada, que en la mar es señal de gente perdida, no echaban de ver en ella, o por el temor de los bajíos no osaban llegar donde él estaba y se pasaban de largo. De lo cual Pedro Serrano quedaba tan desconsolado, que tomara por partido el morirse y acabar ya.[41] Con las inclemencias del cielo le creció el vello de todo el cuerpo tan excesivamente, que parecía pellejo de animal, y no cualquiera, sino el de un jabalí:[42] el cabello y la barba le pasaba de la cinta.

Al cabo de los tres años, una tarde sin pensarlo, vio Pedro Serrano un hombre en su isla, que la noche antes se había perdido en los bajíos de ella, y se había sustentado en una tabla del navío; y como luego que amaneció viese el humo del fuego de Pedro Serrano, sospechando lo que fue se había ido a él, ayudado de la tabla y de su buen nadar. Cuando se vieron ambos, no se puede certificar cuál quedó más asombrado de

36. (to keep the fire burning) he collected a lot of seaweed, called sea lettuce, and timber from wrecked ships
37. That the rains might not extinguish his fire, he built a shack out of the largest turtle shells
38. and he fed the flames most assiduously lest his fire go out
39. he appeared as he was when he was born (i.e. naked)
40. had rotted the few clothes he had
41. he became so discouraged that he would have been glad to die and get it all over with
42. Owing to the inclemency of the weather, hair grew all over him so that (his skin) resembled the hide (or fur) of an animal, not that of just any (animal), but rather that of a wild boar

cuál.[43] Serrano imaginó que era el demonio que venía en figura de hombre para tentarle en alguna desesperación. El huésped·entendió que Serrano era el demonio en su propia figura, según lo vio cubierto de cabellos, barbas y pelaje.[44] Cada uno huyó del otro, y Pedro Serrano fue diciendo: "Jesús, Jesús, líbrame Señor del demonio."[45] Oyendo esto se aseguró el otro, y volviendo a él le dijo: "No huyáis, hermano, de mí, que soy cristiano como vos." Y para que se certificase,[46] porque todavía huía, dijo a voces el Credo;[47] lo cual oído por Pedro Serrano, volvió a él, y se abrazaron con grandísima ternura y muchas lágrimas y gemidos, viéndose ambos en una misma desventura sin esperanza de salir de ella. Cada uno de ellos brevemente contó al otro su vida pasada. Pedro Serrano, sospechando la necesidad del huésped, le dio de comer y de beber de lo que tenía, con que quedó algún tanto consolado, y hablaron de nuevo en su desventura. Acomodaron su vida como mejor supieron, repartiendo las horas del día y de la noche en sus menesteres[48] de buscar marisco para comer, y ovas y leña y huesos de pescado, y cualquiera otra cosa que la mar echase para sustentar el fuego; y sobre todo, la perpetua vigilia que sobre él habían de tener, velando por horas porque no se les apagase. Así vivieron algunos días; mas no pasaron muchos que no riñeron, y de manera que apartaron rancho, que no faltó sino llegar a las manos,[49] porque se vea cuán grande es la miseria de nuestras pasiones; la causa de la pendencia fue decir el uno al otro, que no cuidaba como convenía de lo que era menester; y este enojo y las palabras que con él se dijeron, los descompusieron y apartaron. Mas ellos mismos, cayendo en su disparate,[50] se pidieron perdón y se hicieron amigos y volvieron a su compañía, y en ella vivieron otros cuatro años. En este tiempo vieron pasar algunos navíos, y hacían sus ahuma-

43. it would be difficult to ascertain who was more surprised
44. coat of hair
45. "Oh Lord, deliver me from the Devil!"
46. and to prove it
47. he recited the Credo in a loud voice
48. chores
49. not many (days) had elapsed before they quarreled, so that they lived apart and nearly came to blows
50. realizing their foolishness

das; mas no les aprovechaba, de que ellos quedaban tan desconsolados, que no les faltaba sino morir.[51]

Al cabo de este largo tiempo acertó a pasar un navío tan cerca de ellos, que vio la ahumada y les echó el batel[52] para recogerlos. Pedro Serrano y su compañero, que se había puesto de su mismo pelaje, viendo el batel cerca, porque los marineros que iban por ellos no entendiesen que eran demonios y huyesen de ellos,[53] dieron en decir el Credo y llamar el nombre de nuestro Redentor a voces; y valióles el aviso, que de otra manera sin duda huyeran los marineros, porque no tenían figura de hombres humanos. Así los llevaron al navío, donde admiraron a cuantos los vieron y oyeron sus trabajos pasados. El campañero murió en la mar viniendo a España. Pedro Serrano llegó acá y pasó a Alemaña,[54] donde el emperador estaba entonces; llevó su pelaje como lo traía, para que fuese prueba de su naufragio, y de lo que en él había pasado. Por todos los pueblos que pasaba a la ida, si quisiera mostrarse, ganara muchos dineros.[55] Algunos señores y caballeros principales, que gustaron de ver su figura, le dieron ayudas de costa para el camino,[56] y la Majestad Imperial,[57] habiéndole visto y oído, le concedió cuatro mil pesos de renta, que son cuatro mil ochocientos ducados en el Perú. Al ir a gozarlos,[58] murió Serrano en Panamá y así no llegó a verlos.

Todo este cuento, como se ha dicho, contaba un caballero que se llamaba Garci Sánchez de Figueroa,[59] a quien yo se lo oí, y él conoció a Pedro Serrano y certificaba que se lo había oído a él mismo. Después de haber visto al Emperador, Serrano se había quitado el cabello y la barba, y la había de-

---

51. but to no avail, and so they remained so disheartened that there was nothing for them to do but die
52. small boat
53. so that the sailors who were coming for them would not think they were devils and run away
54. i.e. **Alemania**, Germany
55. on his way there, if he chose to exhibit himself, he would earn much money
56. helped pay his traveling expenses
57. His Imperial Majesty; Charles V, Emperor of the Holy Roman Empire, was Charles I, King of Spain
58. When about to enjoy the money (**ducados**)
59. an old soldier of the Conquest, first cousin of Garcilaso's father

jado poco más corta que hasta la cinta. Para dormir de noche Serrano se la trenzaba porque, si no la trenzaba, se tendía por toda la cama y le estorbaba el sueño.[60]

THE INCA WEEP-BLOOD

El Inca "llora sangre", séptimo rey, y sus miedos y conquistas, y el disfavor del príncipe.[1]

Muerto el rey Inca Roca,[2] su hijo Yahuar Huacac tomó la corona del reino, gobernólo con justicia, piedad y mansedumbre,[3] acariciando sus vasallos, haciéndoles todo el bien que podía. Descó sustentarse en la prosperidad que sus padres y abuelos le dejaron, sin pretender conquistas ni pendencia[4] con nadie porque con el mal agüero[5] de su nombre, y los pronósticos que cada día echaban sobre él, estaba temeroso de algún mal suceso, y no osaba tentar la fortuna por no irritar la ira de su padre el sol, no le enviase algún grave castigo. Con este miedo vivió algunos años, deseando paz y quietud para sí y para todos sus vecinos; y por no estar ocioso visitó sus reinos una, y dos y tres veces. Procuraba ilustrarlos[6] con edificios mangníficos; regalaba los vasallos en común y en particular; tratábalos con mayor afición y ternura que mostraron sus antepasados, que eran muestras y efectos del temor; en lo cual gastó nueve o diez años. Empero por no mostrarse tan pusilánime, que entre todos los Incas fuese notado de cobarde por no haber aumentado su imperio, acordó enviar un ejército de veinte mil hombres de guerra al suroeste del

---

60. he braided it, for it was not braided, it spread all over the bed and disturbed his sleep

1. The Inca Weep-Blood, seventh king of Perú. His fears, his conquests, and the disgrace of the crown prince
2. Inca Roca, and his son Yahuar (Blood) Huacac, were Inca rulers during the XIVth century
3. mildness
4. quarrel, feud
5. evil omen
6. to enhance them

11

Cozco.[7] eligió por capitán general a su hermano Inca May-ta, que desde aquella jornada, por haber sido general en ella, se llamó siempre Apu Mayta, que quiere decir el capitán general Mayta. Nombró cuatro Incas experimentados para maeses de campo.[8] No se atrevió el Inca a hacer la conquista por su persona, aunque lo deseó mucho; mas nunca se determinó a ir, porque su mal agüero en las cosas de la guerra lo traía sobre olas tan dudosas y tempestuosas, que donde le arrojaban las del deseo lo retiraban las del temor; por estos miedos nombró al hermano y a sus ministros, los cuales hicieron su conquista con bravedad y buena dicha, y redujeron al imperio de los Incas todo lo que hay desde Arequepa[9] hasta Tacama,[10] que llaman Collisuyu,[11] que es el fin y término por la costa de lo que hoy llaman Perú. La cual tierra es larga y angosta[12] y mal poblada,[13] y así se detuvieron y gastaron más tiempo los Incas en caminar por ella que en reducirla[14] a su señorío.

Acabada esta conquista se volvieron al Cozco, y dieron cuenta al Inca Yahuar Huacac de lo que habían hecho. El cual cobrando nuevo ánimo con el buen suceso de la jornada pasada, acordó hacer otra conquista de más honra y fama, que era reducir a su imperio unas grandes provincias que habían quedado por ganar en el distrito de Collasuyu, llamadas Caranca, Ullaca, Llipi, Chicha, Ampara. Las cuales, demás de ser grandes, eran pobladas de mucha gente valiente y belicosa; por los cuales inconvenientes los Incas pasados no habían hecho aquella conquista por fuerza de armas, por no destruir aquellas naciones bárbaras e indómitas, sino que de suyo se fuesen domesticando y cultivando poco a poco, y aficionándose al imperio y señorío de los Incas, viéndolo en sus comarcanos[15] tan suave, tan piadoso, tan en provecho de los vasallos, como lo experimentaban todos ellos.

7. i.e. Cuzco, "the world's navel," capital of the Inca Empire
8. camp masters
9. i.e. Arequipa, town on the Pacific
10. town on the coast
11. i.e. Collasuyu
12. narrow
13. sparsely populated
14. to subjugate it, to bring it under their sway
15. neighboring (districts), neighbors

En los cuidados de la conquista de aquellas provincias andaba el Inca Yahuar Huacac muy congojado,[16] metido entre miedos y esperanzas, que unas veces se prometía buenos sucesos, conforme a la jornada que su hermano Apu Mayta había hecho, otras veces desconfiaba de ellos por su mal agüero; por el cual no osaba[17] acometer ninguna empresa de guerra por los peligros de ella. Andando pues rodeado de estas pasiones y congojas, volvió los ojos a otros cuidados domésticos que dentro en su casa se criaban, que días había le daban pena y dolor, que fue la condición áspera de su hijo el primogénito,[18] heredero que había de ser de sus reinos; el cual, desde niño, se había mostrado mal acondicionado,[19] porque maltrataba los muchachos que de su edad con él andaban, y mostraba indicios de aspereza[20] y crueldad. Aunque el Inca hacía diligencias[21] para corregirle, y esperaba que con la edad, cobrando más juicio, iría perdiendo la braveza de su mala condición, parecía salirle vana esta confianza, porque con la edad antes crecía que menguaba[22] la ferocidad de su ánimo. Lo cual para el Inca su padre era de grandísimo tormento; porque como todos sus pasados se hubiesen preciado de la afabilidad y mansedumbre, érale de suma pena ver al príncipe de contraria condición. Procuró remediarla con persuasiones y con ejemplos de sus mayores, trayéndoselos a la memoria para aficionarle a ellos, y también con represiones y disfavores que le hacía; mas todo le aprovechaba poco o nada. Porque la mala inclinación en el grande y poderoso, pocas veces o nunca suele admitir corrección.

Así le acaeció a este príncipe, que cuanta triaca[23] le aplicaban a su mala inclinación, toda la convertía en la misma ponzoña.[24] Lo cual, viendo el Inca su padre, acordó desfavorecerlo del todo y apartarlo de sí, con propósito, si no apro-

16. anguished
17. dared
18. violent disposition of his eldest son
19. maladjusted
20. had shown signs of harshness, displayed a tendency to be harsh
21. taken steps to, tried means of
22. decreased
23. preventive medicine, remedy
24. poison

vechaba el remedio del disfavor, para enmendar la condición, desheredarlo, y elegir otro de sus hijos para heredero que fuese de la condición de sus mayores. Pensaba hacer esto imitando la costumbre de algunas provincias de su imperio donde heredaban los hijos más bien quistos.[25] La cual ley quería el Inca guardar con su hijo, no habiéndose hecho tal entre los reyes Incas. Con este presupuesto[26] mandó echarlo de su casa y de la corte, siendo ya el príncipe de diecinueve años, y que lo llevasen poco más de una legua de la ciudad, a unas grandes y hermosas dehesas[27] que llaman Chita, donde yo estuve muchas veces. Allí había mucho ganado del sol;[28] mandó que lo apacentase con los pastores que tenían aquel cuidado.[29] El príncipe, no pudiendo hacer otra cosa, aceptó el destierro y el disfavor que le daban en castigo de su ánimo bravo y belicoso, y llanamente se puso a hacer el oficio de pastor con los demás ganaderos, y guardó el ganado del sol, que ser del sol era consuelo para el triste Inca. Este oficio hizo aquel desfavorecido príncipe por espacio de tres años y más . . .

De un aviso que una fantasma dio al príncipe para que lo lleve a su padre.[1]

Habiendo desterrado el Inca Yahuar Huacac a su hijo primogénito (cuyo nombre no se sabe cuál era mientras fue príncipe, porque lo borró totalmente el que adelante le dieron, que como no tuvieron letras, se les olvidaba para siempre todo lo que por su tradición dejaban de encomendar a la memoria) le pareció dejar del todo las guerras y conquistas de nuevas provincias, y atender solamente al gobierno y quietud de su reino; y no perder el hijo de vista, alejándolo de sí, sino tenerlo a la mira y procurar la mejora de su condición; y no pudiendo haberla, buscar otros remedios, aunque todos los

25. well liked, beloved
26. with this in mind
27. pasture grounds (in the high plateau of Chita, east of Cuzco)
28. herds dedicated to the Sun
29. to tend to the grazing, i.e. to make him into a shepherd

1. A ghost appears to the prince and entrusts him with a message for his father

14

que se le ofrecían, como ponerle en perpetua prisión o desheredarle, y elegir otro en su lugar, le parecían violentos y mal seguros, por la novedad y grandeza del caso, que era deshacer la deidad de los Incas, que eran tenidos por divinos hijos del sol, y que los vasallos no consentirían aquel castigo, ni cualquiera otro que quisiese hacer en el príncipe.

Con esta congoja y cuidado, que le quitaba todo descanso y reposo, anduvo el Inca más de tres años, sin que en ellos se ofreciese cosa digna de memoria. En este tiempo envió dos veces a visitar el reino a cuatro parientes suyos, repartiendo a cada uno las provincias que habían de visitar; mandóles que hiciesen las obras que conviniesen al honor del Inca y al beneficio común de los vasallos, como era sacar nuevas acequias,[2] hacer depósitos y casas reales, y fuentes, y puentes, y calzadas,[3] y otras obras semejantes: mas él no osó salir de la corte, donde entendía celebrar las fiestas del sol, y las otras que se hacían entre año, y en hacer justicia a sus vasallos. Al fin de aquel largo tiempo, un día, poco después de mediodía, entró el príncipe en la casa de su padre, donde menos le esperaban,[4] solo y sin compañía, como hombre desfavorecido del rey. Al cual le envió a decir que estaba allí, y que tenía necesidad de darle cierta embajada.[5] El Inca respondió con mucho enojo que se fuese luego donde le había mandado residir, si no quería que lo castigase con pena de muerte por inobediente al mandato real. El príncipe respondió diciendo que él no había venido allí por quebrantar su mandamiento,[6] sino por obedecer a otro tan gran Inca como él.

El Inca, oyendo decir otro tan gran señor como él, mandó que entrase por ver qué disparates eran aquéllos, y saber quién le enviaba recados con el hijo desterrado y privado de su gracia, quiso averiguar qué novedades eran aquéllas para castigarlas. El príncipe, puesto ante su padre, le dijo: "¡Sólo señor! Sabrás que estando yo recostado hoy a mediodía (no sabré certificarte si despierto o dormido) debajo de una gran

2. irrigation ditches
3. highways
4. when least expected, suddenly
5. to bring him certain findings
6. to break his orders, to disobey

peña de las que hay en los pastos de Chita, donde por tu mandado apaciento las ovejas de nuestro padre el sol, se me puso delante un hombre extraño, en hábito y en figura diferente de la nuestra; porque tenía barbas en la cara de más de un palmo,[7] y el vestido largo y suelto que le cubría hasta los pies; traía atado por el pescuezo un animal no conocido; el cual me dijo: "Sobrino, yo soy hijo del sol y hermano del Inca Manco Capac[8] y de la Coya Mama Ocllo Huaco, su mujer y hermana, los primeros de tus antepasados; por lo cual soy hermano de tu padre y de todos vosotros. Llámome Viracocha Inca,[9] vengo de parte del sol nuestro padre a darte aviso, para que se lo dés al Inca mi hermano, como toda la mayor parte de las provincias de Chinchasuyu, sujetas a su imperio, y otras de las no sujetas, están rebeladas,[10] y juntan mucha gente para venir con poderoso ejército a derribarle de su trono[11] y destruir nuestra imperial ciudad del Cozco. Por tanto ve al Inca mi hermano, y dile de mi parte que se aperciba y prevenga,[12] y mire por lo que le conviene acerca de este caso. Y en particular te digo a ti, que en cualquiera adversidad que te suceda, no temas que yo te falte, que en todas ellas te socorreré como a mi carne y sangre. Por tanto, no dejes de acometer cualquiera hazaña, por grande que sea, que convenga a la majestad de tu sangre y a la grandeza de tu imperio, que yo seré siempre en tu favor y amparo, y te buscaré los socorros que hubieres menester." Dichas estas palabras, dijo el príncipe, se

7. he had a beard longer than a hand's breadth (i.e. from the thumb to the end of the little finger), and because of this long beard he was different from the Incas who were almost beardless
8. first ruler of the Incas
9. "Viracocha, the Creator, was the theoretical source of all power. But the Indians believed that he had delegated the administration of his creation to a multitude of supernatural beings, who were his assistants, and who had accordingly a more direct influence on human affairs. He lived in heaven and appeared to men in times of crisis. He was also a cultural hero, since it was believed that after the creation he traveled on earth to teach men how to live and to perfom miracles. His travels took him to Manta (Ecuador) from where he crossed the Pacific Ocean, walking on the water." John H. Rowe: **Inca Culture at the Time of the Spanish Conquest**, Washington, D. C., Bureau of American Ethnology, 1946
10. in rebellion
11. to dethrone him
12. to be on his guard and make ready

me desapareció el Inca Viracocha, que no le ví más; y yo tomé luego el camino para darte cuenta de lo que me mandó te dijese."

Las consultas de los Incas sobre el recaudo de la fantasma.[1]

El Inca Yahuar Huacac, con la pasión y enojo que contra su hijo tenía, no quiso crerle; antes le dijo que era un loco soberbio, que los disparates que andaba imaginando venía a decir que eran revelaciones de su padre el sol; que se fuese luego a Chita, y no saliese de allí jamás, so pena de su ira. Con esto se volvió el príncipe a guardar sus ovejas, más desfavorecido de su padre que antes lo estaba. Los Incas más allegados[2] al rey, como eran sus hermanos y tíos que asistían a su presencia, como fuesen tan agoreros[3] y supersticiosos, principalmente en cosas de sueños, tomaron de otra manera lo que el príncipe dijo, y dijeron al Inca que no era de menospreciar[4] el mensaje y aviso del Inca Viracocha su hermano, habiendo dicho que era hijo del sol, y que venía de su parte. Ni era de creer que el príncipe fingiese aquellas razones en desacato[5] del sol, que fuera sacrilegio el imaginarlas, cuanto más decirlas delante del rey su padre. Por tanto, sería bien se examinasen una a una las palabras del príncipe, y sobre ellas se hiciesen sacrificios al sol, y tomasen sus agüeros[6] para ver si les pronosticaba bien o mal, y se hiciesen las diligencias necesarias a negocio tan grave. Porque dejarlo así desamparado, no solamente era hacer en su daño, mas también parecía menospreciar al sol, padre común, que enviaba aquel aviso; y al Inca Viracocha su hijo que lo había traído, y era amontonar[7] para adelante errores sobre errores.

El Inca, con el odio que a la mala inclinación de su hijo tenía, no quiso admitir los consejos que sus parientes le da-

1. The Incas meet in council to discuss the apparition's precautionary messages or warnings
2. closest
3. ill-omened, superstitious
4. underestimate
5. irreverence, contempt
6. omens
7. to pile up

ban; antes dijo que no se había de hacer caso del dicho de un loco furioso, que en lugar de enmendar y corregir la aspereza de su mala condición para merecer la gracia de su padre, venía con nuevos disparates, por los cuales y por extrañeza, merecía que lo depusieran y privaran del principado y herencia del reino, como lo pensaba hacer muy presto, y elegir uno de sus hermanos; que si no autorizara su atrevimiento con decir que la embajada era de un hijo del sol, mandara le cortaran la cabeza, por haber quebrantado el destierro que le había dado. Por tanto, les mandaba que no tratasen de aquel caso, sino que se le pusiese perpetuo silencio; porque le causaba mucho enojo traerle a la memoria cosa alguna del príncipe, que ya él sabía lo que había de hacer de él.

Por el mandato del rey callaron los Incas, y no hablaron más en ello, aunque en sus ánimos no dejaron de temer algún mal suceso.

La rebelión de los chancas, y sus antiguas hazañas.[1]

Tres meses después del sueño del príncipe Viracocha Inca (que así le llamaban los suyos de aquí adelante por la fantasma que vió) vino nueva,[2] aunque incierta, del levantamiento[3] de las provincias de Chinchasuyu desde Atahualla adelante, la cual está cerca de cuarenta leguas del Cozco al norte. Esta nueva vino sin autor, mas de que la fama[4] la trajo confusa y oculta, como ella suele hablar siempre en casos semejantes, y así aunque el príncipe Viracocha lo había soñado, y conformaba la nueva con el sueño, no hizo el rey caso de ella, porque le pareció que eran hablillas de camino.[5] Poco después se volvió a refrescar la misma nueva, aunque todava incierta y dudosa; porque los enemigos habían cerrado los caminos con grandísima diligencia, para que el levantamiento de ellos no se supiese, sino que primero los viesen en el Cozco que supiesen de su ida. La tercera nueva llegó ya muy certificada,

1. The Chanca rebellion and their former exploits
2. news
3. uprising
4. i.e. was passed about by word of mouth
5. a rumor

18

diciendo que las naciones llamadas Chanca, Uramarca, Uillca, Utusulla, Hancohuallu y otras circunvecinas a ellas se habían .rebelado, y muerto los gobernadores y ministros regios, y que venían contra la ciudad con ejército de más de cuarenta mil hombres de guerra.

Estas naciones son las que dijimos haberse reducido[6] al imperio del rey Inca Roca, más por el terror de sus armas que por el amor de su gobierno; y como los notamos entonces, quedaron con rencor y odio de los Incas, para mostrarlo cuando se les ofreciese ocasión. Viendo pues al Inca Yahuar Huacac tan poco belicoso, antes acobardado[7] con el mal agüero de su nombre, y escandalizado y embarazado con la esperanza de la condición de su hijo el príncipe Inca Viracocha, y habiéndose divulgado entre estos indios algo del nuevo enojo que el rey había tenido con su hijo, aunque no se dio la causa, y los grandes disfavores que le hacia, les pareció bastante ocasión para mostrar el mal ánimo que al Inca tenían, y el odio que habían a su imperio y dominio. Y así con la mayor brevedad y secreto que pudieron se convocaron unos a otros, y llamaron sus comarcanos, y entre todos ellos levantaron un poderoso ejército de más de treinta mil hombres de guerra, y caminaron en demanda de la imperial ciudad del Cuzco. Los autores de este levantamiento, y los que incitaron a los demás señores de vasallos, fueron tres indios, principales *curacas* de tres grandes provincias de la nación Chanca (debajo de este nombre se incluyen otras muchas naciones) el uno se llamó Hancohuallu, mozo de veintiséis años, y el otro Tumay Huaraca, y el tercero Astu Huaraca. Estos dos últimos eran hermanos y deudos[8] de Hancohuallu.

El Inca desampara la ciudad, y el príncipe la socorre.[1]

El Inca Yahuar Huacac se halló confuso porque no tenía tiempo para convocar gente con que salir al encuentro a los

6. had surrendered
7. frightened
8. relatives

1. The Inca abandons the city and the prince saves it

19

enemigos, ni presidio² en la ciudad para (mientras le viniese el socorro) defenderse de ellos. Le pareció dar lugar a la furia de los tiranos, y retirarse hacia Collasuyu, donde se prometía estar seguro de la vida, por la nobleza y lealtad de los vasallos. Con esta determinación se retiró con los pocos Incas que pudieron seguirle.

La ciudad del Cozco, con la ausencia de su rey, quedó desamparada, sin capitán ni caudillo que osase hablar, cuanto más pensar defenderla, sino que todos procuraban huir; y así se fueron los que pudieron por diversas partes, donde entendían poder mejor salvar las vidas. Algunos de los que iban huyendo fueron a toparse con el príncipe Viracocha Inca, y le dieron nueva de la rebelión de Chinchasuyu; y cómo el Inca su padre se había retirado hacia Collasuyu, por parecerle que no tenía posibilidad para resistir a los enemigos por el repentino asalto con que le acometían.

El príncipe sintió grandemente saber que su padre se hubiese retirado y desamparado la ciudad; mandó a los que le habían dado la nueva, y a algunos de los pastores que consigo tenía, que fuesen a la ciudad, y a los indios que topasen por los caminos, y a los que hallasen en ella, les dijesen de su parte que todos los que pudiesen procurasen ir en pos del Inca³ su señor con las armas que tuviesen; porque él pensaba hacer lo mismo, y que pasasen la palabra de este mandato de unos a otros. Dada esta orden, salió el príncipe Viracocha Inca en seguimiento de su padre por unos atajos,⁴ sin querer entrar en la ciudad, y con la prisa que se dio lo alcanzó en la angostura⁵ de Muyna. Y lleno de polvo y sudor, con una lanza en la mano, que había llevado por el camino, se puso delante del rey, y con semblante triste y grave dijo:

"Inca, ¿cómo se permite que por una nueva falsa o verdadera de unos pocos de vasallos rebelados desampares⁶ tu corte, y vuelvas las espaldas⁷ a los enemigos aún no vistos? ¿Cómo

2. fortress
3. to join the king
4. short cuts
5. narrow pass
6. abandon
7. turn your back

se sufre que dejes entregada la casa del sol tu padre, para que los enemigos la huellen[8] con sus pies calzados y hagan en ellas las abominaciones que tus antepasados les quitaron de sacrificios de hombres, mujeres y niños, y otras grandes bestialidades y sacrilegios? ¿Qué cuenta daremos de las vírgenes que están dedicadas para mujeres del sol con observancia de perpetua virginidad, si las dejamos desamparadas para que los enemigos brutos y bestiales hagan de ellas lo que quisieren? ¿Qué honra habremos ganado de haber permitido estas maldades por salvar la vida? Yo no la quiero, y así vuelvo a ponerme delante de los enemigos para que me la quiten antes que entren en el Cozco; porque no quiero ver las abominaciones que los bárbaros harán en aquella imperial y sagrada ciudad que el sol y sus hijos fundaron. Los que me quisieren seguir vengan en pos de mí, que yo los mostraré a trocar vida vergonzosa por muerte honrada."

Habiendo dicho con gran dolor y sentimiento estas razones, volvió su camino hacia la ciudad sin querer tomar comida ni bebida. Los Incas de la sangre real que habían salido con el rey, entre ellos hermanos suyos, y muchos sobrinos y primos hermanos, y otra mucha parentela[9] que serían más de cuatro mil hombres, se volvieron todos con el príncipe, que no quedaron con su padre sino los viejos inútiles. Por el camino y fuera de él toparon mucha gente que salía huyendo de la ciudad; apellidáronles[10] que se volviesen; diéronles nueva para que se esforzasen, cómo el príncipe Inca Viracocha volvía a defender su ciudad y la casa de su padre el sol. Con esta nueva se animaron los indios tanto, que volvieron todos los que huían, principalmente los que eran de provecho, y unos a otros se apedillaban por los campos pasando la palabra de mano en mano,[11] cómo el príncipe volvió a la defensa de la ciudad, la cual hazaña[12] les era tan agradable, que con grandísimo consuelo volvían a morir con el príncipe.

De esta manera entró en la ciudad y mandó que la gente que se recogía le siguiese luego; y él pasó adelante y tomó el

8. defile
9. kinfolk
10. rallied them
11. spreading by word of mouth
12. exploit

21

camino de Chinchasuyu, por donde los enemigos venían para ponerse entre ellos y la ciudad; porque su intención no era de resistirles, que bien entendía que no tendría fuerzas para contra ellos, sino de morir peleando antes que los contrarios entrasen en la ciudad, y la hollasen como bárbaros y enemigos victoriosos sin respetar al sol, que era lo que más sentía.

El Inca Viracocha tiene nueva de los enemigos y de un socorro que le viene.[1]

Poco más de media legua de la ciudad, al norte, está un llano grande; allí paró el príncipe Inca Viracocha a esperar la gente, que en pos de él salía del Cozco y a recoger los que habían huído por los campos; de los unos y de los otros, y de los que trajo consigo, juntó más de ocho mil hombres de guerra, todos Incas, determinados de morir delante de su príncipe. En aquel puesto le llegó aviso que los enemigos quedaban nueve o diez leguas de la ciudad, y que pasaban ya el gran río Apurimac. Otro día, después de esta mala nueva, llegó otra buena en favor de los Incas, y vino de la parte de Contisuyu, de un socorro de casi veinte mil hombres de guerra, que venía pocas leguas de allí en servicio de su príncipe, de las naciones quechua, cotapampa, cotanera y aymara,[2] y otras que por aquellas partes confinan[3] con las provincias rebeladas.

Los quechuas, por mucho que hicieron los enemigos por encubrir su traición, la supieron, porque confinan con tierras de los chancas; y por parecerles el tiempo corto, no quisieron avisar al Inca por no esperar su mandado, sino que levantaron toda la más gente que pudieron, con la presteza[4] que la necesidad pedía, y con ella caminaron hacia la ciudad del Cozco, para socorrerla si pudiesen, o morir en servicio de su rey; porque estas naciones eran las que se redujeron de su voluntad al imperio del Inca Capac Yupanqui, y por mostrar aquel

1. The Inca Viracocha is informed about the enemy and about forthcoming assistance
2. names of different tribes under Inca leadership, often speaking quechua or aymara
3. border
4. promptitude

amor vinieron con este socorro. También lo hicieron por su propio interés, por el odio y enemistad antigua que siempre hubo entre chancas y quechuas de muchos años atrás, y por no volver a las tiranías de los chancas (si por alguna vía venciesen) llevaron aquel socorro.

El príncipe Inca Viracocha y todos los suyos se esforzaron mucho de saber que les venía tan gran socorro en tiempo de tanta necesidad, y lo atribuyeron a la promesa que su tío la fantasma Viracocha Inca le había hecho cuando le apareció en sueños, y le dijo que en todas sus necesidades le favorecería como a su carne y sangre.

Sabiendo la venida del socorro, acordaron estarse quedos[5] hasta que llegasen los amigos, para que descansasen y tomasen algún refresco entre tanto que llegaban los enemigos. También le pareció al Inca Viracocha, y a sus parientes los consejeros, que ya que se aumentaban sus fuerzas no se alejasen de la ciudad, por tener cerca los bastimentos[6] y lo demás necesario para la gente de guerra, y para socorrer la ciudad con presteza si se le ofreciese algún peligro.

Con este acuerdo estuvo el príncipe Inca Viracocha en aquel llano hasta que llegó el socorro, que fue de doce mil hombres de guerra. El príncipe los recibió con mucho agradecimiento del amor que a su Inca tenían; hizo grandes favores y regalos a los curacas[7] de cada nación, y a todos los demás capitanes y soldados, loando[8] su lealtad, y ofreciendo para adelante el galardón[9] de aquel servicio tan señalado.[10] Los curacas, después de haber adorado a su Inca, Viracocha, le dijeron cómo dos jornadas atrás[11] venían otros cinco mil hombres de guerra que ellos por venir apriesa[12] con el socorro no los habían esperado. El príncipe le agradeció de nuevo la venida de los unos y de los otros; y habiéndolo consultado con los parientes, mandó a los curacas que enviasen aviso a los que venían de lo que

5. to stay where they were
6. supplies
7. officials
8. praising
9. reward
10. outstanding, remarkable
11. two days' pace behind
12. i.e. a prisa, promptly

pasaba, y como el príncipe quedaba en aquel llano con su ejército, que se diesen priesa hasta llegar a unos cerrillos y quebradas[13] que allí cerca había, y que en ellos se emboscasen[14] y estuviesen encubiertos hasta ver qué hacían los enemigos de sí. Porque si quisiesen pelear entrarían en el mayor hervor de la batalla, y darían en los contrarios por un lado para vencerlos con más facilidad; y si no quisiesen pelear habrían hecho como buenos soldados.

Dos días después que llegó el socorro al Inca, asomó[15] por lo alto de la cuesta de Rimactampu[16] la vanguardia[17] de los enemigos; los cuales sabiendo que el Inca Viracocha estaba cinco leguas de allí, fueron haciendo pausas[18] y pasaron la palabra atrás, para que la batalla y retaguardia se diesen priesa a caminar, y se juntasen con la vanguardia. De esta manera caminaron aquel día y llegaron todos juntos a Sacsahuana, tres leguas y media de donde estaba el príncipe Viracocha.

Batalla muy sangrienta, y el ardid con que se venció.[1]

A Sacsahuana envió mensajeros el Inca Viracocha a los enemigos, con requerimientos de paz y amistad y perdón de lo pasado. Mas los chancas, habiendo sabido que el Inca Yahuar Huacac se había retirado y desamparado la ciudad, aunque supieron que el príncipe su hijo estaba determinado defenderla, y que aquel mensaje era suyo, no lo quisieron escuchar por parecerles que habiendo huído el padre no había por qué temer al hijo, y que la victoria era de ellos. Con estas esperanzas despidieron los mensajeros sin les oír. Otro día bien de mañana salieron de Sacsahuana y caminaron hacia el Cozco, y por priesa que se dieron,[2] habiendo de caminar en escuadrón formado según orden de guerra, no pudieron llegar antes de la noche

13. hills and ridges
14. lie in ambush
15. emerged
16. Rimactampu Ridge
17. advance guard
18. halted to wait

1. A very bloody battle and the strategy which brought about (the Inca's) victory
2. despite their haste

a donde el príncipe estaba, pararon un cuarto de legua en medio. Estuvieron los unos y los otros bien a recaudo[3] toda la noche. Luego en siendo de día armaron sus escuadrones, y con grandísima grita y vocería, y sonido de trompetas, atabales y caracoles,[4] caminaron los unos contra los otros. El Inca Viracocha quiso ir delante de todos los suyos, y fue el primero que tiró a los enemigos el arma que llevaba; luego se trabó una bravísima pelea:[5] los chancas, por salir con la victoria que se habían prometido, pelearon obstinadamente. Los Incas hicieron lo mismo por librar a su príncipe de muerte o de afrenta. En esta pelea anduvieron todos con grandísimo coraje hasta mediodía, matándose unos a otros cruelmente sin reconocerse ventaja de alguna de las partes. A esta hora asomaron los cinco mil indios que habían estado emboscados, y con mucho denuedo[6] y grande alarido[7] dieron en los enemigos por el lado derecho de su escuadrón; y como llegasen de refresco y arremetiesen con gran ímpetu, hicieron mucho daño en los chancas y los retiraron muchos pasos atrás. Mas ellos esforzándose unos a otros, volvieron a cobrar lo perdido y pelearon con grandísimo enojo[8] que de sí mismos tenían, de ver que estuviesen tanto tiempo sin ganar la victoria que tan prometida se tenían.

Pelearon más de dos horas largas, sin que se reconociese ventaja alguna, mas de allí adelante empezaron a aflojar[9] los chancas, porque a todas horas sentían entrar nueva gente en la batalla; y fue que los que se iban huyendo de la ciudad y los vecinos de los pueblos comarcanos a ella, sabiendo que el príncipe Viracocha Inca había vuelto a la defensa de la casa del sol, juntándose de cincuenta en cincuenta y de ciento en ciento, y más y menos como acertaban a hallarse, iban a

3. on the alert
4. trumpets, kettle drums and conch horns
5. began a very fierce battle
6. daring
7. shouting, outcry
8. doggedness, i.e. they fought on with a doggedness that was all the greater for the fact that time was passing and they were still far from having achieved the victory they had counted on
9. showed signs of weakening

morir con el príncipe, y viendo la pelea trabada entraban en ella dando grandísimos alaridos, haciendo más ruido de lo que era la gente. Por estos nuevos socorros desconfiaron los chancas de la victoria, entendiendo que eran de mucha más gente, y así pelearon de allí adelante más por morir que por vencer. Los Incas, como gente que estaba hecha a engrandecer sus hechos con fábulas y testimonios falsos que levantaban al sol, viendo tantos socorros, aunque tan pequeños, quisieron no perder esta ocasión, sino valerse de ella con la buena industria que para semejantes cosas tenían. Dieron grandes voces, diciendo que las piedras y las matas[10] de aquellos campos se convertían en hombres y venían a pelear en servicio del príncipe, porque el sol y el dios Viracocha lo mandaban así. Los chancas, como gente creedera[11] de fábulas, desmayaron mucho.[12]

El padre Acosta escribió: "Habida, pues, la victoria,[13] el príncipe declaró a sus soldados que no habían sido ellos los que habían vencido, sino ciertos hombres barbudos[14] que el Viracocha le había enviado, y que nadie pudo verlos sino él; y que éstos se habían después convertido en piedras, y convenía buscarlos, que él los conocería. Y así juntó de los montes gran suma de piedras, que él escogió y puso por guacas[15] y las adoraban y hacían sacrificios, y las cuales llevaban a la guerra con grande devoción, teniendo por cierta la victoria con su ayuda, y pudo esta imaginación y ficción de aquel Inca tanto, que con ella alcanzó victorias muy notables."

Generosidades del príncipe Inca Viracocha después de la victoria.[1]

Los Incas, viendo enflaquecer[2] los enemigos, apellidando todos el nombre de su tío la fantasma Inca Viracocha, por-

10. bushes, shrubs
11. gullible
12. were greatly discouraged
13. So then, when victory became assured
14. bearded men
15. sacred objects, idols

1. Prince Inca Viracocha's generosity after his victory
2. to weaken

que así lo mandó el príncipe, cerraron[3] con ellos con gran ímpetu y mataron gran número de ellos, y los pocos que quedaron volvieron las espaldas huyendo a más no poder. El príncipe mandó tocar a recoger[4] porque no matasen ni hiriesen más enemigos, pues se daban ya por vencidos; y mandó recoger los heridos para que los curasen, y los muertos para que los enterrasen. Mandó soltar los presos que se fuesen libremente a sus tierras, diciéndoles que los perdonaba a todos. La batalla, habiendo sido tan reñida[5] que duró más de ocho horas, fue muy sangrienta, tanto que dicen los indios, que demás de la que se derramó por el campo, corrió sangre por un arroyo[6] seco que pasa por aquel llano; por lo cual le llamaron de allí adelante Yahuar Pampa, que quiere decir campo de sangre. Murieron más de treinta mil indios, los ocho fueron de la parte del Inca Viracocha.[7]

Quedaron presos los dos maeses de campo[8] y el general Hancohaullu; al cual mandó curar el príncipe con mucho cuidado, que salió herido aunque poco, y a todos tres los retuvo para el triunfo que pensaba hacer adelante. Un tío del príncipe, pocos días después de la batalla, les dio una grave reprensión por haberse atrevido a los hijos del sol, diciendo que eran invencibles; en cuyo favor y servicio peleaban las piedras y los árboles, convirtiéndose en hombres, porque así lo mandaba su padre el sol, como en la batalla pasada lo habían visto, y lo verían todas las veces que lo quisiesen experimentar. Dijo otras fábulas en favor de los Incas; y a lo último les dijo que rindiesen las gracias al sol, que mandaba a sus hijos tratasen con misericordia y clemencia a los indios; que por esta razón el príncipe les perdonaba las vidas y les hacía nueva merced de sus estados y a todos los demás curacas que con ellos se habían rebelado, aunque merecían cruel muerte; y que de allí adelante fuesen buenos vasallos, si no querían que el sol los castigase, con mandar a la tierra que se los tragase

3. to close in on (an enemy)
4. had all his troops assembled
5. hard-fought (battle)
6. brook
7. eight thousand of whom were on the Inca's side
8. field commanders

vivos.[9] Los curacas, con mucha humildad, rindieron las gracias de la merced que les hacía, y prometieron ser leales criados.

Habida tan gran victoria, el Inca Viracocha hizo[10] luego tres mensajeros. El uno envió a la casa del sol, a hacerle saber la victoria que mediante su favor y socorro había alcanzado, como si él no la hubiera visto; porque es así que estos Incas, aunque tenían al sol por Dios, le trataban tan corporalmente como si fuera un hombre como ellos; porque entre otras cosas que con él hacían a semejanza de hombre, era brindarle,[11] y lo que el sol había de beber lo echaban en un medio tinajón[12] de oro que ponían en la plaza, donde hacían sus fiestas o en su templo; y la tenían al sol y decían que lo que de allí faltaba lo bebía el sol; y no decían mal, porque su calor lo consumía. También le ponían platos de vianda que comiese; y cuando había sucedido alguna cosa grande como la victoria pasada, le hacían mensajero particular para hacerle saber lo que pasaba, y rendirle las gracias de ello.

Otro mensajero envió a las vírgenes dedicadas para mujeres del sol, que llamamos escogidas, con la nueva de la victoria, como que por sus oraciones y méritos se la hubiese dado el sol. Otro correo que llaman chasqui[13] envió al Inca su padre, dándole cuenta de todo lo que hasta aquella hora había pasado, y suplicándole que hasta que él volviese no se moviese de donde estaba.

El príncipe vuelve al Cozco, vese con su padre, desposéele del imperio.[1]

Despachados los mensajeros mandó elegir seis mil hombres de guerra, que fuesen con él en seguimiento del alcance,[2] y a la demás gente despidió que se volviese a sus casas, con pro-

9. to swallow them alive
10. dispatched
11. to give a drink
12. big vase
13. state courier

1. The Prince comes back to Cuzco, meets his father, and takes the Empire from him
2. to catch up with (the enemy's rearguard)

mesa que hizo a los curacas de gratificarles a su tiempo aquel servicio. Nombró dos tíos suyos por maeses de campo que fuesen con él, y dos días después de la batalla salió con su gente en seguimiento de los enemigos, no para maltratarlos, sino para asegurarlos del temor que podían llevar de su delito; y así los que por el camino alcanzó heridos y no heridos, los mandó curar, y de los mismos indios rendidos envió mensajeros que fuesen a sus provincias y pueblos, y les dijesen cómo el Inca iba a perdonarlos y consolarlos, y que no hubiesen miedo. Con estas prevenciones hechas caminó apriesa, y cuando llegó a la provincia Antahuaylla, que es la de los chancas, salieron las mujeres y niños que pudieron juntarse, con ramos verdes en las manos, aclamando y diciendo: "Solo señor, hijo del sol, amador de pobres, habed lástima de nosotros y perdonadnos."

El príncipe los recibió con mucha mansedumbre y les mandó decir que de la desgracia recibida habían tenido la culpa sus padres y maridos; y que a todos los que se habían rebelado los tenía perdonados, y que venía a visitarlos por su persona, para que oyendo el perdón de su propia boca, quedasen más satisfechos, y perdiesen de todo el temor que podían tener de su delito. Mandó que les diesen lo que hubiesen menester, y los tratasen con todo amor y caridad, y tuviesen gran cuenta con el alimento de las viudas y huérfanos, hijos de los que habían muerto en la batalla de Yahuarpampa.

Corrió en muy breve tiempo todas las provincias que se habían rebelado, y dejando en ellas gobernadores con bastante gente, se volvió a la ciudad y entró en ella en espacio de una luna como dicen los indios, que habían salido de ella, porque cuentan los meses por lunas. Los indios, así los leales como los que se habían rebelado, quedaron admirados de ver la piedad y mansedumbre del príncipe, que no lo esperaban de la aspereza de su condición; antes habían temido que pasada la victoria, había de hacer alguna grande carnicería.[3] Empero decían que su dios el sol le había mandado que mudase de condición y semejase a sus pasados. Mas lo cierto es, que el deseo de la honra y fama puede tanto en los ánimos gene-

3. butchery

rosos, que les hace fuerza a que truequen[4] la brava condición, y cualquiera otra mala inclinación en la contraria, como lo hizo este príncipe, para dejar el buen nombre que dejó entre los suyos.

El Inca Viracocha entró en el Cozco a pie, por mostrarse soldado más que no rey; descendió por la cuesta abajo de Carmenca rodeado de su gente de guerra, en medio de sus tíos los maeses de campo, y los prisioneros en pos de ellos. Fue recibido con grandísima alegría y muchas aclamaciones de la multitud del pueblo. Los Incas viejos salieron a recibirle y adorarle por hijo del sol; y después de haberle hecho el acatamiento debido,[5] se metieron entre sus soldados para participar del triunfo de aquella victoria. Daban a entender que deseaban ser mozos para militar debajo de tal capitán.[6] Su madre la Coya Mama Chic-ya y las mujeres más cercanas en sangre al príncipe, como hermanas, tías y primas hermanas, y segundas, con otro gran multitud de pallas[7] salieron por otra parte a recibirle con cantares de fiesta y regocijo; unas le abrazaban; otras le enjugaban el sudor de la cara;[8] otras le quitaban el polvo que traía;[9] otras le echaban flores y hierbas olorosas.[10] De esta manera fue el príncipe hasta la casa del sol, donde entró descalzo[11] según la costumbre de ellos, a rendirle las gracias de la victoria que le había dado. Luego fue a visitar las vírgenes mujeres del sol; y habiendo hecho estas dos visitas, salió de la ciudad a ver a su padre, que todavía se estaba en el angostura de Muyna[12] donde lo había dejado.

El Inca Yahuar Huac recibió al príncipe su hijo, no con el regocijo, alegría y contento que se esperaba de hazaña tan grande y victoria tan desconfiada,[13] sino con un semblante[14]

4. transform
5. obeisance due him
6. they would have liked to be young again in order to have the honor of serving under his command
7. princesses of royal blood
8. wiped the sweat from his face
9. brushed the dust off his garments
10. scented herbs
11. barefoot
12. Muyna mountain pass
13. unhoped-for
14. face

30

grave y melancólico, que antes mostraba pesar que placer. O que fuese de envidia de la famosa victoria del hijo, o de vergüenza de su pusilanimidad pasada, o de temor que el príncipe le quitase el reino, por haber desamparado la casa del sol, y las vírgenes sus mujeres, y la ciudad imperial; no se sabe cuál de estas tres cosas causase su pena, o si todas tres juntas.

En aquel auto público[15] pasaron entre ellos pocas palabras, más después en secreto hablaron muy largo; sobre qué fuese la plática[16] no lo saben decir los indios, mas de que por conjeturas se entiende, que debió de ser acerca de cuál de ellos había de reinar, si el padre o el hijo; porque de la plática secreta salió resuelto el príncipe que su padre no volviese al Cozco, por haberla desamparado. Por evitar escándalos y guerras civiles, y particularmente porque no pudo más, consintió en todo lo que el príncipe quiso hacer de él. Con este acuerdo trazaron luego una casa real[17] entre el angostura de Muyna y Quespicancha, en un sitio ameno (que todo aquel valle lo es) con todo el regalo y delicias que se pudieron imaginar, de huertas y jardines, y otros entretenimientos reales de caza y pesquería.[18] Se volvió el príncipe Viracocha Inca a la ciudad, y dejó la borla amarilla y tomó la colorada;[19] mas aunque él la traía, nunca consintió que su padre se quitase la suya. Acabada de labrar la casa le puso todos los criados y el demás servicio necesario, tan cumplido, que si no era el gobierno del reino, no le faltó al Inca Yahuar Huacac otra cosa. En esta vida solitaria vivió este pobre rey lo que de la vida le quedó, desposeído del reino por su propio hijo, y desterrado en el campo a hacer vida con las bestias, como poco antes tuvo él al mismo hijo.

15. public act
16. talk
17. a plan was drawn up for a palace
18. other royal refinements, such as hunting and fishing preserves
19. he exchanged his yellow bandeau for the scarlet one

31

Del nombre Viracocha, y por qué se lo dieron a los españoles.[1]

Volviendo al príncipe, es de saber, que por el sueño pasado le llamaron Viracocha. Diéronle el nombre de la fantasma que se le apareció, la cual dijo llamarse así. Y porque el príncipe dijo que tenía barbas en la cara, a diferencia de los indios, que generalmente son lampiños,[2] y que traía el vestido hasta los pies, diferente hábito del que los indios traen, que no les llega más de hasta la rodilla. De aquí nació que llamaron Viracocha a los primeros españoles que entraron en el Perú, porque les vieron barbas y todo el cuerpo vestido, y porque luego que entraron los españoles prendieron a Atahuallpa, rey tirano, y lo mataron; el cual poco antes había muerto[3] a Huascar Inca, legítimo heredero. Confirmaron de veras el nombre Viracocha a los españoles, diciendo que eran hijos de su dios Viracocha, que los envió del cielo para que sacasen a los Incas, y librasen la ciudad del Cozco y todo su imperio de las tiranías y crueldades de Atahuallpa, como el mismo Viracocha lo había hecho otra vez, manifestándose al príncipe Inca Viracocha para librarle de la rebelión de los chancas. Y dijeron que los españoles habían muerto al tirano en castigo y venganza de los Incas, por habérselo mandado así el dios Viracocha, padre de los españoles; y ésta es la razón por la cual llamaron Viracocha a los primeros españoles, y porque creyeron que eran hijos de su dios los respetaron tanto, que los adoraron y les hicieron tan poca defensa. También les llamaron Incas, hijos del sol, como a sus reyes. Si a esta vana creencia de los indios correspondieran[4] los españoles con decirles que el verdadero Dios los había enviado para sacarlos de las tiranías del demonio, que eran mayores que las de Atahuallpa, y les predicaron el santo Evangelio[5] con el ejemplo que la doctrina pide, no hay duda sino que hicieran gran-

1. About the name "Viracocha" and why (the Incas) used it for the Spaniards
2. hairless
3. had put to death
4. had taken advantage
5. Gospel

dísimo fruto.[6] Pero pasó todo tan diferente, como sus mismas historias lo cuentan, a que me remito, que a mí no me es lícito decirlo: dirán que por ser indio hablo apasionadamente. Aunque es verdad que no se deben culpar todos, que los más hicieron oficio de buenos cristianos; pero entre gente tan simple, como eran aquellos gentiles, destruía más un malo que edificaban cien buenos.

6. greatly benefited by it

JUAN RODRIGUEZ FREILE

b. Santafé de Bogotá, Colombia, April 26, 1566
d.   ?, Colombia (?), c. 1640

All we know of this charmingly garrulous writer is what he himself wrote in his own spicy pages. His parents appear to have emigrated from Spain with a group led by the Franciscan Juan de los Barrios, and to have settled in Bogotá, then known as Santafé de Bogotá. No explanation is given as to how they qualified to be in the episcopal train, but Juan Freile (Juan Rodríguez Freile's father) evidently cultivated the right friends, for shortly after arriving in Bogotá he became an intimate of the great Jiménez de Quesada, the discoverer, Conquistador, and founding father of Colombia, after whom the country was named New Granada, in honor of his birthplace (Granada, Spain). Because of his influential contacts, Juan Freile's reputation grew by leaps and bounds: he amassed a large fortune, purchased farmlands, and accompanied Jiménez de Quesada on his visit to Spain, where he enjoyed himself thoroughly and squandered his easily-gotten cash.

Although his son loved gossip and mingled scandalously in other people's affairs, he is rather reticent about his father. Significantly enough, he chose to violate custom by placing his mother's surname (Rodríguez) before his father's. So it may not be too unreasonable to assert that he did not quite see eye to eye with his mercurial father.

Born in Santafé de Bogotá, Juan Rodríguez Freile received little schooling. His Spanish grammar and composition, not to mention his Latin, are extremely weak. As a teen ager he saw service at the frontier fighting the man-eating Pijao Indians and soon thereafter visited Spain, shortly before the defeat of the Invincible Armada. During this period, he was employed as the private secretary to Licenciate Pérez de Salazar. At the death of this influential member of the Consejo de Indias, the impecunious Rodríguez Freile was forced to return home where, having inherited his father's lands, he turned to agriculture. In 1600 he married and by 1609 (as a document clearly shows) he had become a pot-bellied resident of the Guasca valley, weighted down by cares and children. Following in his father's footsteps, he tried his hand at several schemes for getting rich quick but failed. One of his projects —dredging up a solid gold alligator the Indians had dropped in Lake Tesuacá to placate their gods— turned out to be a colossal fiasco. His greatest success in life was the book he wrote between his seventieth birthday and his death. Entitled *El Carnero* (The Lamb), it bore a subtitle which begins *Conquista y Descubrimiento del Nuevo Reino de Granada de las Indias Occidentales del Mar Océano* and goes on at length for another hundred and fifty words. Yet inevitably the question arises: what can a lamb have to do with this wolfish book, with this scandalous chronicle so reminiscent of Boccaccio and Aretino? There are many conjectures as to what the enigmatic title mean: perhaps the printer mistook *cuaderno* for *carnero,* or the title may allude to a lambskin binding; another possibility is that it means charnel-house (being so full of murders and corpses); or there may have been a play on words modeled on the term *becerro* (calf) applied to certain books belonging to cathedrals and monasteries.

For reasons of censorship, Rodríguez Freile feigned an abiding interest in ethics and religion, and so, between truculent scenes involving rogues and soldiers of fortune, lewd women and priests, judges and outlaws, come boring, long-winded sermons. When stripped of these cumbersome trappings, the stories that are left show a wealth of sultry humor, satiric venom, and fascinating wickedness.

EDITIONS: *El Carnero* (1636), Bogotá, Talleres de Ediciones Colombia, 1926; Bogotá, Librería Colombiana, 1935; Bogotá, Imprenta Nacional, 1942 (Biblioteca Popular de Cultura Colombiana, Vol. XXXI); Bogotá, Editorial Santafé, 1955 (Biblioteca de Autores Colombianos).

ABOUT RODRIGUEZ FREILE: William C. Atkinson: "Introduction," to his English version of *El Carnero,* entitled *The Conquest of New Granada,* London, Folio Society, 1961, pp. 7-23; Antonio Gómez Restrepo: *Historia de la literatura colombiana,* Bogotá, Imprenta Nacional, 1946, Vol. II pp. 183-198; Alberto Miramón: "Un aspecto interpretativo de *El Carnero,*" *Bolívar* (Bogotá), XVII (March 1953), 313-320; Alessandro Nartinengo: "La cultura letteraria di Juan Rodríguez Freile," *Annali* (Istituto Universitario Orientale, Naples) No. 4 (1964), 57-82; Enrique Otero d'Acosta: "El cronista santafereño Juan Rodríguez Freile," *Academia Colombiana de historia, Conferencias,* Bogotá, pp. 269-284; Armando D. Pirotto: *La literatura en América. El Coloniaje,* Montevideo, Sociedad del Libro Rioplatense, 1937, pp. 199-200; Miguel Angel Vega: *Literatura chilena de la Conquista y la Colonia,* Santiago de Chile, Nascimento, 1954.

Excerpts from Chapters IX, X,
XII, XV, XVI and XIX

JUANA GARCIA, A TALE OF WITCHCRAFT

En las flotas que fueron y vinieron de Castilla pasó en
una de ellas un vecino de esta ciudad, a emplear su dinero.[1]
Era hombre casado, tenía la mujer moza y hermosa, y con la
ausencia del marido no quiso malograr su hermosura,[2] sino
gozar de ella. Descuidóse y hizo una barriga,[3] pensando po-
derla despedir con tiempo;[4] pero antes del parto[5] le tocó a la
puerta la nueva de la llegada de la flota a la ciudad de Cartagena, con lo cual la pobre señora se alborotó[6] y hizo sus diligencias para abortar la criatura, y ninguna le aprovechó.

Procuró tratar su negocio con Juana García, su madre,
digo su comadre: ésta era una negra horra[7] que había subido
a este Reino con el Adelantado don Alonso Luis de Lugo.
Tenía dos hijas, que en esta ciudad arrastraron hasta seda y
oro, y aun trajeron arrastrados algunos hombres de ellas.[8]

Esta negra era un poco voladora,[9] como se averiguó; la
preñada[10] consultó a su comadre y díjole su trabajo, y lo que
quería hacer, y que le diese remedio para ello. Díjole la comadre: "¿Quién os ha dicho que viene vuestro marido en es-

---

1. In (one of) the fleets plying back and forth to Castile a resident
   of this city (of Santafé de Bogotá) took passage in order to
   invest his money (i.e. to do business in Spain)
2. to watch her beauty go to seed
3. got pregnant
4. to have an abortion
5. parturition
6. threw the poor lady into a commotion
7. a free Negress, i.e. no longer a slave
8. trailed silk and gold and had men at their heels
9. **voladora**, able to fly, i.e. something of a witch
10. the pregnant woman

ta flota?" Respondióle la señora que él propio se lo había dicho, que en la primera ocasión vendría sin falta. Respondióle la comadre: "Si eso es así, espera, no hagas nada, que quiero saber esta nueva de la flota, y sabré si viene vuestro marido en ella. Mañana volveré a veros y dar orden en lo que hemos de hacer; y con esto, queda con Dios."

El día siguiente volvió la comadre, la cual la noche pasada había hecho apretada diligencia,[11] y venía bien informada de la verdad. Díjole a la preñada:

"Señora comadre: yo he hecho mis diligencias en saber de mi compadre: verdad es que la flota está en Cartagena, pero no he hallado nueva de vuestro marido, ni hay quien diga que viene en ella." La señora preñada se afligió mucho, y rogó a la comadre le diese remedio para echar aquella criatura,[12] a lo cual le respondió:

"No hagáis tal hasta que sepamos la verdad, si viene o nó. Lo que puedes hacer es . . . ¿véis aquel librillo[13] verde que está allí?" Dijo la señora: "Sí."

"Pues, comadre, henchídmelo de agua[14] y metedlo en vuestro aposento, y aderezad qué cenemos,[15] que yo vendré a la noche y traeré a mis hijas, y nos holgaremos,[16] y también prevendremos algún remedio[17] para lo que me decís que queréis hacer."

Con esto se despidió de su comadre, fue a su casa, previno sus hijas, y en siendo noche juntamente con ellas se fue en casa de la señora preñada, la cual no se descuidó en hacer la diligencia del librillo de agua. También envió a llamar otras mozas vecinas suyas, que se viniesen a holgar con ella aquella noche. Juntáronse todas, y estando las mozas cantando y bailando, dijo la comadre preñada a su comadre:

"Mucho me duele la barriga: ¿queréis vérmela?" Respondió la comadre:

11. who during the night had investigated carefully the situation
12. to get rid of the (unwanted) child
13. **librillo - lebrillo,** earthenware tub used for washing clothes, dishes, etc.
14. fill it with water for me
15. prepare a meal
16. we will have a good time
17. we will figure out some remedy (i.e. something for your need)

"Sí haré: tomad una lumbre[18] de esas y vamos a nuestro aposento." Tomó la vela y entráronse en él. Después que estuvieron dentro cerró la puerta y díjole:

"Comadre, allí está el librillo con el agua." Respondióle: "Pues tomad esa vela y mirad si veis algo en el agua." Hízolo así, y estando mirando le dijo:

"Comadre, aquí veo una tierra que no conozco, y aquí está mi marido, sentado en una silla, y una mujer está junto a una mesa, y un sastre con las tijeras en las manos, que quiere cortar un vestido de grana."[19] Díjole la comadre:

"Pues esperad, que quiero yo también ver eso." Llegóse junto al librillo y vido todo lo que le había dicho. Preguntóle la señora comadre:

"¿Qué tierra es esta?" Y respondióle:

"Es la isla Española de Santo Domingo."[20] En esto metió el sastre las tijeras y cortó una manga, y echósela en el hombro.[21] Dijo la comadre a la preñada:

"¿Queréis que le quite aquella manga a aquel sastre?" Respondióle:

"¿Pues cómo se la habéis de quitar?" Respondióle: "Como vos queráis, yo se la quitaré." Dijo la señora: "Pues quitádsela, comadre mía, por vida vuestra." Apenas acabó la razón cuando le dijo:

"Pues vedla ahí," y le dió la manga.

Estuviéronse un rato hasta ver cortar el vestido, lo cual hizo el sastre en un punto, y en el mesmo[22] desapareció todo, que no quedó más que el librillo y el agua. Dijo la comadre a la señora: "Ya habéis visto cuán despacio está vuestro marido, bien podéis despedir esa barriga, y aun hacer otra." La señora preñada, muy contenta, echó la manga de grana en un baúl que tenía junto a su cama; y con esto se salieron a la sala, donde estaban holgándose las mozas; pusieron las mesas, cenaron altamente,[23] con lo cual se fueron a sus casas.

18. i.e. una vela, a candle
19. a tailor, scissors in hand, cutting out a scarlet dress
20. Hispaniola (today Haiti and Santo Domingo)
21. Just then the tailor snipped out with his scissors a piece of cloth for a sleeve and threw it across his shoulder
22. en el mesmo - en el mismo (momento), at the same instant
23. sumptuously

Al llegar el marido a la ciudad de Sevilla parientes y amigos suyos contáronle de las riquezas que había en la isla Española de Santo Domingo, y aconsejáronle que emplease su dinero y que se fuese con ellos a la dicha isla. El hombre lo hizo así, fue a Santo Domingo y sucedióle bien.[24] Volvióse a Castilla y empleó;[25] y hizo segundo viaje a la isla Española. En este segundo viaje fue cuando se cortó el vestido de grana. Vendió sus mercaderías, volvió a España, y empleó su dinero; y con este empleo vino a este Nuevo Reino[26] en tiempo que ya la criatura estaba grande y se criaba en casa con nombre de huérfano.[27]

Recibiéronse muy bien marido y mujer, y por algunos días anduvieron muy contentos y conformes, hasta que ella comenzó a pedir una gala,[28] y otra gala, y a vueltas de ellas se entremetían unos pellizcos de celos,[29] de manera que el marido andaba enfadado y tenían malas comidas y peores cenas, porque la mujer de cuando en cuando le picaba[30] con los amores que había tenido en la isla Española. Con lo cual el marido andaba sospechoso de que algún amigo suyo, de los que con él habían estado en la dicha isla, le hubiese dicho algo a su mujer. Al fin fue quebrantado de su condición, y regalando a la mujer, por ver si le podía sacar quién le hacía el daño.[31] Al fin, estando cenando una noche los dos muy contentos, pidióle la mujer que le diese un faldellín de paño verde, guarnecido.[32] El marido puso algunas excusas, a lo cual le respondió ella:

"A fe que si fuera[33] para dárselo a la dama de Santo Domingo, como le distéis el vestido de grana, que no pusieráis excusas."

Con esto quedó el marido rendido y confirmado en su

24. did well, i.e. was very successful
25. bought more goods
26. New Kingdom (of Granada), i.e. Colombia
27. under guise of being an orphan
28. a present
29. crept wisps of jealousy
30. passed veiled hints
31. gave in and began pampering his wife in the hope of discovering who had betrayed him (lit. who was hurting him)
32. his wife asked him to treat her to a green skirt with trimmings
33. I bet if it were

sospecha; y para poder mejor enterarse la regaló mucho, diole el faldellín que le pidió y otras galitas,[34] con que la traía muy contenta.

En fin, una tarde que se hallaron con gusto le dijo el marido a la mujer:

"Hermana, ¿no me diréis, por vida vuestra, quién os dijo que yo había vestido de grana a una dama en la isla Española?" Respondióle la mujer:

"Pues queréislo negar? decidme vos la verdad, que yo os diré quién me lo dijo." Halló el marido lo que buscaba, y díjole:

"Señora, es verdad, porque un hombre ausente de su casa y en tierras ajenas, algún entretenimiento había de tener. Yo di ese vestido a una dama." Dijo ella:

"Pues decidme, cuando lo estaban cortando ¿qué faltó?" Respondióle:

"No faltó nada." Respondió la mujer diciendo:

"¡Qué amigo sois de negar las cosas! ¿No faltó una manga?" El marido hizo memoria, y dijo:

"Es verdad que al sastre se le olvidó de cortarla, y fue necesario sacar grana para ella."[35] Entonces le dijo la mujer:

"Y si yo os muestro la manga que faltó, conocerla heis."[36] Díjole el marido:

"¿Pues teneisla vos?" Respondió ella:

"Sí, venid conmigo, y mostrárosla he." Fuéronse juntos a su aposento, y del asiento del baúl[37] le sacó la manga, diciéndole:

"¿Es esta la manga que faltó?" Dijo el marido:

"Esta es, mujer; pues yo juro a Dios que hemos de saber quién la trajo desde la isla Española a la ciudad de Santafé."

Y con esto tomó la manga y fuese con ella al señor Obispo, que era Juez inquisidor, e informóle del caso. Su señoría hizo aparecer ante sí la mujer; tomóle la declaración; confesó

34. other trifles, other bits of finery
35. i.e. had to get an extra piece of material for making another sleeve
36. Would you recognize the sleeve that was missing if I show it to you?
37. from the bottom of the trunk

llanamente todo lo que había pasado en el librillo del agua. Prendióse luego a la negra Juana García y a las hijas. Confesó todo el caso. Su Señoría la penitenció poniéndola en Santo Domingo, a horas de la misa mayor, en un tablado, con un dogal al cuello y una vela encendida en la mano: a donde decía llorando: "Todas, todas lo hicimos, y yo sola lo pago!" Desterráronla a ella y a las hijas, de este Reino.

En su confesión dijo que cuando fue a la Bermuda, donde se perdió la *Capitana,* se echó a volar desde el cerro que está a las espaldas de Nuestra Señora de las Nieves, donde está una de las cruces; y después, mucho tiempo adelante, le llamaban Juana García, o el cerro de Juana García.

THE DANCING MASTER AND
THE LADY WHO WAS HANGED

En la Gobernación de Venezuela, y en la ciudad de Carora, estaba casado un don Pedro de Avila, natural de aquel lugar, con una doña Inés de Hinojosa, criolla de Barquisimeto, en la dicha Gobernación. Mujer hermosa por extremo, rica, y el marido bien hacendado;[1] pero tenía este hombre dos faltas muy conocidas: la una, que no se contentaba con sola su mujer, de lo cual ella vivía muy descontenta; la otra, era jugador:[2] que con lo uno y con lo otro traía maltratada su hacienda, y a la mujer, con los celos y juego peor tratada.

Llegó en esta sazón a aquella ciudad un Jorge Voto, maestro de danza y músico. Puso escuela y comenzó a enseñar a los mozos del lugar; y siendo ya más conocido, danzaban las mozas también. Doña Inés tenía una sobrina, llamada doña Juana. Rogóle al don Pedro, su marido, que le dijese al Jorge Voto la enseñase a danzar. Hízolo así don Pedro, y con esto tuvo Jorge Voto entrada en su casa, que no debiera, porque de ella nació la ocasión de revolverse con la doña Inés en torpes amores,[3] en cuyo seguimiento trataron los dos la

1. well-to-do
2. gambler
3. for with opportunity there sprang up between him and Doña Inés an unworthy passion

43

muerte al don Pedro de Avila, su marido.[4]

Resuelto en esta maldad el Jorge Voto, alzó la escuela de danza[5] que tenía; trató de hacer viaje a este Reino, y despidióse de sus amigos y conocidos.[6] Salió de Carora a la vista de todos; caminó tres días en seguimiento[7] de su viaje, y al cabo de ellos revolvió[8] sobre la ciudad, a poner en ejecución lo tratado. Dejó la cabalgadura en una montañuela[9] junto al pueblo; entróse en él disfrazado[10] y de noche. De días atrás tenía reconocido las paradas del don Pedro, y las tablas de juego a donde acudía.[11] Fue en busca de él y hallóle jugando; aguardóle a la vuelta de una esquina, a donde le dio de estocadas[12] y le mató. Lo cual hecho, tomó la cabalgadura de donde la dejó, y siguió su viaje hasta la ciudad de Pamplona, a donde hizo alto esperando el aviso de la doña Inés. Sabida la muerte del marido, hizo grandes extremos y dio grandes querellas,[13] con que se prendieron a muchos sin culpa,[14] de que tuvieron buena salida, porque no se pudo averiguar quién fuese el matador, y el tiempo le puso silencio; en el cual los amantes, con cartas de pésame se comunicaron.[15]

Y resultó que al cabo de más de un año la doña Inés vendió sus haciendas, recogió sus bienes, y con su sobrina doña Juana se vino a Pamplona, a donde el Jorge Voto tenía puesta escuela de danza; a donde al cabo de muchos días trataron de casarse, lo cual efectuado se vinieron a vivir a la ciudad de Tunja. Tomaron casa en la calle que dicen *del árbol,* que va a las monjas de la Concepción, frontero de la casa del escribano[16] Vaca, cuñado[17] de don Pedro Bravo de Rivera. En

4. i.e. they plotted the husband's death
5. closed up the dancing-school
6. acquaintances
7. pursued his journey for three days
8. turned back
9. He left his horse on a hill
10. disguised
11. He had already reconnoitred Don Pedro's various points of call and gaming-tables he frequented
12. dagger thrusts
13. she made great protestations of grief and wild accusations
14. many innocent persons were arrested
15. in time the affair died down and the lovers got in touch with each other through an exchange of letters of condolence
16. scrivener
17. brother-in-law

esta ciudad puso también el Jorge Voto escuela de danza, con que se sustentaba; y algunas veces venía a esta de Santafé, a donde también daba lecciones, y se volvía a Tunja.

Don Pedro Bravo de Rivera solicitó a la doña Inés y alcanzó de ella todo lo que quiso;[18] y siguiendo sus amores, para tener entrada con más seguridad trató de casarse con la doña Juana, sobrina de la doña Inés, y platicólo[19] con el Jorge Voto, que lo estimó en mucho, ofreciéndole su persona y casa; con lo cual el don Pedro entraba y salía de ella a todas horas.

No se contentaron estos amantes con esta largura, antes bien procuraron más; y fue que el don Pedro tomó casa que lindase con la de doña Inés, y procuró que su recámara lindase con la de ella.[20] Arrimaron las camas a la pared, la cual rompieron, yendo por dentro las colgaduras, pasadizo con que se juntaban a todas horas.[21]

Pues aun esto no bastó, que pasó más adelante el daño, porque la mala conciencia no tiene lugar seguro y siempre anda sospechosa y sobresaltada. Al ladrón las hojas de los árboles le parecen varas de justicia;[22] al malhechor cualquiera sombra le asombra. Así, a la doña Inés le parecía que el agujero hecho entre las dos camas lo veía ya su marido, y que la sangre del muerto don Pedro, su marido, pedía venganza. Con lo cual entre sus gustos vivía con notable disgusto y sobresalto, lo que no se le escondía al don Pedro Bravo de Rivera, que comunicándolo con la doña Inés y procurando el medio mejor para su seguridad, le concluyó ella diciendo que ninguno la podía asegurar mejor que la muerte de Jorge Voto, pareciéndole que ya estaba desposeído de la hermosura que gozaba.[23] Respondióle que "por su gusto no habría ries-

18. won from her all he desired
19. talked things over
20. took the house adjoining that of Doña Inés and chose as his own room the one on the other side of the wall from hers
21. They drew up both beds to the wall, effected an opening in this, which they concealed with curtains and thereby had access to each other at will.
22. rods of justice
23. seeming to her that he had already forfeited the possession of her beauty

go a que no se supiese." Este fue el primer punto y concierto que se dio en la muerte de Jorge Voto.[24]

Salió don Pedro Bravo de Rivera, con lo que le había pasado con su querida doña Inés, casi sin sentido, o por mejor decir, fuera de todo él.[25] Tenía un hermano mestizo, llamado Hernán Bravo de Rivera, que se habían criado juntos y se favorecían como hermanos. Tratóle el caso y lo que determinaba hacer. El Hernán Bravo no le salió bien al intento,[26] antes le afeó el negocio, diciéndole que no era hecho de hombre hidalgo el que intentaba, y que le daba de consejo se apartase de la ocasión que a tal cosa le obligaba; con lo cual el don Pedro se despidió de él muy desabrido,[27] diciéndole que no le viese más, ni le hablase.

Fue el don Pedro en busca de un íntimo amigo que tenía, llamado Pedro de Hungría, que era sacristán de la iglesia mayor de aquella ciudad. Propúsole el caso, y salióle el Pedro de Hungría tan bien a él, que le colmó el deseo.[28] Díjole también lo que le había pasado con su hermano Hernán Bravo, y el Pedro de Hungría se encargó de traerlo a su gusto, lo cual no le fue dificultoso, por la amistad que con él tenía; con lo cual trataron y comunicaron el orden que habían de tener en matar al Jorge Voto, de manera que no fuesen sentidos. De todo dio parte el don Pedro a la doña Inés, la cual le espoleaba el ánimo[29] a que lo concluyese. En esto acabó esta mujer de echar el sello a su perversidad;[30] y Dios nos libre, señores, cuando una mujer se determina y pierde la vergüenza y el temor a Dios, porque no habrá maldad que no cometa, ni crueldad que no ejecute.

El don Pedro Bravo de Rivera, para poner en ejecución lo concertado, apretó lo del casamiento de la doña Juana, sobrina de la doña Inés, diciendo que se viniese a esta ciudad de Santafé a pedir licencia al señor Arzobispo para ello, porque no la quería pedir en Tunja, que lo estorbaría su madre y su

24. i.e. the plot to kill Jorge Voto was hatched
25. i.e. with his mind in a whirl
26. did not respond as he had hoped
27. huffed, in a temper
28. stimulated him
29. spurred him on
30. setting the seal of her perversity

cuñado. Todo esto era traza para que el Jorge Voto viniese por la licencia, para matarle en el camino. En fin, le dieron dineros, todo avío, y despacháronlo para esta ciudad.[31]

Salió de Tunja después de mediodía, y en su seguimiento, siempre á una vista, el don Pedro Bravo, Hernán Bravo su hermano, y Pedro de Hungría, el sacristán. Llegó el Jorge Voto, al anochecer, a la venta[32] vieja que estaba junto a la puente de Boyacá, a donde se quedó a dormir aquella noche. Estaban en la venta otros huéspedes; el Jorge Voto pidió aposento aparte, donde se acomodó. Cerrada ya bien la noche, el don Pedro Bravo envió al hermano a que reconociese dónde se había alojado el Jorge Voto; el cual fue disfrazado en hábito de indio,[33] y lo reconoció todo. Volvió al hermano y le dijo: "Pues tomad esta daga y entrad en el aposento donde él está y dadle puñaladas, que yo y Pedro de Hungría os haremos espaldas."[34]

Con esto tomó la daga, fuese al aposento donde dormía el Jorge Voto, hallóle dormido, y en lugar de matarle le tiró recio el dedo pulgar del pie.[35] Dio voces el Jorge Voto, diciendo: "¿Quién anda aquí? ¿Qué es esto? ¡Ah! señores huéspedes, aquí andan ladrones!" con que alborotó la venta y no se ejecutó el intento del don Pedro; el cual, visto el alboroto, se volvió aquella noche a Tunja, y antes que fuese día despachó un indio con una carta para el Jorge Voto, en que le avisaba cómo se sabía en Tunja a lo que iba a Santafé; y que de donde aquella carta le alcanzase se volviese; lo cual cumplió Jorge Voto luego que recibió la carta.

Dejaron sosegar el negocio,[36] y por muchos días no se trató del casamiento; en el cual tiempo acordaron de matarle en la ciudad, como mejor pudiesen. Concertóse que el Hernán Bravo y el Pedro Hungría se vistiesen en hábito de mujeres, y que se fuesen a la quebrada honda[37] que está junto a

31. i.e. they gave him money and provisions and sent him on to this city
32. inn
33. disguised as an Indian
34. we will back you up, i.e. we won't let you down
35. instead of killing him pulled roughly his big toe
36. They let the matter rest
37. ravine

Santa Lucía, cobijados con unas sábanas,[38] y que el don Pedro llevaría allí al Jorge Voto, donde lo matarían.

Tratado esto, un viernes en la noche trató el don Pedro que hubiese en casa del Jorge Voto una suntuosa cena, y los convidados fueron: Pedro de Hungría, el sacristán, y Hernán Bravo de Rivera; don Pedro, su hermano; las dos damas y el Jorge Voto. Estando cenando dijo el don Pedro al Jorge Voto: "¿Quereisme acompañar esta noche a ver unas damas que me han rogado os lleve allá, que os quieren ver danzar y tañer?"[39] Respondióle que "de muy buena gana lo haría, por mandárselo él."

Acabada la cena, el Jorge Voto pidió una vigüela;[40] comenzóla a templar;[41] pidió un cuchillo para aderezar un traste[42] de la vigüela, y habiéndolo soltado tomó el Hernán Bravo el cuchillo, y comenzó a escribir sobre la mesa con él. Habiendo escrito, díjole al Jorge Voto: "¿Qué dice este renglón?"[43] Lo que contenía era esto: "Jorge Voto no salgáis esta noche de casa, porque os quieren matar." Aunque el Jorge Voto lo leyó, no hizo caso de ello, y antes se rió.

El don Pedro Bravo estaba sentado con la doña Inés y con la doña Juana, su sobrina, desde donde dijo a su hermano y al Pedro de Hungría: "Señores, váyanse con Dios a lo que tuvieren que hacer, porque han de ir conmigo." Con lo cual se fueron los dos, y el don Pedro se quedó hablando con las mujeres y haciendo tiempo para que entrase bien la noche; y siendo hora, le dijo al Jorge Voto: "Vamos, que ya se hace tarde, no esperen aquellas damas más."

Tomó el Jorge Voto su espada y capa y la vigüela, y fuéronse. Llevóle el don Pedro atrás[44] unas casas altas, que tenían las ventanas abiertas. Llegado a ellas dijo: "No están aquí estas señoras, que se cansarían de esperar; vamos que yo sé dónde las hemos de hallar."

Cogió una calle abajo, hacia Santa Lucía. Llegados al

38. wrapped in sheets
39. to play (a musical instrument)
40. **vigüela — vihuela**, guitar
41. began to tune it
42. to adjust one of the frets **(of the guitar)**
43. line (of writing)
44. to the back

48

puente de la quebrada, y antes de pasarla miró hacia abajo: vio los dos bultos blanqueando,[45] y díjole al Jorge Voto: "Allí están, vamos allá." Fuéronse allegando hacia los bultos, los cuales viéndolos cerca, soltaron las sábanas y metieron mano a las espadas. El Jorge Voto soltó la vigüela y sacó su espada: el don Pedro Bravo hizo lo propio; y como más cercano de Jorge Voto, le dio por un costado la primera estocada[46] y le mató. Cargaron sobre él los otros y diéronle tantas estocadas que lo acabaron de matar. Echaron el cuerpo en un profundo hoyo de aquella quebrada, con lo cual se fue cada uno a su casa, y el don Pedro a la de doña Inés, a darle el aviso de lo que se había hecho.

Antiguamente no había fuente de agua en la plaza de Tunja, como la hay ahora, y así era necesario ir a la fuente grande, que estaba fuera de la ciudad, por agua.

Había madrugado la gente, y llegando a esta quebrada vieron el rastro de la sangre; fuéronle siguiendo hasta donde estaba el cuerpo, al cual vieron en el hoyo. Dieron aviso a la justicia; acudió luego al caso el Corregidor, que en aquella sazón lo era Juan de Villalobos. Mandó sacar el cuerpo y llevarlo a la plaza; echó luego un bando[47] en que mandó que estantes y habitantes[48] pareciesen luego ante él. Acudió la gente de la ciudad, que sólo faltó el don Pedro Bravo de Rivera y su hermano.

A estos alborotos y ruido salió la doña Inés de su casa, en cabello, dando voces;[49] acudió al Corregidor a pedir justicia, el cual estaba junto a la iglesia con el cuerpo, el cual mandó que pusieran en prisión a la doña Inés, lo cual se cumplió.

Era sábado. Hicieron señal a misa[50] de Nuestra Señora, entróse la gente y el Corregidor en la iglesia, y en el coro de ella halló al don Pedro Bravo de Rivera. Saludáronse y sentóse junto a él, diciendo: "Desde aquí oiremos misa." Ya el Corregidor estaba enterado que el don Pedro era el matador,

45. two white shapes
46. struck the first blow, plunging his sword into Voto's side
47. issued a proclamation
48. residents and transients
49. bareheaded and weeping (or shouting)
50. The bells rang for Mass

porque no faltó quien le dijese cómo trataba con la doña Inés, por la cual razón la mandó prender.

Mandó traer un par de grillos,[51] y metiéronse entrambos en ellos, hasta que se acabó la misa. El Escribano Vaca, cuñado del don Pedro, estaba bien enterado que él había sido el que mató al Jorge Voto. Para ver si podía escapar al cuñado y ponerlo en salvo,[52] mandó ensillar un caballo bayo, de regalo que el don Pedro tenía en la caballeriza. Arrimóle una lanza y una adarga,[53] y echó en una bolsa de la silla[54] quinientos pesos de oro, y fue en busca del don Pedro, porque no sabía lo que pasaba en la iglesia. El sacristán Pedro de Hungría estaba ayudando al cura en la misa; al servirle las vinajeras[55] violé el cura la manga toda manchada de sangre; díjole: "Traidor! ¿por ventura has sido tú[56] en la muerte de este hombre?" Respondióle que no. Estaba la iglesia alborotada con lo que había pasado en el coro.

Acabada la misa, acudió el cura a donde estaba el Corregidor, que hallólo metido en los grillos con el don Pedro Bravo. Pasaron entre los dos algunas razones, y el Corregidor, por excusar disgustos, echó un bando en que mandó que todos los vecinos de Tunja trajesen sus camas a la iglesia y le viniesen a acompañar, so pena de traidores al Rey y de mil pesos.[57] Con lo cual le acompañó casi toda la ciudad.[58] Al punto hizo un propio y despachó el informe a la Real Audiencia;[59] y salió, como tengo dicho, al caso, el propio Presidente Venero de Leiva.

El sacristán Pedro de Hungría, que desde el altar había oído el ruido que andaba en el coro, en saliendo el cura de la sacristía salió tras él, y dejándolo hablando con el Corregidor, y la gente ocupada en las razones que pasaban, se salió de la iglesia y fuese derecho a casa del don Pedro Bravo

51. handcuffs
52. to see if he could help his brother-in-law to escape and save him
53. shield
54. saddle-bag
55. as he held out the wine vessels
56. have you been mixed up?
57. under penalty of being declared a traitor and fined a thousand pesos
58. At this practically the entire town sided with him.
59. He further drafted and sent off a dispatch to the Royal Audiencia.

a donde halló el caballo ensillado.[60] Sin hacer caso de lanza y adarga, subió en él y salió de Tunja, entre las nueve y las diez del día, el propio sábado.

El domingo siguiente a las propias horas, poco más o menos, allegó a las orillas del río grande de la Magdalena, al paso de la canoa del Capitán Bocanegra.[61] Estaban los indios aderezando la canoa para que pasase el mayordomo y la gente a ir a misa a un pueblo de indios, allí cercano. Pidióles que lo pasasen, que se lo pagaría; dijéronle los indios que esperase un poco y pasaría con el mayordomo. No le pareció bien; fuese el río abajo a una playa, a donde abajó; y de ella se arrojó[62] al río con el caballo.

Los indios le dieron voces que esperase; a las voces salió el mayordomo, y como lo vio mandó a los indios que le siguiesen con la canoa y lo favoreciesen. Partió al punto la canoa, y por prisa que se dio salió primero del agua el caballo; el cual en saliendo se sacudió,[63] subió por una montañuela, donde le perdieron de vista; y por prisa que se dio el mayordomo no le pudo alcanzar, ni le vio más.

Aquella noche arribó a un hato de vacas[64] de un vecino de Ibagué el cual le hospedó, y viéndole tan mojado le preguntó que cómo así, no habiendo llovido.[65] Respondióle que había caído en el río de las Piedras, que también le pasó.[66] Mandóle desnudar y diole con qué se abrigase, y de comer. Reparó el vecino en que se andaba escondiendo y se recelaba de la gente de la propia casa;[67] allegóse a él y díjole que le dijese qué le había sucedido, y de dónde venía, y que le daba su palabra de favorecerle en cuanto pudiese. Entonces el Pedro de Hungría le contó cómo dejaba muerto un hombre, callando todo lo demás.

Considerando el señor de la casa o posada que podría haber sido caso fortuito, no le preguntó más; consolóle y pú-

60. he found the horse ready saddled
61. where Captain Bocanegra had his ferry
62. plunged
63. shook itself
64. cattle-ranch
65. seeing him soaked when there had not been any rain, asked how it came about
66. which he had also crossed
67. (because) he distrusted the people of the house

51

sole ánimo.[68] El día siguiente le dijo la jornada que había hecho aquel caballo en que venía.[69] Respondióle el huésped: "Pues fuerza es que a otra, o otras dos, os haya de faltar.[70] Hay allí buenos caballos, tomad el que os pareciere, y dejad ese porque no os falte."[71] Hízolo así; despidióse de su huésped, y nunca más se supo de él, ni a dónde fue. De este caballo bayo hay hoy raza en los llanos de Ibagué.[72]

El Escribano Vaca, sabida la prisión del don Pedro, puso mucha fuerza con sus amigos en que el Corregidor lo soltase, con fianzas costosas.[73] Respondió el Corregidor a los que le pedían esto, que ya él no era Juez de la causa, porque la había remitido a la Real Audiencia; con lo cual les despidió y no le importunaron más.[74] De la fuga del Pedro de Hungría y de lo que la doña Inés decía, se conocieron los culpados.[75] El Hernán Bravo, que había tenido tiempo harto[76] para huír, andaba escondido entre las labranzas de maíz de las cuadras[77] de Tunja; descubriéronlo los muchachos que lo habían visto, y al fin lo prendieron.

Llegó el Presidente dentro de tercero día de como recibió el informe; sacó de la iglesia al don Pedro Bravo de Rivera, substanció la causa y pronunció en ella sentencia de muerte contra los culpados. Al don Pedro confiscó los bienes; la encomienda de Chivatá, que era suya, la puso en la Corona, como lo está hoy. Degollaron al don Pedro;[78] a su hermano Hernán Bravo ahorcaron[79] en la esquina de la calle de Jorge Voto; y a la doña Inés la ahorcaron de un árbol que tenía junto a su puerta, el cual vive hasta hoy, aunque seco, con hacer más de setenta años que sucedió este caso.

68. cheered him up
69. revealed how much ground the horse had covered
70. another day's journey, like that, or another two, and you will finish him
71. fail you (let you down)
72. Of the bay horse there are descendants to be found today in the plains of Ibagué
73. (offering) heavy bail
74. because he had remitted it (the case) to the Royal Audiencia, and at that they gave over their importunities
75. the guilty
76. ample time
77. cornfields outside the town
78. Don Pedro was beheaded
79. they hung Hernán Bravo

THE WAGES OF SIN

De las entradas y salidas del Escobedo en casa del doctor Mesa se vino a enamorar de la señora doña Ana de Heredia, su mujer, que era moza y hermosa.[1] ¡Ah hermosura! lazo disimulado![2] Esto asentó[3] el Escobedo en su voluntad, y no porque la honrada señora le diera ocasión[4] para ello. No paró este mozo hasta descubrirle sus pensamientos, y ella como tan discreta y honrada se los desvaneció,[5] diciéndole "que con las mujeres de su calidad parecía mal tanta libertad"; y volviéndole las espaldas le dejó con sola esta respuesta, brasa de fuego que siempre le ardía en el pecho[6].

Sucedió que un día fue el Andrés de Escobedo en busca del doctor Mesa; preguntó a una moza de servicio por él, y díjole que estaba en la recámara de su señora. El Escobedo le dijo: "Pues decidle que estoy aquí, y que tengo necesidad de hablar con su merced." Fue la moza y díjoselo. Respondió el doctor: "Anda, dile que suba acá que aquí hablaremos." A estas razones le dijo su mujer: "Por vida vuestra, señor, que bajéis a hablar con él y no suba acá." A esto dijo el doctor: "No, señora, más que eso me habéis de decir, y la causa."[7] Fuéla apurando e importunando,[8] hasta que le dijo lo que pasaba, a las cuales razones respondió el doctor: "Quizá será este el camino por donde tengan mejoría mis negocios. Alma mía, mirando por vuestra honra y por la mía dadle cuantos favores pudiereis, y mirad si le podéis coger mi proceso, que lo han traído a la visita."[9] Con esta licencia hizo

---

1. Escobedo's comings and goings about Doctor Mesa's house led to his falling in love with the latter's young and pretty wife, Doña Ana de Heredia
2. hidden snare
3. held tight
4. gave him any encouragement
5. shattered them
6. live coal always burning within his breast
7. (if you say that) you will have to say more and (explain) the reason why
8. He pressed and importuned her
9. see if you can get (the papers in) my case out of him, for (I know) they have been taken to the commissioner

esta señora muchas diligencias, que no fueron de efecto, porque el escribano, como sintió de qué pie cojeaba el sobrino,[10] por no quitarlo del oficio tomó todos los papeles que tocaban al doctor Mesa, y en un baúl los metió debajo de la cama del Visitador, con que se aseguró y el doctor no salió con su intento.[11]

Sucedió, pues, que un día, estándose paseando el Escobedo y el doctor en el zaguán,[12] junto a la puerta de la calle, pasó por ella el Juan de los Ríos. Viole por las espaldas el doctor, y por enterarse bien se asomó a la puerta y volvió diciendo: "Ah, traidor! Aquí va aqueste traidor, que él me tiene puesto en este estado."[13] Asomóse el Escobedo y viólo, y dijo: "A un pobrecillo como ese, quitarle la vida." Respondió el doctor: "No tengo yo un amigo de quien fiarme, que ya yo lo hubiera hecho." Respondió el Escobedo: "Pues aquí estoy yo, señor doctor, que os ayudaré a la satisfacción de vuestra honra." Este fue el principio por donde se trazó la muerte al Juan de los Ríos.[14]

El Juan de los Ríos era jugador[15] y gastaba los días y las noches por las tablas de los juegos. Pues sucedió que estando jugando en una de ellas un día entró el Andrés de Escobedo y púsose junto al Ríos a verle jugar, el cual perdió el dinero que tenía; y queriéndose levantar, le dijo el Andrés de Escobedo: "No se levante vuesamerced, juegue este pedazo de oro por ambos." Echóle en la mesa un pedazo de barra, de más de ochenta pesos,[16] con el cual el Ríos volvió al juego, tuvo desquite de lo que había perdido,[17] hizo buena ganancia que partieron entre los dos. De aquí trabaron muy grande amistad, de tal manera que andaban juntos y muchas veces comían juntos, y jugaba el uno por el otro. Duró esta amistad más de seis meses, y al cabo de ellos el doctor Mesa y el Escobedo trataron el cómo lo habían de matar y a dónde.

10. i.e. which way the wind blew with his nephew
11. the doctor's plan failed
12. (while they) were pacing the hall
13. when it is he has got me into this fix
14. that was the beginning of the plot to murder Juan de los Ríos
15. gambler
16. i.e. a chunk of bar gold worth eighty pesos
17. recouped his losses

El concierto fue que el doctor Mesa aguardase a la vuelta de la cerca del convento de San Francisco, donde se hacía un pozo hondo[18] en aquellos tiempos, que hoy cae dentro de la cerca del dicho convento, y que el Andrés de Escobedo llevase allí al Juan de los Ríos, donde le matarían.

Asentado esto, una noche oscura el doctor Mesa tomó una aguja enastada[19] y fuese al puesto, y el Escobedo fue en busca del Juan de los Ríos. Hallólo en su casa cenando, llamóle, díjole que entrase y cenarían. Respondióle que ya había cenado, y que lo había menester para un negocio.[20] Salió el Ríos y díjole: "¿Qué habéis menester?" Respondió el Escobedo: "Unas mujeres me han convidado esta noche y no me atrevo a ir solo." Díjole el Ríos: "Pues yo iré con vos." Entró a su aposento, tomó su espada y capa, y fuéronse juntos hacia San Francisco. Llegando a la puente comenzó el Escobedo a cojear de un pie.[21] Díjole el Ríos: "¿Qué tenéis, que vais cojeando?" Respondióle: "Llevo una piedrezuela metida en una bota y vame matando."[22] "Pues descalzaos",[23] dijo el Ríos: "Ahí adelante lo haré."

Pasaron la puente, tomaron la calle abajo hacia donde le esperaban. Llegando cerca de la esquina dijo: "Ya no puedo sufrir esta bota, quiérome descalzar." Asentóse y comenzó a tirar de la bota.[24] Díjole el Ríos: "Dad acá, que yo os descalzaré." Puso la espada en el suelo y comenzó a tirar de la bota. El Escobedo sacó un pañuelo de la faltriquera, dijo: "Sudando vengo,"[25] en alta voz; limpióse el rostro y echó el pañuelo sobre el sombrero, señal ya platicada.[26] Salió el doctor Mesa y con la aguja que había llevado atravesó al Juan de los Ríos, cosiéndolo con el suelo.[27] Levantóse el Escobedo y dióle otras tres o cuatro estocadas, con que le acabaron de matar; y antes que muriese, a un grito que dio el Ríos a los pri-

18. a deep well
19. a spear
20. he had need of him for a certain business
21. began to limp
22. I've got a stone in my boot that's killing me
23. Well, take it off
24. started tugging at his boot
25. I'm all in a sweat
26. (this being) the signal agreed on
27. pinning him to the ground

meros golpes, le acudió el doctor Mesa a la boca a quitarle la lengua,[28] y el herido le atravesó un dedo con los dientes.[29] Muerto como tengo dicho le sacaron el corazón, le cortaron las narices y orejas y los miembros genitales, y todo esto echaron en un pañuelo; desviaron el cuerpo de la calle hacia el río, metiéronlo entre las hierbas, y fuéronse a casa del doctor Mesa.

El Escobedo le hizo presente a la señora doña Ana de Heredia de lo que llevaba en el pañuelo, la cual hizo grandes extremos, afeando el mal hecho.[30] Metióse en su aposento y cerró la puerta, dejándolos en la sala. Ellos acordaron de ir a quitar el cuerpo de donde lo habían dejado, diciendo que sería mejor echarlo en aquel pozo, que con las lluvias de aquellos días estaba muy hondo. Para echarle pesgas[31] pidió el doctor a una negra de su servicio una botija y un cordel.[32] Trajo la botija; no hallaba el cordel; su amo le daba prisa. Tenía en el patio uno de cáñamo en que tendía la ropa;[33] quitólo y dióselo. Llamó el doctor a don Luis de Mesa, su hermano, y diole la botija y el cordel que los llevase, y fuéronse todos tres donde estaba el cuerpo. Hincheron la botija de agua, atáronsela al pescuezo,[34] y una piedra que trajeron del río, a los pies, y echáronlo en el pozo. Las demás cosas que llevaron en el pañuelo lleváronlas y por bajo de la ermita de Nuestra Señora de las Nieves, en aquellos pantanos las enterraron.[35] Amanecía ya el día; el doctor se fue a su casa y el Andrés de Escobedo a casa del Visitador.

Al cabo de ocho días habían cesado las aguas.[36] Andaba una india sacando barro del pozo donde estaba el muerto, para teñir una manta.[37] Metiendo, pues, una vez las manos, topó

---

28. to tear out his tongue
29. i.e. gave him such a bite he nearly severed one finger
30. i.e. profoundly shocked, she reproached them for so ugly a deed
31. to weigh it down
32. a jar and a rope
33. In the courtyard there was a hempen clothes-line
34. They filled the jar with water (and) tied it round the (dead man's) neck
35. buried them in the swamp
36. the rains stopped
37. drawing clay from the well to dye a blanket

con los pies del desdichado Ríos.[38] Salió huyendo, fue a San
Francisco y díjole a los Padres; ellos le respondieron que fuese a otra parte, porque ellos no se metían en esas cosas. Pasó la india adelante, dio aviso a la justicia, llegó la voz a la
Audiencia, la cual cometió la diligencia al Licenciado Antonio de Cetina.[39] Salió a ella acompañado de Alcaldes ordinarios, alguaciles y mucha gente. Pasó por la calle donde vivía
el doctor Mesa, la cual miraba al pozo donde estaba el muerto, que es la de don Cristóbal Clavijo. En ella estaba la escuela de Segovia; estábamos en lección.[40]

Como el maestro vio pasar el Oidor y tanta gente, preguntó dónde iban; dijéronle lo del hombre muerto. Pidió la
capa, fue tras el Oidor, y los muchachos nos fuimos tras el
maestro. Llegaron al pozo; el Oidor mandó sacar el cuerpo,
y en poniéndolo sobre tierra, por la herida que le sacaron el corazón echó un borbollón de sangre fina[41] que llegó hasta los
pies del Oidor, el cual dijo: "Esta sangre pide justicia. ¿Hay
aquí algún hombre o persona que conozca a este hombre?"
Entre todos los que allí estaban no hubo quien lo conociese.

Mandó el Oidor que le llevasen al hospital y que se pre-
gonase por las calles que lo fuesen a ver,[42] para si alguno lo
conociese. Con esto se volvió el Oidor a la Audiencia, y los
muchachos nos fuimos con los que llevaban el cuerpo al hospital. Acudía mucha gente a verlo, y entre ellos fue un Victoria, tratante[43] de la Calle Real. Rodeó dos veces el cuerpo,
púsose frontero de él[44] y dijo: "Este es Ríos, o yo perderé la
lengua con que lo digo." Estaba allí el Alguacil Mayor, Juan
Díaz de Martos, que lo era de Corte. Allegóse junto y dijo:
"¿Qué decís, Victoria?" Respondió diciendo: "Digo, señor,
que este es Juan de los Ríos, o yo perderé la lengua." Asióle
el Alguacil Mayor, llamó dos alguaciles y díjoles: "Lleven a
Victoria a la cárcel, que allá nos dirá cómo sabe que es Juan

38. touched the (dead man's) feet (lit. the feet of the unfortunate
    Ríos)
39. charged Licenciate Antonio de Cetina to investigate
40. we were in class (at the time)
41. a thin stream of blood
42. inviting all (through the towncrier) to go and view it
43. a merchant
44. He walked round the body twice, stopped in front of it

de los Ríos." Respondió el Victoria: "Llévenme donde quisieren, que no le maté yo."

El Alguacil Mayor informó al Real Acuerdo, que ya estaban aquellos señores en él, y mandaron que el Juez a quien estaba cometida la diligencia la hiciese. Salió luego el Licenciado Antonio de Cetina, tomó la declaración al Victoria, afirmóse en lo dicho, pero que no sabía quién lo hubiese muerto.

Fue el Oidor a la posada del Juan de los Ríos, halló a la mujer sentada labrando,[45] preguntóle por su marido, y respondióle: "Ocho o nueve días há, señor, que salió una noche de aquí con Escobedo y no ha vuelto." Díjole el Oidor: "¿Pues tanto tiempo falta vuestro marido de casa y no hacéis diligencia[46] para saber de él?" Respondióle la mujer: "Señor, a mi marido los quince y veinte días y el mes entero se le pasa por esas tablas de juego, sin volver a su casa. En ellas lo hallarán." Díjole el Oidor: "Y si vuestro marido es muerto, ¿conocerlo heis?"[47] Respondió: "Si es muerto yo lo conoceré y diré quién lo mató."—"Pues ven conmigo," le dijo el Juez.

Ella, sin tomar manto, sino con la ropilla, como estaba, se fue con el Oidor. Entrando en el hospital, se fue donde estaba el muerto, alzóle un brazo, tenía debajo de él un lunar tan grande como la uña del dedo pulgar.[48] Dijo: "Este es Juan de los Ríos, mi marido, y el doctor Mesa lo ha muerto." Llevóla el Oidor al Acuerdo, a donde se mandó prender al doctor Andrés Cortés de Mesa y a todos los de su casa, y secuestrar sus bienes.[49]

Salió a la ejecución de lo decretado el Licenciado Orozco, Fiscal de la Real Audiencia,[50] el cual con los Alcaldes ordinarios, alguaciles de Corte y de la ciudad, con el Secretario Juan de Alvis y mucha gente fue a casa del doctor Mesa a prenderle, y sacándole de su aposento dijo a la puerta de él: "Secretario, dadme por fe y testimonio cómo este dedo no me lo mordió el muerto, sino que saliendo de este apo-

45. found his wife sitting sewing
46. made no inquiries
47. would you identify him?
48. he had a mole underneath, the size of a thumbnail
49. to confiscate his property
50. The Licenciate Orozco, Public Prosecutor of the Royal Audiencia, was sent to enforce the orders

58

sento me lo cogió esta puerta."[51] Respondió el Fiscal diciendo: "No le preguntamos a vuesamerced, señor doctor, tanto como eso; pero, Secretario, dadle el testimonio que os pide."

Lleváronle a la cárcel de Corte y aprisionáronlo; lo propio hicieron de don Luis de Mesa, su hermano, y de toda la gente de su casa. A la señora doña Ana de Heredia la depositaron en casa del Regidor Nicolás de Sepúlveda; en este depósito se supo todo lo aquí dicho, y mucho más. Luego la misma tarde el Presidente en persona bajó a la cárcel a tomarle la confesión al doctor Mesa, el cual clara y abiertamente declaró y confesó el caso según y como había pasado, sin encubrir cosa alguna, culpando en su confesión al Andrés de Escobedo. Llevóse la declaración al Real Acuerdo,[52] a donde se mandó prender al Andrés de Escobedo. Estaba, cuando esto pasaba, en la plaza en un corrillo de hombres de buena parte.[53] Llegó un mensajero a decirle que se quitase de allí, que estaba mandado prender. No hizo caso del aviso,[54] ni del segundo y tercero que tuvo.

Llegó el Alguacil Mayor de Corte, Juan Díaz de Martos, a quien se dio el decreto del Acuerdo para que lo cumpliese, y echóle mano, y los alguaciles que iban con él lo llevaron a la cárcel de Corte, a donde el día siguiente se le tomó la confesión, habiéndole leído primero la del doctor Mesa, a donde halló la verdad de su traición y maldad, con lo cual confesó el delito llanamente.

Substancióse con ello la causa y con la demás información que estaba hecha con los esclavos, el cordel de cáñamo y la botija, y la declaración del hermano del doctor y de la señora doña Ana de Heredia, de lo que había visto en el pañuelo la noche del sacrificio y crueldad. Substanciado, como digo, el pleito, se pronunció en él sentencia por la cual condenaron al doctor Andrés Cortés de Mesa a que fuese degollado, y a su hermano, don Luis de Mesa, en destierro de es-

---

51. "Secretary, I want you to give it in writing that it wasn't the dead man who bit this finger, but that I caught it in the door as I was coming out."
52. i.e. the Royal Audiencia
53. with a group of friends
54. warning

ta ciudad;"[55] y al Andrés de Escobedo en que fuese arrastrado a las colas de dos caballos y ahorcado en el lugar a donde cometió la traición, y cortada la cabeza y puesta en la picota,[56] que entonces estaba a donde ahora está la fuente del agua en la plaza.

Llegó el día de la ejecución de esta sentencia. El primero que vino a él fue el señor Arzobispo don fray Luis Zapata de Cárdenas. Ya veo que me están preguntando que a qué fue un Arzobispo a donde hacían justicia de un hombre; yo lo diré todo.

Sacaron al doctor Mesa por la puerta, con una argolla de hierro al pie y un eslabón de cadena por prisión.[57] En esta puerta le dieron el primer pregón:

"Esta es la justicia que manda hacer el Rey, nuestro señor, su Presidente y Oidores en su real nombre, a este caballero porque mató a un hombre: que muera degollado."

Allegó al cadalso,[58] y subiendo a él por una escalerilla vio en una esquina del tablado al verdugo[59] con una espada ancha en las manos. Conociólo, que había sido esclavo suyo, y el propio doctor lo había quitado de la horca y hecho verdugo de la ciudad.[60] En el punto que lo vio perdió el color y el habla, y yendo a caer le tuvo el señor Arzobispo y el doctor Juan Suárez, cirujano que había subido al tablado a guiar la mano al verdugo.

Consoló Su Señoría al doctor Mesa, y vuelto en sí, con un gran suspiro dijo: "Suplico a Usía me conceda una merced, que es de las postreras que he de pedir a Usía." Respondióle: "Pida vuesamerced, señor doctor, que como yo pueda y sea en mi mano yo lo haré." Díjole entonces: "No consienta Usía que aquel negro me degüelle."[61] Dijo el señor Arzo-

---

55. banishment from this city
56. to be dragged at the tails of two horses and hanged on the spot where the crime was committed, his head to be cut off and impaled on the stake
57. with an iron ring on one foot fettered to a chain
58. He walked to the scaffold
59. the executioner
60. whom he had himself saved from the gallows and had appointed city executioner
61. "Don't let that Negro behead me!"

bispo: "Quiten ese negro de ahí." Dieron con el negro del tablado abajo.[62] A este tiempo sacó el doctor Mesa del seno un papel de muchas satisfacciones,[63] y de ellas diré sólo una por tenerla citada. Dijo en alto voz, que le oían los circunstantes:

"La muerte de Juan Rodríguez de los Puertos fue injusta y no a derecho conforme, porque los libelos infamatorios que se pusieron contra la Real Audiencia, por la cual razón lo ahorcaron, no los puso él, que yo los puse." Prosiguió por todas las demás, y acabadas, se hincó de rodillas, absolvióle el señor Arzobispo, que a esto fue a aquel lugar, y habiéndole besado la mano y Su Señoría dádole su bendición, le dijo: "Suplico a Usía me conceda otra merced, que esta es postrera súplica." Respondióle: "Pida vuesamerced, señor doctor, que como yo pueda yo lo haré." Díjole entonces: "No permita Usía que me despojen de mis ropas."[64] Sacó el señor Arzobispo una sortija de oro, rica de la mano, y diola al doctor Juan Sánchez, diciendo: "No le quiten nada, que yo daré lo que fuere." Con esto se bajó el cadalso, y acompañado de los prebendados, mucha clerecía y gente popular[65] se fue a la iglesia, y llegando a ella oyó doblar, encomendólo a Dios y esperó a enterrarlo, que degollado, con toda su ropa le metieron en el ataúd y lo llevaron. Está enterrado en la Catedral en la capilla de Santa Lucía.

Muchos dirán que cómo no apeló el doctor Mesa de esta sentencia. Rogado e importunado fue del propio Presidente, Oidores y Visitador, del Arzobispo, prebendados y de todos sus amigos, y no quiso apelar, antes consintió la sentencia; letrado era, él supo por qué.[66]

Dos cosas intentó el doctor Mesa: la una confesó en la cárcel delante de muchas personas; la otra quiso hacer en la misma cárcel. Confesó que la noche que mató a Juan de los Ríos le pidió la espada al Andrés de Escobedo, que la quería ver, y no se la dio, porque si se la daba lo matara allí luego y lo dejara junto al Ríos. Negocio que si lo hubiera ejecutado,

62. The Negro was pushed off the platform.
63. Doctor Mesa then took from his breast a paper detailing many wrongs
64. "Do not let them strip me of my clothing"
65. accompanied by the prebendaries, clerics and many of the common people
66. as a man of law, he will have had his reasons

fuera dificultoso de probar quién los había muerto. Lo que intentó en la cárcel fue matar al Presidente.

El día antes que se ejecutase la sentencia lo envió a llamar, suplicándole que le viese, que tenía un negocio importantísimo a su conciencia que comunicar con Su Señoría. Bajó el Presidente a la cárcel, acompañado de algunas personas; fue al calabozo donde estaba el doctor Mesa, el cual estaba sentado a la puerta de él en una silla, con grillos y cadena. Después de haberse saludado, le dijo el doctor al Presidente: "Suplico a Usía que se llegue a esta silla, que nos importa a entrambos."[67] Díjole el Presidente: "Diga vuesamerced, señor doctor, lo que le importa, que solos estamos." Volvióle a replicar: "Suplico a Usía que se llegue, que hay mucha gente y nos oirán." Mandó el Presidente que apartase la gente, aunque lo estaba ya apartada. Desviáronse más, y díjole el Presidente: "Ya no nos pueden oír, diga vuesamerced lo que nos importa a entrambos." Respondió el doctor: "Qué! ¿no quiere Usía hacerme merced de llegarse más?" Respondió el Presidente: "No tengo de pasar de aquí." Respondióle: "Pues no quiere llegarse Usía, tome, que eso tenía para matarlo." Arrojóle a los pies un cuchillo de belduque,[68] hecho y afilado como una navaja,[69] volviendo el rostro a la pared, que no le habló más palabra. El Presidente se santiguó, y metiéndose de hombros[70] le dijo: "Dios te favorezca, hombre!" Con esto se salió de la cárcel; y a este punto llegó la desesperación del doctor Andrés Cortés de Mesa, Oidor que fue de la Real Audiencia de este Nuevo Reino.

En Andrés de Escabedo se ejecutó el tenor de la sentencia arrastrándolo y ahorcándolo en el puesto donde cometió la traición y alevosía. Pusieron su cabeza donde se mandó; está enterrado en San Francisco.

---

67. "I beseech Your Worship to come close to this chair: this is important for both of us."
68. a huge pointed knife (named after "Belduque," manufacturer, or place where it was manufactured)
69. shaped and sharpened like a razor
70. crossed himself, and shrugging his shoulders

BECAUSE THE BED COLLAPSED

El Licenciado Gaspar de Peralta vino a esta Real Audiencia el año de 1584, habiendo sido Fiscal en la de Quito. Le sucedió que su mujer, no considerando el honrado marido que tenía, y desvanecida con su hermosura, puso su afición en un mancebo rico, galán y gentilhombre, vecino de aquella ciudad, llamado Francisco de Ontanera.

Peligrosa cosa es tener la mujer hermosa, y muy enfadosa tenerla fea; pero bienaventuradas las feas, que no he leído que por ellas se hayan perdido reinos ni ciudades, ni sucedido desgracias, ni a mí en ningún tiempo me quitaron el sueño, ni ahora me cansan en escribir sus cosas. Y no porque falte para cada olla su cobertera.[1]

Este mancebo Ontanera, por ser hombre de prendas y hacendado,[2] tenía amistad con algunos señores de la Real Audiencia, con los cuales trataba con familiaridad, hallándose con ellos en negocios, convites y fiestas que se hacían.

Pues sucedió que saliendo al campo a holgarse algunos de estos señores, y entre ellos el Fiscal, donde se detuvieron tres o cuatro días, fue el Ontanera a verlos y a gozar de la fiesta. Sucedió, pues, que como gente moza y amigos, tratando de mocedades contaba cada uno de la feria como le había ido en ella. Espéreme aquí lector por cortesía un poquito.

Tanto es mayor el temor, cuanto fuere más fuerte la causa. El bravo animal es un toro, espantosa la serpiente, fiero un león y monstruoso el rinoceronte; todo vive sujeto al hombre, que lo rinde y vence. Un solo miedo hallo, el más alto de cuerpo, el más invencible y espantoso de todos, y es la lengua del maldiciente murmurador,[3] que siendo aguda saeta, quema con brasas de fuego la herida; y contra ella no hay reparo, no tiene su golpe defensa, ni lo pueden ser fuerzas humanas. Muchos daños nacen de la lengua, y muchas vidas ha quitado.

1. And it isn't that every pot doesn't have its lid
2. a man of parts and property
3. wicked gossip

Lo propio sucedió a este mancebo Ontanera de quien voy hablando, el cual respondiendo al consonante de otras razones que habían dicho, dijo: "No es mucho eso, que no há dos noches, que estando yo con una dama harto hermosa, a los mejores gustos se nos quebró un balaustre de la cama."[4] Estaba el Fiscal en esta conversación, que también era mozo, no porque por entonces supiese nada ni reparase en las mocedades, que mejor diré tonterías o eso otro dichas.[5] Acabada fiesta y huelga volviéronse a sus casas. Holgóse mucho el Fiscal en ver a su mujer, que por su hermosura la quería en extremo grado.

Al cabo de dos o tres días dijo la mujer: "Señor, mandad que llamen a un carpintero que aderece un balaustre de la cama que se ha quebrado." En el mismo punto que oyó tales razones se acordó de las que el Ontanera había dicho en la huelga. Helósele la sangre en las venas.[6] Porque no se le echase de ver se levantó diciendo: "Vaya un mozo a llamar al carpintero." Entró en la recámara, vio el balaustre quebrado, y aunque el dolor le sacaba de sus sentidos, se esforzó y dio lugar a que el tiempo le trajese la ocasión a las manos.

Puso desde luego mucha vigilancia y cuidado en su casa, y por su persona le contaba los pasos al Ontanera,[7] tomando puestos de día y disfrazándose de noche, para enterarse en la verdad. Como el amor es ciego y traía tanto a los pobres amantes, que no veían su daño ni les daba lugar a discurrir con la razón, porque en las iglesias, en ventanas y visitas de otras damas vio el Fiscal tanto rastro de su daño, que echó bien de ver que el fuego era en su casa. Luego procuró la venganza de su honra, para lo cual pidió en la Real Audiencia una comisión, para ir él en persona a la diligencia; la cual conseguida previno todo lo necesario, y en su casa todas las entradas y salidas; fió su secreto de sólo un esclavo y de un indio que le servía.

---

4. at the very height of our pleasure one of the supports of the bed gave way
5. taking no particular note of the frivolities or stupidities that were being bandied about
6. the blood froze in his veins
7. himself trailed Ontanera in his comings and goings

Llegado el día de la partida mostró mucho sentimiento en el apartarse de su mujer y dejarla. Ella le consolaba, rogándole fuese breve su vuelta.[8] En fin, con mucho acompañamiento salió de la ciudad, diciendo que a tal tambo se había de ir a hacer noche, que estaba más de cinco leguas de la ciudad.[9]

Despidiéronse los que lo acompañaban, y él con sus dos criados y el paso lento siguió su viaje, y en cerrando la noche revolvió sobre la ciudad como una rayo.[10] De la espía que dejó para el aviso supo cómo el galán estaba dentro de su casa. Entró en ella por una ventana, fue al aposento de su estudio, sacó de él un hacha de cera[11] que había dejado aderezada para el efecto, encendióla, tomó un montante,[12] al negro puso a la ventana que salía a la calle, al indio dio orden que en derribando las puertas de la sala y recámara tuviese mucho cuidado no se le apagase la hacha de cera.[13]

Con este orden se arrimó a las puertas de la sala, y dando con ellas en el suelo fue a las de la recámara, y haciendo lo propio entró hasta la cama, a donde halló sola a su mujer. Por el aposento no parecía persona alguna. Detrás de las cortinas de la cama parecía un bulto, tiróle una estocada con el montante, y luego vio que estaba allí el daño,[14] porque herido el contrario, con la más presteza que pudo salió detrás de la cama y con su espada desnuda se comenzó a defender. Anduvieron un rato en la pelea. En este tiempo la mujer saltó de la cama, bajó por la escalera al patio, y el indio, dejando la hacha arrimada,[15] la siguió y vio dónde entró. El Fiscal en breve espacio mató al adúltero, y salió en busca de la mujer. El indio le dijo a dónde se había metido. Sacóla de allí

---

8. begged him to speed his return
9. saying he would spend the night at such and such a staging-post a good five leagues away
10. only to come back, swift as a flash, the moment darkness had closed in
11. a torch
12. a broad sword
13. posted the Negro by the window giving on to the street, and charged the Indian to see to the torch as he smashed in the bedroom door
14. one thrust at it with his sword made it evident that he had found the culprit
15. propping the torch (against the wall)

y matóla junto al muerto amigo, dejándolos juntos. Dio luego mandado a la justicia, vino al punto e hiciéronse las informaciones. El muerto era muy emparentado; revolvióse la ciudad, anduvo el pleito.[16]

El amor es un fuego escondido, una agradable llaga, un sabroso veneno, una dulce amargura, una deleitable dolencia, un alegre tormento, una gustosa y fiera herida, y una blanda muerte. El amor, guiado por torpe y sensual apetito, guía al hombre a desdichado fin, como se vio en estos amantes. El día que la mujer olvida la vergüenza y se entrega al vicio lujurioso, en ese punto muda el ánimo y condición, de manera que a los muy amigos tenga por enemigos, y a los extraños y no conocidos los tiene por muy leales y confía más de ellos.

NOT A GREEN THUMB

En el año de 1584 murió aquella hermosura causadora de tantas revueltas.[1] Díjose que fue ayudada del marido. Habiéndola hecho sangrar[2] en su presencia, por un achaque,[3] se allegó a taparle la herida,[4] diciendo: "No le saquen más sangre." En el dedo pulgar[5] con que le detuvo la sangre se dijo que llevaba pegado el veneno con que la mató. Dios sabe la verdad. Nuestro Señor los haya perdonado.

MISTRANSLATION

En este tiempo sucedió que en la ciudad de Tocaima don García de Vargas mató a su mujer, sin tener culpa ni merecerlo, y fue el caso: En esta ciudad había un mestizo, sordo y mudo de naturaleza,[1] hijo de Francisco Sanz, maes-

16. The dead man was well related, (and so) the city was in an uproar and a long trial followed
1. responsible for so many troubles
2. Having had her bled
3. for some illness
4. to staunch the wound
5. on his thumb
1. deaf-dumb from birth

tro de armas.² Este mudo tenía por costumbre todas las veces que quería, tomar entre las piernas un pedazo de caña, que le servía de caballo, y de esta ciudad a la de Tocaima, de sol a sol, en un día entraba en ella, con haber catorce leguas de camino.³ Pues fue en esta sazón a ella, que no debiera ir.

Habían traído a la casa grande de Juan Díaz un poco de ganado para de él matar un novillo; un animal bravo y tuvieron con él un rato de entretenimiento.⁴ El mudo se halló en esta fiesta. Muy grande era la posada de don García, y a donde tenía su mujer y suegra. Cuando mataron el novillo estaba el don García en la plaza. Pues viniendo hacia su casa topó⁵ al mudo en la calle, que iba de ella. Preguntóle por señas⁶ de dónde venía. El mudo le repondió por señas, poniendo ambas en la cabeza, a manera de cuernos;⁷ con lo cual el don García fue a su casa revestido del demonio y de los celos.⁸ Topó a la mujer en las escaleras de la casa, y dióle de estocadas.⁹ Salió la madre a defender a la hija, y también la hirió muy mal.

Acudió la justicia, prendieron al don García, fuese haciendo la información y no se halló culpa contra la mujer, ni más indicio¹⁰ que lo que el don García confesó de las señas del mudo, con lo cual todos tuvieron el hecho por horrendo y feo. Sin embargo, sus amigos le sacaron una noche de la cárcel y lo llevaron a una montañuela, donde le dieron armas y caballos, y le aconsejaron que se fuese, con lo cual se volvieron a sus casas.

Lo que el don García hizo fue que, olvidados todos los consejos¹¹ que le habían dado, se volvió a la ciudad y ama-

2. master-at-arms
3. of putting a length of cane between his legs, as it were a horse, and trotting from here to Tocaima, a distance of fourteen leagues (which he would cover) between sunrise and sunset
4. they had brought some heads of cattle, singling out for killing a steer, a spirited brute which provided them with some fun (before it was dispatched)
5. met
6. asked him by signs
7. put his hands to his head to imitate horns
8. sent him home a raging demon filled with jealous suspicions
9. plunged the dagger into her several times
10. nor any other motive (for the crime)
11. ignoring all their counsels

neció sentado a la puerta de la cárcel. Volviéronlo a meter en ella, y de allí lo trajeron a ésta de Corte, a donde también intentó librarse fingiéndose loco;[12] pero no le valió, porque al fin lo degollaron y pagó su culpa.

THE BRIDGE WAS HIS UNDOING

Entre los hombres que acompañaron al Visitador Alvaro Zambrano, vino Francisco Martínez Bello. Este casó en esta ciudad con doña María de Olivares, hija de Juan de Olivares, sobrino de María Blasa de Villarroel, mujer de Diego de Afaro, el mercader. De este matrimonio parió la doña María de Olivares una hija, de lo cual el Francisco Martínez Bello tomó mucho enfado, e importunó muchas veces a la mujer que matase esta criatura.[1] De no querer la mujer cumplir lo que el marido le ordenaba, había disgustos entre ellos.

Pues sucedió que enfermó la María Blasa de Villarroel, tía del Juan de Olivares, y para sacramentarla llevaron un crucifijo de la sacristía de Santo Domingo, para aderezar un altar.[2] Pues habiéndola sacramentado, al cabo de dos o tres días vino el sacristán por el cristo. Estaba sentada la doña María de Olivares junto a la cama de la enferma; entró el fraile y sentóse junto a ella. Hoy está vivo este fraile, y tal persona, que en el discurso[3] de su vida no se le ha sentido flaqueza ninguna en esta parte.[4] Pues entró el Francisco Martínez Bello, y como vio sentado al fraile junto a la mujer, se alborotó, y de aquí dijeron que se originó hacer el mal hecho que hizo.

Con achaque de que[5] iba al valle de Ubaté a negocios suyos, y que no podía volver tan presto, recogió todo el dinero que tenía y joyas de la mujer, y con ella, la niña y una negra que la cargaba, salió de esta ciudad para el dicho va-

12. feigning madness

1. was very annoyed and often urged his wife to kill this child
2. for administering the Sacraments they took along a crucifix from the sacristy of Santo Domingo, to set up an altar
3. course
4. no one has ever been able to point a finger at him on that score
5. Claiming that . . .

68

lle. Habiendo pasado del Portachuelo de Tausa[6] se apartó del camino, metiéndose por dentro de unos cerrillos y escondrijos.[7] Apeóse del caballo, apeó a la mujer, sacaron la comida que llevaban y sentáronse a comer. El Francisco Martínez Bello diole a la negra la comida para ella, y mandóle que caminase, con lo cual se quedaron los dos solos.

Cuando el Francisco Martínez vio que la negra iba ya lejos, echó vino en un vaso y diole a la mujer para que bebiese. Ella lo tomó, y poniendo el vaso en la boca para beber, descubrió el cuello de alabastro. A este tiempo aquel traidor encubierto, le tiró el golpe con un machete muy afilado, que días había tenía prevenido, como constó de su confesión, con el cual golpe aquella inocente y sin culpa quedó degollada y sin vida en aquel desierto.

La negra con la niña había caminado con gran diligencia,[8] y metiéndose en una estancia a donde esperaba a su señora, vio venir al Francisco Martínez Bello, solo. Escondióse de él, y habiendo pasado, como vio que su señora no venía, dijo en aquella posada lo que pasaba, de que se tuvo mala sospecha. Aunque era ya tarde, se dio aviso al Alcalde de la hermandad,[9] el cual vino al punto;[10] y el día siguiente, guiados por la negra, fueron al lugar donde los había dejado, a donde hallaron degollada a la inocente señora.

El Alcalde despachó luego cuadrilleros y gente[11] que siguiesen al matador, el cual como no topó la negra, que iba con intento de matarla también y la niña, que así lo confesó; pero guardábala Dios, y nadie la podía ofender. Hoy está viva esta señora, y muy honrada; está casada con Luis Vázquez de Dueñas, Receptor de la Real Audiencia.[12]

El Martínez, como no pudo alcanzar a la negra, salióse del camino real, echándose por atajos y veredas no usadas.[13] Pasó la voz del caso a la ciudad de Santafé. La Real Audien-

6. beyond the Tausa Pass
7. hills and hiding places
8. steadily
9. rural magistrate
10. who came at once
11. The magistrate sent rural guards and (other) persons out
12. Collector to the Royal Audiencia
13. he left the highway for bypaths and unfrequented country roads

cia despachó Jueces en virtud de la querella que el Juan de Olivares, padre de la difunta, había dado. Por una y otra parte le iban siguiendo, por la noticia que de él se daba.

Había traído el Martínez a sí una guía, a trueque de dinero. Llegaron al río de Chicamocha, que venía muy crecido y se pasaba por tarabita.[14] Pasó la guía primero y díjole al Martínez que pasase, el cual no se atrevió a pasar. Aunque la guía volvió a pasar a donde estaba el Martínez y le importunó a que pasase, no lo quiso hacer, con lo cual volvió a pasar el río y siguió su viaje. Martínez, se metió por una montañuela de las del río, a donde se echó a dormir. Uno de los cuadrilleros que le venía siguiendo y siempre le traía el rastro[15] lo prendió en este puesto, y traído a esta ciudad. Apremiado confesó el delito con todas sus circunstancias; y substanciada la causa,[16] la Real Audiencia lo condenó a muerte de horca, la cual se ejecutó.

14. very swollen, and to be crossed by means of a rope bridge
15. always followed his tracks
16. i.e. the facts speaking for themselves

BERNARDO DE BALBUENA

b. Valdepeñas, Spain, November 20, 1568
d. San Juan, Puerto Rico, October 11, 1627

Although years ago in his articles in the Mexican newspaper *Excelsior* (March 15 and 16, 1927) the historian and man of letters Victoriano Salado Alvárez claimed that Balbuena was born in Guadalajara, Mexico, literary critics adhere to the old theory that he first saw the light of day in the town of Valdepeñas, La Mancha, Spain. They do admit, however, that he came to Mexico when he was only two years old and spent most of his life in Jalisco, Nayarit, and Mexico City. Inextricably bound to Mexico and its culture, he expressed his deep attachment, understanding, and admiration for the country he came to consider his own.

After finishing his studies in the humanities at Guadalajara, Balbuena was sent to Mexico City where he took up theology, most probably at the University's Colegio de Todos los Santos (Omnium Sanctorum). There he found time to compose poetry, and for so doing won recognition in the form of prizes in 1585, 1586 and 1590.

Upon completion of his courses he was ordained as chaplain to the Audiencia of Guadalajara, and in 1592 was promoted to priest of San Pedro Lagunillas and the mines of Espíritu Santo.

The decade from 1592 to 1602 was to be the most fruitful of his literary career, for provincial tranquility, a mode of existence he did not particularly relish, did give him time to write. His first literary work—though not the first published— was *Siglo de Oro en las selvas de Erífile* (1608), a collection of twelve eclogues, in prose and verse, patterned on works by Theocritus, Vergil, and Sannazzaro. In this bucolic genre perhaps only one man, the great Spanish poet of the Renais-

71

sance, Garcilaso de la Vega (1503-1536), surpassed him. Thereafter Balbuena turned to the epic and wrote the 40,000-line poem *El Bernardo o Victoria de Roncesvalles,* based on the legendary life of Bernardo del Carpio. This work was not published until 1624.

In 1602 Balbuena moved to Mexico City, and soon after an epistle in verse which he wrote to a lady friend of "singular entendimiento" and "aventajada hermosura," living in San Miguel de Culiacán, became *Grandeza Mexicana* (1604), perhaps the most revealing of his works. Of it the veteran Spanish critic Menéndez y Pelayo said that "hasta por las cualidades más características de su estilo es en rigor el primer poeta genuinamente americano, el primero en quien se siente la exuberante y desatada fecundidad genial de aquella pródiga naturaleza." Menéndez y Pelayo no doubt favored the view of the American landscape Balbuena evoked, something Balbuena had done years before in the sixth eclogue of his *Siglo de Oro.* However delightful the Mexican topography with its perennial springtime may be to us, what Balbuena seems to be most excited about is his return from the backlands to Mexico's sophisticated capital: his poem becomes a veritable paean, a joyful hymn, to its animated city life, with its magnificent buildings, parks and avenues, with its carriages and well-dresed women, its splendid horses and milling crowds.

In 1606 Balbuena left for Spain and after a year of graduate studies at the University of Sigüenza, where he was awarded his Doctor of Theology degree, he was appointed Abbot (Abad Mayor) of Jamaica. He remained on that Caribbean island for some nine years before becoming Bishop of Puerto Rico in 1619.

When in 1625 Dutch pirates went on a month-and-a-half long rampage of sacking and burning through San Juan, all of Balbuena's manuscripts were destroyed, among them his *Cosmografía Universal, Divinos Cristiados, Alteza de Laura, Arte de Poesía.* In his *Laurel de Apolo* the Spanish playwright Lope de Vega (1562-1613) bitterly regrets the destruction of Balbuena's books:

72

Y siempre dulce tu memoria sea,
Generoso prelado,
Doctísimo Bernardo de Balbuena.
Tenías tú el cayado
De Puerto Rico cuando el fiero Enrique,
Holandés rebelado,
Robó tu librería.
Pero tu ingenio no, que no podía,
Aunque las fuerzas del olvido aplique.

The Bishop's body rests in the San Bernardo Chapel of the Cathedral of San Juan, Puerto Rico.

EDITIONS: *Grandeza Mexicana*, edited by John Van Horne, Urbana, Ill., The University of Illinois, 1930 (University of Illinois Studies in Language and Literature, Vol. XV, No. 3, August 1930); *Siglo de Oro en las selvas de Erífile*, edición corregida por la Academia Española, Madrid, Ibarra, 1821; *El Bernardo o Victoria de Roncesvalles*, in *Poemas épicos*, Vol. I, edited by Cayetano Rosell, Madrid, Hernando, 1851 (Biblioteca de Autores Españoles, Vol. XVII); *A Critical Edition of "El Bernardo"* of Bernardo de Balbuena by Margaret Kidder, University of Illinois doctoral thesis, 1937; *Grandeza mexicana y fragmentos del Siglo de Oro y El Bernardo*, edited by Francisco Monterde, México, Ediciones de la Universidad Nacional Autónoma, 1941 (Biblioteca del estudiante universitario, No. 23) new edition, 1954.

ABOUT BALBUENA: Manuel Fernández Juncos: *Don Bernardo de Balbuena, Obispo de Puerto Rico*, San Juan, P. R., Las Bellas Artes, 1884; Joseph G. Fucilla: "B. de Balbuena's *Siglo de Oro* and its Sources," *Hispanic Review* (Philadelphia), XV (1947) 101-119; Alfonso Méndez Plancarte: *Poetas Novohispanos. Primer Siglo* (1521-1621), México, Ediciones de la Universidad Nacional Autónoma, 1942 (Biblioteca del estudiante universitario, No. 33), pp. 97-104; María del Carmen Millán: *El paisaje en la poesía mexicana*, México, Imprenta Universitaria, 1952, pp. 35-56; Francisco Monterde: "Prólogo" to *Grandeza Mexicana y fragmentos del Siglo de Oro y El Bernardo*, México,

Ediciones de la Universidad Nacional Autónoma, 1941, pp.ix-xxxviii; Frank Pierce: *"El Bernardo* of Balbuena, A Baroque Fantasy," *Hispanic Review* (Philadelphia), XIII (1945), 1-23; Frank Pierce: *La Poesía épica del Siglo de Oro*, Madrid, Editorial Gredos, 1961; José Rojas Garcidueñas: *Bernardo de Balbuena, la vida y la obra*, México, Instituto de Investigaciones Estéticas, Universidad Nacional Autónoma de México, 1958; Jorge Ignacio Rubio Mañé: "Bernardo de Balbuena y su *Grandeza Mexicana,*" *Boletín del Archivo General de la Nación*, México, 2nd Series, I (January-March 1960) 87-100; A. Valbuena Briones: *Literatura Hispanoamericana*, Barcelona, Gustavo Gili, 1962, pp. 79-85; John Van Horne: *Bernardo de Balbuena, Biografía y Crítica*, Guadalajara, México, Imprenta Font, 1940.

GRANDEZA MEXICANA

Argumento [1]

De la famosa México el asiento,[2]
origen y grandeza de edificios,
caballos, calles, trato, cumplimiento,[3]
letras, virtudes, variedad de oficios,[4]

1. The subtitle of the **Grandeza Mexicana** reads: "Carta del Bachiller Bernardo de Balbuena a la señora doña Isabel de Tovar y Guzmán, describiendo la famosa ciudad de México y sus grandezas." In an earlier work, **Siglo de Oro en las selvas de Erifile**, which was not published until 1608, Balbuena had expressed his admiration for Mexico City ("Egloga VI") as follows:

    Mas luego que sentada encima de sus delicadas ondas ví una soberbia y populosa ciudad, no sin mucha admiración dije en mi pensamiento: ésta sin duda es aquella Grandeza Mexicana, de quien tantos milagros cuenta el mundo. Y bien que ya otras veces oyese decir que sobre collados de agua tenía el fundamento, no por eso creía que así toda pendiente en el aire sobre tan delgado suelo estribase; el cual no otra cosa me parecía mirándolo encima de mis hombros, que aquella delicada costra en que labrando las industriosas abejas sus panales suelen también edificar torreados y hermosos castillos de limpia cera; por cuya causa con un nuevo y particular gusto despacio me puse a contemplar semejantes maravillas, llevando a veces la vista por las anchas y hermosas calles cargadas de soberbios edificios, a veces contemplando sus ilustres ciudadanos, sus galanes y ataviados mancebos, como unos valientes y poderosos centauros sobre lozanos y revueltos caballos cubiertos de guarniciones y jaeces de oro; sus hermosísimas y gallardas damas, discretas y cortesanas entre todas las del mundo; los delicados ingenios de su florida juventud ocupados en tanta diversidad de loables estudios, donde sobre todo la divina alteza de la poesía más que en otra parte resplandece.

    Each line of the "Argumento" is used later for the title of a chapter, thus line 1, **De la famosa México el asiento**, becomes the title of Chapter I, etc.

2. seat, i.e. Mexico City was the seat of the Viceregal Government and capital of New Spain
3. courtesy and correctness
4. variety of crafts and occupations

regalos, ocasiones de contento,[5]
primavera inmortal y sus indicios,[6]
gobierno ilustre, religión, estado,
todo en este discurso está cifrado.[7]

Capítulo I

De la famosa México el asiento (excerpt)

Bañada de un templado fresco viento,
donde nadie creyó que hubiese mundo
goza florido y regalado asiento.

Casi debajo el trópico fecundo,
que reparte las flores de Amaltea;[1]
y de perlas empreña el mar profundo,[2]

dentro en la zona por do[3] el sol pasea,
y el tierno abril envuelto en rosas anda,
sembrando olores hechos de librea;[4]

sobre una delicada costra[5] blanda,
que en dos claras lagunas se sustenta,
cercada de olas por cualquiera banda,

labrada en grande proporción y cuenta
de torres, capiteles, ventanajes,[6]
su máquina soberbia se presenta.

5. pastimes and amusements
6. signs, traces (of spring)
7. summarized

1. right below the fertile tropics which distribute flowers from
   Amalthea's (horn of plenty)
2. and plants the seeds of pearls (lit. impregnates with pearls) in
   the deep sea
3. do — donde
4. livery
5. crust, overlay (of land)
6. towers, spires, and windows (fenestration)

Con bellísimos lejos y paisajes,[7]
salidas, recreaciones y holguras,
huertas, granjas, molinos y boscajes,[8]

alamedas,[9] jardines, espesuras
de varias plantas y de frutas bellas
en flor, en cierne, en leche, ya maduras.[10]

No tiene tanto número de estrellas
el cielo, como flores su guirnalda,[11]
ni más virtudes hay en él que en ellas.

Capítulo II

Origen y grandeza de edificios (excerpt)

Oh ciudad bella, pueblo cortesano,
primor del mundo, traza peregrina,[1]
grandeza ilustre, lustre soberano;

fénix de galas, de riquezas mina,[2]
museo de ciencias y de ingenios fuente,
jardín de Venus, dulce golosina;[3]

del placer madre, piélago de gente,[4]
de joyas cofre, erario de tesoro,[5]
flor de ciudades, gloria del poniente;

de amor el centro, de las musas coro;
de honor el reino, de virtud la esfera,
de honrados patria, de avarientos oro;[6]

7. perspectives and landscapes
8. orchards, villas, (wind) mills, and groves
9. malls, tree-lined walks
10. flowering, budding, ripening, fully ripened
11. garland

1. beauty of the world, wondrous in appearance
2. fabulous (lit. phoenix) in ostentation, a mine of luxuries
3. delightful dainty
4. swarm (lit. sea) of people, i.e. thickly populated
5. jewel-box, treasure chest
6. fatherland of honest persons, gold of misers

cielo de ricos, rica primavera,
pueblo de nobles, consistorio justo,[7]
grave senado, discreción entera;

templo de la beldad, alma del gusto,
Indias del mundo, cielo de la tierra;
todo esto es sombra tuya, oh pueblo augusto,
y si hay más que esto, aun más en ti se encierra.

Capítulo IV

Letras, virtudes, variedad de oficios (excerpt)

Ríndase el mundo, ofrézcale la palma,[1]
confiese que es la flor de las ciudades,
golfo de bienes y de males calma.[2]

Pida el deseo, forme variedades
de antojo el gusto,[3] el apetito humano
sueñe goloso [4] y pinte novedades,

que aunque pida el invierno en el verano,
y el verano y sus flores en invierno,
hallará aquí quien se las dé a la mano.

Si quiere reçreación, si gusto tierno
de entendimiento, ciencia y letras graves,
trato divino, don del cielo eterno;

si en espíritu heróico a las suaves
musas se aplica, y con estilo agudo
de sus tesoros les ganzúa las llaves;[5]

---

7. just tribunal

1. Surrender World, and award it (Mexico City) the prize
2. a sea (golfo) of good things, i.e. an abundance of good things
   and few evil ones
3. appetite for (a yearning for) a variety of dainties
4. dream gluttonously
5. pick the lock of (open up the doors to) its treasury

si desea vivir y no ser mudo,
tratar con sabios que es tratar con gentes,
fuera del campo torpe y pueblo rudo;

aquí hallará más hombres eminentes
en toda ciencia y todas facultades,
que arenas lleva el Gange [6] en sus corrientes;

monstruos en perfección de habilidades
y en las letras humanas y divinas
eternos rastreadores de verdades. [7]

Préciense las escuelas salmantinas
las de Alcalá, Lovaina y las de Atenas
de sus letras y ciencias peregrinas; [8]

préciense de tener las aulas llenas
de más borlas, [9] que bien será posible,
mas no en letras mejores ni tan buenas;

que cuanto llega a ser inteligible,
cuanto un entendimiento humano encierra,
y con su luz se puede hacer visible,

los gallardos ingenios desta tierra [10]
lo alcanzan, sutilizan y perciben
en dulce paz, o en amigable guerra. [11]

---

6. the Ganges, one of the longest rivers in the world, flowing from
   the Himalayas to the Bay of Bengal, some 1500 miles
7. seekers after truth
8. The Universities of Salamanca (**escuelas salmantinas**), Alcalá
   (de Henares) (Spain), Louvain (Belgium), and Athens take
   pride in teaching the humanities (**letras y ciencias peregrinas**)
9. the classrooms or lecture halls filled up with scholars (lit. with
   tassels, because the doctors' bonnets were decorated with tassels)
10. of this (**desta — de esta**) nation
11. argue ingeniously and elucidate in sweet peace or friendly war
    (i.e. by means of debates)

Capítulo V

Regalos, ocasiones de contento (excerpt)

Pues ¿qué diré de la hermosura y brío,
gracia, donaire, discreción y aseo,
altivez, compostura y atavío

de las damas deste alto coliseo,[1]
nata del mundo,[2] flor de la belleza,
cumplida perfección, fin del deseo,

su afable trato, su real compostura,
su grave honestidad, su compostura,
templada con suave y gran llaneza?

Lo menos de su ser es la hermosura,
pudiendo Venus mendigarla dellas
en gracia, en talle, en rostro, en apostura.[3]

Capítulo VI

Primavera inmortal y sus indicios (complete)

Los claros rayos de Faetonte altivo
sobre el oro de Colcos resplandecen,[1]
que al mundo helado y muerto vuelven vivo.[2]

1. For how shall I describe the beauty and elegance, gracefulness, cleverness, discretion and tidiness, pride, composure and mode of dress of the ladies of this (deste — de este) lofty coliseum (the poet sees Mexico City as a vast theater and a noble spectacle reminiscent of ancient Rome)
2. the cream of the world
3. i.e. although beauty is the least to be praised in them (by comparison to their many other virtues), still Venus would have to beg from them (dellas — de ellas) charm, appearence (lit. figure), good looks (lit. face), and neatness

1. Phaeton (son of Helios, the sun god) . . . shine upon the gold of Colchis (ancient province of Asia, east of the Black Sea, where the Golden Fleece was kept)
2. restore to life the frozen, inanimate world

Brota el jazmín, las plantas reverdecen,
y con la bella Flora y su guirnalda [3]
los montes se coronan y enriquecen.

Siembra Amaltea las rosas de su falda, [4]
el aire fresco amores y alegría,
los collados [5] jacintos y esmeralda.

Todo huele a verano, todo envía
suave respiración, y está compuesto
del ámbar nuevo que en sus flores cría.

Y aunque lo general del mundo es esto,
en este paraíso mexicano
su asiento y corte la frescura ha puesto. [6]

Aquí, señora, el cielo de su mano
parece que escogió huertos pensiles, [7]
y quiso él mismo ser el hortelano. [8]

Todo el año es aquí mayos y abriles,
temple agradable, frío comedido, [9]
cielo sereno y claro, aires sutiles.

Entre el monte Osa y un collado erguido
del altísimo Olimpo, se dilata
cierto valle fresquísimo y florido,

donde Peneo, con su hija ingrata,
más su hermosura aumentan y enriquecen
con hojas de laurel y ondas de plata. [10]

3. lovely Flora (goddess of flowers) with her garland
4. Amalthea (nurse-goat of Zeus, associated with the horn of plenty) scatters roses from her lap (lit. skirt)
5. hills
6. freshness has set its kingdom and its court
7. hanging gardens
8. gardener
9. gentle coldness
10. between Mount Ossa (in Thessaly and a spur of high Olympus there spreads a cool, flowery valley whose beauty Peneus (a river in Thessaly), with its ungrateful daughter, augments and enriches with laurel leaves and silver streams (lit. waves)

Aquí las olorosas juncias crecen
al son de blancos cisnes, que en remansos
de frío cristal las alas humedecen.[11]

Aquí entre yerba, flor, sombra y descansos,
las tembladoras olas entapizan [12]
sombrías cuevas a los vientos mansos.

Las espumas de aljófares se erizan [13]
sobre los granos de oro y el arena
en que sus olas hacen y deslizan.[14]

En blancas conchas la corriente suena,
y allí entre el sauce, el álamo y carrizo
de ovas verdes se engarza una melena.[15]

Aquí retoza el gamo, allí el erizo
de madroños y púrpura cargado
bastante prueba de su industria hizo.[16]

Aquí suena un faisán, allí enredado
el ruiseñor en un copado aliso
el aire deja en suavidad bañado.[17]

Al fin, aqueste humano paraíso,
tan celebrado en la elocuencia griega,
con menos causa que primor y aviso,[18]

---

11. Here the sweet-smelling cyperuses grow, amidst the singing
    of swans who moisten their wings in the cold crystal of ponds
12. lap against (lit. adorned with tapestries)
13. the pearly foam rears up (lit. bristles)
14. glide
15. there between willow, poplar and sedge with green berries a
    tress is coiled
16. Here the hart gambols, there the thistles loaded with tassels and
    purple (i.e. purple-colored berries) show their fertility (lit. gave
    ample evidence of their industry)
17. Here a pheasant makes a noise, there a nightingale entangled
    in a thick-topped aldertree leaves the air steeped in mildness
18. with more wit and wisdom than just cause

es el valle de Tempe [19] en cuya vega
se cree que sin morir nació el verano,
y que otro ni le iguala ni le llega.

Bellísimo sin duda es este llano,
y aunque lo es mucho, es cifra, es suma, es tilde,
del florido contorno mexicano.[20]

Ya esa fama de hoy más se borre y tilde,[21]
que comparada a esta inmortal frescura,
su grandeza será grandeza humilde.

Aquí entre sierpes de cristal [22] segura
la primavera sus tesoros goza,
sin que el tiempo le borre la hermosura.

Entre sus faldas el placer retoza,[23]
y en las corrientes de los hielos claros,
que de espejos le sirven se remoza.[24]

Florece aquí el laurel, sombra y reparos
del celestial rigor,[25] grave corona
de doctas sienes [26] y poetas raros;

y el presuroso almendro, que pregona
las nuevas del verano,[27] y por traerlas
sus flores pone a riesgo y su persona;

---

19. valley in Thessaly celebrated by Greek poets for its beauty
20. i.e. the valley of Tempe is not as beautiful as the valley of Mexico—it is a mere cipher, a fraction, a tilde, when compared to the flowering valley of Mexico
21. there is a pun here between **tilde**, present tense of the verb **tildar**, to erase, to strike out, and the noun **tilde** (a diacritical mark) which also means jot, tittle, particle
22. glass serpents (i.e. streams)
23. pleasure romps
24. becomes rejuvenated
25. shade and shelter from all celestial severity
26. wise temples (i.e. scholars)
27. the hasty almond tree heralding (the coming of) summer

el pino altivo reventando perlas
de transparente goma, y de las parras [28]
frescas uvas y el gusto de cogerlas.

Al olor del jazmín ninfas bizarras,
y a la haya y el olmo entretejida
la amable yedra con vistosas garras.[29]

El sangriento moral, triste acogida
de conciertos de amor, el sauce umbroso,[30]
y la palma oriental nunca vencida;

el funesto ciprés, adorno hermoso
de los jardines, el derecho abeto,
sustento contra el mar tempestuoso;[31]

el liso boj, pesado, duro y neto,
el taray junto al agua cristalina,
el roble bronco, el álamo perfecto;[32]

con yertos ramos la nudosa encina,
el madroño con púrpura y corales,
el cedro alto que al cielo se avecina;[33]

el nogal pardo, y ásperos servales,
y el que ciñe de Alcides ambas sienes
manchado de los humos infernales;[34]

28. the lofty pine exploding pearls of transparent gum, and the grape vines' fresh grapes
29. the friendly ivy, with its glamorous claws clinging to beech and elm
30. the sanguine (i.e blood-red) mulberry, gloomy trysting place, the shady willow
31. the funeral cypress, fair ornament of gardens, the stalwart fir, facing the stormy sea
32. the glossy boxwood, heavy, hard, and clean; the tamarisk beside the pure, clear (crystalline) water; the sturdy oak, the flawless poplar
33. the knotty oak with (its) rigid branches; the strawberry-tree with purple and corals (i.e. red berries); the lofty cedar reaching to the skies
34. the dark walnut-tree, the hardy mountain ash, and the one that, befouled by infernal fumes, enwreathes Hercules' temples (Hercules was often referred to by the patronymic Alcides, given to him from Alcaeus, the father of his mother's husband)

el azahar nevado, que en rehenes
el verano nos da de su agriduce,
tibia esperanza de dudosos bienes;³⁵

entre amapolas rojas se trasluce
como granos de aljófar en la arena,
por el limpio cristal del agua duce;³⁶

la rosa a medio abrir de perlas llena,
el clavel fresco en carmesí bañado,
verde albahaca, sándalo y verbena;³⁷

el trébol amoroso y delicado,
la clicie o girasol siempre inquieta,
el jazmín tierno, el alhelí morado;³⁸

el lirio azul, la cárdena violeta,
alegre toronjil, tomillo agudo,
murta, fresco arrayán, blanca mosqueta;³⁹

romero en flor,⁴⁰ que es la mejor que pudo
dar el campo en sus yerbas y sus flores,
cantuesos rojos y mastranzo rudo;⁴¹

fresca retama hostense, dando olores
de ámbar a los jardines, con las castas
clavellinas manchadas de colores;⁴²

35. the snowy (i.e. white) orange-blossoms which as hostages summer gives us—(a taste) of its bittersweetness (?) (**agriduce — agridulce**), lukewarm hope of doubtful benefits
36. Among red poppies it is glimpsed, like (grains of) pearls upon the sand through the limpid crystal of the sweet (**duce — dulce**) water
37. the half-open rose brimful of pearls, the fresh carnation bathed in cochineal, green basil, sandalwood and vervain
38. the amorous, delicate clover, the ever restless marigold or sunflower, the tender jasmine, the crimson gillyflower
39. the blue iris, the purple violet, the blithesome balm-gentle, the redolent thyme, bilberry, fresh myrtle, white musk-rose
40. flowering rosemary
41. red lavender and rude applemint
42. fresh broom, perfuming the gardens with their scent (like that) of ambergris, the chaste pinks, flushed (lit. stained) with colors

verdes helechos, manzanillas bastas,
junquillos amorosos, blando heno,
prados floridos, olorosas pastas;[43]

el mastuerzo mordaz de enredos lleno,
con campanillas de oro salpicado,
común frescura en este sitio ameno;[44]

y la blanca azucena, que olvidado
de industria se me había, entre tus sienes
de donde toma su color prestado;[45]

jacintos y narcisos, que en rehenes
de tu venida a sus vergeles dieron
como esperanzas de floridos bienes;[46]

alegres flores, que otro tiempo fueron
reyes del mundo, ninfas y pastores,
y en flor quedaron porque en flor se fueron;[47]

aves de hermosísimos colores,
de vario canto y varia plumería,
calandrias, papagayos, ruiseñores,[48]

que en sonora y suavísima armonía,
con el romper del agua y de los vientos,
templan la no aprendida melodía;[49]

43. green ferns, coarse camomile, amorous jonquils, soft hay, flowery
    meadows, and sweet-smelling pastures
44. the wildly entangled bitter cress, adorned (lit. sprinkled) with
    tiny bells of gold, freshening everything in this delightful spot
45. unwittingly I had forgotten (to mention) the white lily, (sitting)
    between your temples, from which it borrows its whiteness (lit.
    color)
46. hyacinths and daffodils, which as a reward to your coming to
    their gardens, were given as hopes of splendid blossomings
47. gay flowers that in former days were monarchs of the world,
    nymphs, and shepherds, remain in bloom because they ceased to
    exist (while) blossoming
48. gorgeous colored birds, diverse in song and plumage: larks,
    parrots, nightingales
49. temper their spontaneous (lit. not learned) melody

y en los fríos estanques con cimientos
de claros vidrios las nereidas tejen
bellos lazos, lascivos movimientos.⁵⁰

Unas en verde juncia se entretejen,
otras por los cristales que relumbran
vistosas vueltas tejen y destejen.⁵¹

Las claras olas que en contorno alumbran,
como espejos quebrados alteradas,
con tembladores rayos nos deslumbran,⁵²

y con la blanca espuma aljofaradas
muestran por transparentes vidrieras
las bellas ninfas de marfil labradas.⁵³

Juegan, retozan, saltan placenteras
sobre el blando cristal que se desliza
de mil trazas, posturas y maneras.⁵⁴

Una a golpes el agua crespa eriza,
otra con sesgo aliento se resbala,
otra cruza, otra vuelve, otra se enriza.⁵⁵

Otra, cuya beldad nadie la iguala,
con guirnaldas de flores y oro a vueltas
hace corros y alardes de su gala.⁵⁶

---

50. and in the chilly pools, founded on transparent glass, the nereids interlace their beautiful windings and lascivious movements
51. some among the green sedges twine about, others in the glittering crystal, weave and unweave their glamorous turns
52. agitated, the limpid waves, shimmering all over, like broken mirrors, dazzle us with tremulous rays
53. and impearled with the white foam they reveal, across the transparent glass windows, the lovely nymphs wrought in ivory
54. they play and frolic on the soft crystal that slips away as they gambol delightedly in a thousand figures, postures, and attitudes
55. one of them, splashing the water, produces waves (lit. by dint of blows causes the curly waves to bristle up), another one with sidelong stroke glides along, another crosses over, another returns, another curls up
56. another one, whose beauty surpasses all others, with garlands alternating gold with flowers, broadcasts and makes a show of her loveliness

Esta hermosura, estas beldades sueltas[57]
aquí se hallan y gozan todo el año
sin miedos, sobresaltos ni revueltas,[58]

en un real jardín, que sin engaño
a los de Chipre vence en hermosura,
y al mundo en temple ameno y sitio extraño;[59]

sombrío bosque, selva de frescura,
en quien de abril y mayo los pinceles
con flores pintan su inmortal verdura.

Al fin, ninfas, jardines y vergeles,
cristales, palmas, yedra, olmos, nogales,
almendros, pinos, álamos, laureles,

hayas, parras, ciprés, cedros, morales,
abeto, boj, taray, robles, encinas,
vides, madroños, nísperos, servales,

azahar, amapolas, clavellinas,
rosas, claveles, lirios, azucenas,
romeros, alhelís, mosqueta, endrinas,

sándalos, trébol, toronjil, verbenas,
jazmines, girasol, murta, retama,
arrayán, manzanillas de oro llenas,

tomillo, heno, mastuerzo que se enrama,
albahacas, junquillos y helechos,
y cuantas flores más abril derrama,[60]

aquí con mil bellezas y provechos
las dió todas la mano soberana.
Este es su sitio, y éstos sus barbechos,[61]
y ésta la primavera mexicana.

57. these beauties unconfined
58. without fear, shock, or discord
59. in a royal garden, which without deceit, surpasses in beauty those
of Cyprus, and (surpasses) the world for its pleasant climate and
unusual location
60. as many flowers as April lavishes
61. and these, their fallow fields (plowed for seeding)

Epílogo y capítulo último

Todo en este discurso está cifrado (excerpt)

Es México en los mundos de occidente
una imperial ciudad de gran distrito,
sitio, concurso y poblazón de gente.[1]

Rodeada en cristalino circuito
de dos lagunas, puesta encima dellas,[2]
con deleites de un número infinito;

huertas, jardines, recreaciones bellas,
salidas de placer y de holgura
por tierra y agua a cuanto nace en ellas.

En veintiún grados de boreal altura,
sobre un delgado suelo y planta viva,
calles y casas llenas de hermosura;

donde hay alguna en ellas tan altiva,
que importa de alquiler más que un condado,
pues da de treinta mil pesos arriba.[3]

Tiene otras calles de cristal helado,
por donde la pasea su laguna,
y la tributa de cuanto hay criado.

Es toda un feliz parto de fortuna,
y sus armas una águila engrifada
sobre las anchas hojas de una tuna;[4]

1. huge population cluster
2. dellas — de ellas
3. the rent collected from a single luxurious mansion, over 30,000 pesos, is bigger than that collected from a (whole) county
4. an angry eagle perched on the wide leaves of a cactus

89

de tesoros y plata tan preñada,
que una flota de España, otra de China
de sus sobras cada año va cargada.[5]

¿Qué gran Cairo o ciudad tan peregrina,
qué reino hay en el mundo tan potente,
qué provincia tan rica se imagina,

que baste a tributar contínuamente
tantos millones, como desta sola
han gozado los reinos del Poniente?[6]

Es centro y corazón desta gran bola,[7]
playa donde más alta sube y crece
de sus deleites la soberbia ola.

Cuanto en un vario gusto se apetece
y al regalo, sustento y golosina
julio sazona y el abril florece,

a su abundante plaza se encamina;[8]
y allí el antojo al pensamiento halla
más que la gula a demandarle atina.

Sólo aquí el envidioso gime y calla,
porque es fuerza ver fiestas y alegría
por más que huya y tema el encontralla.[9]

---

5. **so wealthy** (lit. so pregnant with treasure and silver) that fleets, one for Spain, another for China, leave every year loaded with leftovers (i.e. with Mexican surpluses)
6. i.e. when it comes to paying tributes, this city may be compared to the kingdoms of the Far East (**Poniente** — West, i. e. the Far East is West of Mexico)
7. (Mexico City) is the center and heart of this (**desta — de esta**) ball (sphere, world)
8. i.e. at any time of the year produce from the most diverse climates or seasons can be purchased in its bountiful marketplace
9. only envious persons weep and keep silent, for perforce they have to witness fiestas and merriment no matter how hard they they may try to avoid it (lit. no matter how hard they may flee and try to avoid it—it referring to merriment)

Es ciudad de notable policía [10]
y donde se habla el español lenguaje
más puro y con mayor cortesanía,

vestido de un bellísimo ropaje
que le da propiedad, gracia, agudeza,
en casto, limpio, liso [11] y grave traje.

Su gente ilustre, llena de nobleza
en trato afable, dulce y cortesana,
de un ánimo sin sombra de escaseza. [12]

10. remarkable politeness
11. plain
12. generous (lit. without a trace of stinginess)

PEDRO DE OÑA

b. Angol, Chile, 1570
d. Perú or Spain, c. 1643

Chile's first poet, Pedro de Oña, was born at a garrison
in the valley of Angol, in the very heart of Araucania, during
a raging battle between the Spaniards and the mapuche Indians. His father, a Spanish captain from Burgos, perished
in the midst of the same battle, and the orphaned boy was
raised by his mother and stepfather. Don García Hurtado de
Mendoza, a powerful distant relation of his mother's (about
whom more later), procured him a scholarship at the Colegio de San Felipe of Lima, and later at the University of San
Marcos, from which he graduated not in theology, as he had
originally planned, but in law. This explains why he is generally referred to as *Licenciado* (i.e., Counselor at Law) Oña.

From early youth on, Oña was to write verse, and now,
in his twenties, recalling the magnificent landscape of his
native Chile with its unconquerable Indians and its equally
heroic Spaniards, he devoted himself to his most ambitious
work, *Arauco domado* (1596), a sixteen-thousand-line narrative poem, "por el sólo deseo de hacer algún servicio a la
tierra donde nací, tanto como esto puede el amor a la patria."

In 1592 Oña is known to have participated in an expedition to put down an uprising in Quito, Ecuador. This event
was described in such vigorous terms in *Arauco domado* (Cantos XIV-XVI) that members of the Quito *audiencia* protested
and succeeded in suppressing the first edition. To make things
worse, Oña was charged with having published his work without the customary ecclesiastical sanction. A lawsuit followed
and, fearful of consequences, he set sail from Callao, while
his printer sought refuge in a monastery. So far only a few
copies of *Arauco domado* had circulated. In 1605, it finally

93

went into a second edition, whereupon it found a wider reading public. This explains why Oña is included here among writers whose work belongs to the seventeenth century.

Oña's next contribution was a poem dealing with the Lima earthquake of 1609. This was written with the avowed purpose of attracting attention to the plight of victims of the quake and obtaining government aid. In 1635 Oña finished *El Vasauro,* a ten-thousand-line poem dedicated to the Viceroy of Perú, who was then the fourth Count of Chinchón, and his ancestors. His last work was an allegorical biography in praise of Saint Ignatius of Loyola, the founder of the Society of Jesus—a work destined to remain unfinished.

Oña's reputation still rests squarely on his *Arauco domado.* The constant warring of the indomitable Spaniards against the brave and equally unyielding Araucanians has been the source of inspiration for numerous literary works from the sixteenth century on. Of these the most renowned is *La Araucana,* an epic poem in three parts, each published in 1569, 1578, and 1579 respectively, by the Spanish poet Alonso de Ercilla (1533-1594). Using as models the Italian poets of the Renaissance, Ercilla wrote some of his cantos even before sailing for the New World. But in Chile he was to witness the war at close quarters, and, thanks to his objectivity and sense of justice, to discover the courage and patriotism of the Araucanians and sympathize with them. Ercilla also had an ax to grind: he hated the Spanish commander Hurtado de Mendoza (Oña's sponsor, mentioned above)—for "that hot-headed, captain stripling," as he called Hurtado de Mendoza, had once condemned him to be beheaded for provoking a duel.

So despite Pedro de Oña's claim that his main purpose in writing *Arauco domado* was "el sólo deseo de hacer algún servicio a la tierra donde nací", his real and most urgent "servicio" verges on blatant adulation, for which Hurtado de Mendoza repaid him well by appointing him *Corregidor* of Jaén de Bracamoros, in Peru.

In recent years critics have found fault with Ercilla and Oña, exposing the artificiality, anachronisms, and pompous rhetoric of both *La Araucana* and *Arauco domado*. The great Chilean writer Mariano Latorre, for instance, phrased it this way: "la visión de la tierra y el verdadero carácter de los araucanos están en sus octavas (he is referring to Oña's octosyllabic stanzas) más falseados aún que en el poema de su maestro (i.e. Ercilla)." Indeed, both masterpieces contain many adulterations: poor optics, hasty and exaggerated characterizations, and, of course, long stretches of pompous declamations. More lyric than epic at heart, Oña tends towards a sweet afflatus (a fusion of Garcilaso and the Góngora of the sonnets), relishing idyls and love affairs, "diabolic drunken banquets," and Indian superstitions. Often he stands at the threshold of surrealism.

Both poets constantly digress: Ercilla to describe historical events that impressed him (such as the "decisive" European battles of Saint Quentin and Lepanto) or to redeem the tarnished reputation of Queen Dido, ruined, according to Oña, by Vergil in his *Aeneid*. Oña, however, leaves the Chilean battlefield to comment on the Quito rebellion (which he helped to quell, for the greater glory of his Viceroy) or to narrate how the English pirate Richard Hawkins was defeated.

As for the story line of *Arauco domado*, it is rather simple: news had reached Lima, capital of the Spanish Empire in the New World, of a rebellion of Araucanian Indians headed by Caupolicán. The Viceroy Andrés de Mendoza ordered his son García Hurtado de Mendoza to rush south and quell it. In the meantime, the Indians had assembled in the forests of Arauco, to take counsel only to hear their soothsayers prophesy their doom. There follows a description of Hurtado de Mendoza's journey and his arrival at Talcahuano. Twenty thousand Indians storm the Penco garrison, which gives the poet a chance to embellish on the glories of both Indians and Spaniards. The Spanish general is so brave and ingenious that the Indians must retreat and the Spaniards win the day. After reviewing his troops, Hurtado de Mendoza marches off to the State of Arauco. The Indians try to prevent the Spaniards from crossing the Bio-Bio River, but

95

finally, they are scattered, so the Spaniards advance according to plan, scoring one victory after the other. At last they capture the stubborn Indian leader, Galvarino, and, to teach the rebels a lesson, they cut off his hands and send him back to his people. The rest of the material in the long poem is extraneous to the main action: lyrical or narrative interpolations that have nothing to do with the "taming" of the Araucanians.

Where Oña excels is in the depiction of his baroque world, a skill supremely well illustrated by the idyllic excerpt from Canto V that follows. Notice how reality has undergone a poetic metamorphosis: the Indian girl is not copper-colored but a refined blonde, the white-as-alabaster Fresia. Her sweetheart, an athletic lad out of a Renaissance painting, makes love to her in the water in a setting filled with European trees and animals, and everything is magically transformed into precious stones and flowers, into light, gold, crystal. The modern reader will be reminded of the precious artificialities of Théophile Gautier—of his "Symphonie en blanc majeur," for instance, published in 1849.

EDITIONS: *Arauco domado,* edited by José Toribio Medina, Santiago de Chile, Academia Chilena, 1917. A facsimile edition of the first edition (1596) was published by Cultura Hispánica, Madrid, 1944.

ABOUT OÑA: Fernando Alegría: *La poesía chilena,* Berkeley, University of California Press, 1954, pp. 56-106; César de Angeles Caballero: "Los peruanismos en el *Arauco domado,*" *Mercurio Peruano* (Lima), XXXVII (1956) 496-502; Salvador Dinamarca: *Estudio de "Arauco Domado,"* New York, Hispanic Institute, 1952; Enrique Motta Vial: *El licenciado Pedro de Oña, estudio biográfico crítico,* Santiago de Chile, Imprenta Universitaria, 1924; Rodolfo Oroz: "Reminiscencias virgilianas en Pedro de Oña," *Atenea* (Concepción, Chile), XXXI (June 1954), 278-286; Rodolfo Oroz: "Pedro de Oña, poeta barroco y gongorista," *Primeras jornadas de lengua y literatura hispano-americanas,* Universidad de Salamanca, I (1956) 69-90; McKendree Petty: *Some Epic Imitations of Ercilla's "La Araucana,"* University of Illinois Ph.D. thesis, 1932; Raúl Porras Barrenechea: "Nuevos datos sobre la vida del

poeta chileno Pedro de Oña," *Mercurio Peruano* (Lima), XXVII
(November 1952) 524-557; Gerardo Seguel: *Pedro de Oña, su
vida y la conducta de su poesía,* Santiago de Chile, Ercilla, 1940;
E. Solar Correa: *Semblanzas literarias de la colonia,* Santiago de
Chile, Nascimento, 1933, pp. 51-98; Thomas Thayer Ojeda: *Ensayo crítico sobre algunas obras históricas utilizables para el estudio de la conquista de Chile,* Santiago de Chile, Imprenta Barcelona,
1917, pp. 407-463; Miguel Angel Vega: *Literatura chilena de la
conquista y la colonia,* Santiago de Chile, Nascimento, 1954.

ARAUCO DOMADO

(excerpt from Canto V)[1]

Estaba a la sazón Caupolicano[2]
en un lugar ameno de Elicura,
do,[2] por gozar el sol en su frescura,
se vino con su palla mano a mano;[4]
merece tal visita el verde llano,
por ser de tanta gracia y hermosura,
que allí las flores tienen por floreo
colmarle las medidas al deseo.[5]

Allí jamás entró el septiembre frío,
nunca el templado ábril estuvo fuera;[6]
allí no falta verde primavera
ni asoma crudo invierno y seco estío.
Allí, por el sereno y manso río,
como por transparente vidriera,[7]
las náyades están a su contento
mirando cuanto pasa en el asiento.[8]

Tal vez del rojo sol se están burlando,
que, por colar allí su luz febea,
con los tejidos árboles pelea,

1. Caupolicán and his beloved Fresia disport among the flowers
in the valley of Elicura, a most pleasant haunt where, after ex-
changing amorous speech, they enter a pool to bathe.
2. Caupolicán, heroic chieftain of Chile's Araucanian Indians
3. **do — donde**
4. he came with his lady hand in hand
5. Here flowers grow (so lovely and in such profusion) that they
overflow (**colmarle**) the measures of desire
6. Oña seems to be oblivious of the fact that September is not a
cold month in Chile—apparently following his European models
even in their meteorology. As for April (**templado — temperate**)
—sometimes!
7. transparent glass (as in an aquarium)
8. naiads (nymphs) are gazing to their (heart's) content on whatever happened in the haunt

que al agua están mirándose, mirando;[9]
tal vez de ver que el viento respirando
a los hojosos ramos lisonjea;
tal vez de que los dulces ruiseñores
cantando les descubran sus amores.[10]

Entre una y otra sierra levantada,
que van a dar al cielo con las frentes
y al suelo con sus fértiles vertientes,
la deleitosa vera está fundada.[11]
¡Oh, quién tuviera pluma tan cortada
y versos tan medidos y corrientes,
que hicieran el vestido deste valle,
cortado a la medida de su talle![12]

En todo tiempo el rico y fértil prado
está de hierba y flores guarnecido,
las cuales muestran siempre su vestido
de trémulos aljófares bordado;[13]
aquí veréis la rosa de encarnado,
allí el clavel de púrpura teñido,
los turquesados lirios, las violas,
jazmines, azucenas, amapolas.[14]

9. Perhaps they are poking fun at the red (blushing) sun which, by filtering its Phoebean (i.e. sunny) rays combats the fabric (i.e. the network woven by the sunlight in the trees) reflected on the water
10. perhaps (they make fun) on seeing the soughing wind cajoling the leafy branches; or (on hearing) the sweet nightingales (who by) singing reveal their (the naiads' latent) loves. There are of course no nightingales in Chile. Oña's fauna and flora, a literary reflection of European models, overlook the American landscape. His is a bookish world imitative of Spanish and Italian writers and steeped in the traditions of Latin antiquity.
11. the delightful shore is located
12. Oh, if only I had a pen so (neatly) cut and verses so cadenced and flowing that they might clothe this valley, fitted to its measurements! (i.e. if I could only express properly my admiration for this delightful meadow)
13. embroidered with tremulous (liquid) pearls
14. there you will see red roses, purple-tinged carnations, turquoised irises, violets (violas — violetas), jasmines, lilies, poppies—(none of which are typically Chilean flowers but which are inevitably found in European writings)

Acá y allá, con soplo fresco y blando
los dos Favonio y Céfiro las vuelven,
y ellas, en pago desto, los envuelven
del suave olor que están de sí lanzando;[15]
entre ellas las abejas susurrando,
que el dulce pasto en rubia miel resuelven,
ya de jacinto, ya de croco y clicie,
se llevan el cohollo y superficie.[16]

Revuélvese el arroyo sinuoso,
hecho de puro vidrio una cadena,
por la floresta plácida y amena,
bajando desde el monte pedregoso;[17]
y con murmurio grato, sonoroso,[18]
despacha[19] al hondo mar la rica vena,
cruzándola y haciendo en varios modos
descansos, paradillas y recodos.[20]

Vense por ambas márgenes[21] poblados
el mirto, el salce, el álamo, el aliso,
el sauce, el fresno, el nardo, el cipariso,
los pinos y los cedros encumbrados,[22]

15. Favonius and Zephyrus (Zephyr) (mythological names for the west wind) bestir (the flowers), in payment whereof they (the flowers) enfold them in their sweet fragance
16. among them the buzzing bees transform the sweet pasture (i.e. flowers) into light-colored honey, extracting it from the shoots (**cohollo — cogollo**) and from the surface now of hyacinths, now of saffron and sunflowers
17. These characteristically baroque, lines may be rearranged to surrender, approximately the following meaning: Descending from the rocky mountain, the winding brook, converted into a chain of pure glass, flows along the pleasant, peaceful woodland
18. pleasant, sonorous (**sonoroso — sonoro**) murmur (**murmurio — murmullo**)
19. sends
20. rests, stops, and bends
21. banks (of a river)
22. myrtle, willow (**salce — sauce**), poplar, alder-tree, spikenard, ash, cypress, tall pines and cedars—most of which are not peculiar to or even found in Chile but are often referred to in Spanish literary works since they all grow in Spain and have become comfortable literary clichés for writers acquainted only slightly with Nature.

con otros frescos árboles copados [23]
traspuestos [24] del primero paraíso,
por cuya hoja el viento en puntos graves
el bajo lleva al tiple de las aves. [25]

También se ve la hiedra enamorada, [26]
que con su verde brazo retorcido [27]
ciñe lasciva el tronco mal pulido
de la derecha haya levantada; [28]
y en conyugal amor se ve abrazada
la vid alegre al olmo envejecido, [29]
por quien sus tiernos pámpanos prohija, [30]
con que lo enlaza, encrespa y ensortija. [31]

En corros [32] andan juntas y escondidas
las dríadas, oréades, napeas,
y otras ignotas mil silvestres deas,
de sátiros y faunos perseguidas; [33]
en álamos Lampecies convertidas,
y en verdes lauros vírgenes Peneas, [34]
que son, por conocerse tan hermosas,
selváticas, esquivas, desdeñosas. [35]

Por los frondosos débiles ramillos
que con el blando céfiro bracean,
en acordada música gorjean

23. **copados — copudos**, thick-topped, tufted
24. transplanted
25. through leaves whereby the wind, in grave accord, blended its
    bass with the treble of the birds
26. the ivy in love
27. twisted
28. lewdly embraces the ill-polished trunk of the tall, straight beech
29. the happy grapevine (embraced) the old elm
30. to which (**por quien — al cual**) it adopts its tender tendrils
31. binds, curls, and encircles
32. in groups
33. dryads, oreads, wood-nymphs and a thousand other unknown
    goddesses of the forests, pursued by satyrs and fauns
34. Lampecies transformed into elm trees, Penean virgins into laurels
    (**lauros — laureles)**
35. sylvan, elusive, disdainful

mil coros de esmaltados pajarillos;[36]
cuyos acentos dobles y sencillos
sus puntos y sus cláusulas recrean
de tal manera el ánima que atiende,
que se arrebata, eleva y se suspende.[37]

Entre la verde juncia en la ribera
veréis el blanco cisne paseando,
y alguna vez en dulce voz mostrando
haberse ya llegado a la postrera;[38]
sublimes [39] por el agua el cuerpo fuera,
veréis a los patillos[40] ir nadando,
y cuando se os esconden y escabullen,
¡qué lejos los veréis de do zabullen![41]

Pues por el bosque espeso y enredado [42]
ya sale el jabalí cerdoso y fiero,
ya pasa el gamo tímido y ligero,
ya corren la corcilla y el venado,
ya se atraviesa el tigre variado;[43]
ya penden sobre algún despeñadero
las saltadoras cabras montesinas [44]
con otras agradables salvajinas.[45]

36. over frail leafy branchlets (which are) swayed by the gentle breeze a thousand choirs of enameled little birds warble in rhythmic melody
37. delights so keenly, enraptures, exalts and holds in suspense the attentive person (soul)
38. through the green sedge by the river bank you will see the white swan walking and on occasion showing by means of its sweet voice that its life has reached its final hour
39. **sublime** means here **above water**
40. ducklings
41. and when they hide from you and slip away, how far off they seem from where (do — donde) they dived!
42. entangled
43. striped tiger. The poet mentions animals (**jabalí cerdoso y fiero** —bristling wild boar, and tiger which do not belong to Chile— here they are no more than literary allusions to wild fauna. **Corcillas** and **venados** (fawns and stags) are somewhat acceptable, for the Chilean **huemuls** and **pudús** do belong to the deer family.
44. agile-jumping mountain goats
45. wild animals

La fuente, que con saltos mal medidos
por la frisada, tosca y dura peña[46]
en fugitivo golpe se despeña,
llevándose de paso los oídos;
en medio de los árboles floridos
y crespos de la hojosa y verde greña,[47]
enfrena[48] el curso oblicuo y espumoso,
haciéndose un estanque deleitoso.[49]

Por su cristal bruñido y transparente
las guijas y pizarras de la arena,
sin recibir la vista mucha pena,
se pueden numerar distintamente;[50]
los árboles se ven tan claramente
en la materia líquida y serena,
que no sabréis cuál es la rama viva,
si la que está debajo o la de arriba.

Titán, al tramontarse, lo saluda,
tornando sus arenas de oro fino,[51]
y para descansar de su camino
no tiene otro lugar a donde acuda;
la verde hierba nace tan menuda
orillas del estero [52] cristalino,
y toda por igual por dondequiera,
como si la cortaran con tijera.[53]

Aquí ninguna especie de ganado
fué digna de estampar su ruda huella,

46. with ill-measured leaps (plunges down) the frizzled, rough and hard stone
47. amid the blossoming, crisp (**crespos**) trees of the leafy, green locks (of the forest)
48. curbs
49. delightful pool
50. through its burnished and transparent crystal the pebbles and slate of the sand (at the botton of the pool) may be distinctly perceived (lit. counted) without the sight receiving much distress (i.e. without having to strain one's eyesight)
51. Titan, at sunset, salutes it, turning its sands into finely spun gold
52. estuary
53. scissors

ni se podrá alabar de que con ella
dejase su esplendor contaminado;
tan solamente el Niño dios alado
en esta parte vive y goza della,⁵⁴
y esparce⁵⁵ tiernamente por las flores
alegres y dulcísimos amores.

Aquí Caupolicano caluroso
con Fresia, como dije, sesteaba,⁵⁶
y sus pasados lances le acordaba
por tierno estilo y término amoroso:⁵⁷
no estaba de la guerra cuidadoso,
ni cosa por su cargo se le daba,
porque do está el amor apoderado,
apenas puede entrar otro cuidado.

Por una parte el sitio le provoca;
la ociosidad por otro le convida
para comunicar a su querida
palabra, mano, pecho, rostro y boca,
y al regalado son que amor le toca,
le canta: "Dulce gloria, dulce vida,
¿quién goza como yo de bien tan alto,
sin pena, ni temor ni sobresalto?

"¿Hay gloria o puede haberla que se iguale
con esta que resulta de tu vista?
¿Hay pecho tan de nieve que resista
al fuego y resplandor que della sale?
¿Qué vale cetro⁵⁸ y mando, ni qué vale
del universo mundo la conquista,
respecto de lo que es haberla hecho
al muro inexpugnable de tu pecho?

54. **della — de ella**
55. scatters over
56. was taking a nap
57. was reminding her of past events in tender style and amorous terms
58. scepter

104

"¡Dichosos los peligros desiguales
en que por ti me puse, amores míos!
Dichosos tus desdenes y desvíos,
dichosos todos estos y otros males;
pues ya se han reducido a bienes tales,
que entre estos altos álamos sombríos,
tu libre cuello rindas a mis brazos
y a tan estrechos vínculos y abrazos."

"¡Ay, Fresia le responde, dueño amado,
y como no es de amor perfecto y puro
hallarse en el contento tan seguro,
sin pena, sin temor y sin cuidado;
pues nunca tras el dulce y tierno estado
se deja de seguir el agro y duro,
ni viene el bien, si vez alguna vino,
sin que le atajase el mal en su camino!⁵⁹

Caupolicán replica: "¿Quién es parte,
por más que se nos muestre el hado esquivo,
para que desta gloria que recibo
y deste bien tan próspero me aparte?⁶⁰
No hay para qué, señora, recelarte,
que en esto habrá mudanza mientras vivo,⁶¹
y pues que estoy seguro yo de muerte,
estarlo puedes tú de mala suerte.⁶²

"Sacude, pues, del pecho esos temores,
que sin razón agora te saltean,⁶³

59. no happiness can come, if it ever came, without evil impeding
    it on its way
60. Who has the strength, however sinister our fate may appear,
    to part me from this (desta — de esta) glory I receive, and
    from this (deste — de este) wonderful treasure?
61. You need not fear, (my) lady, that there will be any change
    as long as I live
62. and since I am sure of death, you may be certain (too) of ill
    luck thereafter

y no te dé ninguno de que sean
menos de lo que son nuestros amores."
Con esto se levantan de las flores
y alegres por el prado se pasean,
aunque ella, no del todo enajenado
su cuidadoso pecho de cuidado.[64]

Descienden al estanque juntamente,
que los está llamando su frescura,
y Apolo,[65] que también los apresura,
por se mostrar entonces más ardiente;
el hijo de Leocán [66] gallardamente
descubre la corpórea compostura,
espalda y pechos anchos, muslo grueso,[67]
proporcionada carne y fuerte hueso.

Desnudo al agua súbito se arroja,
la cual, con alboroto encanecido,
al recibirle forma aquel ruido
que el árbol sacudiéndole la hoja;[68]
el cuerpo en un instante se remoja,
y esgrime el brazo y músculo fornido,
supliendo con el arte y su destreza
el peso que le dió naturaleza.[69]

Su regalada Fresia, que lo atiende,
y sola no se puede sufrir tanto,

63. Therefore, shake your breast free of these fears which now
    (agora — ahora) unreasonably assail you
64. although she did not wholly rid her troubled breast (heart) of
    worries
65. the sun
66. Leocán's son is Caupolicán
67. shows his strong body (lit. corporeal texture), broad chest and
    shoulders, massive thighs
68. Naked he hurls himself into the water and the disturbance
    (alboroto) he causes turns it hoary (i.e. the disturbance) (be-
    cause of the whiteness of the foam as he splashed), and (as he
    dives in) the water produces a sound (like that) of a tree rustling
    its leaves
69. his body instantly gets wet, and he flexes (moves) his brawny
    arms and muscles, displacing thus by means of art and skill
    the weight which Nature gave him (i.e. by swimming he stays
    above water, thus transcending Nature's laws)

con ademán airoso lanza el manto
y la delgada túnica desprende;
las mismas aguas frígidas enciende,
al ofuscado bosque pone espanto,[70]
y Febo de propósito se para
para gozar mejor su vista rara.

Abrásase, mirándola dudoso,
si fuese Dafne en lauro convertida,
de nuevo al ser humano reducida,
según se siente della codicioso;[71]
descúbrese un alegre objeto hermoso,
bastante causador de muerte y vida,
que el monte y valle, viéndolo se ufana,
creyendo que despunta la mañana.[72]

Es el cabello liso y ondeado,[73]
su frente, cuello y mano son de nieve,
su boca de rubí, graciosa y breve,
la vista garza, el pecho relevado;[74]
de torno el brazo, el vientre jaspeado,[75]
columna a quien el Paro parias debe,[76]
su tierno y albo pie por la verdura
al blanco cisne vence en la blancura.

Al agua sin parar saltó ligera,
huyendo de mirarla, con aviso

70. His dainty Fresia who awaits (atiende — espera) him, unable
to bear standing there alone, with graceful movement throws
her cloak aside and unfastens her light tunic (and as she dives
in) warms the water (lit. sets the water on fire) and dazzles
the disturbed forest (by her nakedness)
71. He feels so lustful that he burns up with heat as he stares at her
and wonders if she was the Daphne (who) changed into a laurel
and has now resumed her human shape
72. now this joyful, lovely object, is revealed sufficient cause of
death and life, (so that) mountain and valley are elated, believing
this to be the beginning of dawn
73. smooth and wavy
74. her eyes (like those of a) heron, her breasts erect
75. her belly (like) jasper
76. her spine (or torso) to which Paros owes tribute (because Fresia
is so white, etc., a column made out of Parian marble)

de no morir la muerte que Narciso,
si dentro la figura propia viera;[77]
mostrósele la fuente placentera,
poniéndose en el temple que ella quiso,[78]
y aun que de gozo al recibirla
se adelantó del término y orilla.[79]

Va zabullendo el cuerpo sumergido,
que muestra por debajo el agua pura
del cándido alabastro la blancura,
si tiene sobre sí cristal bruñido;[80]
hasta que da en los pies de su querido,
adonde con el agua a la cintura,
se enhiesta, sacudiéndose el cabello
y echándole los brazos por el cuello.[81]

Alguna vez el ñudo se desata,
y ella se finge esquiva y se escabulle;
mas, el galán, siguiéndola, zambulle,
y por el pie nevado la arrebata;[82]
el agua salta arriba vuelta en plata,
y abajo la menuda arena bulle;
la tórtola envidiosa que los mira,
más triste por su pájaro suspira.[83]

----

77. She jumped lightly, unhesitating (lit. without stopping) into
the water refusing to look at her reflection for fear of dying the
(same) death (as) Narcissus
78. assuming just the temper she desired
79. it overflowed its banks
80. She dives on, her body submerged, revealing under the pure
water her candid, alabaster whiteness (i.e. her flesh) while above
her (the water, was burnished crystal)
81. until she reaches her beloved's feet where, with the water up
to her waist, she straightens up, shakes her flowing hair, and
throws her arms around his neck
82. Occasionally the knot (ñudo — nudo) comes loose, and she, pretending to be shy, darts off; but the young man follows her and
pulls her back to him by her snowy (i. e. snow-white) foot
83. the water turns to silver and leaps (dances) above while the
fine sand seethes below; and watching them, the envious
turtledove sighs more sadly (than ever) for her mate

"AMARILIS"

b. Huánuco, Peru fl. 1621
d. Lima, Peru

The mystery of "Amarilis," the first woman poet of the New World, remains unsolved even today. Her only surviving poem, "Epístola a Belardo," a verse-letter addressed to Lope de Vega, indicates that her two grandfathers were among the Spanish conquerors who founded the city of León de los Caballeros (now Huánuco, Peru) and that her parents died when she and her younger sister were small children. An aunt took care of them but later on "Amarilis" decided to enter a convent although she was very beautiful and could have easily found a husband. So it was in the quietude of her convent cell, in Lima, that she wrote her "Epístola." One conjecture that seems to have won some acceptance identifies her with María de Alvarado, the granddaughter of Gómez de Alvarado y Contreras, one of the founding fathers of Peru.

Her "Epístola" was first published in *La Filomena* (Madrid, 1621), a collection of prose and verse by the Spanish poet and playwright Lope de Vega (1562-1635), to whom it was addressed. After declaring her love for him, "Amarilis" asks him to write a verse life of Saint Dorothea, to whom she was especially devoted.

Lope de Vega's reply, also included in *La Filomena*, sounds aloof and cold, and of course he never wrote the Saint Dorothea poem she asked for. This is perfectly understandable, for at the time Lope was a very busy man, close to sixty, and involved in a rather complicated love affair with Marta de Nevares. Besides, the "Amarilis" letter looked like a hoax: a beautiful nun from another world—the New World—in love with him—at his age!—and begging him to stop his thriving business of playwriting in order to write the life of a saint!

109

Whatever the circumstances, here is "Amarilis's" letter, garrulous, somewhat gongoristic, but above all, tender, brilliant, and human:

ABOUT AMARILIS: Luis Alberto Sánchez: *Escritores representativos de América*, Madrid, Gredos, 1963, pp. 9-17; Alberto Tauro: *Amarilis indiana*, Lima, Ediciones Palabra, 1946, originally published in *Boletín Bibliográfico* (Lima), XV (1945) 52-78; Ella Dunbar Temple: *Curso de literatura femenina a través del período colonial*, Lima, Colección "Tres," 1947. Cf. also under works about Juan de Espinosa Medrano (Lunarejo) and the Baroque.

EPISTOLA A ABELARDO

A Love Letter to Lope de Vega

Tanto como la vista, la noticia
de grandes cosas suele las más veces
al alma tiernamente aficionarla,[1]
que no hace el amor siempre justicia,
ni los ojos a veces son jueces
del valor de la cosa para amarla;
mas suele en los oídos retratarla
con tal virtud y adorno,
haciendo en los sentidos un soborno[2]
(aunque distinto tengan el sujeto,
que en todo y en sus partes es perfecto),[3]
que los inflama todos,
y busca luego artificiosos modos,
con que puede entenderse
el corazón, que piensa entretenerse,
con dulce imaginar para alentarse[4]
sin mirar que no puede
amor sin esperanza sustentarse.

El sustentarse amor sin esperanza
es fineza tan rara, que quisiera
saber si en algún pecho se ha hallado,
que las más veces la desconfianza
amortigua[5] la llama que pudiera
obligar con amar lo deseado;
mas nunca tuve por dichoso estado

1. tenderly to instil love for it in the soul
2. a bribe, an incitement
3. i.e. although each sense has its own subject matter, the latter
is perfect in its totality and in its parts
4. to encourage itself
5. dims

amar bienes posibles,
sino aquellos que son más imposibles.
A éstos ha de amar un alma osada;
pues para más alteza⁶ fué criada
que la que el mundo enseña;
y así quiero hacer una reseña⁷
de amor dificultoso,⁸
que sin pensar desvela mi reposo,⁹
amando a quien no veo y me lastima;
ved qué extraños contrarios,
venidos de otro mundo y de otro clima.

Al fin en éste, donde el Sur me esconde,
oí, Belardo, tus concetos bellos,¹⁰
tu dulzura y estilo milagroso;
vi con cuánto favor te corresponde
el que vió de su Dafne los cabellos
trocados de su daño en lauro umbroso,¹¹
y admirando tu ingenio portentoso,
no puedo reportarme
de descubrirme a ti y a mí dañarme.¹²
Mas ¿qué daño podrá nadie hacerme
que tu valer no pueda defenderme?
Y tendré gran disculpa,¹³
si el amarte sin verte fuere culpa,
que el mismo que lo hace
probó primero el lazo en que me enlace,
durando para siempre las memorias
de los sucesos tristes,
que en su vergüenza cuentan las historias.

6. for loftier goals
7. sketch
8. **dificultoso — difícil,** painful
9. upsets my peace of mind
10. I heard, Belardo (i.e. Lope de Vega), your beautiful conceits or clever thoughts (**concetos — conceptos**)
11. Amarilis has seen how Apollo (the pursuer of Daphne, and the God of poetry) favors Belardo (Lope). The nymph Daphne pursued by Apollo turned into **lauro umbroso** (a shady laurel tree)
12. harm me
13. excuse

Oí tu voz, Belardo; mas ¿qué digo?,
no Belardo, milagro han de llamarte;
éste es tu nombre, el cielo te lo ha dado.
Y Amor, que nunca tuvo paz conmigo,
te me representó parte por parte
en ti más que en sus fuerzas confiado;
mostróse en esta empresa más osado
por ser el artificio
peregrino en la traza y el oficio,[14]
otras puertas del alma quebrantando, [15]
no por los ojos míos, que velando
están en gran pureza;
mas por oídos, cuya fortaleza
ha sido y es tan fuerte,
que por ellos no entró sombra de muerte,
que tales son palabras desmandadas,
si vírgenes las oyen,
que a Dios han sido y son sacrificadas.[16]

Con gran razón a tu valor inmenso
consagran mil deidades sus labores,
cuando manejan perlas en sus faldas;
todo ese mundo allá te paga censo,
y este de acá, mediante tus favores,
crece en riqueza de oro y esmeraldas.[17]
Potosí, que sustenta en sus espaldas,
entre el invierno crudo,
aquel peso que Atlante ya no pudo,

---

14. (Love) showed itself to be more daring in this undertaking, its
contrivance being extraordinary in plan and practice.
15. storming other portals of the soul (i.e. appealing to others of
the five senses)
16. upon her ears no shadows of death, for that is what impudent
(unrestrained, unbridled) words are when they are heard by
virgins who have given themselves to God (as nuns)
17. A thousand goddesses (beautiful women) devote their needlework
—and rightly so—to your very worthy self as they handle the
pearls on their laps; the whole world there pays tribute, and
this one here, thanks to your (literary) gifts, increases in wealth
of gold and emeralds

confiesa que tu fama te la debe;[18]
y quien del claro Lima el agua bebe
sus primicias te ofrece,[19]
después que con tus dones se engrandece,
acrecentando ofrendas
a tus excelsas y admirables prendas;
yo, que aquestas grandezas voy mirando,
y entretenida en ellas,
las voy en mis entrañas celebrando.

En tu patria, Belardo, mas no es tuya,
no sientas mucho verte peregrino,
plegue a Dios no se enoje el Manzanares,[20]
por más que haga de tu fama suya,
que otro origen tuviste más divino,
y otra gloria mayor, si la buscares.
¡Oh, cuánto acertarás, si imaginares
que es patria tuya el cielo,
y que eres peregrino acá en el suelo![21]
Porque no hallo en él quien igualarte
pueda, no sólo en todo, mas ni en parte,
que eres único y solo
en cuanto miran uno y otro polo.

Pues, peregrino mío,
vuelve a tu natural, póngate brío,
no las murallas que ha hecho tu canto

18. Potosí (the mountain in Bolivia, then part of Perú, rich in precious metals), which holds on its back during rough winters a load heavier than the one Atlas failed to bear, confesses that it owes its fame to you
19. one who (i.e. Amarilis) drinks the waters of the clear Lima (i.e. of the Rimac River, which flows near Lima), offers you her first literary productions (primicias — first fruits)
20. Would to God that the Manzanares (a small river near Madrid) be not angry
21. How right you would be if you considered Heaven as your country and yourself merely as a pilgrim on this earth (suelo)

en Tebas engañosas,
mas las eternas, que te importan tanto.[22]

Allá deseo en santo amor gozarte,
pues acá es imposible poder verte,
y temo tus peligros [23] y mis faltas;
tabla tiene el naufragio,[24] y escaparte
puedes en ella de la eterna muerte,
si del bien frágil al divino saltas,
las singulares gracias con que esmaltas
tus soberanas obras,
con que fama inmortal con tino [25] cobras,
empléalas de hoy más con versos lindos
en soberanos y divinos Pindos: [26]
tus divinos concetos
allí serán más dulces y perfetos;
que el mundo a quien lo sigue,
en vez de premio al bienhechor persigue,
y contra la virtud apresta el arco
con ponzoñosas flechas
de la maligna aljaba de Aristarco.[27]

Quiero, pues, comenzar a darte cuenta
de mis padres y patria y de mi estado,
porque sepas quién te ama y quién te escribe,
bien que ya la memoria me atormenta,
renovando el dolor, que, aunque llorado,
está presente y en el alma vive;

22. return to your place of origin (which she has said is "heaven"),
take heart, for what is important for you is not the walls your
songs have raised in deceitful Thebes (reference to the struggle
between Eteocles and Polynices over Thebes) but the eternal
walls of heaven, that matter so much (more)
23. the dangers you offer as a man
24. there is a board in the shipwreck; i.e. there is a plank (afloat)
in the shipwreck
25. skillfully
26. i.e. use them (that is, **las singulares gracias**) now on beautiful
verses on supreme and divine Pindus, i. e. the mountain range
in Thessaly devoted to the Muses
27. the poisonous arrows from the wicked quiver of Aristarchus.
(Aristarchus was a critic famous in antiquity for his severity).

115

no quiera Dios que en presunción estribe
lo que aquí te dijere,[28]
ni que fábula alguna compusiere,
que suelen causas propias engañarnos,
y en referir grandezas alargarnos,
que la falacia engaña
más que no la verdad nos desengaña,
especialmente cuando
vamos en honras vanas estribando;
de éstas pudiera bien decirte muchas,
pues atenta contemplo que me escuchas.

En este imperio oculto, que el Sur baña,
más de Baco piadoso que de Alcides,[29]
entre un trópico frío y otro ardiente,
adonde fuerzas ínclitas de España
con varios casos y continuas lides [30]
fama inmortal ganaron a su gente,
donde Neptuno engasta su tridente
en nácar y oro fino;[31]
cuando Pizarro con su flota vino,
fundó ciudades y dejó memorias,
que eternas quedarán en las historias;
aquí en un valle ameno,
de tantos bienes y delicias lleno,
que siempre es primavera,
merced al dueño de la cuarta esfera,
la ciudad de León fué edificada,
y con hado dichoso,
quedó de héroes fortísimos poblado.

28. I hope that what I tell you will not sound too presumptuous
(lit. based on conceit)
29. more inclined to Bacchus (i.e. favoring the sensual life) than
to Hercules (i.e. constructive endeavor. Hercules was often
referred to by the patronymic Alcides given to him from Alcaeus, the father of his mother's husband)
30. uninterrupted warfare
31. where Neptune (god of the sea) enchases his trident in mother
of pearl and fine gold (i.e. the west coast of South America)

Es frontera de bárbaros y ha sido
terror de los tiranos que intentaron
contra su rey enarbolar bandera;[32]
al que en Jauja por ellas fué rendido,
su atrevido estandarte le arrastraron,
y volvieron el reino cuyo era.
Bien pudiera, Belardo, si quisiera
en gracia de los cielos,
decir hazañas de mis dos abuelos
que aqueste nuevo mundo conquistaron
y esta ciudad también edificaron,
do [33] vasallos tuvieron,
y por su rey su vida y sangre dieron;
mas es discurso largo
que la fama ha tomado ya a su cargo,
si acaso la desgracia de esta tierra,
que corre en este tiempo,
tantos ilustres méritos no entierra.

De padres nobles dos hermanas fuimos,
que nos dejaron en temprana muerte,
aún no desnudas de pueriles paños.[34]
El cielo y una tía que tuvimos,
suplió la soledad de nuestra suerte;
con el amparo suyo algunos años;
huimos siempre de sabrosos daños;[35]
y así nos inclinamos
a virtudes heróicas, que heredamos;
de la beldad,[36] que el cielo acá reparte,
nos cupo, según dicen, mucha parte,
con otras muchas prendas;
no son poco bastantes las haciendas

---

32. tyrants who attempted to raise the flag of rebellion against
their king
33. do — donde
34. i.e. her parents died when the two sisters were practically in-
fants (lit. still in diapers)
35. i.e. thanks to her aunt, they have avoided pleasurable pitfalls
(sabrosos daños)
36. beauty

al continuo sustento;
y estamos juntas, con tan gran contento,
que un alma a entrambas rige y nos gobierna,
sin que haya tuyo y mío,[37]
sino paz amorosa, dulce y tierna.

Ha sido mi Belisa celebrada,
que ése es su nombre, y Amarilis, mío,
entrambas de afición favorecidas:
yo he sido a dulces musas inclinada;
mi hermana, aunque menor, tiene más brío
y partes, por quien es, muy conocida;
al fin todas han sido merecidas
con alegre himeneo
de un joven venturoso, que en trofeo
a su fortuna vencedora palma
alegre la rindió prendas del alma.[38]
Yo, siguiendo otro trato,
contenta vivo en limpio celibato,
con virginal estado
a Dios con grande afecto consagrado,[39]
y espero en su bondad y en su grandeza
me tendrá de su mano,
guardando inmaculada mi pureza.

De mis cosas te he dicho en breve suma[40]
todo cuanto quisieras preguntarme,
y de las tuyas muchas he leído;
temerosa y cobarde está mi pluma,
si en alabanzas tuyas emplearme
con singular contento he pretendido;
si cuanto quiero das por recibido.
¡Oh, qué de ello me debes!
Y porque esta verdad ausente pruebes,
corresponde en recíproco cuidado

37. without making distinctions between thine and mine
38. Amarilis's sister, "Belisa," is happily married to a young man
39. Amarilis, a virgin, has entered a convent
40. brief summary

118

al amor, que en mí está depositado.
Celia no se desdeña
por ver que en esto mi valor se empeña,
que ofendido en sus quiebras [41]
su nombre todavía al fin celebras;
y aunque milagros su firmeza haga,
te son muy debidos,
y aún no sé si con esto tu fe paga.

No seremos por esto dos rivales,
que trópicos y zonas nos dividen,
sin dejarnos asir de los cabellos,
ni a sus méritos pueden ser iguales;
cuantos al mundo el cetro y honor piden,
de trenzas de oro, cejas y ojos bellos,
cuando enredado te hallaste en ellos,
bien supiste estimarlos [42]
y en ese mundo y éste celebrarlos,
y en persona de Angélica pintaste
cuanto de su lindeza contemplaste;
mas estoime [43] riendo
de ver que creo aquello que no entiendo,
por ser dificultosos
para mí los sucesos amorosos,
y tener puesto el gusto y el consuelo,
no en trajes semejantes,
sino en dulces coloquios con el cielo.

Finalmente, Belardo, yo te ofrezco
un alma pura a tu valor rendida:
acepta el don, que puedes estimarlo;
y dándome por lo que merezco,
quedará mi intención favorecida,
de la cual hablo poco y mucho callo,

41. faults, failures
42 while there are so many who seek power (**el cetro**) and honor
from the world, you knew how to esteem golden hair, beautiful
eyes and eyebrows when you were involved with beautiful women
who had such attributes
43. estoime — me estoy

y para darte más, no sé ni hallo .
Dete el cielo favores,
las dos Arabias bálsamos y olores,
Cambaya sus diamantes, Tibar oro,
marfín Cefala, Persia su tesoro,
perlas los Orientales,
el Rojo mar finísimos corales,
balajes los Ceylanes,
áloe precioso y Sarnaos y Campanes,
rubíes Pegugamba y Nubia algalia,
amatista Rarsinga
y prósperos sucesos Acidalia.[44]

44. May Heaven grant you favors; (may) the two Arabias (grant you) balsams and perfumes; Cambaya, diamonds; Tibar, gold; Cefala, ivory; Persia, its wealth; the Orientals, pearls; the Red Sea, very delicate corals; the two Ceylons, spinel rubies (**balajes** is the plural of **balaj**, spinel ruby); (may) both Sarnaos and Campanes (grant you) precious aloes (**y. . . y** — both. . . and); (may) Pegugamba (grant you) rubies; and Nubia, civet; Rarsinga, amethysts; Acidalia, prosperous events (i.e. prosperity). Contrary to what some critics have stated, Amarilis's poetic geography is founded on a solid basis of knowledge, and, with a little imagination, may be located on a map. The two Arabias refer probably to Arabia Felix and Arabia Deserta; Cambaya is the town of Cambay in North Bombay (India) and located on the Gulf of Cambay, on the Arabian Sea; Tibar, the most mysterious name in the above passage, may be either Tibareni, in Pontus (Northern Asia Minor), a mountainous region bordering the Black Sea, or Tibor, one of the Moluccas, or Spice Islands. It might also be a modified form of Tiberias, Palestine, or Thibar, Tunisia. Cefala is the great Indian Ocean port of Sofala, on the east coast of Africa; "Amarilis" may have been toying with etymology and trying to fuse this exotic name with the Greek word for headland; the two Ceylons probably refer to Ceylon and Malaysia, as both are often referred to on early maps as Taprobana, the early name for Ceylon. Sarnaos is Sarnath, ancient Isipattana, an archeological site in Benares (India), famous for its Buddhist relics and **Singhalese** monastery, while Campanes is probably Khamman, sometimes spelled Khammameth, in SE Hyderabad State (India). Pegugamba, with minor phonetic alterations, turns out to be Pegu Yoma, a mountain chain in South Central Burma, and Rarsinga, otherwise known as Narsingve or Bisnagar, is an Indian city in the central Deccan located near the middle of the Coromandel (East) Coast. Acidalia is another name for Venus, or the Acidalian Fount, in Beotia, a classical reference.

It may be seen from the above evidence gathered from "Amarilis's" text that she was a highly cultured, well-read woman, with a bent for science, especially for all she could read about the great discoveries of the fifteenth and sixteenth century explorers who ventured to the East.

Esto mi voluntad te da y ofrece,
y ojalá yo pudiera con mis obras
hacerte ofrenda de mayor estima.
Mas donde tanto junto se merece,
de nadie no recibes, sino cobras
lo que te debe el mundo en prosa y rima.
He querido, pues, viéndote en la cima
del alcázar de Apolo,
como su propio dueño, único y solo,
pedirte un don, que te agradezca el cielo,
para bien de tu alma y mi consuelo.
No te alborotes, tente,
que te aseguro bien que te contente,
cuando vieres mi intento,
y sé que lo harás con gran contento,
que al liberal no importa para asirle
significar pobrezas,
pues con que más se agrada es con pedirle.

Yo y mi hermana una santa celebramos
cuya vida de nadie ha sido escrita,
como empresa que muchos han tenido;
el verla de tu mano deseamos;
tu dulce Musa alienta y resucita,
y ponla con estilo tan subido
y agradecido sea
de nuestra santa virgen Dorotea.[45]
¡Oh, qué sujeto, mi Belardo, tienes
con que de lauro coronar tus sienes,
podrás, si no emperezas,
contando de esta virgen mil grandezas
que reconoce el cielo,
y respeta y adora todo el suelo;
de esta divina y admirable santa
su santidad refiere,
y dulcemente su martirio canta!

45. Amarilis asks Lope to write a poem in praise of Saint Dorothea,
the virgin martyr of her predilection

121

Ya veo que tendrás por cosa nueva
no que te ofrezca censo un mundo nuevo,
que a ti cien mil que hubiera te le dieran;
mas que mi musa rústica se atreva
a emprender el asunto a que me atrevo,
hazaña que cien Tassos no emprendieran;[46]
ellos, al fin, son hombres y temieran,
mas la mujer, que es fuerte,
no teme alguna vez la misma muerte.
Pero si he parecídote atrevida,[47]
a lo menos parézcate rendida,
que fines desiguales
Amor los hace con su fuerza iguales;
y quédote debiendo
no que me sufras, mas que estés oyendo
con singular paciencia mis simplezas,
ocupado con tino
en tantas excelencias y grandezas.

Versos cansados, ¿qué furor os lleva
y a poneros en manos de Belardo?
a ser sujetos de simpleza indiana,[48]
Al fin, aunque amarguéis, por fruta nueva,
os vendrán a probar, aunque sin gana,
y verán vuestro gusto bronco y tardo;
el ingenio gallardo
en cuya mesa habéis de ser honrados,
hará vuestros intentos disculpados;
navegad, buen viaje, haced la vela,
guiad un alma que sin alas vuela.

---

46. Amarilis tells Lope he will consider it unusual (**tendrás por cosa nueva**), not that a new world pays him tribute, etc., but that Amarilis's rustic muse dares to undertake such a project, an enterprise a hundred Tassos would not undertake. Torquato Tasso (1544-1595), the great Italian poet best known for his long poem **Gerusalemme Liberata** (1581).
47. if you have thought me bold
48. naivete, or it may be the rustic simplicity of the Indians living high in the Andes, or perhaps of a Spaniard living in America or who had lived in America and returned to Spain (**indiano**)

GASPAR DE VILLARROEL

b. Quito, Ecuador, c. 1587
d. Charcas (now Sucre, Bolivia),
    October 11, 1665

Son of the jurist and writer Gaspar de Villarroel y Coruña, of Guatemala, and of Ana Ordóñez de Cárdenas, of Venezuela, Gaspar de Villarroel was born in Quito, Ecuador, where for three years his illustrious father served as Relator of the Audiencia. Thereafter the Villarroel family and their seven children moved to Cuzco and finally to Lima.

After studying the humanities and theology, Gaspar de Villarroel joined the Augustinian Order and by 1607 was teaching theology. Because he was a well-bred, handsome lad endowed with a most engaging personality, and, above all, an eloquent orator, it was not difficult for him to earn promotions. During an eight-year sojourn in Spain he became preacher to the king, and published several Biblical commentaries and a sermon delivered at the canonization of Saint Ignatius of Loyola. Philip IV offered him the bishopric of Santiago de Chile, a prestigious but difficult assignment which four Augustinian friars had previously refused to fill. Villarroel later confessed that his foolish ambitions had been what had persuaded him to accept.

This event took place in 1638 at a time when the endless war between Spaniards and Araucanian Indians was at a standstill and the Spanish soldiers had reached a new low in demoralization. Villarroel had witnessed Spanish abuses and was not afraid to expose them: "Hemos visto en este reino matar los soldados a un individuo sólo por quitarle un caballo que han de vender por un peso y despedazar a una india por robarle una manta." In his effort to bring about harmony and peace, he examined innumerable cases, held frequent hearings, meditated a great deal, and finally came

123

out with his masterwork: *El Gobierno Eclesiástico-Pacífico* (1656-1657), with the symbolic subtitle *Concordia y Unión de los dos Cuchillos*. Readers of his time, conversant with bloody intrigues, knives, and violence, shortened his title to *Los Dos Cuchillos*.

Just as the social upheaval had begun to subside, Nature went berserk. On May 13, 1647 an earthquake leveled the city of Santiago almost completely to the ground. Villarroel had to be dug out of the débris. Though badly cut and bruised, he managed to rise to his feet and, in a few hours, thanks to his oratory, he had succeeded in calming the distraught populace.

Because of what had happened, and in view of the fact that Santiago's climate had never really agreed with him, Villarroel left for Peru—"tengo a Lima en el corazón," he had said years before. In 1651 he became Bishop of Arequipa, in 1659 of Chuquisaca, and finally Archbishop of Charcas, one of the oldest Cathedral cities in South America, where, shortly before his eightieth birthday, he died.

When gathering material for his *Crónica Moralizada,* Fray Bernardo de Torres asked Villarroel to submit some autobiographical data. In a playfully bittersweet mood Fray Gaspar Villarroel, then Bishop of Arequipa, came out with the following colossal understatement. dated August 8, 1654, when he was nearly seventy:

"Nací en Quito en una casa pobre, sin tener mi madre un pañal en que envolverme, porque se había ido a España mi padre. Dicen que era yo entonces muy bonito, y a título de eso me criaron con poco castigo. Entréme fraile, y nunca entró en mí la frailía; portéme vano, y aunque estudié mucho, supe menos de lo que de mi juzgaban otros. Tuve oficios en que me puso, no la santidad, sino la solicitud. Llevóme a España la ambición; compuse unos librillos, juzgando que cada uno habría de ser un escalón para subir. Hiciéronme Obispo de Santiago de Chile; y fui tan vano, que para no aceptar el Obispado no bastó conmigo el ejemplo de cuatro frailes Agustinos, que electos en aquella ocasión, no quisieron aceptar. Goberné el obispado de Santiago de Chile, y por mis pecados envió Dios un terremoto . . ."

Whatever Bishop Villarroel may have thought of himself, one fact remains clear: with his *Dos Cuchillos* he has immortalized his name as a writer. From its original aim: to explain in the manner of Alfonso el Sabio the genesis and background of the laws then in force, it turned into a most interesting and revealing documentary of Colonial life. In his pungent, chatty prose, totally devoid of the pedantic mannerisms then in vogue, the old veteran presents a vivid, charmingly anecdotical and picaresque panorama of Spanish-American life and customs.

EDITIONS: *Gobierno eclesiástico-pacífico 1656. Selecciones,* edited by Gonzalo Zaldumbide, Quito, Imprenta del Ministerio de Gobierno, 1943 (Clásicos Ecuatorianos, Vol. I) ; *Fray Gaspar de Villarroel, siglo XVII. Estudio y Selecciones,* edited by Gonzalo Zaldumbide, Puebla, México, Biblioteca Ecuatoriana Mínima, 1960.

ABOUT VILLARROEL: Isaac J. Barrera: *Historia de la literatura ecuatoriana,* Quito, Editorial Ecuatoriana, 1944, Vol. I, pp. 163-191; I. Conchali: "El Obispo Villarroel," in *El terremoto del Señor de Mayo,* Santiago de Chile, 1905, pp. 9-27; Alfonso M. Escudero: "Fray Gaspar de Villarroel," *Atenea* (Concepción, Chile) July 1947, pp. 78-89; Antonio J. González de Zumárraga: "Fray Gaspar de Villarroel," *Anuario de Estudios Americanos* (Seville), XIV (1957) 201-240; Angel Grisanti: "Fray Gaspar de Villarroel, un sabio continental de origen barquisimeto," *Cultura Universitaria* (Caracas), XXXII (July-August 1952), 29-57; Ricardo A. Latcham: "Fray Gaspar de Villarroel en las letras chilenas," *Finis Terrae* (Santiago de Chile), 2:8 (October-December 1955), 16-23; José López Ortiz: *"El regalismo indiano en el "Gobierno eclesiástico-pacífico,"* Madrid, Real Academia de Jurisprudencia y Legislación, 1947; Rubén Vargas Ugarte: *El Ilmo. D. Gaspar de Villarroel,* Lima, Universidad Católica del Perú, 1939, a reprint from the journal *Instituto de Investigaciones Históricas,* Vol. I, No. 1 (1939) ; Honorato Vázquez: "Un quiteño ilustre: Fray Gaspar de Villarroel," *Boletín de la Biblioteca Nacional del Ecuador* (Quito), Nos. 4-5, January-February 1921, pp. 145-164; Gonzalo Zaldumbide: *Cuatro clásicos americanos,* Madrid, Ediciones Cultura Hispánica, 1951, pp. 185-220 and introductions to volumes listed above under *Editions.*

Excerpts from Chapters 1, 2, 3 and 14:

FRAY BARTOLOME'S MULE

Y no es para olvidar aquí una modestia casi increíble[1] del bendito Fr. Bartolomé de los Mártires. Era arzobispo de Braga y e la Orden de Predicadores.[2] Asistía al Santo Concilio de Trento[3] con los demás prelados. En una ocasión, fué este santo obispo a Roma a negocios de su iglesia. Sus grandes letras,[4] su rara virtud y su dulce conversación arrastraron la afición de Su Santidad[5] y tratóle tan amorosamente como acostumbra el Vicario de Cristo[6] con personas de tan gran tamaño.[7] Y al salir de Roma le presentó el santo Papa una mula, para que en nombre suyo le echase la gualdrapa;[8] claro está que sería de grande precio dádiva de tal mano.[9] Llegó a Braga y afligíase con ella, sólo porque comía. Juzgaba que cada pienso se lo hurtaba a algún necesitado.[10] Quiso venderla, y parecióle grosería porque era prenda del Papa.[11] Si quería darla a un pobre, se le ofrecía el mismo inconveniente; y entrando consigo en consulta, halló

1. incredibly deep sense of humility
2. He was Archbishop of Braga (ecclesiastical district and town in Minho province, Portugal) and belonged to the Order of Preachers
3. Council of Trent (1545-1563), at which most of the present Roman Catholic Church doctrines were formulated
4. great erudition
5. caused His Holiness (the Pope) to become very fond of him
6. Christ's Vicar — the Pope
7. persons of such lofty (intellectual) stature
8. to saddle it (lit. to put horse-cloths or trappings on it)
9. i.e. being a gift (**dádiva**) from the Pope, the mule became **de grande precio** (extremely valuable)
10. He figured that each (of the mule's) feeding was (tantamount to) taking (food) out of (the mouth) some needy person.
11. he considered it indelicate (a crude thing to do) since the mule was a gift from the Pope

una noble traza: [12] Sirva (dijo) esta mula, acarree el agua cuando vengo de la iglesia; que tan bien parecerá en ella la angarilla como la gualdrapara,[13] y con eso habremos salido de este escrúpulo. Púsose a una celosía[14] cuando salía la mula, y díjole: Hija, en la casa de los pobres no come quien no trabaja. Hasta allí quiso extender el santo obispo aquella instrucción de San Pablo: Qui non laborat, nec manducet.[15]

STRIPPING DEAD BISHOPS

Estaba un obispo en la postrera agonía,[1] y sus criados se daban prisa a saquear[2] la casa. El triste dueño (ya despejada ella)[3] agonizaba solo, y cada criado había salido con su hurto para ponerlo en cobro.[4] Volvió uno a repasar lo que había quedado,[5] y vió una lámina en lo alto de la cabecera;[6] subió sobre la cama, y no pudiendo descolgarla, porque debía de ser pequeño,[7] se subió de pies sobre el pecho de su amo, que con aquel peso se le reventó una apostema[8] oculta que tenía. Era esto su mal todo, hasta allí no conocido, y en bajando el criado con la lámina, le echó dichosamente por la boca, dándole al buen obispo la vida el robo de su criado.

Otro obispo llegó al trance postrero del achaque mismo que el pasado,[9] pero desconocido siempre de los médicos.[10]

12. he came upon a sensible solution (lit. noble scheme)
13. He said: Let the mule bring water when I return from church, for panniers are as proper (to a mule) as a saddle
14. he stood by a latticed window (behind the blinds of a window as if in a confessional)
15. "If a man will not work he shall not eat." Second Letter to the Christians in Thessalonica, 3, 10

1. throes of death
2. to ransack
3. the house entirely looted by then
4. each servant had left with his loot to hide it away in some safe place
5. one came back to look over the stuff that remained
6. an engraving or engraved plate hanging from the bed's headboard
7. to take it down, for he must have been short in stature
8. burst open an aposteme (abscess, tumor)
9. end of life due to the same illness as the one suffered by the bishop mentioned above
10. but which had remained unnoticed to the doctors attending him

Acudieron los criados al espolio,[11] y como el obispo perdió la habla, no le dejaron en la cama una cortina.[12] Descolgábanle la cuadra muy apriesa,[13] y a vista suya (porque veía aunque no hablaba) se hizo con grandes voces [14] la partición. Quiso uno descolgar un cuadro, y encaramado en una silla, cayó de cerebro;[15] y fué tanta la risa del obispo y tanta la tos [16] que le ocasionó el reír, que la fuerza y la risa le reventaron la apostema, y echándola por la boca, quedó con tan buena salud que se pudiera ese día levantar si le hubiera quedado en casa con qué poderse vestir.

SURREALIST ART

Llegó a Lima con esta milagrosísima[1] imagen (de San Juan de Sahagún) el Padre Presentado Salmerón. Mucho después . . . trataba de embarcarse para España; sentían los religiosos que se llevase consigo aquel retrato, que en el Perú había obrado cosas tan prodigiosas.[2] Rogáronle que lo dejara como por la recompensa de la devoción de los pueblos con el Santo,[3] y del buen pasaje que le había hecho a él la Religión, que pues España gozaba del sagrado cuerpo, honrase las Indias con aquel retrato.[4] Al parecer de los mozos respondió grosero, al de los viejos devoto y aficionado,[5] *que antes se dejaría hacer pedazos que dejar tal compañero.*[6] La

---

11. i.e. the property which a prelate leaves at his death
12. they left not even a curtain (on the bishop's canopied bed)
13. looted the bedroom hurriedly (**apriesa — a prisa**)
14. noisily
15. he fell down on his head from the chair upon which he had climbed
16. coughing

1. extremely miraculous picture
2. had performed so many miracles
3. in recompense for the devotion shown to the Saint by the towns
4. that since Spain already enjoyed the privilege of having Saint John's sacred body, the Indies (America) be allowed to have the portrait
5. According to the young men Father Presentado had replied in a rather coarse manner, (but) according to the older people, his answer was that of a devout, earnest person
6. he would rather be cut to bits than leave behind such a companion

gente moza yo era uno de ellos, resolvimos en hacer un hurto,[7] que nuestra poca edad juzgaba ser virtud. Descuidóse el Padre Presentado un poco, y hurtámosle su Santo.[8] No sé si los Prelados lo sintieron mucho, porque la pesquisa no lo vi muy apretada.[9] Claro está, que hombres maduros y personas de algún seso al fin harían la restitución; pero al fraile parecióle que eran cómplices los jueces,[10] y que no había esperar justicia de los que veía encartados [11] en la culpa y, desconfiado, dióse anticipadamente a partido.[12]—Hizo lo que el otro que vendía la liebre: [13] iba uno a caballo, quiso ver el peso, arrimóle las espuelas, conque le dejó burlado.[14] El miserable vendedor le siguió gran trecho, y cuando se halló cansado se detuvo, díjole a voces: deténgase, gentilhombre, y escúcheme una palabra. El ladrón, asegurada la rapiña por la distancia,[15] detúvose y volviendo la cabeza le preguntó qué quería. Respondióle el miserable: cómala en mi nombre.— Aprendiéndolo de éste, dijo el Presentado al convento, que siempre había sido su resolución dejar la imagen en el Perú, que hacía libremente donación de aquel santo retrato, y que le daba con gusto; que sólo quería se lo trasumptase [16] el P. Fr. Francisco Bejarano, pintor insigne, y el mayor discípulo de Mateo Pérez de Alesio, hombre señalado, que envió a Lima Sixto V, a que le pintara una lámina,[17] siendo Roma madre de la pintura, y persona que de sólo diez y ocho años, en competencia con los pintores todos de España, pintó el San Cristóbal, que hoy vemos en la iglesia de Sevilla. Hízose como lo pidió, y sucedió otro milagro, que el trasumpto

---

7. theft
8. (Taking advantage of the fact that Father Presentado) was somewhat negligent (at the moment), we stole his Saint.
9. the investigation was not any too exhaustive
10. considered accomplices the judges
11. involved .
12. hastened to draw his own conclusion
13. hare
14. (pretending) to want to ascertain the (hare's) weight, he grabbed it and spurred on his horse, thus fooling the vender
15. The crook, feeling that the stolen (hare) was an accomplished fact and that he was out of danger, considering the distance (separating him from the vender)
16. trasumptar — trasuntar, to copy, to make a replica
17. picture

que llevaba, hacía milagros cada día, y el hurtado [18] en doce años enteros no quiso hacer milagro. Labrósele un rico altar [19] en el cuerpo de la iglesia, arrimado a un poste al lado del Evangelio; colocóle en él con grande solemnidad D. Bartolomé Guerrero, Arzobispo de Lima, concediendo a su altar los cuarenta días de indulgencia. Después de doce años que la imagen del Santo no hizo maravilla, quizá esperando que los mozos hiciesemos penitencia de aquel hurto, le celebramos una gran fiesta.

THE FRIAR WHO REFUSED TO BE A BISHOP

En Lisboa moraba[1] en un convento insigne de Predicadores[2] un religioso que, sobre ser gran caballero, era muy santo. Este tenía un hermano muy valido en la Corte;[3] era bien visto de Felipe II, y le habló, elogiando las prendas de su hermano.[4] Informóse él, como lo acostumbraba, de su virtud y de sus letras, y presentóle para una iglesia muy autorizada. Juzgó el buen caballero que le traía a su hermano unas nuevas de crecido gusto.[5] Y en oyendo él que le habían hecho obispo, recibió tamaño susto[6] que temieron que se quedara muerto. Agradeció a su hermano los deseos de su acrecentamiento.[7] Representóle su insuficiencia y poca virtud para aquella tan alta dignidad; que no la había de admitir, y que así se lo escribiese al Rey. Sintió la respuesta mucho su buen hermano; significóle lo mucho que a su linaje[8] le importaba que aceptase la prelacía,[9] los pasos y ruegos que le habían

18. the stolen one
19. a sumptuous altar was built for it

1. there lived
2. a famous convent for Preachers or Sermonists
3. very influential at Court
4. and spoke (to the king), praising his brother's gifts
5. very exciting news
6. such a (tremendous) fright
7. promotion (lit. aggrandizement)
8. family (lit. lineage)
9. prelature, office or benefice held by a prelate, in this case a bishopric

costado. Propúsole muchos santos obispos, que en la santidad se habían mejorado después de serlo. Pidióle encarecidamente[10] que no le hiciese a su linaje tamaña pesadumbre;[11] porque pudiendo, sin ofensa de Dios, acrecentar sus deudos,[12] era mostrarse inhumano perder la ocasión de favorecerlos. Añadió a las referidas otras muchas congruencias para que no huyese de una mitra,[13] que sin haberla él pretendido, se le entraba por las puertas. Nada bastó con este fraile bendito para que cejase de su primero propósito.[14]

Despachado el caballero, trató el negocio con el Prelado; a él le pareció melindre del religioso, aseguróle el suceso.[15] Envióle muchos religiosos graves para que le persuadiesen, e hicieron en él la mella que pudieran palabras en un bronce.[16] Valióse el Prelado de las postreras armas, y juzgando que la excomunión era bala sin resistencia,[17] mayormente en una obediencia tan pronta y en una humildad tan profunda. Postróle a los pies el electo con muchas lágrimas y pidióle de treguas ocho días[18] para darle la respuesta. Resuelto el Prelado en no aflojar aquella comenzada batería, concedióle el término que le había pedido, y díjole al caballero que bien podía prevenir las cosas necesarias para la consagración.[19] Hízolo con gusto él y sacó las telas y demás adherentes que suelen concurrir en un rico pontifical.[20]

El fraile se encerró en su celda, y retirado vistióse de cilicio, se llenó de ceniza la cabeza.[21] Estuvo en oración dos

10. vehemently
11. such (great) displeasure
12. increase or enhance his relatives' prestige
13. (adduced) many reasons not to forego the mitre, i.e. the official headdress of a bishop
14. to no avail—the silly friar would not change his mind
15. When the gentlemen left, he took the matter up with the Father Superior, who considered the whole thing finical nonsense on the part of the friar and reassured him of some positive outcome (suceso — éxito)
16. impressing him as much as words can (leave an impression) on a piece of bronze
17. the Father Superior resorted to extreme measures: excommunication, the most effective bullet
18. a week's truce or respite
19. to get ready the things needed for the consecration
20. which are usually used for an elaborate bishop's robe
21. he put on a hair shirt and covered his head with ashes

días, suplicando a Nuestro Señor, con grande instancia, que cortase aquel lazo que le ponían a su conciencia y le desviase aquel peligro de su alma. Comió un bocado de pan al tercero día humedeciéndolo con sus lágrimas. Volvióse a su oración, y al cuarto día le reveló Su Majestad divina que al octavo moriría,[22] con que la dignidad que temía, habiéndola despreciado, le servía de escalón para mayor dignidad, pues iría a reinar con él.[23]

Quedó el religioso con sumo consuelo; vistióse de limpio quitando la ceniza de la cabeza; llamó a su confesor e hizo con muchas lágrimas una confesión general. Y habiéndose dispuesto para morir, le envió a decir a su hermano que bien podría sobreseer[24] en los gastos del pontifical porque era imposible su consagración, pues dentro de tres días había de morir.

Alteróse mucho su hermano y recurrió al Prelado. Este díjole con mucha risa que aquello era una cierta especie de manía de quien tenía flaca la cabeza,[25] que se riese de lo que su hermano decía y no parase en la obra, pues no tenía resistencia la censura. Consolóse él con la respuesta y fuese con gusto a su casa e hizo proseguir la labor del pontifical.

Llegóse al seteno[26] de aquella santa enfermedad que no se había divisado en los pulsos hasta allí.[27] Dióle al electo una casi imperceptible calentura. Pidió que le diesen el viático;[28] hizo donaire el Prelado con todo su convento; y el santo enfermo instaba tanto, que para solo desengañarlo mandaron llamar un médico. Dijo que tenía calentura pero que se le había recrecido sólo del desvelo y los sustos.[29] El porfiaba que se moría, y al día siguiente por la mañana fué su

22. on the fourth day Our Lord revealed him (the fact that) he would die on the eighth day
23. (that he would be a step higher) for he would reign (in Heaven) with Him
24. to discontinue
25. a weak head (that he was insane)
26. seteno — séptimo, seventh day
27. so far not noticeable from the beat of his pulse
28. the **electo** (the friar, in this case) got a slight fever and asked for the viaticum (i.e. Communion administered to persons supposedly dying)
29. (his temperature) had gone up due to his lack of sleep and to his fears

instancia de manera, que considerándolo ayuno,[30] aunque no le veían con necesidad del viático, por juzgarle tan bueno que estaba muy lejos de andar aquel postrero camino, le dieron el Santísimo Sacramento.

A la tarde, poco antes de anochecer, pidió la santa Unción.[31] Descubrióse mucho la calentura, y vestido se acostó en su cama. Estaban asombrados los religiosos, y casi impaciente el Prelado le habló con desabrimiento;[32] pero sobreviniéronle unos accidentes morales,[33] y juzgando que la imaginación de que se moría le mataba, le dieron la santa Unción con mucha prisa, y dada, pasó el santo religioso de esta vida.

Hízose el entierro con grande espanto. Partiéronse los pareceres de los frailes;[34] los unos alababan sus virtudes, y un lector de teología, muy docto varón, capitaneaba el parecer contrario. Alegaba que tan grande resistencia, estando de por medio una censura, era una lista peligrosa de pertinacia y de inobediencia.[35] Apoderóse esta opinión de muchas personas de autoridad y hubo aquel día entre los frailes unas grandes conclusiones. Estaba muy valido el juicio de aquel grande letrado; y estando a la media noche revolviendo muchos libros para el punto, entró en su celda con grande resplandor el obispo electo.[36] Díjole que le venía a desengañar por orden especial de Dios,[37] y que estaba en el cielo sin haber pasado por el purgatorio. Preguntólo él ¿qué había sido la causa de haber muerto, pudiéndole haber hecho Dios un grande obispo? Y respondióle: Son tantos los pecados de los pueblos, que permite en estos tiempos Dios, para sólo castigarlos, que haya prelados precitos.[38]

30. i.e. his having abstained from food qualified him for Holy Communion
31. Extreme Unction (administered to persons dying)
32. with severity
33. convulsions overtook him, throes of death
34. The friars had conflicting opinions (concerning his death)
35. stubbornness and insubordination
36. (the dead friar) came back to his cell in great splendor (shining, emitting light)
37. (the dead friar told the erudite professor of theology) that complying with God's special orders he had come down to undeceive him (to free him from error)
38. damned bishops (i. e. condemned to hell)

133

Desapareció el alma del difunto y aquella misma hora juntó el letrado el convento, y retractándose de lo dicho, lo dejó asegurado de la santidad del difunto.

SHOULD BISHOPS HUNT BEARS?

La caza acarrea[1] mil peligros. ¿Quién no sabe el de don Dionís. que fué rey de Portugal, cuyo cuerpo descansa en el insigne monasterio de Odivelas, edificado a expensas suyas; aunque en la verdad debiera llamarse Idivelas, porque la santa reina Isabel, celosa de las muchas salidas de su marido Dionís, le preguntaba algunas veces dónde iba, y respondía él: A ver mis freiras (así llamaban en Portugal las monjas), y decíale la Santa: Id y velas.[2] Llamaban así por donaire aquesa fundación,[3] y como sucede en otras, trocaron esa palabras y quedóse con nombre de Odivelas.

He hecho mención de este monasterio, así por ser de los más señalados que hay en el mundo,[4] no sólo por lo santo, sino porque son ochocientas personas las que encierra su clausura;[5] y yendo yo a él a predicar un sermón, vi pintado cerca del locutorio[6] este caso que refiero.

Reinando este rey, andaban muy vivos[7] los milagros del santo obispo Luis, ilustre fraile menor. No los creía bastantemente el rey. Fué a caza un día, (que era apasionado mucho a la caza); vió un oso de notable grandeza;[8] siguióle tanto, que se apartó gran distancia de sus monteros.[9] Emboscóse la fiera,[10] y no dejó don Dionís de perseguirla. Hurtóle el oso la vuelta y dándole una manotada,[11] fué ella tan

1. occasions
2. i.e. **id y vedlas,** go and see them
3. (Idivelas) was the way they used to call that (**aquesa — aquella**) convent
4. since it is one of the most famous in the world
5. cloister (inner recess of a convent)
6. parlor (place in monasteries for receiving visits)
7. were taking place often
8. a huge bear
9. huntsmen
10. the wild beast retired into the thickest part of the forest
11. got ahead of him and hit him (with one of its paws)

134

venturosa, que aunque le derribó del caballo, no abrió herida. Cargó sobre él la fiera, y por divina providencia detenida, dió lugar para que el rey, con una gran devoción, invocase a San Luis; y dice la historia que el santo obispo se le apareció risueño (sólo habían de ir a la caza los obispos a hacer milagros); díjole al rey San Luis: Cóbrate, rey, no tengas pavor.[12] ¿No tienes un puñal? Pues sácalo luego y mata sin miedo al oso. Dió lugar a ello la fiera porque la ataba la virtud divina. Sacó el rey la daga e hirióla con tan buen acierto, gobernando San Luis el brazo, que muerto se arrojó a un lado el oso. Quedó libre el rey y desapareció San Luis. Vean ahora los obispos si es razón que las personas sagradas se pongan en semejantes riesgos.

ADULTEROUS SHORTCUT

Era oidor en aquella Audiencia Real[1] el doctor Mesa, persona de costumbres estragadas,[2] a lo que se deja entender de su desdichado fin. Era muy familiar de su casa un hombre de bien, de humilde condición, casado con una mujer hermosa y de virtud. Parecióle bien al oidor,[3] dióselo a entender con harta importunidad; defendiéndose ella alegando lo que amaba a su marido. El oidor con poca prudencia, envió con sus amores un buen número de amenazas, y sin ningún recato le dió a entender que quitaría el estorbo.[4]

Fuese una noche hacia el río, como para buscar el fresco; llevó al cuitado[5] marido, y estando los dos solos, fingió que le apretaba una bota abotonada que traía y mandó-

---

12. Take courage, Your Majesty, be not scared!

1. The Hearer (**Oidor**), judge of a supreme court (in the present case, Dr. Mesa was the Oidor of the Royal Audiencia of Santafé de Bogotá), was authorized to hear pleadings and decide lawsuits.
2. corrupted morals (a very depraved man)
3. i.e. the Oidor found her very much to his taste
4. The Oidor, rather imprudently, sent to her, together with his love, a great number of threats, and bereft of all circumspection, made it clear to her that he would get rid of any obstacle in his way.
5. wretched, unfortunate

135

le que se la aflojara.⁶ El descuidado y oficioso dobló la rodilla, y el oidor le dió de puñaladas.⁷ Desfigurólo todo con mil heridas sajándole la cara⁸ y cortándole narices, labios y orejas. Desnudólo y con una grande pesga⁹ lo echó en lo más profundo del río. Al tercer día el cuerpo tronco, monstruosamente hinchado,¹⁰ apareció en la ribera arrojado de la corriente del agua. Lleváronlo a la plaza mayor de la ciudad. Concurrió al espectáculo todo el pueblo. Hiciéronse diligencias grandes por saber si había quien le conociese. Su mujer concurrió con los demás diciéndole su desdicha el corazón.¹¹ Dijo que su marido tenía en un costado un lunar del tamaño de un real de dos,¹² y que le quería reconocer. Hallóse el lunar bien distinto por la color y por el vello.¹³ Levantó la triste mujer el grito, y dijo que el doctor Mesa era indubitablemente el homicida, refiriendo las amenazas que ocasionó su casta¹⁴ resistencia. Hiciéronse diligencias secretas y por dos esclavos se descubrió el delito. Prendieron al oidor, y (a lo que me puedo acordar) sin esperar a la resolución del rey, en la plaza pública le cortaron la cabeza.

6. he pretended that a shoe was hurting him because it was too tightly buttoned and requested him to loosen it up for him
7. The heedless, compliant man knelt down (to do it) and the Oidor stabbed him numerous times with his dagger
8. scarifying his face
9. weight
10. the mutilated body, monstruously swollen up
11. her heart having foretold her of her misfortune
12. a mole the size of a 25c. coin on his side
13. hair
14. chaste

BAROQUE MYSTICISM AND THE
MYSTIQUE OF THE BAROQUE

Whatever students learned at their universities, whatever writers read and imitated, whatever thinkers thought—all came from the Mother Country, from Spain. One of Spain's major contributions during her cultural apogee was her religious utterance. This found insuperable expression in her ascetic and mystic writers: in Fray Luis de Granada, in Fray Luis de León, in Saint John of the Cross, in Saint Theresa of Jesus, and in hundreds of other less significant figures. But if their paramount concern was the relationship of man to God, of man to the saints, of man's belief and his predicament in the face of death, the literary form it took tended towards the baroque. Perhaps the ineffable, difficult-to-formulate ideas and sentiments expressed were in themselves responsible for the hermetic, labyrinthine style. While in the rest of Europe, and especially in Italy and France, elegant simplicity became the order of the day during the Renaissance, Spain, the great anti-Renaissance nation, the champion of the Counter-Reformation, established the baroque as her national idiom. Her outstanding lyricist, Luis de Góngora (1561-1627), attained hitherto inconceivable polyphonic effects with the Spanish language, concurrently inventing an artificial climate for poetry. After him the new form became universally known as Gongorism.

Gongorism endeavored "to model Spanish on Latin, introducing not only many Latin words but also, in servile imitation of the latter, serious syntactical changes; to replace the direct meanings of words by figurative senses; to employ artificial metaphors, involving subtle relations and almost imperceptible meanings in the metaphorical terms; and to multiply, finally, the allusions to classical mythology." When Gongorism was attacked by the Portuguese theologian Manuel Faria e Souza (1590-1649), an eloquently impassioned defense came forth from the Peruvian Juan Espinosa Medrano (1632-1688) in his *Apologética en favor de don Luis de Góngora, príncipe de los poetas líricos de España* (1662). Gongorism became deeply rooted in American soil, so much so that long after Spain had entered the becalming neoclassical age the Americans still remained outrageously garrulous: for instance, as late as the eighteenth century Mexico's most popular prayer book circulated under the title *Mística toalla o dulce ejercicio para enjugar a Cristo nuestro Señor caído y mojado en las negras aguas del torrente Cedrón* (Mystic Towel or Sweet Exercise for Drying Off Christ, Our Fallen Savior, Dampened by the Black Waters of the Brook Kidron).

It may be claimed therefore that religion was the source of inspiration for most of the important lyrical poetry of colonial Spanish America. To illustrate this pervasive, ubiquitous trend during the seventeenth century, five distinguished poets (Miguel de Guevara, Luis de Tejeda, Hernando Domínguez Camargo, Jacinto de Evia and Luis de Sandoval y Zapata) from four different countries (Argentina, Colombia, Ecuador and Mexico) have been chosen. Obviously the greatest poet of them all, the Mexican Sor Juana Inés de la Cruz, and the Peruvian satirist Juan del Valle y Caviedes (who also wrote religious verse) belong here, but, because of their wider horizons and greater thematic variety, each is assigned to his own independent chapter.

It must repeated that the writing of religious poetry, whether baroque or not, persisted during the eighteenth century, attaining significant utterance with the Peruvians Juan de Peralta and Pablo de Olavide, with the Colombian Francisca Josefa de Castillo (La Madre Castillo), with the Mexican Juan José de Arreola, and with many others.

MIGUEL DE GUEVARA

(Mexico, 1585-1646)

Fray Miguel de Guevara, an Augustine monk from Michoacán, Mexico, who directed many priories and lived among the Aztecs and the Tarascans, wrote *Arte Doctrinal*, "a method of learning Matlalzinga for administering the Holy Sacraments" and four (?) religious sonnets. The fourth one, "Pídeme de mi mismo el tiempo cuenta," is really an "acertijo" (conundrum), as Alfonso Reyes calls it, an early specimen of Mexican conceptism, "primicia del conceptismo mexicano." As for the little masterpiece, "No me mueve mi Dios para quererte"—it is not Guevara's after all! Having been associated with his name for over a quarter of a century it is included here only in memory of a lost cause (for sentimental reasons?) and as initiation to the rhetoric of baroque mysticism.

ABOUT GUEVARA: Víctor Adib: "Fray Miguel de Guevara y el soneto 'A Cristo Crucificado,'" *Abside* (México), XIII (1949); Marcel Bataillon: "El anónimo soneto 'No me mueve mi Dios para quererte,'" *Revista de Filología Hispánica*, IV (July-September, 1950); Alberto María Carreño: *Joyas literarias del siglo XVII*, México 1915; Mary Cynthia Huff: "The sonnet 'No me mueve mi Dios,' Its Theme in Spanish Tradition," appendix to her edition of St. Francis Xavier's correspondence, *Epistolae S. Francisci Xaverii aliaque ejus scripta*, Rome, 1945; Julio Jiménez Rueda: "Un soneto considerado como herético," *Boletín del Archivo General de la Nación* (México), XV (October-December 1944), 613-621; Alfonso Méndez Plancarte: *Poetas novohispanos*, 3 vols., México; Imprenta Universitaria, 1942-1945, Vol. I; Alfonso Reyes: *Obras completas*, México, Fondo de Cultura Económica, 1960, Vol. XII, pp. 335-343.

NO ME MUEVE, MI DIOS, PARA QUERERTE[1]

No me mueve, mi Dios, para quererte,
el cielo que me tienes prometido;
ni me mueve el infierno tan temido
para dejar por eso de ofenderte.[2]

Tú me mueves, Señor; muéveme el verte
clavado en una cruz y escarnecido;
muéveme el ver tu cuerpo tan herido;
muévenme tus afrentas y tu muerte.[3]

Muéveme, en fin, tu amor, en tal manera
que aunque no hubiera cielo yo te amara
y aunque no hubiera infierno te temiera.[4]

No tienes que me dar porque te quiera;
porque aunque cuanto espero no esperara,
lo mismo que te quiero te quisiera.[5]

1. Guevara's name has been associated with the literary gem "No me mueve, mi Dios, para quererte" (also referred to as A Cristo Crucificado), variously attributed to Saint Ignatius of Loyola, Lope de Vega, St. Francis Xavier, Saint Theresa of Jesus, and the conveniently sempiternal "Anonymous" of anthologists. In the 1940's Alfonso Méndez Plancarte attributed it to Guevara, but more recently Marcel Bataillon returned it to "Anonymous." In addition to this, another question has puzzled some readers: that the theological idea expressed in the sonnet is not in the best traditions of Catholic orthodoxy. Thus, while cognizant of the problems involved, we have nonetheless chosen to represent Guevara by including three sonnets unquestionably written by him along with the very beautiful, and very problematical, "No me mueve, mi Dios, para quererte."
   The central idea expressed in the sonnet is that of love for God without expectation of recompense in the hereafter: a pure, disinterested love. After the footnotes, Ian Fletcher's magnificent version follows.
2. It is not the heaven You have promised me, my God, that moves me to love You; nor is the hell I so fear that moves me from offending You.
3. You move me, Lord; it moves me to see You nailed upon this cross and mocked; it moves me to see your body so (badly) wounded; the insults (You suffered) and Your death move me.
4. I am moved, finally, by Your love, (and) in such a way, that even if there were no heaven, I (still) should love You and even if there were no hell I (still) should fear You.

140

LEVÁNTAME, SEÑOR QUE ESTOY CAIDO

Levántame, Señor, que estoy caído,
sin amor, sin temor, sin fe, sin miedo;
quiérome levantar, y estoyme quedo;
yo propio lo deseo y yo lo impido.[1]

Estoy, siendo uno solo, dividido;
a un tiempo muero y vivo, triste y ledo;[2]
lo que puedo hacer, eso no puedo;
huyo del mal y estoy en él metido.

Tan obstinado estoy en mi porfía,
que el temor de perderme y de perderte
jamás de mi mal uso me desvía.[3]

Tu poder y tu bondad truequen mi suerte
que en otros veo enmienda cada día,
y en mí nuevos deseos de ofenderte.[4]

5. You do not have to give me (anything) (i.e. no gifts or rewards are needed) to make me love You; for even if I did not hope for what I do hope (i.e. even if my present hope were all despair), I should love You (still) just as (now) I love You.
> I am not moved (O Thou my God!) to love Thee
> By Heaven which is Thy promise and my rest.
> Hell moves not me, where fear is fearfulest,
> To offend no more by mine iniquity.
> Thou mov'st me (Lord), it moveth me to see
> Even Thee Thyself mocked at, nailed on the Cross;
> It moveth me to see Thy wounded Body's loss;
> Thy death, their insult, much this moveth me.
> Thou mov'st me to Thy love with so much skill,
> Were there not Heaven, needs must I love Thee still,
> Were there not even Hell, then still must I abhor;
> Thou need's give nothing, I'll love though Thou refrain;
> Even if I could not hope, all that I hope being vain,
> Even as I love Thee should I love Thee more.

1. I long to rise (yet) I abide (estoime = me estoy, lit. I remain still); I do desire (to rise) but I hinder myself (I am my own impediment)
2. being only one (though I am one, i.e. indivisible), I am divided (cleft in two): I both (simultaneously; at one and the same time) live and die, sad but (lit. and) happy
3. I am so obstinate in my persistence that the fear of losing myself (i.e. going astray) and losing You (i.e. not attaining salvation) never dissuades (lit. would dissuade) me from evil (lit. from wicked behavior)
4. May your power and kindness change my lot (for the better), for while others improve (while I see others mend their ways) every day, I (nonetheless) develop new ways (desires, longings) to offend You.

PONER AL HIJO EN CRUZ, ABIERTO EL SENO

Poner al Hijo en cruz, abierto el seno,[1]
sacrificarlo porque yo no muera,
prueba es, mi Dios, de amor muy verdadera,
mostraros para mí de amor tan lleno.[2]

Que—a ser yo Dios, y Vos hombre terreno—
os diera el ser de Dios que yo tuviera
y en el que tengo de hombre me pusiera
a trueque de gozar de un Dios tan bueno.[3]

Y aun no era vuestro amor recompensado,
pues a mí en excelencia me habéis hecho
Dios, y a Dios al ser de hombre habéis bajado.[4]

Deudor quedaré siempre por derecho
de la deuda que en cruz por mí ha pagado
el Hijo por dejaros satisfecho.[5]

1. To crucify the Son, with open breast (i.e. and pierce His breast)
2. to show Yourself so full of love for me
3. So that—if I were God, and You a mortal man—I would give You any godliness I might have, and keep the (being) I have now (remain just as I am), in exchange for enjoying so good a God
4. And even then Your love would not be requited, for You made of me a God (You raised me to the status of a god, you raised me to godhood) while You lowered Yourself to the status of man (to manhood)
5. By right I will always be Your debtor because of the price paid for me (because of the debt incurred by me through) the crucifixion of the Son, that You might be requited

PIDEME DE MI MISMO EL TIEMPO CUENTA[1]

Pídeme de mí mismo el tiempo cuenta;
si a darla voy, la cuenta pide tiempo:
que quien gastó sin cuenta tanto tiempo,
¿cómo dará, sin tiempo, tanta cuenta?

Tomar no quiere el tiempo tiempo en cuenta,
porque la cuenta no se hizo en tiempo;
que el tiempo recibiera en cuenta tiempo
si en la cuenta del tiempo hubiera cuenta.

¿Qué cuenta ha de bastar a tanto tiempo?
¿Qué tiempo ha de bastar a tanta cuenta?
Que quien sin cuenta vive, está sin tiempo.

Estoy sin tener tiempo y sin dar cuenta,
sabiendo que he de dar cuenta del tiempo
y ha de llegar el tiempo de la cuenta.

1. This sonnet, based totally on word-play and punning, splendidly illustrates conceptism and baroque trends. Since elucidating the constant permutations, puns, and juxtapositions in this poem —centered primarily on the words **cuenta** and **tiempo**—would take up an inordinate amount of space, we have chosen instead to include Samuel Beckett's brilliant translation:

> Time requires me to give account;
> The account, if I would give it, requires time:
> For he, without account, who lost such time,
> How shall he, without time, give such account?
>
> Time cares not to take into account,
> for the account was not made up in time;
> for time would only take account of time
> if in the account of time time found account.
>
> What account shall suffice for so much time?
> What time suffice for so great an account?
> Life careless of account is shorn of time.
>
> I live, I have no time, give no account,
> knowing that I must give account of time
> and that the time must come to give account.

LUIS DE TEJEDA

b. Córdoba, Argentina, August 25, 1604
d. Córdoba, Argentina, 1680

Argentina's first poet was the direct descendant of Spanish conquerors, being distantly related on his mother's side to Saint Theresa of Jesus. He studied with the Jesuits at the Colegio Máximo, but instead of entering the priesthood, he drifted to the greener pastures of wine, women, and song. While most of the Tejeda ladies (mother, grandmother, sisters and nieces) found their way to a convent, the young men (Luis and his two brothers) became the Devil's advocates, disgracing the family with their escapades and frequent scandals. Their pranks and love affairs receive proper attention in *Romance sobre su vida* and *El peregrino en Babilonia*.

During his father's illness and especially after his death, Luis had to administer the family estate and fill his various government positions. He married the beautiful and virtuous Francisca de Vera y Aragón (the Anfrisa of his poems), and fought in the Chaco war against the Indians. When Dutch pirates threatened Buenos Aires he rushed to its defense at the head of some troops. But his recruiting methods proved so despotic and his command so violent, that he was brought to trial and lost. Consequently, his property was confiscated, and the impoverished and lonely hero (Doña Francisca had died in 1661) retired to the mountains. Later, after a period of meditation and penance, he entered a Dominican convent where he wrote some of his most memorable verse and remained until his death. At times Tejeda shows the lucidity of some Renaissance poets, but Góngora's influence is writ large. The literary historian Ricardo Rojas considers Tejeda "la personalidad más interesante y compleja de nuestros orígenes literarios, y como la personificación de aquella socie-

145

dad militar y teocrática, igualmente arrebatada por el frenesí
de la vida sensual, y por el éxtasis de la vida religiosa."

EDITIONS: *El peregrino en Babilonia y otros poemas*, edited
by Ricardo Rojas, Buenos Aires: Biblioteca Argentina, 10, 1916;
Coronas líricas, prosa y verso, edited by Enrique Martínez Paz and
Pablo Cabrera, Córdoba, Biblioteca del Tercenario de la Universidad Nacional de Córdoba, 1917; *Libro de varios tratados y noticias*, edited by Jorge M. Furt, Buenos Aires, Coni, 1947 (Colección de Textos y Estudios Literarios, 1), (contains also *Coronas
líricas*, listed above).

ABOUT TEJEDA: Emilio Carilla: "Sobre Tejeda y el soneto
a Santa Rosa," *Filología* (Buenos Aires), III (January-August
1951) 111-114; Daniel Devoto: "Escolio sobre Tejeda," *Revista
de Estudios Clásicos* Universidad Nacional de Cuyo (Mendoza),
II (1946) 93-132; Osvaldo Horacio Dondo: "Sobre la poesía de
Luis José de Tejeda," *Ortodoxia* (Buenos Aires), VII (July 1944)
273-282; Jorge M. Furt: *La vida de Luis de Tejeda*, Buenos Aires,
1955; Ricardo Rojas: *La literatura argentina*, 9 vols., Buenos Aires: Kraft, 1918, Vol. II, 260-303; Antonio E. Serrano Redonnet:
Pico della Mirándola en Córdoba del Tucumán, Buenos Aires, 1943
(Facultad de Filosofía y Letras en la Universidad de Buenos Aires,
Instituto de Literatura Argentina, Sección de Crítica), Vol. II, No. 8.

AL NIÑO JESUS

Belén, portal dichoso,[1]
casa de pan, que ciñes
aquel cándido trigo
nacido en tierra virgen;

deja que a tus umbrales,
no palacios sublimes,
no edificios soberbios
de Babilonia envidie.[2]

Deja que tu pesebre,
sellos mis labios grisen,
fuentes mis ojos rieguen,
ojos el alma mire.[3]

En tu inmensa estrechura
lo grande miro humilde,
lo incircunscrito breve,
postrado lo terrible.[4]

Quien es de tierra y cielo,
compasador Euclides,[5]
a una cuna de pajas [6]
se proporciona y mide.

1. Bethlehem, joyful crèche (gateway, town). The use of the word
portal is purposely ambiguous.
2. (As I stand) at your thresholds let me not (i.e. I need not)
envy Babylon's gorgeous palaces or superb buildings. **No . . .
no** stands for an emphatic poetical construction which resembles
the more common **ni . . . ni** and which in a negative sentence becomes **either . . . or** when translated into English.
3. Let my lips kiss (lit. imprint seals upon) Your manger (Jesus'
birthplace) and let me weep copiously (lit. let my eyes flow
[like] fountains) (and) my soul, (all) eyes, watch
4. In Your immense closeness (lit. narrowness), I see (all that
is) lofty, (merely) as humble; the limitless (as) limited; the
terrifying (as) tame (lit. prostrated).
5. measurer Euclid—the reference here is to the rule and compass
used by mathematicians, such as the Greek geometrician Euclid,
fl. B.C. 300
6. a cradle (filled) with straw, i.e. Jesus' cradle

El calor se le niega,
la nieve, le corrige,
y a quien da nieve y lana
no hay hoy pañal que abrigue.[7]

¡Oh, cómo está la Madre
agradeciendo humilde
el abrigo a las bestias
que el hombre le prohibe!

Mece la jumentilla
los pajizos cojines,
y el buey, con tardo aliento,
de brasero le sirve.[8]

Llorad, ojos, un rato,
que cuando el hombre aflige
a Dios, de rudas bestias
asistir se permite.

Aquella bella aurora,
por quien los campos ríen
de la eterna y triunfante
Jerusalén insigne;

llora sobre las pajas
y en sus hilos humildes,
torzales de oro, ensarta
aljófares sutiles.[9]

7. today there is no diaper for Him who provides (us with) snow
   and wool
8. The little donkey rocks the cradle (lit. cushions filled with
   straw) and the ox, with its slow (warm) breath, acts as His
   brazier.
9. and in its humble threads, golden cords, strings together delicate
   pearls

148

Y así le dice al Niño:
"Esta cuna infelice,
hijo, te pronostica
alguna tumba triste;[10]

y siendo tan estrecha,
desde agora me dice,
que en las pajas te ensayas
para en la cruz bullirte.[11]

Sus agudas aristas,
manos y pies te afligen,
y los tres pronostican,
de acero agudos linces.[12]

Las que tus tiernas sienes
punzan sobre sutiles
hebras, de tu cabeza
la corona me dicen.[13]

Al vestido encarnado,
que de mi tela hiciste,
raso, triste y pajiso,
de entretela le sirve."

Entre pucheros tiernos,[14]
ya llora, ya se ríe
el Niño con la Madre,
y ella llorando dice:

10. Son, this unfortunate (**infelice** = **infeliz**) cradle augurs **some**
    dismal grave (death) (for You)
11. for moving about (stirring convulsively) upon the Cross
12. Its sharp edges (or splinters from the wooden Cross) hurt Your
    hands and feet, and the three (i.e. wood, hands, feet) foretell
    the sharp points of steel (i.e. the nails used in the Crucifixion)
13. the locks of hair (lit. the subtle threads) falling over Your
    tender temples prefigure (lit. tell me about) the crown (of thorns
    of the Crucifixion)
14. tender poutings (of a child before crying)

149

"Si tu desnudez lloras.
dime por qué saliste
dejando mis entrañas,
que eran pañales firmes."[15]

Mas ya me estás diciendo,
mientras lloras y ríes:
—salgo a buscar ingratos,
pues por ingratos vine.

No llores, pues, bien mío,
si a tanto te atreviste,
que a tu Padre dejaste
y a tu Madre despides."

---

15. If You are weeping because of Your nakedness, tell me (then),
why did You leave my entrails (i.e. womb) which were (which
served you as) firm diapers?

HERNANDO DOMINGUEZ CAMARGO

b. Santafé de Bogotá, Colombia, c. 1606
d. Tunja, Colombia, c. 1656

Little is known of the life of the gifted Colombian poet Domínguez Camargo. Born in Bogotá, he later studied theology in his native city, and joined the Society of Jesus. He also resided in Turmequé and in Lima, where he frequented Peruvian literary circles. For a few years he was the priest of Guatavita and, finally, Commissary of the Holy Inquisition in Tunja, where he died.

His long, unfinished *Poema heróico de San Ignacio de Loyola* was published in Madrid a decade after his death, while some of his shorter lyrics appeared in Jacinto de Evia's *Ramillete de varias flores poéticas* (1676). The most memorable of these short pieces is "A un salto por donde se despeña el arroyo de Chillo," a felicitous example of the American baroque and a striking example of an expanded metaphor whereby a waterfall is transformed into a dashing horse.

BEST EDITIONS: *Obras,* edited by Rafael Torres Quintero, with essays by Alfonso Méndez Plancarte, Joaquín Antonio Peñalosa and Guillermo Hernández de Alba, Bogotá, Instituto Caro y Cuervo, 1960; *San Ignacio de Loyola* (and *Ramillete de varias flores poéticas* and *Invectiva apologética*), Bogotá, ABC, 1956 (Biblioteca de la Presidencia de Colombia, Vol. 25).

ABOUT DOMINGUEZ CAMARGO: Emilio Carilla: *Hernando Domínguez Camargo, estudio y selección,* Buenos Aires, 1948; Gerardo Diego: "La poesía de Hernando Domínguez Camargo," *Thesaurus* (Boletín del Instituto Caro y Cuervo) (Bogotá), XVI (May-August 1961) 281-310; Antonió Gómez Restrepo: *Hernando*

Domínguez Camargo, Bogotá, Hojas de cultura popular colombiana, No. 3, 1947; Antonio Gómez Restrepo: *Historia de la literatura colombiana,* 4 vols., Bogotá, Imprenta Nacional, 1945-1947, Vol. I; Richard A. Latcham: "San Ignacio de Loyola en los poemas mayores de inspiración jesuítica," *Finis Terrae* (Santiago de Chile), 3:10 (April-June 1956), 3-13; Joaquín Antonio Peñalosa: "Hernando Domínguez Camargo, primogénito de Góngora," *Estilo* (San Luis Potosí) XLIX (January-March 1959) 7-17 and *Humanitas* (Nuevo León) II (1961) 325-342.

A UN SALTO POR DONDE SE DESPEÑA EL ARROYO DE CHILLO [1]

Corre arrogante arroyo
por entre peñas y riscos,
que enjaezado de perlas
es un potro cristalino. [2]

Es el pelo de su cuerpo
de aljófar, tan claro y limpio
que por cogerle los pelos
le almohazan verdes mirtos. [3]

Cíñele el pecho un pretal
de cascabeles tan ricos,
que si no son cisnes de oro
son ruiseñores de vidrio. [4]

Bátenle el ijar sudante
los acicates de espinos,
y él es tan arrebatado
que da a cada paso brincos. [5]

1. To the Waterfall at Chillo (lit. To a Leaping-place) through which the Brook at Chillo plunges down (hurls itself down)
2. Among (steep) rocks and crags an arrogant (elegant) brook flows, and, caparisoned with pearls, it is (turns into) a glass horse (crystalline colt)
3. The hair of his body is (made) of pearls (pearly drops), so transparent and limpid (lit. clear and clean) that when the green myrtles (on its banks) try to grab them, they curry them (with the currycombs of their foliage)
4. Its chest is girded with a strap so rich in tinkling bells, that if they are not golden swans, they are (really like) nightingales of glass
5. The prickly hawthorns spur (lit. drive the rowels of their spurs into) its sweating flanks, and it (the brook-horse) gets so excited that it capers on and on (lit. leaps at every step)

Danle sofrenadas peñas
para mitigar sus bríos
y es hacer que labre espumas
de mil esponjosos grifos.[6]

Estrellas suda de aljófar
en que se suda a sí mismo,
y atropellando sus olas
da cristalinos relinchos.[7]

Bufando cogollos de agua
desbocado corre el río
tan colérico que arroja
a los jinetes alisos.[8]

Hace calle entre el espeso
vulgo de árboles vecinos
que irritan más con sus varas
al caballo a precipicio.

Un corcovo dió soberbio
y a estrellarse ciego vino
en las crestas de un escollo,
gallo de montes altivo.[9]

---

6. Restraining rocks (i.e. checking it with violent pulls of the
bridle) control its (fierce) spirit (energy), (and because of
this curbing) it is like having it fashion foam from myriad
porous (lit. spongy) spouts (i.e. from abundant faucets)
7. It sweats stars of pearls (pearly stars) (while) it sweats itself
out (i.e. dilutes itself and therefore increases the volume of
water), and riding roughshod through the waves, it (the brook-
horse) utters crystalline neighs
8. Snorting shoots of water (i.e. choking with rage or puffing
away), the runaway river flows (lit. runs), so angrily, that it
throws down the alder riders (i.e. knocks down the alder trees
or carries the alder's pink and white flowers downstream)
9. Furiously it took a (tremendous) leap and blindly crashed against
the crest of a reef (which is), a haughty mountain cock (cresta
means both a mountaintop or summit and a cock's comb, i.e.
cresta de un gallo)

Dió con la frente en sus puntas
y de ancas en un abismo,
vertiendo sesos de perlas
por entre adelfas y pinos.[10]

Escarmiento es de arroyuelos
que se alteran fugitivos
porque así amansan las peñas
a los potros cristalinos.[11]

10. The sense is that it hurled itself down the abyss (**abismo**), scatter-
    ing its iridescent brains (lit. its pearly brains, **sesos de perlas**)
    among the oleanders and pine trees

11. Let this be a lesson (**escarmiento**, warning) to brooks that excite
    themselves too much in their flight, for this is how rocks tame
    crystalline colts

JACINTO DE EVIA

b. Guayaquil, Ecuador, 1629
d.   ?   ?

Born in Guayaquil, Evia (or Hevia) studied theology and joined the Society of Jesus. He is remembered primarily for his *Ramillete de varias flores poéticas recogidas y cultivadas en los primeros abriles de sus años por el Maestro Xacinto de Evia*. The title mirrors well its gongoristic trend. It is an anthology of sacred and profane verse, some of it epigrammatic, lyrical, or heroic, and contains the work of such poets as the Colombian Hernando Domínguez Camargo (c.1606-c. 1656) and the Ecuadorian Fray Antonio Bastidas (1615-1681). Evia included several of his own poems, perhaps the finest of which are his *villancico* "Al Niño Jesús" and "A la Rosa." Although apparently immersed in his baroque world, Evia nonetheless reassures his candid readers as follows: "Mucho se asemejan estos poemas a lo cristalino de las fuentes, por la suma claridad que hallarás en todos ellos; porque seguí lo que solía repetir mi Maestro que quería aparecer antes humilde en el estilo y concepto, que levantado por oscuro."

EDITION: *Ramillete de varias flores poéticas*, Madrid, Imprenta de Nicolás Xamares, 1675; reprinted in Hernando Domínguez Camargo: *San Ignacio de Loyola*, Bogotá, ABC, 1956.

ABOUT EVIA: Augusto Arias & Antonio Montalvo (eds): *Antología de poetas ecuatorianos*, Quito, Ediciones del Grupo América, 1944, pp. 13-15; Isaac J. Barrera: *Historia de la literatura ecuatoriona, Siglos XVI y XVII*, Quito, Editorial Ecuatoriana, 1944, pp. 198-214; Juan León Mera: *Ojeada histórico-crítica sobre la poesía ecuatoriana desde su época más remota hasta nuestros días*, Barcelona, Imprenta de J. Cunil Sala, 1893, 2nd. edition; José María Vargas: *La cultura de Quito colonial*, Quito, Editorial "Santo Domingo," 1941.

AL NIÑO JESUS [1]

Dame una limosnita,[2]
Niño bendito,
dame las buenas pascuas
en que has nacido:
Niño de rosas,
dale a la gitanilla[3]
pago de glorias.

Si me das la mano,
Infante divino,
verás que te digo.[4]
Miro aquí la raya
que muestra que, aun niño,
verterás tu sangre,
baño a mis delitos
serás de tres reyes
Rey reconocido,
y a este mismo tiempo
de un rey perseguido.[5]
En tu propia patria,
con ser el Rey mismo,
vivirás humilde,
vivirás mendigo.[6]

1. A beggar gypsy woman reads the hands of the child Jesus and predicts His crucifixion at the age of thirty-three.
2. alms
3. little gypsy girl
4. i.e. if You show me the palm of your hand I will predict Your future
5. I can see from this line in Your hand that even as a child You will spill blood—a bath for my sins—and that three kings (the Magi) will recognize You as their King, and, at the same time, another king will persecute You
6. (as a) beggar, i.e. in poverty

Miro esotra raya,
que es de tu martirio;
morirás en Libra,[7]
si naciste en Virgo.[8]
Tendrás corta suerte
aun de los amigos,
pues de un paniaguado
te verás vendido.[9]
A los treinta y tres
¡oh, con qué prodigios!
dejarás la vida,
de amores rendido.
Si el cruzado leño [10]
fuere tu cuchillo,
cuchillo de palo
cortará tus bríos.

A LA ROSA

Sol purpúreo de este prado,
que en los rayos de tus hojas,
si das envidias al sol,
ofreces lustre a la aurora;
los jilgueros de este valle
festejan tu hermosa pompa,
y admirando tu beldad,
por dulce objeto te rondan.[1]

---

7. Libra is the seventh sign of the zodiac, which the sun enters
c. September 22
8. Virgo is the sixth sign of the zodiac, which the sun enters c.
August 22
9. You will have but little luck with Your friends, for You will
be sold out (betrayed) by a table-fellow (or intimate friend)
10. the Cross

1. (The rose is so beautiful—"purple sun of the meadow") that
the sun envies it; (the rose) gives lustre to the dawn; the linnets
celebrate its splendor and, admiring its beauty, circle around
it because (they consider it) a sweet object

Todos tu carmín nevado
labios de coral los nombran,
y el rocío que te esmalta,
dientes que guarda tu boca.[2]
Uno entre otros lisonjero
o se te atreve o te toca,
queriendo beber el ámbar
y el rocío de tus hojas.[3]

Si fiado, ignoro, en tus alas
o en favores que le otorgas,
por descanso de su vuelo
escoge tu airosa copa.[4]
¡Oh, qué requiebros te dice!
Y aun con ellos enamora
una azucena, que al lado
te acompañaba gustosa.[5]

No sé si a su dulce acento
fuistes insensible o sorda,
o a sus impetuosos silbos
como a los vientos la roca.[6]
Mas no, ingrata; bien lo oíste:
¡Oh, cuántos celos me ahogan![7]

2. All (the linnets) consider your mixture of red and white (lit. snowed carmine) lips of coral, and (they consider) the dewdrops that adorn (enamel) you, teeth kept by (or protecting) your mouth
3. One of them (one of the linnets), a flatterer, dares (to come close to you) or touches you, trying to drink up your amber and the dew on your leaves
4. Whether confident of its wings or (stimulated by) favors which you granted it, it chooses to rest on your proud top (of the rosebush)
5. Oh, what endearing words (flattering remarks) he speaks (makes) to you! And thereby (because of them he) enamors a lily that gladly kept you company beside you.
6. I know not whether you were insensitive or deaf to its sweet accent, or whether you were as (unmoved as) the rock (is) to the wind's impetuous warblings (lit. whistling)
7. But no—you ungrateful (rose)—you did hear (the linnet)—Oh, how jealousy rises in my gorge! (constricts my throat, lit., how I choke with jealousy!)

Pues espinas que se guardan
no se esquivaron honrosas.
¡Oh, qué escarmientos me enseña
esa tu inconstancia loca! [8]
No pienso prender el alma
de otra flor ni de otra rosa.
¡Que mal se guarda belleza
que en campo se ostenta hermosa,
que como muchos la miran
su beldad alguno logra!

Ya la cítara,[9] que en tiempo
te celebraba gustosa,
como está triste su dueño,
gime también ella ronca.[10]
Mas ya la pienso quebrar
de mi firmeza en la roca,
y pues ya no pienso amar,
tampoco cantar me importa.[11]

---

8. Oh, what lessons your mad inconstancy teaches!
9. zither refers here to the linnet
10. since (the zither's owner) is sad, the zither mourns plaintively (lit. hoarsely)
11. Since now (**ya**) I plan (intend) to break it (the zither) on the rock of my firmness, and since no longer (**pues ya no**) do I plan (intend) to fall in love, singing does not matter to me, either

LUIS DE SANDOVAL Y ZAPATA

b. & d. Mexico (?)
fl. 1645-1683

Among the poets included by Carlos Sigüenza y Góngora in *Triumpho Parthénico* as prizewinners in the poetry contests of 1682 and 1683 held by the University of Mexico in honor of the Immaculate Conception was the remarkable Sandoval y Zapata. But what is known of him? Only that he belonged to an illustrious Mexican family and signed his name to *Poesías varias a Nuestra Señora de Guadalupe* and to a *Panegírico de la Paciencia* (1645). Nothing more. And of course whenever his Panegyric on Patience was mentioned by literary historians they never failed to add that its author "foresaw that much of the same (patience) would be needed to read it," a comment that applies to most of his other verses as well. It may be surmised that Sandoval y Zapata was considered a difficult poet, especially during the nineteenth century. Yet his contemporaries held him in high esteem. The Jesuit Father Francisco de Florencia, for example, considered him "excelente filósofo, teólogo, historiador y político, y de un espíritu poético tan alto que pudo, si no exceder, igualar a los mayores de su edad." After being almost relegated to oblivion, Sandoval y Zapata was rediscovered in our own days. For this we are very largely indebted to Alfonso Méndez Plancarte. Octavio Paz's admiration for Sandoval y Zapata goes so far as to pair him with Sor Juana Inés de la Cruz as one of the two poets who represent the finest flower of the baroque style in Mexico.

EDITIONS: Alfonso Méndez Plancarte (ed.): *Poetas novohispanos*, México, Ediciones de la Universidad Nacional Autónoma, 1944, Vol. II, pp. 102-115.

ABOUT SANDOVAL Y ZAPATA: Frank Dauster: *Breve historia de la poesía mexicana,* México, Studium, 1956, p. 39; Alfonso Méndez Plancarte, *see above;* Octavio Paz (ed.): *Anthology of Mexican Poetry,* Bloomington, Indiana University Press, 1958, pp. 28 and 72-76; Alfonso Reyes: *Obras completas,* México, Fondo de Cultura Económica, 1960, Vol. XII, pp. 361-362.

A UNA COMICA DIFUNTA[1]

Aquí yace la púrpura dormida;
aquí el garbo, el gracejo, la hermosura,
la voz de aquel clarín de la dulzura
donde templó sus números la vida.[2]

Trompa de amor, ya no a la liz convida
el clarín de su música blandura;
hoy aprisiona en la tiniebla oscura
tantas sonoras almas una herida.[3]

La representación, la vida airosa
te debieron los versos y más cierta.[4]
Tan bien fingiste—amante, helada, esquiva—,

que hasta la Muerte se quedó dudosa
si la representaste como muerta
o si la padeciste como viva.[5]

1. To a deceased Actress
2. Here lies the purple, asleep; here (lies) elegance, grace, beauty, the voice of that bugle of sweetness through which life tempered its numbers (i.e. which made life harmonious)
3. Trumpet of love which now summons not to the fray with its soft music, but a wounded one (i.e. the dead actress) now imprisons in tenebrous darkness (i.e. in death) a whole flock of sonorous souls (i.e. the many songs unsung because of the actress's death)
4. Your (fine) acting imbued your verses with spirited life (i.e. made life more vivid, más cierta)
5. You feigned so well—pretending (now) to be a passionate woman, (now) a cold or scornful one—that even Death was confused (unable to figure out) whether you simulated Him as dead or as alive (lit. submitted to Him as if He were alive)

BLANCA AZUCENA QUE ALUMBRASTE EL PRADO

Blanca azucena que alumbraste el prado
desplegando tu espíritu flamante,
fuiste al alba verdor y al sol diamante,
con voz de aire ruiseñor nevado.[1]

Oro marchito si cristal ajado,
polvo de nieve fué la luz brillante,
para buscar el monumento errante
está lo bello de tu ser alado.[2]

¡Oh en poca plata cándido diluvio!
Un enemigo a tu beldad esquivo
hallaste en el pimpollo que rompiste,[3]

y con la luz de ese veneno rubio,
y con el oro, aun cuando estaba vivo,
la deuda del morir no redimiste.[4]

1. White lily that lit the meadow by unfurling your flaming spirit:
   you were greenness at dawn and diamond (diamondlike) under
   the sun (you had) the airy voice of a snowy nightingale
2. The radiant light was withered gold, if not snow dust or tarnished
   crystal. If one were seeking a wandering monument, there it
   is, in all its glory, in your winged being
3. Oh candid deluge (so concentrated) in exiguous silver! In the
   bud of your blooming (lit. in the bud you burst), you found an
   enemy (i.e. a competitor), scornful of your beauty
4. and (even) with the radiance of that ruddy (lit. blond) poison,
   and with the gold, even when it was alive, you could not redeem
   the debt of dying (the price of death)

JUAN DE ESPINOSA MEDRANO, "El Lunarejo"

b. Calcauso, Peru, 1632
d. Cuzco (?), Peru, November 13, 1688

Because of the ugly mole *(lunar)* on his right cheek, this mestizo poet, playwright, and staunch defender of gongorism, one of the most erudite men of his times, was nicknamed "El Lunarejo." By the age of twelve he was composing music and played several instruments well; by the time he was fourteen he had written several plays.

At the San Antonio Abad Seminary, in Cuzco, he was much admired for his wit and versatility. Extremely gifted in languages, he was as conversant with Quechua as he was with Latin and Spanish—he translated Vergil into Quechua, and was extremely fluent in Greek and Hebrew. No wonder, then, that by the time he was sixteen he had become "Catedrático en Artes," a professor of the arts, in his Seminary.

On completing his theological studies (1658), he became attached to the Cathedral of Cuzco. Despite his mixed ancestry —a handicap in colonial Peru—his eloquence as a preacher and his exceptional talents won him honors and outstanding ecclesiastical posts.

Whenever he preached the cathedral was jammed. On one occasion an Indian woman started pushing her way forward through the crowd, causing a commotion among the nobles and officials seated in the front pews. Whereupon El Lunarejo stepped down from the pulpit, begging them to let her through, "for she is my mother!"

In 1662, while refuting an attack against the great Spanish lyricist Luis de Góngora (1561-1627) launched years before by the Portuguese critic Manuel Faria e Souza (1590-1649), El Lunarejo produced a significant study, perhaps the earliest defense of avant garde poetry in existence, entitled

167

Apologético en favor de don Luis de Góngora, Príncipe de los poetas líricos de España.

His interest in the theatre caused him to write at least one play, *El hijo pródigo,* in Quechua, and two, *El robo de Proserpina* and *El amar su propia muerte,* in Spanish. In 1688 thirty of El Lunarejo's sermons were collected and published by his admiring friends so that they might give closer study to the "milagro de elocuencia" of "el nuevo Tertuliano de la América, el Demóstenes peruano, el Crisóstomo de este siglo."

Some of El Lunarejo's meditations from his posthumous *La novena maravilla* (1695) have been included in the selections that follow. In reading them, one may be reminded of the ornate prose used by Sir Thomas Browne (1605-1682) in his *Religio Medici* (1643) and *Urn Burial* (1658)

ABOUT ESPINOSA *(El Lunarejo) and the Baroque in General*: Augusto Arias: *La estética del barroco,* Quito, Talleres Tipográficos Nacionales, 1932; José Pascual Buxó: *Góngora en la poesía novohispana,* México, Universidad Nacional Autónoma, 1960; Carlo Calcaterra: "Il problema barocco," in Attilio Momigliano (ed.): *Questioni e correnti di storia letteraria,* Milan, 1949; Emilio Carilla: *El gongorismo en América,* Buenos Aires, Universidad de Buenos Aires, 1946; Emilio Carilla: "Nota para la biografía de El Lunarejo," in his *Pedro Henríquez Ureña y otros estudios,* Buenos Aires, Tempera, 1949; Emilio Carilla: "Trayectoria del gongorismo en Hispanoamérica," *Atenea* (Concepción) XXXVIII (July-September 1961) 226-241; Américo Castro: "Las complicaciones del arte barroco," *Tierra Firme* (Madrid) III (1935) 168; Guillermo Díaz Plaja: *El espíritu del Barroco,* Barcelona, 1940; Jaime Giordano: "Defensa de Góngora por un comentarista americano," *Atenea* (Concepción) XXXVIII (July-September 1961) 226-241; Helmut Hatzfeld: "Baroque Style: Ideology and the Arts," *Bucknell Review,* VII (December 1957) 71-79; Pedro Henríquez Ureña: "Barroco de América," *La Nación* (Buenos Aires), June 23,1940; Bernard C. Heyl: "Meanings of Baroque," *Journal of Aesthetics and Art Criticism* (Baltimore), XIX (1961) 276 ff.; P. Kelemen: *Baroque and Rococo in Latin America,* New York,

168

1951; Irving A. Leonard: *Baroque Times in Old Mexico,* Ann Arbor, University of Michigan Press, 1959; James Mark: "The Uses of the Term Baroque," *Modern Language Review,* XXXIII (1938), 547-563; Clorinda Matto de Turner: *Don Juan Espinosa Medrano o sea el Doctor Lunarejo,* Lima, 1887; Mariano Picón Salas: *Ensayos escogidos,* Santiago de Chile, Zig-Zag, 1958, pp. 81-97; Mario Rodríguez Fernández: "El tópico de la alabanza en la poesía barroca americana," *Atenea* (Concepción), XXXVIII (July-September 1961), 202-225; Luis Alberto Sánchez: *Góngora en América,* Lima, 1927; Octaviano Valdés "El barroco, espíritu y forma del arte de México," *Abside* (México), XX (October-December 1956), 380-409; René Wellek: "The Concept of Baroque in Literary Scholarship," *Journal of Aesthetics and Art Criticism* (Baltimore), V (December 1946), 77-109, reprinted in *Concepts of Criticism,* New Haven, Conn., Yale University Press, 1963, pp. 69-114, with a "Postscript 1962," pp. 115-127.

DEATH

No hay júbilo sin pensar, deleite sin riesgo, flor sin veneno, ni vida sin muerte.[1] Todo lo dije ya, que amagos de sepulcro ¿a qué robustez no atemorizan? ¿Qué placer no aguan?[2] ¿Qué majestad no humillan? ¿Qué prosperidad no turban? Universal asombro es la muerte de todo viviente, notable tiranía, monstruo cruel, y fiera inexorable. Qué poderosa triunfa, qué soberbia procede. Entre las flores de una felicidad se esconde, de los resplandores de una beldad se disfraza.[3] ¿En qué jardín, por ameno que florezca[4] al halago de los vientos y a la risa de los abriles no oculta la segur sangrienta las flechas venenosas?[5] Así engañan vertiendo sangre las rosas, pues al destroncar un pimpollo, áspid que dormía emboscado entre las matas, espeluznando las escamas del cuello[6] y luciendo las listas de oro y negro, que su piel bordan, despierta, silba, embiste, pica, hiere y mata.[7] Oh, víbora fatal, ¿qué hacías entre los jazmines? ¿Fabricando estragos?[8] Oh, muerte alevosa,[9] ¿qué maquinabas entre las flores de tanta vida? ¿Forjabas venenos?[10] Así deben de ser las abejas de Córcega;[11] entre las flores vuelan, mas cuantos

1. There is no joy without regret, no pleasure without risk, no flower without poison, no life without death.
2. the threat of the sepulchre (i.e. of death), what robust person is not terrified by it? what pleasure is not killed (lit. watered down) by it?
3. It hides among the flowers of happiness, it disguises as a glamorous beauty
4. no matter how delightfully it may blossom
5. does not conceal the bloody sharpness (lit. sickle) of poisonous arrows?
6. Pouring blood, the roses deceive (us) thus, for upon cutting off a rosebud, a snake that was asleep under the bushes, setting on end the scales of its neck
7. hisses, attacks, bites, wounds and kills
8. O death-dealing viper, what were you doing among the jasmines — were you planning waste and havoc?
9. treacherous
10. Were you concocting some poisons?
11. the bees from Corsica

panales labran son ponzoña[12] de la vida: abunda aquella isla de tejos,[13] árboles venenosos, y de las flores sólo fabrican acíbar[14] las abejas, la miel es mortífera, tósigo[15] los panales. Abeja infausta es la muerte, que con trágico zumbido[16] de negras alas ronda[17] los huertos, destroza los abriles, estraga[18] las flores, fabrica por cera palidez macilenta, por miel mortíferos venenos.[19] Mas ¿todo lo ha de avasallar esta fiera?[20] ¿Sólo la muerte ha de ser espanto de todas las vidas? ¿No se trocará la vida, y hubiera una vida que fuese asombro de todas las muertes?"

PSYCHE AND CUPID [1]

Mintió la antigüedad,[2] haber sido la princesa Psique la mayor y más célebre hermosura del mundo. Desposáronla[3] con un dios escondido, con un esposo invisible, que aunque asistía al tálamo[4] de noche, nunca mostró de día el semblante.[5] Sospechóse era algún dragón, porque el oráculo que le anunció las bodas dijo que un dios de fiereza serpentina[6]

12. but no matter how many honeycombs they may construct, they are (all) poisonous
13. yew-trees
14. bitterness
15. poison (grief)
16. humming
17. makes the rounds, hovers over
18. ruins
19. manufactures instead of wax, deathly pallor, instead of honey, death-dealing poisons.
20. is this wild beast to enslave everything?

1. In Greek mythology Psyche was a lovely princess, personification of the soul. Jealous of her, Venus ordered Cupid (Eros) to inspire Psyche with an unworthy love but Cupid fell in love with her and visited her by night. Told by her sisters that her lover was a monster, Psyche brought a lamp to the bedside one night when he was asleep: a drop of hot oil fell on his shoulder and he left in anger. After long wanderings and labors imposed on Psyche by Venus, she was reunited to her lover, made immortal, and raised to Olympus.
2. Antiquity lied
3. They married her
4. bridal chamber or bed
5. countenance
6. snake-like fierceness

ocuparía su tálamo. Servían a Psique las viandas, las músicas, los atavíos,[7] sin ver quién se los ministraba,[8] ni aparecían los sirvientes, ni el esposo aparecía. Envidiosas las hermanas de tanta opulencia y felicidad, la acabaron de persuadir que sin duda era serpiente, quien tanto recataba[9] la vista de su ferocidad. Y que, pues de noche merecía sus brazos, escondiese una luz debajo de una medida de trigo,[10] y ocultando una sutil navaja debajo de la almohada[11] en el nocturno silencio, destroncase durmiendo el escamoso cuello del enroscado basilisco.[12] Obedeció la princesa, guardó la antorcha, preparó el cuchillo; y a media noche, valiente y cuidadosa, sacó la luz escondida, alumbró el tálamo, y halló (¡qué prodigio!), halló durmiendo a Cupido, el Dios del amor, a un lado el arco, las flechas de oro.[13] Allí fué el perderse de enamorada, allí el abrazarse el corazón, allí el repetir las ternuras, allí el morirse de amores de El Amor.

IN PRAISE OF MUSIC

Rastrear[1] el origen del Alma, y conocer su naturaleza, y movimientos, difícil empleo fué de la Filosofía. Desvelóse la docta Grecia en inquirir[2] estudiosamente qué sea Anima; y en discorde batalla de ingenio, y plumas,[3] ya todo golpe fué de hierro, todo tiro fué disparar; juzgaron muchos que era fuego, como Demócrito; no pocos la soñaron número, como Xenócrates; unos la presumieron aire, como Diógenes; otros la sospecharon armonía, como Empédocles; otros exhalación, como Heráclito! otros concurso de átomos, como

7. dresses
8. supplied
9. concealed
10. measure of wheat
11. a knife under her pillow
12. cut off the scaly neck of the curled-up basilisk
13. next to his bow, the golden arrows

1. To track down
2. Learned Greece went without sleep trying to discover
3. discordant battle of wit, and of pens

Pitágoras. Más templadamente erraba Julio con Platón,[4] centella[5] de la divinidad la canonizaron, porción etérea desprendida de los cielos: persuadíanlo conjeturas no levemente crédulas. El rumbo más cierto para penetrar una naturaleza es conocerle la inclinación; hallaban la impetuosa que tiene el Alma a la música, (pues) deléitase naturalmente, o se alboroza el hombre[6] con la armonía. Origina de los cielos la música, este hechizo:[7] o porque en ellos preside, canora, una sirena,[8] como barruntaba Platón; o porque del raudo voltear de sus orbes[9] resulte acorde consonancia en sus movimientos, que acá no inmuta nuestro oído, o por forastera[10] o por distante, como sentía Julio. Y así el Alma, al escuchar la música, como le toca en lo vivo del linaje celestial, confrontando con la melodía paisana, se altera sabrosamente al compás de los números. En fin, no hay cosa en esta vida que tan poderosa arrebate nuestros afectos,[11] como la música: pues no sólo en pechos cultos, (sino) en la barbaridad más bronca[12] de las naciones, el canto, o anima a la virtud, o ensaya el deleite.[13] Tan dueña de los impulsos, que el Alma, para la religiosa función de los sacrificios y comercio con Dios, no interpone sino música; para la autoridad luctuosa de los funerales, música;[14] para halagar divertida la fatiga de las tareas, música; para despertar bravezas en la milicia, música.[15] Como al grito del clarín, y al tarantantara del atambor, se alborota la sangre, se espeluznan los espíritus.[16] Ya excita

4. Democritus, Xenocrates, Diogenes, Empedocles, Heraclitus, Pithagoras and Plato were famous Greek philosophers
5. spark of divinity
6. man is exhilarated by
7. enchantment
8. presides, melodiously, a siren, as Plato conjectured
9. swift revolving of the spheres
10. strange (alien)
11. stirs our emotions
12. coarse
13. encourages one to be virtuous or stimulates one's enjoyment of the beautiful
14. i.e. music is as essential to religious ceremonies (the Mass, etc.) as to sorrowful occasions (funerals, etc.)
16. clarion calls and beating of drums agitate the blood, stimulate enthusiasm

la ira, ya persuade la clemencia, ya agasaja el sueño y lo repele,[17] ya atrae cuidados, y también los quita. ¡Hay tal dominar de afectos . . .! ¡Oh, cómo no pudiera Dios enamorarnos mejor que dándonos música!

A PRAYER FOR THE APOSTLE SANTIAGO [1]

Amparad,[2] Apóstol grande, a la Monarquía, Hispánica (contra los asaltos del infernal enemigo; pues tanto vale vuestra sombra, que llegó a confesar el demonio que no se atravería a tocar una hormiga, como se acogiese al lecho de Santiago.[3] Hormigas del mejor grano de la mies[4] evangélica, hormigas de la fé más candial[5] rodean vuestro sagrado lecho en Campostela, donde en apacible sueño reposa venerablemente vuestro cadáver: defendedlas, pues, y mirad a su católico rey de tantos trabajos embestido, de tantas armadas envidias infestado.[6] ¿Cómo es esto? España vive cargada de los huesos de su Santiago ¿y rebelde el lusitano se le conspira? ¿Pirata el inglés la saltea? ¿Emulo el franco la molesta? ¿Aleve el chileno la repela?[7] Ea, Señor, reconoced los castillos y leones que detrás de vuestra imagen tremola[8] el estandarte católico, atended que vuestra España es la que clamando ¡Santiago![9] rompe las batallas animosa y confiada.

17. lulls to sleep or awakens

1. Santiago (Saint James), the patron saint of Spain, is buried in the Cathedral of Santiago de Compostela (Spain). Since medieval times, this is a shrine that has attracted pilgrims the world over
2. Protect
3. who would not dare touch an ant if it took refuge in Santiago's bed?
4. harvest
5. i.e. **candeal**, white (for instance, **pan candeal**, white bread); by extension, pure — so here, **purest**
6. look at the Catholic King (the reference is probably to Philip IV of Spain) beset by so many problems, infested by so many armed envies (i.e. war-like nations that envy Spain)
7. the rebellious Portuguese conspire, the English pirates waylay, the rival French harass, the treacherous Chileans annoy
8. wave (reference is to a banner, with castles and lions, the Spanish insignia or emblem)
9. shouting "Santiago!" (Spain's battle-cry)

174

Griten las trompetas, resuene batido el atambor, y con espantoso estruendo se envuelvan uno y otro ejércitos entre los nublados del humo y el polvo, bramen las bombardas,[10] brillen finalmente los aceros,[11] suden de horror[12] los montes, y la campaña tiemble de asombro: que entonces retumbará la ronca y horrísona artillería de los cielos,[13] y el hijo del trueno, sobre la nevada tempestad de un cándido caballo, desenvainará un rayo por cuchilla.[14] Ea, que ya le fulminas en nuestro favor, Marte Apostólico,[15] entra, rompe, embiste, hiere, mata, corta, destroza, derriba, asuela,[16] pasma,[17] aturde,[18] atropella,[19] y en miserable fuga escapen del estrago[20] cuantos anublar[21] pretenden las glorias de nuestra España.

10. let the drum (atambor - tambor) beat loudly, and in frightful uproar let both armies get entangled under clouds of smoke and dust, let the bombards roar
11. steel (i.e. weapons)
12. sweat in horror
13. will re-echo the hoarse and dreadful-sounding artillery
14. will unsheathe a thunderbolt as (if it were) a knife
15. Apostolic Mars (i.e. the Apostle Santiago), strike now for our sake
16. raze
17. stun
18. bewilder
19. trample under foot
20. havoc
21. to cloud or obscure

FRANCISCO NUÑEZ DE PINEDA Y BASCUÑAN

b. Chillán (?), Chile, 1607
d. Valdivia (?), Chile, 1682

Born probably in the town of Chillán, the son of *Maestre de Campo* (Grandmaster) General Alvaro Núñez, Pineda y Bascuñán was educated in the Casa de Residencia of the Jesuits. His father probably wanted him to become a priest, but he left the seminary at the age of sixteen to join the Spanish troops fighting the unconquerable Araucanian Indians. Captured in battle on May 15, 1629, he lived for seven months as prisoner of war of the chieftain Maulicán. Pineda y Bascuñán's one book, *Cautiverio feliz,* recounts in exasperatingly slow detail the experiences of a "happy captive." Although usually classified as a chronicle and included in a collection of historical writings, "Colección de Historiadores de Chile y documentos relativos a la Historia Nacional," Pineda y Bascuñán's saga verges on storytelling and may be considered an early example of American prose fiction. The landscape of the Imperial region and the customs and behavior of its inhabitants are observed with adroit realism. In addition, the writer conveys a feeling of suspense: his readers follow with interest the peripetiae and psychological tensions of the Captive, and of Maulicán and the other Indian chiefs.

Maulican feels honored to have Grandmaster Núñez's son as his captive, and, after keeping the other Indian chieftains from killing him, he promises Pineda y Bascuñán his freedom. Meantime, to protect him, he takes him along wherever he goes. These perambulations provide considerable movement and local color: the customs, mores, and rituals of the Araucanians are depicted with authenticity and some literary flair. At the crucial moment Maulicán refuses to deliver his captive to the other Indian chiefs and is forced to hide him. Finally,

Maulicán keeps his promise and returns Pineda y Bascuñán to his father, and father and son are tenderly reunited.

The modern reader may snicker at Pineda y Bascuñán's sterling chastity. Besieged and provoked by all manner of willing native beauties, he nonetheless overcomes all temptations. The Jesuit influence is writ large, not only in his extreme "puritanism" but in the numerous digressions so fraught with moral disquisitions and erudite quotations from Fathers of the Church, theologians, and classical writers. Such discursiveness often completely submerges the story line and ruins the otherwise interesting and frequently charming vignettes of life in seventeenth century Spanish America.

After his "happy captivity," Pineda y Bascuñán is known to have resumed his military career and, following in his father's footsteps, to have risen to the rank of Grandmaster. When he died, at the ripe old age of seventy-five, it was as Governor of Valdivia. Like his father, he was sympathetic and very fair to the Araucanians and often exposed and censured the abuses of the Spanish conquerors.

BEST EDITION: *El Cautiverio feliz de Francisco Núñez de Pineda y Bascuñán,* edited by Angel Custodio González, Santiago de Chile, Zig-Zag, 1948.

ABOUT PIÑEDA Y BASCUÑAN: Alvaro Jara: "Pineda y Bascuñán, hombre de su tiempo," *Boletín de la Academia Chilena de la Historia* (Santiago de Chile), XXI (1954), No. 51, 2nd Semester, 77-85; José Toribio Medina: *Historia de la literatura colonial de Chile,* Santiago de Chile, Imprenta de la Librería del Mercurio, 1878, Vol. I, pp. 309-322; Emilio Rodríguez Mendoza: *Francisco Núñez de Pineda y Bascuñán,* Santiago de Chile, Imprenta Universitaria, 1953; Gerardo Seguel: "Un poeta social de la colonia," *Atenea* (Concepción), April 1939, pp. 5-24; Alejandro Vicuña: *Bascuñán, el cautivo,* Santiago de Chile, Nascimento, 1948; Maxwell Lancaster: "The Happy Captivity of Francisco Núñez de Pineda y Bacuñán," *Vanderbilt Studies in the Humanities* (Nashville, Tenn.), I (1951), 161-173.

(excerpts from Discourse I, Chapters 5-9 and 12-13; Discourse II, Chapters 17-18; and Discourse III, Chapter 34)

I

Outnumbered at the Battle of Las Cangrejeras, the Spaniards sustain a defeat. Pineda y Bascuñán is captured.

Les era el tiempo favorable (a los indios) por ser lluvioso y el viento norte apresurado y recio, que nos imposibilitó nuestras armas de fuego, de manera que no se pudo dar más que una carga, y esa sin tiempo ni sazón. Con que al instante su infantería cargó sobre nosotros con tal fuerza y furia, que a los ochenta hombres que nos hallamos a pie, nos cercó la turbamulta.[1] Habiéndonos desamparado nuestra caballería, nos cogió en medio, y aunque pocos para tan gran número contrario, sin desamparar sus puestos, murieron los más como buenos y alentados[2] soldados peleando valerosamente. Y estando yo haciendo frente en la vanguardia del pequeño escuadrón que gobernaba, con algunos piqueros[3] que se me agregaron, oficiales reformados y personas de obligaciones, considerándome en tan evidente peligro, peleando con todo valor y esfuerzo por defender la vida, que es amable, juzgando tener seguras las espaldas, y que los demás soldados hacían lo mismo que nosotros, no habiendo podido resistir la enemiga furia, quedaron muertos y desbaratados[4] mis compañeros, y los pocos que conmigo asistían iban cayendo a mi lado algunos de ellos. Después de haberme dado una lanzada en la muñeca[5] de la

1. the mob (of Indians) surrounded us
2. courageous
3. pike-men
4. routed
5. lance-thrust in the wrist

179

mano derecha, quedando imposibilitado de manejar las armas, me descargaron un golpe de macana.[6] Me derribaron en tierra dejándome sin sentido, el espaldar de acero bien encajado en mis costillas y el peto atravesado de una lanzada.[7] A no estar bien armado, quedara en esta ocasión sin vida entre los demás capitanes, oficiales y soldados que murieron. Cuando volví en mí y cobré algunos alientos,[8] me hallé cautivo y preso de mis enemigos.

In imminent danger of death, Pineda y Bascuñán is saved by the Indian chieftain Lientur

Levantando en alto las lanzas y macanas intentaron descargar sobre mí muchos golpes y quitarme la vida. Mas, como su divina Majestad es dueño principal de las acciones, quien las permite ejecutar o las suspende, quiso que las de estos bárbaros no llegasen a la ejecución.

Y al tiempo que aguardaba de sus manos la privadora fiera[9] de las vidas, llegó a dilatármela[10] piadoso uno de los más valientes capitanes y estimados guerreros que en su bárbaro ejército venía, llamado Lientur. Por haber sido su nombre respetado entre los suyos y bien conocido entre los nuestros, le traigo a la memoria agradecido.

El tiempo que este valeroso caudillo asistió entre los nuestros, fue de los mejores amigos y más fieles que en aquellos tiempos se conocían; por cuya causa le hizo grandes agasajos y cortesías[11] el maestro de campo general Alvaro Núñez de Pineda, mi padre, mientras gobernó estas fronteras. Y aunque el común tratamiento que a los demás hacía, era conocido y constante entre ellos, de que se originaron los felices sucesos y aventajados aciertos que fue Dios servido de darle en esta

---

6. they clubbed me down (lit. they struck a blow with a wooden club [used as a weapon by the Indians])
7. They knocked me down, leaving me unconscious, my armor's backplate sticking into my ribs and the breastplate pierced through by a lance-thrust
8. when I regained consciousness and revived a bit
9. i.e. death (lit. savage depriver of lives)
10. to extend it, i.e. his life span
11. favors and kindnesses

guèrra, por el amor y voluntad con que se oponían a cualesquiera trabajos y peligros de la vida, acudiendo con todas veras a la ejecución de sus órdenes y mandatos, que es nación que se deja llevar de la suavidad de las palabras y del agasajo de las acciones. Con este guerrero parece que quiso más humano efectuar sus agasajos, sacándole de pila[12] a uno de sus hijos, y llamarle compadre: acción que la tuvo tan presente y de que hizo tanto aprecio y estimación, cuanto se echará de ver en las razones de adelante,[13] mostrándose amigo verdadero de aquél en quien conoció apacible condición y natural afecto, aunque después enemigo feroz de las obras y tratos de otros superiores ministros, que fueron los que le obligaron a rebelarse y dejar nuestra comunicación y trato; que no sin muchos fundamentos y conocidos agravios[14] dejó nuestra amistad antigua por la de los enemigos: causas que me obligan a juzgar y decir, que la esclavitud de esta nación no la tengo por justificada, porque ha obligado a poner en ejecución grandes desafueros[15] y maldades la codicia[16] insaciable de los nuestros, con que se perturba y alborota[17] la paz y el sosiego que pudiera haber conseguido este desdichado reino.

Llegó Lientur, y con resolución valerosa se entró en medio de los demás, que en altas voces estaban procurando mi desastrada[18] muerte, y con su presencia pusieron todos silencio a sus razones. Y haciéndose lugar por medio de ellos, se acercó más al sitio adonde mi amo y dueño de mis acciones con un amigo y compañero suyo me tenían en medio, con sus lanzas y adargas[19] en las manos. dando a entender que solicitaban mi defensa con efecto, pues no respondían palabra alguna a lo que aquella turbamulta con ímpetus airados[20] proponía.

Cuando al capitán Lientur (caudillo general de aquel

---

12. baptizing
13. as the reader will see further on
14. offenses, grievances
15. outrages, excesses
16. greed
17. disturbs
18. wretched
19. shields
20. **angry urgency**

ejército) vi entrar armado desde los pies a la cabeza, sus armas aceradas en el pecho, la espada ancha desnuda y en la mano, un morrión y celada[21] en la cabeza, sobre un feroz caballo armado de la propia suerte, que por las narices echaba fuego ardiente, espuma por la boca, pateando el suelo con el ruido de las cajas[22] y trompetas (y) no podía de ninguna suerte estar un punto sosegado.[23]

Acercóse a nosotros el famoso Lientur, guerrero capitán como piadoso[24], y razonó de la suerte que diré. Lo primero con que dio principio, fue con preguntarme si yo era el contenido hijo de Alvaro: a que respondí turbado, que yo era el miserable prisionero. Porque lo que a todos era ya patente no podía ocultarlo más. Eché de ver la aflicción y pesar con que se hallaba por haberme conocido en aquel estado, sin poder dar alivio a mis trabajos por no ser para librarme absoluto dueño. Volvió con esto los ojos a Maulicán, mi amo,[25] diciéndole las palabras y razones siguientes:

Tú solo, capitán esforzado y valeroso, te puedes tener en la ocasión presente por feliz y el más bien afortunado, y que la jornada[26] que habemos emprendido, se ha encaminado sólo a tu provecho; pues te ha cabido por suerte llevar al hijo del primer hombre que nuestra tierra ha respetado y conocido. Blasonar[27] pues tú solo y cantar victoria por nosotros; a ti sólo debemos dar las gracias de tan buena suerte como con la tuya nos ha comunicado la fortuna. Aunque es verdad que habemos derrotado y muerto gran número de españoles, y cautivado muchos, han sido todos los más *chapecillos* (que así llaman a los soldados bisoños[28] y desarrapados) que ni allá hacen caso de ellos, ni nosotros tampoco. Este capitán que llevas es el fundamento de nuestra batalla, la gloria de nuestro suceso, y el sosiego de nuestra patria. Aunque te han per-

21. helmet with a visor
22. drums
23. could not keep still for a single minute
24. i.e. a warlike yet kind-hearted captain
25. my master (for this is the Indian who captured Pineda y Bascuñán)
26. battle
27. You may boast
28. inexperienced

suadido y aconsejado rabiosos, que le quites luego la vida, yo soy y seré siempre de contrario parecer, porque con su muerte, ¿qué puedes adquirir ni granjear,[29] sino es que con toda brevedad se sepulte el nombre y opinión que con él pueden perpetuar? Esto es cuanto a lo primero. Lo segundo que os propongo, es que aunque este capitán es hijo de Alvaro, de quien nuestras tierras han temblado (aunque cojo, viejo e impedido),[30] y de quien siempre que se ofreció ocasión fuimos desbaratados[31] y muertos muchos de los nuestros; fue con las armas en las manos y peleando. Mas a mí consta[32] del tiempo que asistí con él en sus fronteras, que después de pasada la refriega,[33] a sangre fría a ningún cautivo dio la muerte. Antes sí les hizo siempre buen pasaje, solicitando a muchos el que volviesen gustosos a sus tierras, como hay algunos que gozan de ellas libres y asistentes en sus casas con descanso, entre sus hijas, mujeres y parientes, por su noble pecho y corazón piadoso. Y lo propio debes hacer generoso, con este capitán, tu prisionero, que lo que hoy miramos en su suerte podemos en nosotros ver mañana.

Volviendo las ancas del caballo,[34] dejó a los circunstantes mudos y suspensos, con que cada uno por su camino se fueron dividiendo y apartando de nosotros, y yo quedé a tamaño beneficio fino correspondiente.[35]

29. gain
30. although lame, old, and crippled
31. routed
32. But I must declare that...
33. affray, combat
34. Turning his horse around (he left)
35. I remained as the lucky recipient of such a great favor

Homeward bound, Maulicán leaves with his captive.
Rainstorms and the high water of the Bío-Bío River delay them.

Desde aquel punto y hora Maulicán principió a tratarme
con amor, con benevolencia y gran respeto. Me puso un capotillo[1] que él traía y un sombrero en la cabeza a causa de que
el tiempo con sus lluvias continuas obligaba a marchar con
toda prisa, y más que andar, apresurar el paso hacia sus tierras.

Nos fuimos acercando al río Bío-Bío, hasta llegar a sus
orillas. Con ferocidad notable sus precipitadas corrientes se
venían aumentando a cada paso, a causa de que el temporal
con vientos desaforados y aguaceros nos atribulaban[2] de manera que parecía haberse conjurado contra nosotros todos los
elementos. Llegamos los últimos de la tropa al anochecer:
diez indios y un soldado de mi compañía, llamado Alonso de
Torres, que también iba cautivo como yo.

Pasamos el primer brazo con gran peligro y riesgo de
nuestras vidas. Cuando fuimos a vadear[3] el otro que nos restaba, no se atrevieron porque en aquel instante se reconoció
bajar de arriba con gran fuerza la avenida, y por ser el restante brazo más copioso de agua, más dilatado,[4] y más apre-
surada su corriente, determinaron quedarse en aquella pequeña isla, que tendría muy cerca de una cuadra de ancho y dos
de largo,[5] adonde había algunos matorrales y ramones de
que poder valernos para el abrigo de nuestras personas y para
el alimento (aunque débil) de las bestias.[6] Hiciéronlo así,

1. cape
2. the storm punished us with its terrific winds and showers
3. to wade through (For many decades the Bío-Bío was the frontier
   between Araucanian and Spanish territories).
4. wider
5. one **cuadra** (i.e. 275 feet) wide by two **cuadras** long
6. underbrush and bushes for our shelter and fodder (though rather
   poor) for the horses

porque anochecía ya, presumiendo que el siguiente día se cansaría el tiempo porfiado y nos daría lugar a pasar con menos riesgo y con más comodidad el proceloso piélago[7] espantoso que nos restaba. Mas fue tan continuado el temporal y abundante de penosas lluvias, que cuando Dios fue servido de amanecernos, hallamos que el restante brazo, multiplicadas sus corrientes, venía con más fuerza y con más ferocidad creciendo; a cuya causa nos detuvimos y quedamos aquel día aislados, por ver si el siguiente nos quería dar lugar a proseguir nuestro viaje.

Sucedió nuestro pensar muy al contrario, porque con lo mucho que había llovido sin cesar del antecedente día y de la noche, se aumentaron sus corrientes de tal suerte, que nos obligaron a que con toda prisa desamparásemos la isla[8] y solicitásemos camino o modo de salir aquel día de los riesgos y peligros que nos amenazaban, pues a más andar, con paso apresurado las procelosas aguas se iban apoderando del sitio y lugar que poseíamos. Determináronse a desandar lo andado[9] y volver a pasar hacia nuestras tierras con harto peligro y temor de encontrar con algunos de los nuestros. Esta resolución y acuerdo que eligieron, fue porque lo restante del piélago que para sus tierras nos faltaba que pasar, era más caudaloso, más ancho, de más precipitada corriente y de más conocido riesgo; pues habiendo intentado arrojarse a él a nado, echaron por delante a un compañero alentado[10] y que se hallaba con el mejor caballo que en la tropa se traía, y a pocos pasos que entró lo arrebató la corriente, y aunque fue nadando gran trecho sin desamparar el caballo, se le ahogó en medio del río, y él salió a la otra parte por gran dicha, y porque en el agua parecía un peje.[11] Con esta prueba y suceso se resolvieron llevar adelante su primer acuerdo, y para ponerle en ejecución, me ordenó mi amo como dueño absoluto de mi libertad. que me desnudase[12] y pusiese más ligero, por si cayese en el río

---

7. turbulent high waters (lit. tempestuous sea, a cliché from classical writers)
8. to leave the island in a hurry
9. to retrace our steps
10. courageous
11. he resembled a fish (i.e. he was a good swimmer)
12. to undress

no me sirviese de embarazo la ropa que llevaba[13]. Le respondí que lo propio era caer desnudo que vestido, porque de ninguna suerte sabía nadar ni sustentarme en el agua, poco ni mucho.[14] Con todo eso (me respondió), te hallarás con menos estorbo y más ligero para todo acontecimiento. Y por obedecerle más que por mi gusto, me desnudé del hato que traía[15] y sólo quedé con la camisa; y de esta suerte, me puse a caballo en un valiente rocín maloquero[16] que traía de toda satisfacción, que para más seguro de mi vida me lo ensilló[17] diciéndome: subid en él, y no hagáis más que asiros de la silla fuertemente,[18] o de la clin del caballo,[19] que él os sacará afuera. Con que subió en otro rocinejo flaco,[20] adonde a la grupa, o trasera del fuste,[21] puso mis armas (o por mejor decir suyas) y el vestido, y caminamos de esta suerte todos los diez indios que quedaron, el soldado Alonso Torres y yo en demanda del paso, que se reconoció ser el más angosto por donde nos arrojamos, con pocas esperanzas de salir con bien de las corrientes rápidas del río, y yo sin ningunas, pues al entrar en ellas nos arrebataron[22] de tal suerte y con tanta velocidad, que en muy breve tiempo nos desaparecimos los unos de los otros, y tan turbado[23] mi ánimo y espíritu, que no supe si estaba en el agua, en el cielo o en la tierra. Sólo cuidé de aferrarme en la silla o en el fuste lo mejor que pude, y de encomendarme a nuestro Dios y Señor con todas veras.[24]

En medio de estas tribulaciones y congojas,[25] me vi tres o cuatro veces fuera de la silla y sin el arrimo del caballo, y levantando las manos al cielo y los ojos del alma con afecto, cuando menos pensaba me volvía a hallar sobre él y apoderado

13. the clothes I was wearing would not obstruct me
14. i.e. since he did not know how to swim, it made no difference to him whether he went in dressed or undressed
15. I took off the clothes I was wearing
16. a spirited Indian horse
17. he saddled it for me
18. to hold tightly to the saddle
19. or to the mane (clin = crin) of the horse
20. he mounted another skinny hack
21. on the croup, or rear saddletree
22. pulled us away
23. upset
24. in earnest
25. anguish

del fuste; porque la fuerza de la corriente era tan veloz y precipitada, que no sabré significar ni decir de la suerte que me sacó el caballo a la otra banda del río, cuando a los demás que juntamente se echaron con nosotros, se los llevó más de tres cuadras abajo de adonde salimos el otro soldado —mi compañero— y yo, con otro indio que se halló en un alentado caballo.

Cuando me vi fuera de aquel tan conocido peligro de la vida (que aun en la sangrienta batalla no tuve tanto recelo ni temor a la muerte), no cesaba de dar infinitas gracias a nuestro Dios y Señor, por haberme sacado con bien de un rápido elemento, adonde con ser hijos del agua estos naturales,[26] se ahogaron dos de ellos, y los demás salieron por una parte sus caballos y ellos por otra.

Cuando el soldado mi compañero consideró que estaban de nosotros más de treinta cuadras los indios del río abajo, después de haberme sacado de diestro[27] el caballo en que venía, de una grande barranca que amurallaba sus orillas, me dijo determinado:—Señor capitán, esta es buena ocasión de librarnos y de excusar experiencias de mayores riesgos, y pues se nos ha venido a las manos, no será razón que la perdamos; porque estos enemigos no pueden salir tan prestos del peligro y riesgo en que se hallan, y en el entretanto podemos ganar tierra, de manera que por poca ventaja[28] que les llevemos no se han de atrever a seguir nuestras pisadas, por el recelo que tienen de que los nuestros hayan venido en sus alcances[29] hasta estas riberas,[30] pues todavía son tierras nuestras.

Estando en estas pláticas,[31] en que se pasó un gran cuarto de hora, vimos venir un indio que había salido a nado, como los demás, sin su caballo por habérsele ahogado,[32] a quien

26. natives
27. i.e. walking ahead holding the horse's bridle
28. to be ahead of
29. at their heels (to catch up with them)
30. river banks
31. talks
32. drowned

preguntamos por nuestros amos, si acaso los habían visto fuera del río: y nos respondió, que mi amo (el cacique Maulicán) juzgaba haberse ahogado, porque vio ir dos indios muertos la corriente abajo. Dióme grandísimo cuidado haberle oído tal razón, considerando pudiera haber algunas diferencias entre ellos por quién había de ser el dueño de mi persona, y entre estas controversias quitarme la vida, que era lo más factible,[33] porque no quedasen agraviados[34] los unos ni los otros. Con estas consideraciones fuimos el río abajo caminando en demanda de nuestros amos, por donde encontramos otro indio que nos dio razón de que iban saliendo algunos, y de que, mi amo había aportado[35] a una isla pequeña, adonde estaba disponiendo su caballo para arrojarse tras él a nado. Fuimos caminando con este aviso, y a poco trecho le divisamos en la isla con otros compañeros que habían aportado a ella; y habiendo echado sus caballos por delante, se arrojaron tras ellos. Luego que conocí el de mi amo, sacando fuerzas de flaqueza,[36] le fui a coger y se le tuve de diestro, y mi compañero con el de su amo hizo lo propio. Cuando el mío me vió con su caballo de diestro, me empezó a abrazar y decir muy regocijado:[37]—Capitán, ya yo juzgué que te habías vuelto a tu tierra; vuelve otra vez a abrazarme, y ten por infalible y cierto, que si hasta esta hora tenía voluntad y fervorosa resolución de rescatarte[38] y mirar por tu vida, con esta acción que has hecho me has cautivado de tal suerte, que primero me has de ver morir a mí, que permitir padezcas algún daño.[39] Y te doy mi palabra, a ley de quien soy, que has de volver a tu tierra a ver a tu padre y a los tuyos con mucho gusto.

33. feasible
34. offended
35. landed safely
36. pulling myself together (lit. deriving strength out of my weakness)
37. joyfully
38. to rescue you
39. than to allow you to suffer any harm

III

Weathering the Storm. Relaxation and Revelations

Pasamos con bien aquel raudal [1] después de haber visto a los demás esguazarlo [2] sin riesgo. A muy buen paso aquel día nos pusimos muy cerca del río de Cacten, que así llaman al que pasa por la Imperial. Nos alojamos aquella noche a la orilla de un estero [3] que estaba cerca de unos ranchos(según nuestros compañeros lo aseguraron), que del sitio en que nos habíamos alojado no se divisaban. Y sin duda debió de ser así, porque en aquellos contornos [4] encontramos algunas tropillas de vacas muy domésticas y mansas,[5] con algunas crías, que las fueron llevando fácilmente a un guape, que así llaman cualquiera rinconada[6] que hace la montaña o algún estero, y allí las encerraron, y cogieron dos terneras,[7] que llevamos a nuestro alojamiento. Con gran gusto cenamos aquella noche de ellas, y en un copioso fuego nos secamos, porque volvieron las preñadas nubes a descargar sobre noostros sus penosas aguas. Habiendo dispuesto nuestras pequeñas chozas,[8] dimos al descanso nuestros fatigados cuerpos.

Apenas se ausentaron las tinieblas,[9] cuando recogimos los caballos; y con el día el agua con más fuerza se descolgaba.[10] Y porque el río de la Imperial no nos impidiese el paso aumentándose con las lluvias sus corrientes, le apresuramos con dar rienda a los animales, que en breves horas

1. stream
2. to ford (a river)
3. That night we found lodgings in some huts by the estuary
4. environs
5. tame
6. corner, nook
7. calves
8. having tidied our cabins
9. i.e. at daybreak
10. poured more torrentially

nos pusieron en sus pedregosas orillas,[11] adonde rogaron a mi amo que pasase con ellos a sus casas a descansar y holgarse tres o cuatro días, pues tan cerca se hallaba de sus humos.[12] Aceptando el partido que le hacían porque de allí a su tierra había otros dos días de camino y los caballos se hallaban fatigados, sin dilación alguna nos pusimos a esguazarle, aunque por partes a volapié salimos,[13] y cogiendo un galope apresurado, dentro de breve tiempo nos pusimos en el rancho de Colpoche.

Con la llegada de los soldados y la noticia que tuvieron de la mía con el nombre de hijo de Alvaro, se juntaron aquella noche más de cien indios a visitar a los recién venidos. Todos traían chicha, terneros, carneros, aves y perdices.[14] En el rancho de Colpoche, que era el mayor y más desocupado para el efecto de holgarse y entretenerse en comer, beber y bailar, nos alojamos arrimados a un fogón de tres copiosos[15] que había en la casa. Pareciónos muy bien el abrigo por haber llegado bastante mojados, y habiendo entrado nuestros fustes[16] y entregado los caballos a quien ordenó el dueño los guardase, nos arrimamos al fuego, adonde nos sentamos mi amo y yo con otros caciques viejos de los que nos habían venido a recibir. Al punto trajeron unos cántaros de chicha y mataron una oveja,[17] que es acción ostentativa de grande honor entre ellos. A mí me trajeron juntamente tres cántaros de chicha y un carnero, haciéndome la misma honra y cortesía que hacen a los principales huéspedes[18] y caciques de importancia, como lo hicieron con mi amo: que esta es la honra que acostumbran hacerse los unos a los otros; y el que recibe el presente reparte aquellos cántaros a las personas que se hallan presentes de mayor estimación, para que vayan brin-

11. stony (i.e. strewn with pebbles) shores
12. to take a three- or four-day rest since we were so near their homes (lit. smoke, from their fireplaces)
13. half running, half flying
14. **chicha** (a fermented drink made from corn and fruits), calves, lambs, (barnyard) fowls, and partridges
15. one of three huge fireplaces
16. saddles
17. sheep
18. guests

dando a los circunstantes.[19] A imitación de los otros fui haciendo lo que los demás hacían, que unos me brindaban a mí y yo brindaba a los otros.

Estando en este entretenimiento alegre, fueron poniéndonos por delante para que cenasemos, algunos guisados a su usanza[20] con algunas tortillas, platos de papas, envoltorios de maíz y porotos,[21] y al fogón adonde asistíamos trajeron muchos asadores [22] de carne gorda, que aquello me pareció lo más acomodado al gusto, porque un muchacho iba dando vuelta con los asadores acabados de sacar del fuego virtiendo el jugo [23] por todas partes, y los iba poniendo a cada uno con un cuchillo para que cortase por su mano lo que le pareciese más acomodado y más bien asado,[24] y estos lo volvían a poner al fuego y traían otros, dando la vuelta a todos los circunstantes; y de los demás asadores de capones,[25] gallinas y perdices y longanizas [26] hacían lo propio. De esta suerte comimos y bebimos muy a gusto, desquitando el ayuno [27] que en el trabajoso viaje padecimos.

Fuéronse alegrando los espíritus con la continuación de diferentes licores. Y en otro fogón del rancho cogió un tamboril templado [28] uno de los músicos más diestros, y dando principio al canto, siguieron otros muchos la tonada. Dentro de breve tiempo, al son del instrumento y de las voces, dando saltos bailaban a su usanza las indias y muchachas que allí estaban. Alborotados ya con el ruido, a nuestro fogón se fueron encaminando a convidar a los viejos que en él asistían en mi compañía, y llevaron a mi amo a la rueda del baile, y a mí me llevó el dueño del rancho, que era el hermano del amo de mi compañero el soldado, aquel Colpoche que dije era amigo de españoles y que me hacía grandes cor-

19. drinking to the health of the various persons present
20. dishes after their own style
21. tamales made of corn and beans and wrapped up in corn husks
22. spits, roasting jacks
23. pouring the juices (gravy)
24. roasted
25. capons
26. sausages
27. making up for our fasting (for the lack of good during so many days)
28. a well-tempered drum

tesías y agasajos.[29] Llegamos a la rueda, adonde estaban dando vueltas bailando los indios y las indias, quienes no quitaban los ojos de los míos, diciendo los unos a los otros, así indios como muchachos y muchachas: éste es el hijo de Alvaro, muy niño es todavía. Llegaban a brindarme con mucho amor y agasajo diciéndome, que bailase también con ellas, cosa que no pude hacer de ninguna manera. Porque aunque me mostraban buena voluntad y agrado, tenía muy frescas las memorias de mi desdichada suerte. A mi compañero, que lo fué hasta aquel paraje,[30] le mandó su amo que se armase y bailase con su mosquete a cuestas, y de cuando en cuando que saliese a la puerta a dispararle.[31]

De esta suerte estuvieron toda la noche comiendo, bebiendo y bailando, y yo pedí licencia al dueño del rancho, que era Colpoche mi amigo, para recogerme a un rincón a descansar y dar al sueño los sentidos, que me la concedió luego, y fué en persona conmigo y me hizo hacer la cama con unos pellejos limpios.[32] Dispuesta ya en la forma referida, me dijo el camarada:

Bien puedes descansar y dormir a tu gusto aquí, y si quisieras levantarte a ver bailar y calentarte, podrás ir adonde yo estoy, que toda la noche nos habemos de pasar holgando en nuestros entretenimientos.[33] Y no estés triste, que presto has de volver a ver a tu padre y a gozar de tu libertad en tu tierra. Yo le he dicho a Maulicán tu amo, que no te deje de la mano y que mire por tí con todo desvelo,[34] porque estos caciques de mi parcialidad han de hacer grandes diligencias para matarte;[35] y aunque yo no puedo ir en contra de lo que propusieren, lo que podré hacer por tí, será dar avisos a tu amo de todo lo que trataren y quisieren disponer, para que pueda esconderte y guardarte. Porque yo naturalmente me inclino a querer bien a los españoles y a

29. attentions, favors, gifts
30. place, spot
31. every now and then to step outside the door and fire it
32. clean skins
33. we will stay up all night having a good time
34. with utmost vigilance
35. these chieftains of my faction will do their very best to kill you

tu padre, porque es amable y querido de todos, que le conozco mucho, y el tiempo que fuí amigo, reconocí en él muy buen corazón y trato para con nosotros, que si todos los que gobiernan fuesen de su calidad y agrado, no nos obligaran a dejar su comunicación y buena compañía.

IV

*Indians from the cordillera plan to murder Pineda y Bascuñán.
Their plan fails . . .*

Dentro de pocos días después que hubimos vuelto del
festejo y convite de Ancanamon, cuando con más gusto me
hallaba en varios entretenimientos y ejercicios, cazando pájaros, corriendo perdices y a ratos ayudando a sembrar y a hacer chácaras a las mujeres,[1] me sobrevino una pesadumbre y
disgusto repentino; que no puede faltar la parábola del sabio, que en medio del consuelo está el pesar mezclado, y el
llanto ocupa el lugar adonde parece que hay más alegría.

Estando una tarde entretenido con los amigos y comarcanos[2] de mi amo en una siembra de chacras,[3] vino oculto[4]
un mensajero, como que pasaba a la costa a otros negocios,
enviado de Colpuche, aquel indio mi amigo que en la primera mansión que hicimos en el camino, nos festejó en su
rancho, y en cuya casa quedó el soldado mi compañero. Con
todo secreto habló con el toque principal[5] Llancareu y Maulicán su hijo, hallándome yo presente, como a quien venía
más encaminado el mensaje,[6] significándonos la resolución
con que estaban los caciques de la cordillera nuestros enemigos, de venir a los ranchos de Maulicán una noche y malo-
quearlos[7] por cogerme en ellos descuidado,[8] y llevarme re-
sueltamente a pesar de los suyos, y poner en ejecución su
intento a fuerza de armas, para lo cual habían convocado
más de doscientos indios con todo silencio y disimulación,

1. helping the women with the farmwork
2. neighbors
3. planting in the farms (**chacra** = **chácara**)
4. stealthily
5. big Chief
6. the one the message concerned most
7. raid them
8. unawares

porque no se divulgase;[9] y que sin duda alguna no se pasarían cuatro noches sin que tuviese efecto lo que decía: que no se diese por entendido ni se alborotase, sino es que con toda brevedad procurase poner en cobro a su español,[10] a quien, si no hallaban en su rancho ni en los demás comarcanos, se volverían sin intentar otra cosa en su daño.[11]

Agradeció Maulicán el aviso con extremo, y yo de la misma suerte quedé tan reconocido,[12] que le dí dos abrazos al mensajero y le rogué que se los diese en mi nombre a mi amigo Colpuche. Disimuló por entonces Maulicán la embajada, no dándolo a entender a ninguno de los suyos, y a mí me encargó el secreto, con que nos volvimos a donde los demás estaban cavando y sembrando las chacras. Acabamos con la noche nuestra faena, y aunque se pusieron a beber en el rancho de mi amo y a bailar, como se acostumbra después del trabajo, salió Maulicán con su padre Llancareu, y comunicaron despacio el mensaje [13] que nos habían traído, y acordaron manifestarle a los otros caciques sus amigos y compañeros.

Hiciéronlo así, y resolvieron entre todos convocar en secreto todos sus sujetos, amigos, deudos y parientes, y que Maulicán se ausentase de su rancho y se fuese a casa de uno de los caciques que se hallaban en aquella ocasión con él, y a mí me dejasen en el monte bien escondido y oculto [14] y en parte adonde aunque me buscasen no diesen conmigo. Con esta resolución que tomaron, prosiguieron su fiesta y entretenimiento.

Al cabo de algunas horas después de la media noche, cuando más fervorecidos y alegres se hallaban los compañeros, me llamó Maulicán y el viejo Llancareu su padre, y sacándome fuera del rancho, me dijeron:

Ya sabeis, capitán, el aviso que habemos tenido de la

---

9. so that (the secret) be not divulged
10. to try immediately to hide away the Spaniard (i.e. Pineda y Bascuñán)
11. without attempting any other harm
12. so grateful
13. considered carefully and discussed the message
14. well hidden and concealed (deep in the woods)

determinación con que están los caciques de la cordillera, y que sin duda alguna han de venir a maloquearnos solo por matarte; y así has de tener paciencia y sufrimiento, que quiero llevarte al monte, adonde estés algunos días mientras pasa la furia de nuestros adversarios. Mis sobrinos irán de noche a dormir contigo y hacerte compañía, y te llevarán de comer sin que lo sepan ni entiendan más que los de mi casa. Vamos a la montaña, que aquí cerca te pondré adonde, si estuvieses muchos años y te solicitasen hallar con todo cuidado, no habían de topar contigo.[15]

Yo le agradecí la prevención y el cuidado que ponía en asegurar mi vida y en defenderme de mis enemigos.

Salimos a aquellas horas Maulicán y yo, y en nuestra compañía los dos muchachos, que llevaban la cama en que nos acomodabamos los tres, y nos fuimos entrando en la montaña, que estaría de los ranchos cerca de dos cuadras.[16] Lo que llevamos en nuestro favor fue la claridad y resplandores de la luna, que estaba en vísperas de su lleno,[17] porque de otra suerte era imposible penetrar lo denso y escabroso de las ramas.[18]

Llegamos al sitio, que estaría como media cuadra de la entrada del monte, adonde había una espesura grande de árboles muy crecidos y empinados, tan vecinos de la barranca del río que parece estaban pendientes de ella.[19] Entre dos de los mayores y más poblados de hojas (que la conservan todo el año) estaba armado un rancho o chozuela,[20] en que cabían tres o cuatro personas. Para llegar a él era necesario subir por uno que al pie de él estaba descombrado.[21] Porque no se entendiese que por allí subían al emboscadero,[22] fuimos de rama en rama, y de árbol en árbol caminando,

15. to run into you
16. **cuadra** is a unit of length, equivalent to 275 feet
17. almost full moon
18. the darkness and roughness of the branches
19. a deep thickness (produced by) very tall, towering trees which stood close to the cliff of the riverbank and seemed to be suspended from it
20. a hut or tree-house had been built
21. one had to climb by means of a fallen tree nearby (at the foot of the other tree)
22. hiding place, ambush

que después de haber atravesado más de diez o doce, llegamos al que tenía la choza en medio de sus frondosas hojas
emboscada. Allí nos quedamos los dos muchachos y yo, y
Maulicán mi amo se volvió a su habitación, sin dar a entender a persona alguna de adonde venía, ni el sitio en que
me dejaba. Allí, en aquel elevado emboscadero, estaba solo
de día, porque los muchachos mis compañeros se retiraban
al rancho, y al medio día me traían de comer ellos y una chicuela hija de mi amo, que me había cobrado grande amor y
voluntad y solía buscar en diferentes ranchos legumbres de
las que comen, papas, maíz y porotos, para llevarme. A veces sin sabiduría de los de su casa me llevaban de estos géneros cocidos y alguna poca cecina que hallaba desmandada.[23]
La segunda vez que fué esta chica (que tendría cuando más
doce o trece años) a llevarme de comer sola, le pregunté que
quién la enviaba. Me respondió que su voluntad y la compa-
sión que le causaba el verme solo, que no dijiese a su padre ni a persona alguna que continuaba el verme, que ella
tendría cuidado siempre de llevarme de comer lo que hallase. Agradecíla el amor que me mostraba y la lástima que me
tenía,[24] pero que la rogaba que con mis camaradas viniese
acompañada, y no sola, cuando tuviese gusto de hacerme algún bien, porque no presumiesen que la llevaban otros fines.

No obstante lo que le dije, venía sola, y otras veces con
mis compañeros los muchachos, a traerme de comer, que me
hallaban en ocasiones, o en las más, bajo del árbol, adonde
me solía estar recostado, porque tal vez iba el viejo Llancareu y Maulicán su hijo a verme cuando entraban a la montaña por leña. Esto fue a los principios, que al segundo día
que estuve en mi retiro, se ausentó Maulicán mi amo y se
fué a casa de un amigo suyo, como una lengua distante de la
suya, por consejo y acuerdo de los demás caciques sus amigos.

A los cuatro días que estuve en aquel emboscadero y mi
amo ausente, llegaron aquella noche al cuarto del alba[26] los

23. she would bring some of these (vegetables) cooked, and some dried
    beef which (for my sake) she had pilfered
24. the pity she was showing for me
25. went into the forest for kindling wood
26. before daybreak

caciques de la cordillera mis adversarios, con tropa de más de doscientos indios armados. Unos se enderezaron a[27] los ranchos de Maulicán y Llancareu, y otros encaminaron al monte a registrarle, adonde estábamos durmiendo los muchachos y yo. Al grande ruido de los caballos y de sus voces dije a mis compañeros, que de ninguna suerte hiciesen movimiento alguno, que sin duda era la gente de la cordillera que venía en mi demanda.

—No deben de ser, sino es los españoles —dijo uno de ellos— que vienen a maloquearnos.

—Es imposible —les respondí— porque no es tiempo de eso, que están los ríos muy crecidos y dilatadas nuestras armas.[28] Callemos ahora y no hagamos ruido, que parece que andan cerca de nosotros.

Con esto nos sosegamos y oímos gran rumor de caballerías hacia los ranchos, y en la montaña adonde asistíamos, algunas voces y razones que decían: aquí anda gente, venid por aquí, y volved por allá, y otros que en altas voces decían, como que divisaban algunas personas: salid acá afuera, que os habemos visto, venid acá antes que vamos por vosotros.

Yo me quedé verdaderamente suspenso, juzgando que habían oído algo. Con estos sustos y recelos nos estuvimos sin mover pie ni mano, ni osar hablar una palabra, hasta que Dios fué servido de que se sosegase aquel tumulto,[29] y que al romper el día las obscuras cortinas de la noche viesemos pasar las cuadrillas y tropas enemigas por la otra parte del río, que se retiraban después de haber penetrado nuestro monte y registrado los ranchos de mi amo, a quien no hallaron en él. Sólo hallaron al viejo Llancareu y las mujeres, quienes les dijeron, que fuesen a donde estaba su hijo Maulicán, que allí me tenía a mí, que bien cerca estaba; que fuesen a buscarlo, que él sabría defenderse y volver por sí y por su español.

Como no hallaron lo que deseaban, habiéndoles salido en vano su desvelo, al esclarecer el día[30] se volvieron a sus

27. went straight to
28. and our soldiers scattered
29. that the tumult subsided
30. useless their efforts, at daybreak

tierras. Con haberlos visto retirar con toda prisa, no nos atrevimos a hacer ruido ni a hablar una palabra, hasta que salido el sol, al muy buen rato, vino Llancareu el viejo y un hermano suyo con su mujer, y la chicuela que me solía traer de comer, y arrimándose al paso por donde subíamos al ranchuelo,[31] nos llamaron repetidas veces.

Conocidas las voces de los nuestros, bajaron mis compañeros, quienes me llamaron después asegurándome del recelo y temor [32] con que habían quedado por el alboroto y tropel de aquella noche. Bajé con gusto de la choza que en lo superior de un árbol nos guardaba, y como no estaba acostumbrado a descolgarme [33] de sus ramas como los muchachos mis compañeros, con tiento y con recelo [34] asegurándome venía por entre ellas, como a gatas,[35] de que se originó grande risa y alborozo alegre [36] entre los que me esperaban al pié de aquella escalera. Cuando bajé ya habían dado principio a hacer una buena candelada[37] algo distante del árbol por donde bajábamos y subíamos, en cuyo sitio nos sentamos al amor del fuego a almorzar muy despacio y a beber un cántaro de chicha que llevaron. Tratóse de la maloca que nos habían hecho los enemigos, y de la importancia que fué el aviso que nos dió nuestro amigo Colpoche, que a no haberle tenido, nos hubieran cogido sin duda descuidados y sin prevención alguna.

—Te hubieran llevado, o muerto, —dijo Llancareu el viejo— y también hubieran muerto a mi hijo por defenderte, que es atrevido y valeroso y no había de permitir que te sacasen de mi casa.

Acabamos de comer y de beber en buena compañía, y despidióse el viejo y los demás de mí, dejándome de comer en una olla y de beber en un cántaro, para cuando el apetito o la gana me brindase, mientras todos ellos se iban a cavar

31. drawing near the spot where we used to climb to the tree-house
32. reassuring me and ridding me of all suspicion and fear
33. slip down
34. cautiously and fearfully
35. on all fours
36. which caused them to laugh loudly and have fun (at my expense)
37. bonfire

y sembrar una chácara, que era faena y trabajo de todo el día.

Quedeme recostado en una frezadilla[38] que me dejaron, y a la sombra de aquellos árboles y a la suavidad del fuego me quedé dormido.

38. a little blanket

V

The Frustrated Heroine: Maulican's Daughter

Estando durmiendo de la suerte que he dicho, en la montaña, adonde mis compañeros me dejaron, como a las tres o cuatro de la tarde llegó la chicuela hija de mi amo, a despertarme, que me traía una taleguilla de harina tostada, unas papas cocidas y un poco de mote de maíz y porotos.[1] Luego que la ví, despertando de mi sueño algo espavorecido y asustado del repente con que me llamó.[2] empezó a reír de haberme visto alborotado.[3]

Díjela como enfadado, que qué era lo que buscaba, que se fuese con Dios, porque no la viesen venir tantas veces sola a donde yo estaba, y que no fuese causa de que me viniese algún daño por el bien que me deseaba, dando que pensar a su padre para que juzgase o presumiese que no era leal en su casa; y que así, le suplicaba que no viniese a verme sola, sino que fuese con los muchachos mis camaradas; que yo le agradecía la voluntad y el amor que me mostraba, y el cuidado que ponía en regalarme; que por su vida no permitiese que por ella me viniese algún desabrimiento,[4] y pusiese en peligro la vida que su padre me había prestado; que advirtiese que por donde juzgaba que me hacía algún favor y lisonja, me daba un gran pesar, porque siempre que la veía venir sola me temblaban las carnes, juzgando que ya la veían entrar o salir de donde yo estaba; que si fuese vieja y no de tan buen parecer como lo era, sobre muchacha,[5] no tuviera tantos recelos, ni su vista me alborotara tanto.

---

1. a little bag of parched corn-meal, boiled potatoes and some cooked corn and beans
2. startled and terrified by her sudden call
3. upset
4. because of her some misfortune may befall me
5. especially a young girl

Estuvo a mis razones muy atenta la muchacha, y respondióme:

—¿Pues yo había de venir, capitán, de manera que me pudiesen ver ni presumir que venía a donde tú estás? Créeme que cuando vengo extravío el camino y aguardo a que todos estén en alguna ocupación embarazados,[6] como lo están ahora en la chacra que están cavando y sembrando, y así no tienes que recelarte.[7]

—Con todo eso —le dije— puedes venir tantas veces, que alguna entre otras no puedes excusar el que te vean: anda, vete por tu vida, y no vengas más acá, porque me tengo de esconder de ti en no viniendo acompañada y con mis camaradas.

Habiéndole dicho estas razones con algún desabrimiento,[8] puso la taleguilla de harina junto a mí, y lo demás que traía, y me dijo:

—Capitán, si no quieres que yo vuelva más acá, y me echas de esa suerte, no volveré sola ni acompañada, que yo entendí que agradecieras lo que hago por ti más bien de lo que haces.

Y (en) esto (se) fué volviendo las espaldas y retirándose aprisa.

6. busied with some chore
7. as they are now at the farm, digging and seeding—so, you need not worry
8. with some severity

VI

Enter a Witch Doctor

Traía, en lugar de calzones, un puno, que es una mantichuela[1] que traen por delante de la cintura para abajo, al modo de las indias, y unas camisetas largas encima.[2] Las uñas tenía tan diformes que parecían cucharas.[3] Feísimo de rostro, y en el un ojo una nube que le comprehendía todo.[4] Muy pequeño de cuerpo, algo espaldudo y rengo[5] de una pierna, que sólo mirarle causaba horror y espanto. Llegóse la hora de comer, y lo primero, como se acostumbra entre ellos, le pusieron delante un cántaro[6] de chicha, de que fué brindando a los demás después de haber bebido, y en medio de esto fueron sacando de comer. Teniéndome el cacique a su lado, me decía: "De esto comen en tu tierra, y no lo extrañarás," habiéndome puesto delante un guisado muy bien hecho de ave, con muchos huevos el caldo;[7] finalmente, una cazuela, bien dispuesta y sazonada, que, entre nosotros, las cocineras no pudieran aventajarla.[8] Esto fué después de haber comido un buen asado de cordero, longaniza, morcilla y tocino, que es sabroso manjar en el invierno y con el frío, tortillas a modo de pan, papas con mucha pepitoria de ají, zapallos y otros guisados a su usanza.[9]

1. a short mantle
2. long undershirts on top
3. spoons
4. a cataract entirely covering (**comprehendía = comprendia**) one eye
5. broad-shouldered and lame
6. jugful (of chicha)
7. a chicken dish, with many eggs in the broth
8. a casserole, (so) well seasoned that our (Spanish) cooks could not have done better
9. roast lamb, sausage, blood pudding and salt pork, which is delicious in winter when it is cold, tortillas in lieu of bread, (mashed) potatoes with chili pepper, squash, and other dishes prepared according to their cuisine

Acabamos de comer y tratamos de ir al rancho a curar al enfermo. Era ya tarde, y en el interín que fueron por algunos ramos de canelo,[10] por un carnero, cántaros y ollas, fué acercándose la noche, con la cual se juntaron las indias y los indios vecinos, parientes y parientas del enfermo. Llegó la hora de que fuesemos todos al rancho del enfermo, que, por no dejarme solo, me llevó el cacique en su compañía, habiendo preguntado al curandero[11] si estorbaría mi asistencia a sus ceremonias y encantos, a que respondió que no, que bien podía asistir en un rincón de la casa.

Entramos ya de noche al sacrificio del carnero, que ofrecían al demonio. Tenían en medio muchas luces, y en un rincón del rancho al enfermo, entre clara y oscura aquella parte, rodeado de muchas indias con sus tamborilejos pequeños,[12] cantando una lastimosa y triste tonada con las voces delicadas. Los indios no cantaban, porque sus voces gruesas debían ser contrarias al encanto.

Estaba cerca de la cabecera[13] del enfermo un carnero liado de pies y manos, y entre unas ramas frondosas de laureles tenían puesto un ramo de canelo del cual pendía un tamboril mediano,[14] y sobre un banco grande, a modo de mesa, una quita de tabaco encendido,[15] de la cual, a ratos, sacaba el humo de ella, y esparcía por entre las ramas. A todo esto, las indias cantaban lastimosamente, y yo, con el muchacho mi camarada, en un rincón algo oscuro, de donde con toda atención estuve a todas las ceremonias del hechicero.

Los indios y el cacique estaban en medio de la casa sentados en rueda, cabizbajos,[16] pensativos y tristes, sin hablar una palabra. Al cabo de haber incensado[17] las ramas tres veces, y el carnero otras tantas, que le tenía arrimado al bando que debía de servir como altar de su sacrificio, se encaminó para adonde estaba el enfermo, y le hizo descubrir el

10. while they went to get some cinnamon
11. witch doctor, healer
12. tiny drums
13. by the bedside
14. a middle-sized drum
15. a pipe with tobacco in it, lighted
16. crestfallen
17. to smoke or fumigate

pecho y estómago, habiendo callado las cantoras.[18] con la
mano llegó a tentarle y sahumarle con el humo de la quita,[19] que traía en la boca de ordinario. Con esto le tapó con
mantichuela el estómago, y se volvió donde estaba el carnero, y mandó que volviesen otra diferente tonada, más triste
y confusa. Allegando al carnero sacó un cuchillo y le abrió
por medio y sacó el corazón vivo, y palpitando le clavó en
medio del canelo, en una ramita, que para el propósito había poco antes ahusado.[20] Luego cogió la quita y empezó a
sahumar el corazón, que aún vivo se mostraba, y a ratos le
chupaba con la boca la sangre que despedía.[21] Después de
esto sahumó toda la casa con el tabaco que de la boca echaba el humo; llegóse luego al doliente, y con el propio cuchillo que había abierto al carnero, le abrió el pecho, que
patentemente se parecían los hígados y tripas,[22] y los chupaba con la boca. Todos juzgaban que con aquella acción echaba afuera el mal y le arrancaba del estómago; y todas las indias cantando tristemente, y las hijas y mujeres del paciente
llorando a la redonda y suspirando. Volvió a hacer que ce-
rraba las heridas, y cubrióle el pecho nuevamente, y de allí
volvió adonde el corazón del carnero estaba atravesado, haciendo enfrente de él nuevas ceremonias, y entre ellas fué
descolgar el tamboril, que pendiente estaba del canelo,[23] ir
a cantar con las indias, él parado, dando algunos paseos, y
las mujeres sentadas como de antes.

Habiendo dado cuatro vueltas de esta suerte, vimos
de repente levantarse de entre las ramas una neblina oscura, a
modo de humareda,[24] que las cubrió de suerte que nos las quitó de la vista por un rato. Al instante cayó el encantador[25]
en el suelo como muerto, dando saltos el cuerpo para arriba,
como si fuese una pelota, y el tamboril a su lado de la mis-

---

18. the women singers
19. felt him and fumigated him with the smoke from the pipe
20. tapered
21. sucked the blood flowing from the (lamb's) heart
22. clearly showed the kidneys and the intestines
23. took down the drum which was hanging from the cinnamon
24. suddenly we saw rising from the branches a mist resembling
    smoke
25. magician

ma suerte, saltando a imitación del dueño, que me causó grande horror. Tuve por muy cierto que el demonio se había apoderado de su cuerpo. Callaron las cantoras, y cesaron los tamboriles y sosegóse el endomoniado,[26] pero de manera el rostro que parecúa el mismo Lucifer, con los ojos en blanco y vueltos al colodrillo, con una figura horrenda y espantosa.[27]

Estando de esta suerte, le preguntaron que si sanaría el enfermo, a que respondió que sí, aunque sería tarde, porque la enfermedad era grave y el bocado se había apoderado de aquel cuerpo, de manera que faltaba muy poco para que la ponzoña llegase al corazón y le quitase la vida.[28] Volvieron a preguntarle que en qué ocasión se le dieron, quién y cómo, y dijo que en una borrachera, un enemigo suyo con quien había tenido algunas diferencias,[29] y no quiso nombrar la persona, aunque se lo preguntaron, y esto fué con una voz tan delicada que parecía salir de una flauta.[30] Con esto volvieron a cantar las mujeres sus tonadas tristes, y dentro de un buen rato fué volviendo en sí el hechicero,[31] y se levantó, cogiendo el tamboril de su lado, y lo volvió a colgar donde estaba antes. Fué a la mesa adonde estaba la quita de tabaco encendida, y cogió humo con la boca, e incensó y ahumó las ramas y el palo adonde el corazón del carnero había estado clavado,[32] que no supimos qué se hizo, porque no se le vimos sacar ni pareció más, que infaliblemente lo debió de esconder el curandero, o llevarlo el demonio, como ellos dan a entender, que se lo come. Después de esto se acostó entre las ramas del canelo a dormir y descansar, y de aquella suerte lo dejaron, y nosotros nos fuimos a nuestra habitación con el cacique.

26. the bedevilled man quieted down
27. staring blankly, with the whites of his eyes turned up—a horrendous, frightening face
28. the poison had entered that body, so that it would not be long before the toxin would reach the heart
29. in a drinking bout an enemy of his (i.e. of the sick man), with whom he quarreled
30. flute
31. the sorcerer came to
32. affixed, nailed to

VII

Is It Proper to Go Native?

Amaneció otro día, para nosotros más tarde por haber sido la noche entretenida y haber estado lo más de ella desvelados.[1] Despertamos del sueño el sol bien alto, si bien las mujeres del cacique Quilalebo madrugaron juntamente con él, como quienes tenían a su cargo el regalarnos.[2] Poco después de los dueños de la casa, me levanté del lecho, dejando en él al compañero correspondiente. Con un mesticito[3] salimos al estero a repetir el baño continuado de mañana, adonde encontramos algunas muchachonas[4] desnudas en el agua, sin rebozo,[5] y entre ellas la mestiza, hermana de mi compañero (que también por su parte me insistía y solicitaba para que la comunicase a lo estrecho),[6] entre las demás muchachas se señalaba y sobresalía por blanca,[7] por discreta y por hermosa.

Confieso a Dios mi culpa, y al lector aseguro como humano, que no me ví jamás con mayor aprieto, tentado y perseguido del común adversario.[8] Aunque quise de aquel venéreo objeto apartar la vista,[9] no pude, porque al punto que nos vieron las compañeras que con ellas estaban, nos llamaron, que en estos entretenimientos y alegres bailes, como solteras y sin dueños ni maridos, suelen servir de bufonas.

---

1. for having kept awake most of the night
2. got up early, at the same time as Quilalebo, for they were in charge of feeding and taking care of us
3. with a little mestizo boy
4. well-developed girls
5. in full view, totally naked
6. wished to get in intimate touch with me
7. distinguished herself from and excelled all the others because of her white skin
8. in a worse fix, tempted and harassed by the devil (lit. the common enemy)
9. though I wanted to look from that beautiful (sensual) object

Porque no me juzgasen extraño y descortés [10] a sus razones, respondí con agrado y buen semblante, diciendo que a otro cabo íbamos a bañar con toda prisa.[11] Y aunque nos convidaron con el sitio en que ellas desnudas asistían, pasamos de largo a otro emboscadero [12] y lugar más oculto, excusando el invite con palabras de chanza, respondiendo conforme nos hablaron.[13]

Contemplamos un rato la tentación tan fuerte que en semejante lance el espíritu maligno [14] me puso por delante: a una mujer desnuda, blanca y limpia, con unos ojos negros y espaciosos, las pestañas largas, cejas en arco, que del Cupido dios tiraban flechas, el cabello tan largo y tan tupido, que le pudo servir de cobertera, tendido por delante hasta las piernas,[15] y otras particulares circunstancias, que fueron suficientes por entonces a arrastrarme los sentidos y el espíritu.[16] Que al más atento y justo puede turbar el ánimo una mujer desnuda, como le sucedió al Rey Profeta, que vió lavarse a una mujer sin velos, y le llevó no tan solamente la vista de los ojos, pero también los afectos íntimos del alma; en cuya ocasión, a este propósito, dijo un poeta los siguientes versos:

Porque la mujer desnuda
Cosa delicada es,
Ha de estar entre vidrieras [17]
Porque el aire no la dé.

Mas, después de haber experimentado lo que es la mujer en carnes, trocara yo los versos de esta suerte:

10. queer and impolite
11. (that the reason for not complying with their request) was that we had to bathe in great hurry
12. we moved on to another spot in the woods
13. excusing myself from their invitation jokingly, thus replying according to the way they had addressed us
14. the devil
15. big, dark eyes, long eyelashes, arched eyebrows (the pun here is that **arco** suggests **bow**, so that Cupid was shooting his arrows from the arch, **arco**, formed by her eyebrows), her hair so long and thick, that she could have used it for a blanket to cover herself, (and so long, that it) hung all the way down to her knees (lit. legs)
16. drag down my senses and intelligence
17. behind glass, in a showcase

Porque la mujer desnuda
Cosa perniciosa es,
Ha de estar entre paredes [18]
Porque no la puedan ver.

Y esto sería lo más seguro para no poner tropiezos a nuestra fragilidad humana.[19]

La mayor gala y hermosura en la mujer, en mi opinión, es la limpieza y la frescura, y ésta es la que lleva y arrastra el apetito, más que la gala, ornato, ni el afeite.[20] Porque hay algunas que salen de los límites de este antiguo abuso de tal suerte, que por adonde piensan granjear[21] aplausos y favores son objetos de risa a los más cuerdos. Juzgo de verdad que es permisión del cielo, para castigo de las que solicitan con lascivos deseos el ser bien miradas y aún también festejadas, que las que con esta mira e intención se adornan y se pulen,[22] traen consigo el pecado que las afea y hace abominables,[23] porque es cierto, como resuelve Santo Tomás,[24] que peca mortalmente la que con sus ornatos y afeites desea y solicita provocar a lascivos apetitos y deseos deshonestos. Y explicando el citado santo y definiendo las palabras de San Cipriano,[25] después de haber dicho que las que quieren transformarse y mudar sus facciones con los ungüentos y betúmenes[26] que se ponen, contrastan con la voluntad de Dios, procurando reformar lo que la divina Providencia formó en ellas. Dice más adelante, hablando con alguna de éstas, o con las más: no podrás ver a Dios, dice a la mujer enmascarada,[27] porque los ojos que puso en tí, no son los que muestras en el rostro, sino son los que el demonio te mudó por ellos.

18. behind walls
19. and this would be the safest (thing to do) so as not to stimulate our human frailty
20. make-up, cosmetics
21. to win
22. doll up, dress up to kill
23. makes them ugly and hateful
24. St. Thomas Aquinas
25. St. Cyprian
26. change their features by means of ointments and mascara
27. masked, (i.e. with rouge, mascara and other cosmetics)

CARLOS SIGUENZA Y GONGORA

b. Mexico City, 1645
d. Mexico City, 1700

Born in Mexico City in 1645 of an illustrious family, Sigüenza y Góngora joined the Society of Jesus at the age of fifteen. His multiple cultural interests, typical of the seventeenth century, and more especially of a disciple of Descartes, as he may well be considered, he left (or was expelled from) the Society and devoted himself primarily to scientific research. Mathematics, cosmography, philosophy, astronomy, ethnography, history, fascinated him. In 1693 he was in Pensacola surveying and mapping Florida. Really a precursor of the eighteenth century savants, he fought the pseudo-scientific medievalistic fog still hanging over Latin America in his eloquently "modern" manifesto against comets, *Manifiesto filosófico contra los cometas,* and in his exposé of astrology, *Belerofonte matemático contra la quimera astrológica.*

His reputation travelled far and wide: Charles II of Spain named him Royal Geographer, and Louis XIV of France invited him to Paris, offering him a substantial pension.

In addition to his scientific endeavors, Sigüenza y Góngora cultivated literature, both verse and prose. His poetry followed the baroque expression which decades before had been imposed upon the esthetics of the Spanish Golden Age by his uncle: Luis de Góngora (1561-1627), "the swan of Cordova." In *Primavera indiana* (1668) Sigüenza y Góngora celebrated in seventy-nine royal octaves the apparition of Our Lady of Guadalupe, patron Saint of Mexico, to the Indian Juan Diego, while in the equally difficult *Triunfo parténico* (1683) he sang the glory of the Holy Virgin in a decidedly involuted and tangled afflatus.

In *Infortunios de Alonso Ramírez* (1690), however, Si-

211

güenza y Góngora gave Latin America its first novel, all of it written in an extremely lucid and unaffected style. Somewhat reminiscent of the romances of roguery still in fashion, and of certain chronicles of the Conquistadores—for instance, Cabeza de Vaca's *Naufragios* (Shipwrecks)—Sigüenza y Góngora relates in autobiographical form the misadventures of a Puerto Rican lad (Alonso Ramírez) who left his family in quest of wealth and excitement. Captured by "heretic pirates" (i.e. English sailors), poor Alonso suffered countless indignities and cruel punishments, for, after the defeat of the Armada, the English had become superlatively arrogant and looked down on Spaniards as "cobardes y gallinas." Alonso was forced to move on from place to place, until finally he reached the Atlantic and was set adrift on a frigate in the company of a Mexican creole, two Filipinos, two Chinese, a native of Malabar, and a Negro, Alonso's personal slave. The perilous journey came to an end on the coast of Yucatán, and at last, after many hair raising adventures, Alonso arrived in Mexico City where he told his story to none other than the famous geographer Don Carlos de Sigüenza y Góngora.

EDITIONS: *Relaciones históricas*, edited by M. Romero de Terreros, México, Imprenta Universitaria, 1954 (2nd. edition); *Obras históricas*, edited by José Rojas Garcidueñas, México, Xochitl, 1945; *Poemas*, edited by Irving A. Leonard and Ermilo Abreu Gómez, Madrid, G. Sáez, 1931; *Obras*, ed. by I. A. Leonard, México, Sociedad de Bibliófilos Mexicanos, 1928.

ABOUT SIGUENZA Y GONGORA: Ermilo Abreu Gómez: "La poesía de Sigüenza y Góngora," *Contemporáneos* (México), Nos. 26-27 (1930) 61-89; Ermilo Abreu Gómez: *Clásicos, románticos, modernos*, México, 1934, pp. 13-55; Willebaldo Bazarte Cerdón: "La primera novela mexicana," *Humanismo* (México), VII (July-October 1958), 3-22; Ramón Iglesia: "La mexicanidad de D. Carlos Sigüenza y Góngora," in his *El hombre Colón y otros ensayos*, México, El Colegio de México, 1944, pp. 119-143; Irving A. Leonard: *Don Carlos Sigüenza y Góngora, a Mexican*

Savant of the Seventeenth Century, Berkeley, University of California Press, 1929; Irving A. Leonard: *Baroque Times in Old Mexico*, Ann Arbor, University of Michigan Press, 1959, especially Chapter XIII; Edmundo O'Gorman: "Datos sobre don Carlos de Sigüenza y Góngora, 1669-1677," *Boletín del Archivo General de la Nación* (México), XV (October-December 1944), 593-612; Francisco Pérez Salazar: *Biografía de don Carlos de Sigüenza y Góngora*, México, Antigua Imprenta de Murgía, 1928; Germán Posada: "Sigüenza y Góngora, historiador," *Revista de Historia de América* (México), No. 28 (December 1949), 377-406; Germán Posada Mejía: *Nuestra América*, Bogotá, Instituto Caro y Cuervo, 1959; José Rojas Garcidueñas: *Don Carlos Sigüenza y Góngora, erudito barroco*, México, Xochitl, 1945; Baltasar Santillán González: *Don Carlos de Sigüenza y Góngora*, México, Centro Universitario Mexicano, 1956.

INFORTUNIOS DE ALONSO RAMIREZ

(abridged)

I

Motivos que tuvo para salir de su patria: Ocupaciones y viajes que hizo por la Nueva España, su asistencia[1] en México hasta pasar a las Filipinas.

Es mi nombre Alonso Ramírez y mi patria la ciudad de San Juan de Puerto Rico, cabeza de la isla, que en los tiempos de ahora con este nombre y con el de Borriquen en la antigüedad,[2] entre el seno mexicano[3] y el mar Atlántico divide términos. Hácenla célebre los refrescos que hallan en su deleitosa aguada[4] cuantos desde la antigua navegan sedientos a la Nueva España; la hermosura de su bahía, lo incontrastable del Morro que la defiende; las cortinas y baluartes coronados de artillería que la aseguran.[5]

Llamóse mi padre Lucas de Villanueva, y aunque ignoro el lugar de su nacimiento, cónstame,[6] porque varias veces se le oía decir que era andaluz, y sé muy bien haber nacido mi madre en la misma ciudad de Puerto Rico, y es su nombre Ana Ramírez, a cuya cristiandad le debí en niñez lo que los pobres sólo le pueden dar a sus hijos, que son consejos para inclinarlos a la virtud.

Era mi padre carpintero de ribera,[7] e impúsome (en cuanto permitía la edad) al propio ejercicio, pero reconociendo no ser continua la fábrica y temiéndome no vivir

1. presence
2. in the old days it was called Borriquen (now Borinquen)
3. Gulf of Mexico or the Mexican mainland
4. delightful watering place
5. the walls and bulwarks crowned by artillery which protects it
6. it is clear to me
7. ship carpenter

214

siempre, por esta causa, con las incomodidades que aunque muchacho me hacían fuerza determiné hurtarle el cuerpo [8] a mi misma patria para buscar en las ajenas más conveniencia.

Valíme de la ocasión que me ofreció para esto una urqueta del capitán Juan del Corcho,[9] que salía de aquel puerto para el de la Habana, en que corriendo el año de 1675 y siendo menos de trece los de mi edad, me recibieron por paje. No me pareció trabajosa la ocupación considerándome en libertad y sin la pensión de cortar madera.[10]

Del puerto de la Habana pasamos al de San Juan de Ulúa en la tierra firme de Nueva España, de donde, apartándome de mi patrón, subí a la ciuad de la Puebla de los Angeles, habiendo pasado no pocas incomodidades en el camino, así por la aspereza de las veredas [11] que desde Xalapa corren hasta Perote, como también por los fríos que por no experimentados hasta allí, me parecieron intensos. Dicen los que la habitan ser aquella ciudad inmediata a México en la amplitud que coge, en el desembarazo de sus calles,[12] en la magnificencia de sus templos y en cuantas otras cosas hay que la asemejan a aquélla; y ofreciéndoseme (por no haber visto hasta entonces otra mayor) que en ciudad tan grande me sería muy fácil el conseguir conveniencia grande, determiné, sin más discurso que éste, el quedarme en ella, aplicándome a servir a un carpintero para granjear el sustento [13] en el ínterin que se me ofrecía otro modo para ser rico.

En la demora de seis meses que allí perdí experimenté mayor hambre que en Puerto Rico, y abominando la resolución indiscreta de abandonar mi patria por tierra a donde no siempre se da acogida a la liberalidad generosa, haciendo mayor el número de unos arrieros sin considerable trabajo me puse en México.[14]

8. to flee
9. I took advantage of the opportunity which Captain Juan del Corcho offered me to join the crew in his boat (urqueta)
10. without the chore of cutting wood
11. rough paths
12. wide streets
13. earning a living
14. increasing the number of muleteers, I reached Mexico City without much trouble

Lástima es grande el que no corran por el mundo grabadas a punta de diamante en láminas de oro[15] las grandezas magníficas de tan soberbia ciudad. Siendo uno de los primeros elogios de esta metrópoli la magnanimidad de los que la habitan, a que ayuda la abundancia de cuanto se necesita para pasar la vida con descanso, que en ella se halla, atribuyo a fatalidad de mi estrella haber sido necesario ejercitar mi oficio para sustentarme. Ocupóme Cristóbal de Medina, maestro de arquitectura, con competente salario, en obras que le ocurrían, y se gastaría en ello cosa de un año.

El motivo que tuve para salir de México a la ciudad de Huaxaca[16] fue la noticia de que asistía en ella con el título y ejercicio honroso de regidor D. Luis Ramírez, en quien por parentesco que con mi madre tiene, afiancé, ya que no ascensos desproporcionados, por lo menos alguna mano para subir un poco.[17] Pero conseguí después de un viaje de ochenta leguas el que negándome con muy malas palabras el parentesco, tuviese necesidad de valerme de los extraños, y así me apliqué a servir a un mercader trajinante[18] que se llamaba Juan López. Ocupábase éste en permutar[19] con los indios Mixes, Chontales y Cuicatecas por géneros de Castilla[20] que les faltaban, los que son propios de aquella tierra, y se reducen a algodón, mantas, vainillas, cacao y grana.[21] Lo que se experimenta en la fragosidad[22] de la Sierra, que para conseguir esto se atraviesa, no es otra cosa sino repetidos sustos de derrumbarse por lo acantilado de las veredas,[23] profundidad horrorosa de las barrancas, aguas continuas,[24] atolladeros penosos,[25] a que se añaden en los peque-

---

15. engraved by a glazier's diamond on plates of gold
16. i.e. Oaxaca
17. I expected, if not terrific promotions, at least a helping hand
18. merchant carrier
19. to barter
20. Spanish merchandise
21. cotton, blankets, vanilla, cacao, and cochineal
22. rough terrain
23. constant fear of falling off cliffs because of the steepness of the paths
24. constant rainfall
25. distressing swamps

ños calidísimos [26] valles que allí se hacen, muchos mosquitos y en cualquier partes sabandijas [27] abominables a todo lo viviente por su mortal veneno.

Con todo esto atropella la gana de enriquecer.[28] Acompañando a mi amo, hicimos viaje a Chiapas, y de allí a diferentes lugares de las provincias de Soconusco y de Guatemala, pero siendo pensión de los sucesos humanos interpolarse con el día alegre de la prosperidad, la noche pesada y triste el sinsabor,[29] estando de vuelta para Huaxaca enfermó mi amo en el pueblo de Talistaca, con tanto extremo que se le administraron los Sacramentos para morir.

Sentía yo su trabajo y el mío, gastando el tiempo en idear [30] ocupaciones en que pasar la vida con más descanso, pero con la mejoría de Juan López se sosegó mi borrasca[31] a que se siguió tranquilidad, aunque momentánea, supuesto que en el siguiente viaje, sin que le valiese remedio alguno, acomentiéndole el mismo achaque [32] en el pueblo de Cuicatlán, le faltó la vida.[33]

Cobré de sus herederos lo que quisieron darme por mi asistencia, y me volví a México, y queriendo entrar en aquesta ciudad con algunos reales, intenté trabajar en Puebla para conseguirlos, peron no hallé acogida en maestro alguno y temiéndome de lo que experimenté de hambre cuando allí estuve, aceleré mi viaje.

Debíle a la aplicación que tuve al trabajo cuando le asistí al maestro Cristóbal de Medina, por un año, que cuantos me conocían, tratasen de avecindarme [34] en México. Conseguílo mediante el matrimonio que contraje con Francisca Xavier, doncella, huérfana de doña María de Poblete, hermana del venerable señor Dr. D. Juan de Poblete, deán de

---

26. very hot
27. vermin, reptiles
28. This notwithstanding the desire to get rich spurs one on
29. but since it is man's lot to intermix a joyful day of prosperity
   with a heavy night of displeasure
30. devising
31. the storm subsided, i.e. I got rid of my pessimism
32. suffered the same illness
33. passed away
34. to find me a location

la iglesia metropolitana, quien renunciando la mitra arzobispal de Manila, por morir en su patrio nido, vivió para ejemplar de cuantos aspiraran a eternizar su memoria con la rectitud de sus procederes.

Sé muy bien que expresar su nombre es compendiar [35] cuanto puede hallarse en la mayor nobleza y en la más sobresaliente virtud, y así callo, aunque con repugnancia, por no ser largo en mi narración.

Hallé en mi esposa mucha virtud y merecíle en mi asistencia cariñoso amor, pero fué esta dicha como soñada, teniendo solos once meses de duración, supuesto que en el primer parto le faltó la vida. Quedé casi sin ella a tan no esperado y sensible golpe, me volví a Puebla.[36]

Acomodéme por oficial de Esteban Gutiérrez, maestro de carpintero, y sustentándose el tal mi maestro con escasez, ¿cómo lo pasaría el pobre de su oficial?

Desesperé entonces de poder ser algo, y hallándome en el tribunal de mi propia conciencia, no sólo acusado, sino convencido de inútil, quise darme por pena de este delito la que se da en México a los que son delincuentes, que es enviarlos desterrados a las Filipinas. Pasé, pues, a ellas en el galeón "Santa Rosa", que (a cargo del general Antonio Nieto, y de quien el almirante Leandro Coello era piloto) salió del puerto de Acapulco para el de Cavite el año 1682.

35. to summarize
36. Left almost lifeless myself by such an unexpected and sensitive blow, I returned to Puebla.

II

Sale de Acapulco para Filipinas; dícese la derrota[1] de este viaje y en lo que gastó el tiempo hasta que lo apresaron ingleses.

(This brief chapter is devoted principally to a detailed nautical description of the ship's course, in latitudes, degrees, etc. After Alonso Ramírez and his men reach Cavite the narrative moves on as follows:)

Para provisionarse de bastimentos[2] que en el presidio de Cavite ya nos faltaban, por orden del general D. Gabriel de Cuzalaegui que gobernaba las islas, se despachó una fragata de una cubierta[3] a la provincia de Ilcos, para que de ella, como otras veces se hacía, se condujesen.

Eran hombres de mar cuantos allí se embarcaron, y de ella y de ellos, que eran veinticinco, se me dió el cargo. Sacáronse de los almacenes reales[4] y se me entregaron para que defendiese la embarcación cuatro chuzos y dos mosquetes;[5] entregáronme también dos puños de balas y cinco libras de pólvora.

Con esta prevención de armas y municiones y sin artillería, ni aun pedrero alguno, aunque tenía portas para seis piezas,[6] me hice a la vela. Pasáronse seis días para llegar a Ilcos; ocupáronse en el rescate y carga de los bastimentos como nueve o diez, y estando al quinto del tornaviaje barloventeando con la brisa para tomar la boca de Marivelez[7]

---

1. ship's course, route
2. to bring supplies
3. a one-decked frigate
4. royal storehouse
5. four lances and two muskets
6. nor even a stone mortar, although it (the frigate) had portholes for six pieces
7. on the fifth day we were on our way back plying to the windward in order to enter the mouth of the Marivelez river

para entrar al puerto, como a las cuatro de la tarde se descubrieron por la parte de tierra dos embarcaciones, y presumiendo, no sólo yo, sino los que conmigo venían, serían las que a cargo de los capitanes Juan Bautista y Juan Carvallo habían ido a Pangasinan y Panay en busca de arroz y de otras cosas que se nesecitaban en el presidio de Cavite y lugares de la comarca, aunque me hallaba a su sotavento [8] proseguí sin recelo alguno, porque no había de qué tenerlo.

No dejé de alterarme cuando dentro de breve rato vi venir para mí dos piraguas [9] a todo remo,[10] y fué mi susto en extremo grande, reconociendo en su cercanía ser de enemigos.

Dispuesto a la defensa como mejor pude con mis dos mosquetes y cuatro chuzos, llovían balas de la escopetería[11] de los que en ella venían sobre nosotros, pero sin abordarnos.[12]

Llegar casi inmediatamente sobre nosotros las dos embarcaciones grandes que habíamos visto, y de donde habían salido las piraguas, y arriar las de gavia pidiendo buen cuartel,[13] y entrar más de cincuenta ingleses con alfanjes [14] en las manos en mi fragata, todo fué uno.

Hechos señores de la toldilla,[15] mientras a palos nos retiraron a proa, celebraron con mofa y risa la prevención de armas y municiones que en ella hallaron, y fué mucho mayor cuando supieron el que aquella fragata pertenecía al rey, y que habían sacado de sus almacenes aquellas armas. Eran entonces las seis de la tarde del día martes cuatro de marzo de mil seiscientos y ochenta y siete.

8. leeward
9. pirogue (a dugout; loosely, any canoelike boat)
10. paddling fast, i.e. at full speed
11. shots rained upon us from the musketry
12. but without boarding us
13. taking in the main-topsail, asking quarter
14. cutlasses
15. They seized the round-house

III

Pónense en compendio[1] los robos y crueldades que hicieron estos piratas en mar y tierra hasta llegar a la América.

Sabiendo ser yo la persona a cuyo cargo venía la embarcación, cambiándome a la mayor de las suyas me recibió el capitán con fingido agrado. Prometióme a las primeras palabras la libertad si le noticiaba cuáles lugares de las islas eran más ricos, y si podía hallar en ellos gran resistencia. Respondíle no haber salido de Cavite, sino para la provincia de Ilocos, de donde venía, y que así no podía satisfacerle a lo que preguntaba. Instóme[2] si en la isla de Caponiz, que a distancia de catorce leguas está Noroeste Sueste con[3] Marivelez, podría aliñar[4] sus embarcaciones, y si había gente que se lo estorbase; díjele no haber allí población alguna y que sabía de una bahía donde conseguiría fácilmente lo que deseaba. Era mi intento el que si así lo hiciesen los cogiesen desprevenidos,[5] no sólo los naturales[6] de ella, sino los españoles que asisten de presidio[7] en aquella isla, y los apresasen. Como a las diez de la noche surgieron[8] donde les pareció a propósito, y en estas y otras preguntas que se me hicieron se pasó la noche.

Antes de levarse[9] pasaron a bordo de la capitana[10] mis veinticinco hombres. Gobernábala un inglés a quien nombraban maestre Bel, tenía ochenta hombres, veinticuatro pie-

1. A brief summary of
2. He insisted
3. Northwest Southeast with respect to
4. to supply
5. unawares, off guard, unprepared
6. natives
7. who serve on the prison staff
8. they anchored
9. to set sail
10. flagship

221

zas de artillería y ocho pedreros,[11] todos de bronce. Era dueño de la segunda el capitán Donkin; tenía setenta hombres, veinte piezas de artillería y ocho pedreros, y en una y otra había sobradísimo número de escopetas, alfanjes, hachas, arpeos, granadas y ollas llenas de varios ingredientes de olor pestífero.[12]

Jamás alcancé, por diligencia que hice, el lugar donde se armaron para salir al mar; sólo sí supe habían pasado al del Sur por el estrecho de Mayre, y que imposibilitados de poder robar las costas del Perú y Chile, que era su intento, porque con ocasión de un tiempo que entrándoles con notable vehemencia y tesón por el Leste[13] duró once días, se apartaron de aquel meridiano más de quinientas leguas, y no siéndoles fácil volver a él, determinaron valerse de lo andado, pasando a robar a la India, que era más pingüe.[14]

Supe también habían estado en islas Marianas, y que batallando con tiempos desechos y muchos mares,[15] montando los cabos[16] del Engaño y del Boxeador, y habiendo antes apresado algunos juncos y champanes[17] de indios y chinos, llegaron a la boca de Marivelez, a donde dieron conmigo.

Puestas las proas de sus fragatas (llevaban la mía a remolque)[18] para Caponiz, comenzaron con pistolas y alfanjes en las manos a examinarme de nuevo, y aun a atormentarme; amarráronme a mí y a un compañero mío al árbol mayor,[19] y como no se les respondía a propósito acerca de los parajes donde podían hallar la plata y oro por que nos preguntaban, echando mano de Francisco de la Cruz, sangley mestizo,[20] mi compañero, con cruelísimos tratos de cuerda que le dieron, quedó desmayado en el combés[21] y casi sin

11. stone mortars
12. a great number of shot-guns, cutlasses, axes, grappling-irons, grenades, and pots full of various foul-smelling ingredients
13. due to a violent and unabating storm from the east
14. richer
15. battling tempests and heavy seas
16. doubling the capes
17. Chinese junks and sampans
18. in tow
19. main mast
20. half-breed Indo-Chinese trading in the Philippines
21. whipped him until he fainted on the deck

vida; metiéronme a mí y a los míos en la bodega,[22] desde donde percibí grandes voces y un trabucazo;[23] pasado un rato y habiéndome hecho salir afuera, vi mucha sangre, y mostrándomela, dijeron ser de uno de los míos a quien habían muerto, y que lo mismo sería de mí si no respondía a propósito de lo que preguntaban; díjeles con humildad que hiciesen de mí lo que les pareciese, porque no tenía que añadir cosa alguna a mis primeras respuestas.

Cuidadoso, desde entonces, de saber quién era de mis compañeros el que habían muerto hice diligencias por conseguirlo, y hallando cabal el número, me quedé confuso.[24] Supe mucho después era sangre de un perro la que había visto.

No satisfechos de lo que yo había dicho, repreguntando con cariño a mi contramaestre,[25] de quien por indio jamás se podía prometer cosa que buena fuese, supieron de él haber población y presidio en la isla de Caponiz, que yo había afirmado ser despoblada.

Con esta noticia, y mucho más por haber visto por el largo de la costa dos hombres montados,[26] a que se añadía la mentira de que nunca había salido de Cavite sino por Ilocos, desenvainados los alfanjes con muy grandes voces dieron en mí.[27]

Jamás me recelé [28] de la muerte con mayor susto que en este instante; pero conmutáronla en tantas patadas y pescozones que descargaron en mí, que me dejaron incapaz de movimiento por muchos días.

Surgieron en parte de donde no podían recelar insulto alguno de los isleños,[29] y dejando en tierra a los indios dueños de un junco, hicieron su derrota[30] a Pulicondon, isla

22. the hold (of a ship)
23. where I heard loud shouting and the report of a blunderbuss
24. finding the number the same, I was puzzled
25. boatswain
26. two horsemen
27. they fell upon me with cutlasses unsheathed and much shouting
28. feared
29. they anchored in a place where they expected no trouble whatsoever from the islanders
30. they headed for

poblada de Cochinchinas, en la costa de Camboja,[31] donde, tomado puerto, cambiaron a sus dos fragatas cuanto en la mía se halló, y le pegaron fuego.

Armadas las piraguas con suficientes hombres, fueron a tierra y hallaron los esperaban los moradores de ella sin repugnancia; propusiéronles no querían más que proveerse allí de lo necesario dándoles lado a sus navíos y rescatarles[32] también frutos de la tierra, por lo que les faltaba.

O de miedo, o por otros motivos que yo no supe, asintieron a ello los pobres bárbaros; recibían ropa de la que traían hurtada, y correspondían con brea, grasa y carne salada de tortuga[33] y con otras cosas.

Debe ser la falta que hay de abrigo en aquella isla o el deseo[34] que tienen de lo que en otras partes se hace en extremo mucho, pues les forzaba la desnudez o curiosidad a cometer la más desvergonzada vileza que jamás vi.

Traían las madres a las hijas y los mismos maridos a sus mujeres, y se las entregaban con la recomendación de hermosas, a los ingleses, por el vilísimo precio de una manta o equivalente cosa.

Hízoseles tolerable la estada de cuatro meses en aquel paraje con conveniencia tan fea, pero pareciéndoles no vivían mientras no hurtaban, estando sus navíos para navegar, se bastimentaron de cuanto pudieron para salir de allí.

Consultaron primero la paga que se les daría a los Pulicondones por el hospedaje, y remitiéndola al mismo día en que saliesen al mar, acometieron aquella madrugada a los que dormían incautos, y pasando a cuchillo aun a las que dejaban en cinta[35] y poniendo fuego en lo más del pueblo, tremolando[36] sus banderas y con grande regocijo vinieron a bordo.

31. Cambodia, kingdom Indo-China
32. to buy (or barter) from them
33. they received clothes which had been stolen in return for pitch, fat, and salted turtle meat
34. due to a lack of clothing on that island or because of the sexual urge (of the pirates)
35. they assaulted at dawn those who were sleeping without precautions, stabbing them to death, even (the women) they had left pregnant
36. hoisting

No me hallé presente a tan nefanda[37] crueldad; pero con temores de que en algún tiempo pasaría yo por lo mismo, desde la capitana, en que siempre estuve, oí el ruido de la escopetería y vi el incendio.

Si hubieran celebrado esta abominable victoria agotando frasqueras de aguardiente,[38] como siempre usan, poco importara encomendarla al silencio; pero habiendo intervenido en ello, ¿cómo pudiera dejar de expresarlo, si no es quedándome dolor de no decirlo?

Entre los despojos con que vinieron del pueblo y fueron cuanto por sus mujeres y bastimentos les habían dado, estaba un brazo humano de los que perecieron en el incendio; de éste cortó cada uno una pequeña presa,[39] y alabando el gusto de tan linda carne entre repetidas saludes [40] le dieron fin.

Miraba yo con escándalo y congoja tan bestial acción, y llegándose a mí uno con un pedazo me instó con importunaciones molestas a que lo comiese. A la debida repulsa que yo le hice, me dijo: Que siendo español, y por el consiguiente cobarde, bien podía para igualarlos a ellos en el valor, no ser melindroso.[41] No me instó más por responder a un brindis.[42]

Avistaron la costa de la tierra firme de Camboja al tercero día, y andando continuamente de un bordo a otro, apresaron un champan lleno de pimienta;[43] hicieron con los que lo llevaban lo que conmigo, y sacándole la plata y cosas de valor que en él se llevaban sin hacer caso alguno de la pimienta. Quitándole timón y velas, lo dejaron ir al garete para que se perdiese.[44]

Echada la gente de este champan en la tierra firme, y pasándose a la isla despoblada de Puliubi, en donde se ha-

37. base
38. bottle-cases of brandy
39. slice
40. toasts
41. finicky, fastidious
42. He insisted no further in order to respond to a toast.
43. pepper
44. Removing from (the sampan) helm and sails, they let it drift off to be lost

llan cocos y ñame⁴⁵ con abundancia, con la seguridad de que no tenía yo ni los míos por dónde huir, nos sacaron de las embarcaciones para colchar un cable.⁴⁶ Era la materia de que se hizo bejuco verde,⁴⁷ y quedamos casi sin uso de las manos por muchos días por acabarlo en pocos.

Fueron las presas que en este paraje hicieron de mucha monta, aunque no pasaran de tres, y de ellas pertenecía la una del rey de Siam, y las otras dos a los portugueses de Macao y Goa.

Iba en la primera un embajador de aquel rey para el gobernador de Manila, y llevaba para éste un regalo de preseas⁴⁸ de mucha estima, muchos frutos y géneros preciosos de aquella tierra.

Era el interés de la segunda mucho mayor, porque se reducía a solos tejidos de seda de la China en extremo ricos, y a cantidad de oro en piezas de filigrana⁴⁹ que por vía de Goa se remitía a Europa.

Era la tercera del virrey de Goa e iba a cargo de un embajador que enviaba al rey de Siam por este motivo.

Consiguió un ginovés⁵⁰ (no sé las circunstancias con que vino allí) no sólo la privanza con aquel rey, sino el que lo hiciese su lugarteniente⁵¹ en el principal de sus puertos.

Ensoberbecido⁵² éste con tanto cargo, les cortó las manos a dos caballeros portugueses que allí asistían, por leves causas.

Noticiado de ello el virrey de Goa, enviaba a pedirle satisfacción y aun a solicitar se le entregase el ginovés para castigarle.

Vi y toqué con mis manos una como torre o castillo de vara en alto,⁵³ de puro oro, sembrada de diamantes y otras preciosas piedras, y aunque no de tanto valor le igualaban

45. yam
46. to twist rope
47. wicker
48. jewels
49. quantity of gold in filigree
50. Genoese
51. had not only gained the ear of the King but was made his deputy
52. Puffed up
53. seventy-three inches high

en lo curioso muchas alhajas de plata, cantidad de canfora, ámbar y almizcle,[54] sin el resto de lo que para comerciar y vender en aquel reino había en la embarcación.

Desembarazada ésta y las dos primeras de lo que llevaban, les dieron fuego, y dejando así a portugueses como a sianes[55] y a ocho de los míos en aquella isla sin gente, tiraron la vuelta de las de Ciantan, habitadas de malayos, cuya vestimenta no pasa de la cintura, y cuyas armas son crices.[56]

Rescataron de ellos algunas cabras, cocos y aceite de éstos, y dándoles un albazo[57] a los pobres bárbaros, después de matar algunos y de robarlos a todos, en demanda de la isla de Tamburlan, viraron afuera.

Viven en ella Macazares, y sentidos los ingleses de no haber hallado allí lo que en otras partes, poniendo fuego a la población en ocasión que dormían sus habitadores, navegaron a la grande isla de Borneo, y por haber barloventeado[58] catorce días su costa occidental sin haber pillaje, se acercaron al puerto de Cicudana en la misma isla.

Hállanse en el territorio de este lugar muchas preciosas piedras, y en especial diamantes, y la codicia de rescatarlos y poseerlos, no muchos meses antes que allí llegásemos, estimuló a los ingleses que en la India viven, pidiesen al rey de Borneo (valiéndose para eso del gobernador que en Cicudana tenía) les permitiese factoría[59] en aquel paraje.

Pusiéronse los piratas a sondar en las piraguas la barra del río,[60] no sólo para entrar en él con las embarcaciones mayores, sino para hacerse capaces de aquellos puestos.

Interrumpióles este ejercicio un champan de los de la tierra, en que venía de parte de quien la gobernaba a reconocerlos.

Fué su respuesta ser de nación ingleses y que venían cargados de géneros nobles y exquisitos para contratar y rescatarles diamantes.

54. camphor, amber and musk
55. Siamese
56. daggers
57. attacking at dawn
58. having plied to the windward
59. a trading post
60. in their canoes to sound the river bar

227

Como ya antes habían experimentado en los de esta nación amigable trato y vieron ricas muestras de lo que en los navíos que apresaron en Puliubí les pusieron luego a la vista, se les facilitó la licencia para comerciar.

Hiciéronle al gobernador un regalo considerable y consiguieron el que por el río subiesen al pueblo (que dista un cuarto de legua de la marina) cuando gustasen.

En tres días que allí estuvimos reconocieron estar indefenso y abierto por todas partes y proponiendo a los cicudanes no poder detenerse por mucho tiempo, y que así se recogiesen los diamantes en casa del gobernador, donde se haría la feria, dejándonos aprisionados a bordo y con bastante guarda, subiendo al punto de medianoche por el río arriba muy armados, dieron de improviso en el pueblo, y fué la casa del gobernador la que primero avanzaron.

Saquearon cuantos diamantes y otras piedras preciosas ya estaban juntas, y lo propio consiguieron en otras muchas a que pegaron fuego, como también a algunas embarcaciones que allí se hallaron.

Oíase a bordo el clamor del pueblo y la escopetería, y fué la mortandad (como blasonaron después)[61] muy considerable.

Cometida muy a su salvo tan execrable traición, trayendo preso al gobernador y a otros principales, se vinieron a bordo con gran presteza, y con la misma se levaron saliendo afuera.

No hubo pillaje que a éste se comparase por lo poco que ocupaba, y su excesivo precio.[62] ¿Quién será el que sepa lo que importaba?

Vi al capitán Bel tener a granel llena la copa de su sombrero de diamantes.[63] Aportamos[64] a la isla de Baturiñan dentro de seis días, y dejándola por inútil se dió fondo[65] en la de Pulitiman, donde hicieron aguada y tomaron leña,

61. the mortality (as they bragged later) was considerable
62. No pillage can compare to this considering the little space it occupied and its enormous worth
63. with the crown of his hat heaped full of diamonds
64. We reached (lit. we entered port)
65. anchored

y poniendo en tierra (después de muy maltratados y muertos de hambre) al gobernador y principales de Cicudana, viraron para la costa de Bengala por ser más cursada de embarcaciones,[66] y en pocos días apresaron dos bien grandes de moros negros, cargadas de rasos, elefantes, garzas y sarampures.[67] Habiéndolas desvalijado [68] de lo más precioso, les dieron fuego, quitándoles entonces la vida a muchos de aquellos moros a sangre fría, y dándoles a los que quedaron las pequeñas lanchas que ellos mismos traían para que se fuesen.

Hasta este tiempo no habían encontrado con navío alguno que se les pudiera oponer, y en este paraje, o por casualidad de la contingencia o porque ya se tendría noticia de tan famosos ladrones en algunas partes, de donde creo había salido gente para castigarlos, se descubrieron cuatro navíos de guerra de holandeses,[69] a lo que parecía.

Ayudados de la obscuridad de la noche, mudaron rumbo hasta dar en Pulilaor, y se rehicieron de bastimentos y de agua; pero no teniéndose ya por seguros en parte alguna, y temerosos de perder las inestimables riquezas con que se hallaban, determinaron dejar aquel archipiélago.

Dudando si desembocarían por el estrecho de Sunda[70] o de Sincapura, eligieron éste por más cercano, aunque dificultoso, desechando el otro, aunque más breve y limpio, por más distante, o lo más cierto, por más frecuentado de los muchos navíos que van y vienen de la nueva Batavia.

Fiándose, pues, en un práctico [71] de aquel estrecho que iba con ellos, ayudándoles la brisa y corrientes, con banderas holandesas y bien prevenidas las armas para cualquier caso, esperando una noche que fuese lóbrega,[72] se entraron por él con desesperada resolución y lo corrieron casi hasta

---

66. they turned toward Bengal where more boats plied the seas
67. they captured two very large vessels, belonging to black Moslems, full of satin, elephants, herons, and tonka beans ("sarampures"?)
68. After despoiling them
69. Dutch men-of-war
70. In doubt as to whether to come out through the Strait of Sunda or of Singapore
71. Entrusting themselves to a pilot familiar with that strait
72. dark

el fin sin encontrar sino una sola embarcación al segundo día.

Era ésta una fragata cargada de arroz y de una fruta que llaman "bonga." [73] Al mismo tiempo de acometerla (por no perder la costumbre de robar, aun cuando huían) dejándola sola los que la llevaban, y eran malayos, se echaron al mar y de allí salieron a tierra para salvar las vidas.

Alegres de haber hallado embarcación en que poder aliviarse de la mucha carga con que se hallaban, pasaron a ella de cada uno de sus navíos siete personas con todas armas y diez piezas de artillería con sus pertrechos,[74] y prosiguiendo con su viaje, como a las cinco de la tarde de este mismo día desembocaron.

En esta ocasión se desaparecieron cinco de los míos, y presumo que valiéndose de la cercanía a la tierra, lograron la libertad con echarse a nado.

A los veinticinco días de navegación avistamos una isla (no sé su nombre) de que por habitada de portugueses, según decían o presumían, nos apartamos y desde allí se tiró la vuelta de la Nueva Holanda, tierra aun no bastantemente descubierta de los europeos, y poseída, a lo que parece, de gentes bárbaras, y al fin de más de tres meses dimos con ella.

Desembarcados en la costa los que se enviaron a tierra con las piraguas, hallaron rastros antiguos de haber estado gente en aquel paraje, pero siendo allí los vientos contrarios y vehementes y el surgidero malo,[75] solicitando lugar más cómodo, se consiguió en una isla de tierra llana, y hallando no sólo resguardo y abrigo a las embarcaciones, sino un arroyo de agua dulce, mucha tortuga y ninguna gente, se determinaron dar allí carena[76] para volverse a sus casas. Ocupáronse ellos en hacer esto, y yo y los míos en remendarles las velas y en hacer carne.[77]

A cosa de cuatro meses o poco más, estábamos ya pa-

73. Philippine palm
74. ammunition
75. poor anchorage
76. careening (the ships)
77. mending the sails and preparing (curing) meat

ra salir a viaje, y poniendo las proas a la isla de Madagascar, o de San Lorenzo, con Lestes a popa,[78] llegamos a ella en veintiocho días. Rescatáronse de los negros que la habitaban [79] muchas gallinas, cabras y vacas, noticiados de que un navío inglés mercantil estaba para entrar en aquel puerto a contratar negros, determinaron esperarlo y así lo hicieron.

No era esto como yo infería de sus acciones y pláticas, sino por ver si lograban el apresarlo; pero reconociendo cuando llegó a surgir que venía muy bien artillado [80] y con bastante gente, hubo de la una a la otra parte repetidas salvas [81] y amistad recíproca.

Diéronle los mercaderes a los piratas aguardiente y vino, y retornáronle éstos de lo que traían hurtado, con abundancia.

Ya no por fuerza (que era imposible no omitía diligencia el capitán Bel para hacerse dueño de aquel navío como pudiese. Pero lo que tenía éste de ladrón y de codicioso, tenía el capitán de los mercaderes de vigilante y sagaz, y así sin pasar jamás a bordo nuestro (aunque con grande instancia y con convites que le hicieron, y que él no admitía, lo procuraban), procedió en las acciones con gran recato.[82] No fué menor el que pusieron Bel y Donkin para que no supiesen los mercaderes el ejercicio en que andaban.[83] Para conseguirlo con más seguridad nos mandaron a mí y a los míos, de quienes únicamente se recelaban, el que pena de la vida no hablásemos con ellos palabra alguna y que dijésemos éramos marineros voluntarios suyos y que nos pagaban.

Contravinieron a este mandato [84] dos de mis compañeros hablándole a un portugués que venía con ellos, y mostrándose piadosos en no quitarles la vida luego al instante los condenaron a recibir seis azotes de cada uno. Por ser ellos ciento cincuenta, llegaron los azotes a novecientos. Fué

78. with an eastwind aiding us
79. The Negroes who lived there supplied them with
80. well armed
81. they exchanged salvos repeatedly
82. prudence, caution
83. the racket in which they were involved
84. violated this order

231

tal el rebenque [85] y tan violento el impulso con que los daban, que amanecieron muertos los pobres al siguiente día.

Trataron de dejarme a mí y a los pocos compañeros que habían quedado en aquella isla; pero considerando la barbaridad de los negros moros que allí vivían, hincado de rodillas y besándoles los pies con gran rendimiento, después de reconvenirles con lo mucho que les había servido y ofreciéndome a asistirles en su viaje como si fuese esclavo, conseguí el que me llevasen consigo.

Propusiéronme entonces, como ya otras veces me lo habían dicho, el que jurase de acompañarlos siempre y me darían armas.

Agradecíles la merced, y haciendo refleja a las obligaciones con que nací,[86] les respondí con afectada humildad el que más me acomodaba a servirlos a ellos que a pelear con otros, por ser grande el temor que les tenía a las balas, tratándome de español cobarde y gallina, y por eso indigno de estar en su compañía, que me honrara y valiera mucho, no me instaron más.

Despedidos de los mercaderes, y bien provisionados de bastimentos, salieron en demanda del Cabo de Buena Esperanza, en la costa de Africa, y después de dos meses de navegación, estando primero cinco días barloventándolo, lo montaron [87]. Desde allí por espacio de un mes y medio se costeó un muy extendido pedazo de tierra firme, hasta llegar a una isla que nombran "de piedras", de donde, después de tomar agua y proveerse de leña, con las proas al Oeste y con brisas largas, dimos en la costa del Brasil en veinticinco días.

En el tiempo de dos semanas en que fuimos al luengo de la costa, en dos ocasiones echaron seis hombre a tierra en una canoa, y habiendo hablado con no sé qué portugueses y comprándoles algún refresco, se pasó adelante hasta llegar finalmente a un río dilatadísimo sobre cuya boca sur-

85. The whipping was such
86. reflecting upon the obligations of my birth
87. plying windward for five days, they passed it.

gieron en cinco brazas,[88] y presumo fué el de las Amazonas, sin no me engaño.

88. a very broad river in whose estuary anchor was dropped to a depth of five fathoms

IV

*Danle libertad los piratas y trae a la memoria lo que
toleró en su prisión.*

Debo advertir antes de expresar lo que toleré y sufrí de
trabajos y penalidades en tantos años el que sólo en el condestable Nicpat y en Dick, quartamaestre [1] del capitán Bel,
hallé alguna conmiseración y consuelo en mis continuas fatigas, así socorriéndome sin que sus compañeros lo viesen en
casi extremas necesidades, como en buenas palabras con que
me exhortaban a la paciencia. Persuádome a que era el condestable [2] católico sin duda alguna.

Juntáronse a consejo en este paraje y no se trató otra
cosa sino qué se haría de mí y de siete compañeros míos
que habían quedado.

Votaron unos, y fueron los más, que nos degollasen,[3]
y otros, no tan crueles, que nos dejasen en tierra. A unos y
otros se opusieron el condestable Nicpat, el quartamaestre
Dick y el capitán Donkin con los de su séquito, afeando acción indigna a la generosidad inglesa.

—Bástanos —decía éste— haber degenerado de quienes somos, robando lo mejor del Oriente con circunstancias
tan impías. ¿Por ventura no están clamando al cielo tantos
inocentes a quienes les llevamos lo que a costa de sudores
poseían, a quienes les quitamos la vida? ¿Qué es lo que hizo este pobre español ahora para que la pierda? Habernos
servido como un esclavo en agradecimiento de lo que con él
se ha hecho desde que lo cogimos. Dejarlo en este río donde juzgo no hay otra cosa sino indios bárbaros, es ingrati-
tud. Degollarlo, como otros decís, es más que impiedad, y

1. quartermaster
2. master gunner
3. that we be beheaded

porque no dé voces que se oigan por todo el mundo su inocente sangre, yo soy, y los míos, quien los patrocina.[4]

Llegó a tanto la controversia, que estando ya para tomar las armas para decidirla, se convinieron en que me diesen la fragata que apresaron en el estrecho de Syncapura, y con ella la libertad para que dispusiese de mí y de mis compañeros como mejor me estuviese.

Presuponiendo el que a todo ello me hallé presente, póngase en mi lugar quien aquí llegare y discurra de qué tamaño sería el susto y la congoja con yo estuve.

Desembarazada la fragata que me daban de cuanto había en ella, y cambiado a las suyas, me obligaron a que agradeciese a cada uno separadamente la libertad y piedad que conmigo usaban, y así lo hice.

Diéronme un astrolabio y agujón, un derrotero holandés, una sola tinaja de agua y dos tercios de arroz;[5] pero al abrazarme al Condestable para despedirse, me avisó cómo me habia dejado, a excusas de sus compañeros,[6] alguna sal y tasajos,[7] cuatro barriles de pólvora, muchas balas de artillería, una caja de medicinas y otras diversas cosas.

Intimáronme (haciendo testigos de que lo oía) el que si otra vez me cogían en aquella costa, sin que otro que Dios lo remediase, me matarían, y que para escusarlo gobernase[8] siempre entre el Oeste y Noroeste, donde hallaría españoles que me amparasen, y haciendo que me levase, dándome el buen viaje, o por mejor decir, mofándome y escarneciéndome, me dejaron ir.

Alabo a cuantos, aun con riesgo de la vida, solicitan la libertad, por ser ella la que merece, aun entre animales brutos, la estimación.

Sacónos a mí y a mis compañeros tan no esperada dicha copiosas lágrimas, y juzgo corrían gustosas por nuestros rostros por lo que antes les habíamos tenido reprimidas y ocultas en nuestras penas.

4. who will protect them
5. an astrolabe and a compass, a Dutch ship's course, a single jar of water and a few pounds of rice
6. as if in apology for his companions
7. dried meat, jerked beef
8. and that to avoid this I should sail

Con un regocijo nunca esperado suele de ordinario embarazarse el discurso, y pareciéndonos sueño lo que pasaba, se necesitó de mucha reflexa para creernos libres.

Fué nuestra primera levantar las voces al cielo engrandeciendo a la divina misericordia como mejor pudimos, y con inmediación dimos las gracias a la que el mar de tantas borrascas fué nuestra estrella.

Creo hubiera sido imposible mi libertad si continuamente no hubiera ocupado la memoria y afectos en María Santísima de Guadalupe de México, de quien siempre protesto viviré esclavo por lo que le debo.

He traído siempre conmigo un retrato suyo, y temiendo no le profanaran los herejes piratas cuando me apresaron, supuesto que entonces quitándonos los rosarios de los cuellos y reprendiéndonos como a impíos y supersticiosos, los arrojaron al mar, como mejor pude se lo quité de la vista, y la vez primera que subí al tope [9] lo escondí allí.

Los nombres de los que consiguieron conmigo la libertad y habían quedado de los veinticinco (porque de ellos en la isla despoblada de Poliubi dejaron ocho, cinco se huyeron en Syncapura, dos murieron de los azotes en Madagascar, y otros tres tuvieron la misma suerte en diferentes parajes) son Juan de Casas, español, natural de la Puebla de los Angeles, en Nueva España; Juan Pinto y Marcos de la Cruz, indios pangasinán aquél, y éste pampango; Francisco de la Cruz y Antonio González, sanglèyes; Juan Díaz, malabar, y Pedro, negro de Mozambique, esclavo mío. A las lágrimas de regocijo por la libertad conseguida se siguieron las que bien pudieran ser de sangre por los trabajos pasados.

A las amenazas con que estando sobre la isla de Caponiz nos tomaron la confesión para saber qué navíos y con qué armas estaban para salir de Manila, y cuáles lugares eran más ricos, añadieron dejarnos casi quebrados los dedos de las manos con las llaves de las escopetas y carabinas. Sin atender a la sangre que lo manchaba nos hicieron hacer ovillos del algodón que venía en greña para cocer velas.[10] Con-

9. main-mast
10. they made us wind cotton, that came tangled, for the manufacture of sails

236

tinuóse este ejercicio siempre que fué necesario en todo el viaje, siendo distribución de todos los días, sin dispensa alguna, baldear y barrer [11] por dentro y fuera las embarcaciones.

Era también común a todos nosotros limpiar los alfanjes, cañones y llaves de carabinas con tiestos de lozas de China, molidos cada tercero día y hacer meollar y colchar cables.[12]

Añadíase a esto pilar [13] el arroz que de continuo comían, y hubo ocasión en que a cada uno se nos dieron once costales de a dos arrobas por tarea de un solo día[14] con pena de azotes (que muchas veces toleramos) si se faltaba a ello.

Jamás en las turbonadas que en tan prolija navegación experimentamos, aferraron velas,[15] nosotros éramos los que lo hacíamos, siendo el galardón ordinario[16] de tanto riesgo crueles azotes; o por no ejecutarlo con toda prisa, o porque las velas solían romperse.

El sustento que se nos daba para que no nos faltasen las fuerzas en tan continuo trabajo se reducía a una ganta (que viene a ser un almud) [17] de arroz, que se sancochaba[18] como se podía; valiéndonos de agua de la mar en vez de la sal que le sobraba, y que jamás nos dieron; menos de un cuartillo [19] de agua se repartía a cada uno para cada día.

Carne, vino, aguardiente, bonga, ni otra alguna de las muchas miniestras [20] que traían llegó a nuestras bocas, y teniendo cocos en grande copia[21] nos arrojaban sólo las cáscaras para hacer bonote,[22] que es limpiarlas y dejarlas como estopa para calafatear, y cuando por estar surgidos los tenían

11. scrubbing and sweeping
12. with china ground every third day and to spin yarn and twist rope
13. pounding (or grinding)
14. eleven bags of fifty pounds each as a day's assignment
15. Never during the squalls which we faced during the long voyage did they furl the sails
16. the usual reward
17. (approximately three pints)
18. to parboil
19. (approximately a pint)
20. food supplies, viands
21. aplenty
22. they threw us only the husks to make coir (or tow) for calking (or scrubbing, etc.)

frescos, les bebían el agua y los arrojaban al mar.

Diéronnos en el último año de nuestra prisión el cargo de la cocina, y no sólo contaban los pedazos de carne que nos entregaban, sino que también los medían para que nada comiésemos.

¡Notable crueldad y miseria es ésta!, pero no tiene comparación a la que se sigue. Ocupáronnos también en hacerles calzado de lona y en cocerles camisas y calzoncillos, y para ello se nos daban contadas y medias las hebras de hilo, y si por echar tal vez menudos los pespuntes,[23] como querían, faltaba alguna, correspondían a cada una que se añadía veinticinco azotes.

Tuve yo otro trabajo y fué haberme obligado a ser barbero, y en este ejercicio me ocupaban todos los sábados sin descansar ni un breve rato, siguiéndosele a cada descuido de la navaja, que ordinario eran muchos, por no saber científicamente su manejo, bofetadas crueles y muchos palos.

Todo cuanto aquí se ha dicho sucedía a bordo, porque sólo en Puliubi, y en la isla despoblada de la Nueva Holanda para hacer agua y leña y para colchar un cable de bejuco[24] nos desembarcaron.

Si quisiera especificar particulares sucesos me dilatara mucho, y con individuar uno u otro se discurrirán los que callo.[25]

Era para nosotros el día del lunes el más temido, porque haciendo un círculo de bejuco en torno de la mesana, y amarrándonos a él las siniestras, nos ponían en las derechas unos rebenques,[26] y habiéndonos desnudado nos obligaban con puñales y pistolas a los pechos a que unos a otros nos azotásemos.

Era igual la vergüenza y el dolor que en ello teníamos al regocijo y aplauso con que lo festejaban.

No pudiendo asistir mi compañero Juan de Casas a la distribución del continuo trabajo que nos rendía, atribuyéndolo el capitán Bel a la que llamaba florera,[27] dijo que él lo curaría,

23. stitches
24. to secure water and firewood and to make reed-rope
25. by detailing one (example) or other those I keep to myself will be inferred
26. making a circle of reeds around the mizzen-mast and tying our left hands to it and putting ropes (or whips) in our right hands
27. laziness

y por modo fácil (perdóneme la decencia y el respeto que se debe a quien esto lee que lo refiera) redújose éste a hacerle beber, desleídos en agua, los excrementos del mismo capitán.

Sufría ya todas estas cosas, porque por el amor que tenía a mi vida no podía más, y advirtiendo había días enteros que los pasaban borrachos, sentía no tener bastantes compañeros de quien valerme para matarlos y alzándome con la fragata irme a Manila; pero también puede ser que no me fiara de ellos aunque los tuviera por no haber otro español entre ellos sino Juan de Casas.

Un día que más que otro me embarazaba las acciones este pensamiento, llegándose a mí uno de los ingleses, que se llamaba Cornelio, y gastando larga prosa para encargarme el secreto, me propuso si tendría valor para ayudarle con los míos a sublevarse.

Respondíle con gran recato; pero asegurándome tenía ya convencidos a algunos de los suyos (cuyos nombres dijo), consiguió de mí el que no le faltaría llegado el caso, pero pactando primero lo que para mi seguro me pareció convenir.[28]

No fué ésta tentativa de Cornelio, sino realidad, y de hecho había algunos que se lo aplaudiesen, pero por motivos que yo no supe desistió de ello.

Persuádome a que él fué sin duda quien dió noticia al Capitán Bel, de que yo y los míos lo querían matar, porque comenzaron a vivir de allí en adelante con más vigilancia abocando dos piezas cargadas de munición hacia la proa donde siempre estábamos.[29]

No dejó de darme toda esta prevención de cosas grande cuidado, y preguntándole al condestable Nicpat, mi patrocinador, lo que lo causaba, no me respondió otra cosa sino que mirásemos yo y los míos cómo dormíamos.

Maldiciendo yo entonces la hora en que me habló Cornelio, me previne como mejor pude para la muerte. A la noche de este día amarrándome fuertemente contra la mesana, comenzaron a atormentarme para que confesase lo que acerca de querer alzarme con el navío tenía dispuesto.

28. he got my promise not to fail him should the occasion arise but first stipulating some guarantees for my safety.
29. turning two loaded guns on the foredeck where we always were.

Negué con la mayor constancia que pude y creo que a persuaciones del condestable me dejaron solo: llegóse éste entonces a mí, y asegurándome el que de ninguna manera peligraría si me fiase dél, después de referirle enteramente lo que me había pasado, desamarrándome, me llevó al camarote[30] del capitán.

Hincado de rodillas en su presencia, dije lo que Cornelio me había propuesto.

Espantado el capitán Bel con esta noticia, haciendo primero el que en ella me ratificase con juramento, con amenaza de castigarme por no haberle dado cuenta de ello inmediatamente, me hizo cargo de traidor y de sedicioso.[31]

Yo, con ruegos y lágrimas, y el condestable Nicpat con reverencias y súplicas, conseguimos que me absolviese, pero fué imponiéndome con pena de la vida que guardase el secreto.

No pasaron muchos días sin que de Cornelio y sus secuaces echasen mano, y fueron tales los azotes con que los castigaron que yo aseguro el que jamás se olviden de ellos mientras vivieren, y con la misma pena y otras mayores se les mandó el que ni conmigo ni con los míos se entrometiesen; prueba de la bondad de los azotes sea el que uno de los pacientes,[32] que se llamaba Enrique, recogió cuanto en plata, oro y diamantes le había cabido,[33] y quizás receloso de otro castigo, se quedó en la isla de San Lorenzo, sin que valiesen cuantas diligencias hizo el capitán Bel para recobrarlo.

Creo que los piratas no hubieran sido tan malos como para nosotros fueron, si no tuviera con ellos un español que se preciaba de sevillano[34] y se llamaba Miguel.

No hubo trabajo intolerable en que nos pusiesen, no hubo ocasión alguna en que nos maltratasen, no hubo hambre que padeciésemos, ni riesgo de la vida en que peligrásemos, que no viniese por su mano y su dirección, haciendo gala de mostrarse impío y abandonado lo católico en que nació por vivir pirata y morir hereje.

---

30. stateroom
31. charged me with treason and mutiny
32. victims
33. due him
34. who boasted of being from Seville

Acompañaba a los ingleses, y esto era para mí y para los míos lo más sensible, cuando se ponían de fiesta, que eran las Pascuas de Navidad, y los domingos del año, leyendo o rezando lo que ellos en sus propios libros.

Alúmbrele Dios el entendimiento,[35] para que, enmendando su vida, consiga el perdón de sus iniquidades.

35. May God enlighten his understanding

*Navegaba Alonso Ramírez y sus compañeros sin saber dónde
estaban ni la parte a que iban; dícense los trabajos y sustos
que padecieron hasta varar tierra.*

No sabía yo ni mis compañeros el paraje en que nos
hallábamos ni el término que tendría nuestro viaje, porque
ni entendía el derrotero holandés ni teníamos carta[1] que entre tantas confusiones nos sirviera de algo, y para todos era
aquélla la vez primera que allí nos veíamos.

En estas dudas, haciendo reflexa a la sentencia que nos
habían dado de muerte si segunda vez nos aprisionaban, cogiendo la vuelta del Oeste me hice a la mar.[2]

A los seis días sin haber mudado la derrota, avistamos
tierra que parecía firme por lo tendido y alta y poniendo
proa al Oesnoroeste me hallé el día siguiente a la madrugada sobre tres islas.

Acompañado de Juan de Cosas en un cayuco[3] pequeño
que en la fragata había, salí a una de ellas, donde se hallaron pájaros, tabones y bobos,[4] y trayendo grandísima cantidad de ellos para cenizarlos,[5] me vine a bordo.

Arrimándonos a la costa proseguimos por el largo de
ella, y a los diez días se descubrió una isla y al parecer grande[6] eran entonces las seis de la mañana, y a la misma hora
se nos dejó ver una armada de hasta veinte velas de varios
portes y echando bandera inglesa me llamaron, con una pieza.[7]

Dudando si llegaría discurrí el que viendo a mi bordo
cosas de ingleses quizás no me creerían la relación que les

1. map
2. steering to the west, I headed out to sea
3. kayak, canoe
4. megapodes and gannets (tropical birds peculiar to the area)
5. to cook them
6. Trinidad
7. displaying an English flag they signaled to me with a salvo.

diese, sino que presumirían había yo muerto a los dueños de la fragata y que andaba fugitivo por aquellos mares, y aunque con turbonada,[8] que empezó a entrar juzgando me la enviaba Dios para mi escape, largué las velas de gavia y con el aparejo siempre en la mano (cosa que no se atrevió a hacer ninguna de las naos inglesas),[9] escapé con la proa al Norte caminando todo aquel día y noche sin mudar derrota.

Al día siguiente volví la vuelta del Oeste a proseguir mi camino, y al otro por la parte del Leste tomé una isla.[10]

Estando ya sobre ella se nos acercó una canoa con seis hombres a reconocernos y apenas supieron de nosotros ser españoles y nosotros de ellos que eran ingleses, cuando corriendo por nuestros cuerpos un sudor frío, determinamos morir primero de hambre entre las olas que no exponernos otra vez a tolerar impiedades.

Dijeron que si queríamos comerciar hallaríamos allí azúcar, tinta,[11] tabaco y otros buenos géneros.

Respondíles que eso queríamos, y atribuyendo a que era tarde para poder entrar, con el pretexto de estarme a la capa[12] aquella noche y con asegurarles también el que tomaríamos puerto al siguiente día, se despidieron y poniendo luego al instante la proa al Leste me salí a la mar.

Ignorantes de aquellos parajes, y persuadidos a que no hallaríamos sino ingleses donde llegásemos, no cabía en mí ni en mis compañeros consuelo alguno, y más viendo que el bastimento se iba acabando, y que si no fuera por algunos aguaceros en que cogimos alguna, absolutamente nos faltara el agua.

Al Leste, como dije, y al Lesnordeste[13] corrí tres días y después cambié la proa al Noroeste, y gobernando a esta parte seis días continuos llegué a una isla alta y grande y acercándome por una punta que tiene al Leste a reconocerla, salió de ella una lancha con siete hombres.

8. tempest
9. I raised the topsail and with helm in hand (which none of the English vessels dared to do)
10. Barbados
11. dyes
12. that I would wait out
13. east northeast

Sabiendo de mí ser español y que buscaba agua y leña y algún bastimento, me dijeron ser aquélla isla de Guadalupe, donde vivían franceses y que con licencia del gobernador (que daría sin repugnancia) podría provisionarme en ella de cuanto necesitase y que si también quería negociación no faltaría forma.[14]

Dije que sí entraría pero que no sabía por dónde por no tener carta ni práctico[15] que me guiase y que me dijesen en qué parte del mundo nos hallábamos.

Hízoles notable fuerza el oírme esto, e instándome que de dónde había salido y para qué parte, arrepentido inmediatamente de la pregunta, sin responderles a propósito, me despedí.

No se espante quien esto leyere, de la ignorancia en que estábamos de aquellas islas porque habiendo salido de mi patria de tan poca edad, nunca supe (ni cuidé de ello después) qué islas son circunvecinas y cuáles sus nombres; menos razón había para que Juan de Casas, siendo natural de Puebla, supiese de ellas, ni los compañeros restantes, siendo todos originarios de la India oriental donde no tienen necesidad de noticia que les importe de aquellos mares; pero no obstante, bien presumía yo el que era parte de la América en la que nos hallábamos.

Antes de apartarme de allí les propuse a mis compañeros el que me parecía imposible tolerar más, porque ya para los continuos trabajos en que nos veíamos nos faltaban fuerzas, con cirscunstancia de que los bastimentos eran muy pocos, y que pues los franceses eran católicos, surgiésemos a merced suya,[16] en aquella isla, persuadidos que haciéndoles relación de nuestros infortunios les obligaría la piedad cristiana a patrocinarnos.

Opusiéronse a este dictamen mío con grande esfuerzo, siendo el motivo el que a ellos por su color, y por no ser españoles, los harían esclavos y que les sería menos sensible el que yo con mis manos los echase al mar, que ponerse en las de extranjeros para experimentar sus rigores.

14. if I wished to have a conference it could be arranged
15. pilot
16. we should anchor there at their mercy

(For several days they sailed in the Caribbean, always seeking a safe port. By now they needed food supplies desperately being down to a small barrel of drinking water and having for dinner only the fish they caught from the ship. They by-passed Antigua, Hispaniola, Jamaica and numerous islets. One night, while trying to protect their boat from some rocks, they got stranded between the shoals. Because of the high wind and the heavy seas they feared the ship would break open.)

Considerando el peligro en la dilación, haciendo fervorosos actos de contrición y queriendo merecerle a Dios su misericordia sacrificándole mi vida por la de aquellos pobres, ciñéndome un cabo delgado para que lo fuesen largando, me arrojé al agua.[17]

Quiso concederme su piedad el que llegase a tierra donde lo hice firme, y sirviendo de andarivél [18] a los que no sabían nadar, convencidos de no ser tan difícil el tránsito como se lo pintaba el miedo, conseguí el que (no sin peligro manifiesto de ahogarse dos) a más de media tarde estuviesen salvos.

17. tying a slender rope about me and leaving sufficient slack, I plunged into the water.
18. where I tightened it, converting it into a ferry cable

VI

Sed, hambre, enfermedades, muertes con que fueron atribula-
dos[1] *en esta costa: hallan inopinadamente*[2] *gente católica y*
saben estar en tierra firme de Yucatán en la
Septentrional América.[3]

Tendría de ámbito[4] la peña que terminaba esta punta
como doscientos pasos y por todas partes la cercaba el mar,
y aun tal vez por la violencia con que la hería se derramaba
por toda ella con grande ímpetu.

No tenía árbol ni cosa alguna a cuyo abrigo pudiésemos
repararnos[5] contra el viento, que soplaba vehementísimo y
destemplado; pero haciéndole a Dios nuestra Señor repetidas
súplicas y promesas, y persuadidos a que estábamos en parte
donde jamás saldríamos, se pasó la noche.

Perseveró el viento, y por el consiguiente no se sosegó
el mar hasta de allí a tres días; pero no obstante, después
de haber amanecido, reconociendo su cercanía nos cambiamos
a tierra firme, que distaría de nosotros como cien pasos, y
no pasaba de la cintura el agua donde más hondo.

Estando todos muertos de sed y no habiendo agua dulce en cuanto se pudo reconocer en algún espacio, pospo-
niendo mi riesgo al alivio y conveniencia de aquellos míseros, determiné ir a bordo, y encomendándome con todo afecto a María Santísima de Guadalupe, me arrojé al mar y llegué al navío, de donde saqué un hacha para cortar y cuanto me pareció necesario para hacer fuego.

Hice segundo viaje y milagrosamente puse un barrilete
de agua en la misma playa, y no atreviéndome aquel día a

1. vexed, afflicted
2. unexpectedly
3. North America
4. circumference
5. which would protect us

tercer viaje, después que apagamos todos nuestra ardiente sed, hice que comenzasen los más fuertes a destrozar palmas de las muchas que allí había, para comer los cogollos,[6] y encendiendo candela se pasó la noche.

Halláronse el día unos charcos de agua (aunque algo salobre) entre aquellas palmas, y mientras se congratulaban los compañeros por este hallazgo, acompañándome Juan de Casas, pasé al navío, de donde en el cayuco[7] que allí traíamos (siempre con riesgo por el mucho mar y la vehemencia del viento) sacamos a tierra las velas del trinquete y gavia[8] y pedazos de otras.

Sacamos también escopetas, pólvora y municiones y cuanto nos pareció por entonces más necesario para cualquier accidente.

Dispuesta una barraca en que cómodamente cabíamos todos, no sabiendo a qué parte de la costa se había de caminar para buscar gente, elegí sin motivo especial la que corre al Sur. Yendo conmigo Juan de Casas, y después de haber caminado aquel día como cuatro leguas, matamos dos puercos monteses,[9] y escrupulizando el que se perdiese[10] aquella carne en tanta necesidad, cargamos con ellos para que los lograsen los compañeros.

Repetimos lo andado a la mañana siguiente hasta llegar a un río de agua salada, cuya ancha y profunda boca nos atajó[11] los pasos, y aunque por haber descubierto unos ranchos antiquísimos hechos de paja, estábamos persuadidos a que dentro de breve se hallaría gente, con la imposibilidad de pasar adelante, después de cuatro días de trabajo nos volvimos tristes.

Hallé a los compañeros con mucho mayores aflicciones que las que yo traía, porque ios charcos de donde se proveían de agua se iban secando, y todos estaban tan hinchados que parecían hidrópicos.[12]

6. tender shoots
7. kayak, canoe
8. foretopsails and maintopsails
9. wild pigs
10. careful not to lose
11. obstructed, cut off
12. all of them were so swollen **that they looked dropsical**

Al segundo día de mi llegada se acabó el agua, y aunque por el término de cinco se hicieron cuantas diligencias nos dictó la necesidad para conseguirla, excedía a la de la mar en la amargura la que se hallaba.

A la noche del quinto día, postrados todos en tierra, y más con los afectos que con las voces, por sernos imposible el articularlas, le pedimos a la Santísima Virgen de Guadalupe el que pues era fuente de aguas vivas para sus devotos compadeciéndose de los que ya casi agonizábamos con la muerte, nos socorriese como a hijos, protestando no apartar jamás de nuestra memoria, para agradecérselo, beneficio tanto. Bien sabéis, madre y señora mía amantísima, el que así pasó.[13]

Antes que se acabase la súplica, viniendo por el Sueste la turbonada, cayó un aguacero tan copioso sobre nosotros, que refrigerando los cuerpos y dejándonos en el cayuco y en cuantas vasijas allí teníamos provisión bastante, nos dió las vidas.

Era aquel sitio, no sólo estéril y falto de agua, sino muy enfermo, y aunque así lo reconocían los compañeros, temiendo morir en el camino, no había modo de convencerlos para que lo dejásemos. Pero quiso Dios que lo que no recabaron mis súplicas, lo consiguieron los mosquitos[14] con su molestia.

Treinta días se pasaron en aquel puesto comiendo chachalacas, palmitos y algún marisco,[15] y antes de salir de él por no omitir diligencia pasé al navío que hasta entonces no se había escatimado, y cargando con bala toda la artillería la disparé dos veces.[16]

Fué mi intento el que si acaso había gente la tierra adentro, podía ser que las moviese el estruendo a saber la causa, y que acudiendo allí se acabasen nuestros trabajos con su venida.

Con esta esperanza me mantuve hasta el siguiente día en cuya noche (no sé cómo), tomando fuego un cartucho

13. that it happened thus
14. what my words could not secure, the mosquitos did
15. grouse, palm sprouts and shellfish
16. had not yet been emptied and loading the cannon with shot I fired twice

que tenía en la mano, no sólo me la abrasó, sino que me maltrató un muslo.[17] parte del pecho, toda la cara y me voló el cabello.

Curado como mejor se pudo con ungüento [18] blanco, que en la caja de medicina que me dejó el condestable se había hallado, y a la subsecuente mañana, dándoles a los compañeros el aliento, de que yo más que ellos necesitaba, salí de allí.

Quedóse (ojalá la pudiéramos haber traído con nosotros, aunque fuera a cuestas, por lo que en adelante diré), quedóse, digo, la fragata, que en pago de lo mucho que yo y los míos servimos a los ingleses nos dieron graciosamente.

Era de treinta y tres codos de quilla y con tres aforros, los palos y vergas de excelentísimo pino, la fábrica toda de lindo galibo, y tanto, que corría ochenta leguas por singladura con viento fresco.[19] Quedáronse en ella y en las playas nueve piezas de artillería de hierro con más de dos mil balas, todas de plomo; cien quintales,[20] por lo menos, de este metal, cincuenta barras de estaño,[21] sesenta arrobas [22] de hierro, ochenta barras de cobre del Japón, muchas tinajas de la China, siete colmillos [23] de elefante, tres barriles de pólvora, cuarenta cañones de escopeta,[24] diez llaves,[25] una caja de medicinas y muchas herramientas de cirujano.

Bien provisionados de pólvora y municiones y no otra cosa, y cada uno de nosotros con escopeta, comenzamos a caminar por la misma marina la vuelta del Norte, pero con mucho espacio por la debilidad y flaqueza de los compañeros, y en llegar a un arroyo de agua dulce, pero bermeja,[26]

---

17. caught fire in my hand and not only burned it but also a thigh
18. ointment.
19. It had a keel of about forty feet with three sheathings, the mast and yards of finest pine, and so beautifully modelled that it could cruise
20. ten thousand pounds
21. tin
22. fifteen hundred pounds
23. tusks
24. forty shot-gun barrels
25. ten gun locks
26. of bright reddish color

que distaría del primer sitio menos de cuatro leguas, se pasaron dos días.

La consideración de que a este paso sólo podíamos acercarnos a la muerte, y con mucha prisa me obligó a que, valiéndome de las más suaves palabras que me dictó el cariño, les propusiese el que pues ya no les podía faltar el agua, y como veíamos acudía allí mucha volatería que les aseguraba el sustento,[27] tuviesen a bien el que, acompañado de Juan de Casas, me adelantase hasta hallar poblado, de donde protestaba volvería cargado de refresco para sacarlos de allí.

Respondieron a esta proposición con tan lastimeras voces y copiosas lágrimas, que me las sacaron de lo más tierno del corazón en mayor raudal.

Abrazándose de mí, me pedían con mil amores y ternuras que no les desamparase, y que, pareciendo imposible en lo natural poder vivir el más robusto, ni aun cuatro días, siendo la demora tan corta, quisiese, como padre que era de todos, darles mi bendición en sus postreras boqueadas [28] y que después prosiguiese, muy enhorabuena, a buscar el descanso que a ellos les negaba su infelicidad y desventura en tan extraños climas.

Convenciéronme sus lágrimas a que así lo hiciese; pero pasados seis días sin que mejorasen, reconociendo el que yo me iba hinchando,[29] y que mi falta les aceleraría la muerte, temiendo, ante todas la cosas la mía, conseguí el que aunque fuese muy a poco a poco se prosiguiese el viaje.

Iba yo y Juan de Casas descubriendo lo que habían de caminar los que me seguían, y era el último, como más enfermo Francisco de la Cruz, sangley, a quien desde el trato de cuerda[30] que le dieron los ingleses antes de llegar a Caponiz, le sobrevinieron mil males, siendo el que ahora le quitó la vida dos hinchazones en los pechos y otra en el medio de las espaldas que le llegaba al cerebro.

Habiendo caminado como una legua, hicimos alto, y

27. much fowl for food
28. last gasp
29. I was swelling
30. lashings

siendo la llegada de cada uno según sus fuerzas, a más de las nueve de la noche no estaban juntos, porque este Francisco de la Cruz aun no había llegado.

En espera suya se pasó la noche, y dándole orden a Juan de Casas que prosiguiera el camino antes que amaneciese, volví en su busca; hallélo a cosa de media legua, ya casi boqueando, pero en su sentido.[31]

Deshecho en lágrimas, y con mal articuladas razones, porque me las embargaba el sentimiento, le dije lo que para que muriese conformándose con la voluntad de Dios y en gracia suya me pareció a propósito, y poco antes del mediodía rindió el espíritu.

Pasadas como dos horas hice un profundo hoyo[32] en la misma arena, y pidiéndole a la divina majestad el descanso de su alma, lo sepulté, y levantando una cruz (hecha de dos toscos maderos) en aquel lugar, me volví a los míos.

Hallélos alojados delante de donde habían salido como otra legua,[33] y a Antonio González, el otro sangley, casi moribundo, y no habiendo regalo[34] que poder hacerle ni medicina alguna con que esforzarlo, estándolo consolando, o de triste, o de cansado, me quedé dormido, y despertándome el cuidado a muy breve rato, lo hallé difunto.

Dímosle sepultura entre todos el siguiente día, y tomando por asunto una y otra muerte, los exhorté a que caminásemos cuanto más pudiésemos, persuadidos a que así sólo se salvarían las vidas.

Anduviéronse aquel día como tres leguas, y en los tres siguientes, quince. Fué la causa que con el ejercicio del caminar, al paso que se sudaba se revolvían las hinchazones[35] y se nos aumentaban las fuerzas.

Hallóse aquí un río de agua salada muy poco ancho y en extremo hondo. Retardó por todo un día un manglar muy espeso el llegar a él.[36] Reconocido después de sondarlo fal-

31. almost at his last gasp but still conscious
32. hole
33. I found them quartered about a league beyond where I left them
34. comfort
35. cured the swelling
36. It took a whole day through the mangrove thickets to reach it.

251

tarle vado,[37] con palmas que se cortaron se le hizo puente y se fué adelante, sin que el hallarme en esta ocasión con calentura me fuese estorbo.

Al segundo día que allí salimos, yendo yo y Juan de Casas precediendo a todos, atravesó por el camino que llevábamos un disforme oso,[38] y no obstante el haberlo herido con la escopeta se vino para mí, y aunque me defendía yo con el mocho[39] como mejor podía, siendo pocas mis fuerzas y las suyas muchas, a no acudir a ayudarme mi compañero, me hubiera muerto. Dejámoslo allí tendido, y se pasó de largo.

Después de cinco días de este suceso llegamos a una punta de piedra,[40] de donde me parecía imposible pasar con vida por lo mucho que me había postrado la calentura, y ya entonces estaban notablemente recobrados todos, o por mejor decir, con salud perfecta.

Hecha mansión, y mientras entraban en el monte adentro a buscar comida, me recogí a un rancho, que con una manta que llevábamos, al abrigo de una peña me habían hecho, y quedó en guarda mi esclavo Pedro.

Entre las muchas imaginaciones que me ofreció el desconsuelo en esta ocasión fué la más molesta el que sin duda estaba en las costas de la Florida en la América, y que siendo cruelísimos en extremo sus habitadores, habíamos de caer en sus sangrientas manos.

Interrumpióme estos discursos mi muchacho con grandes gritos, diciéndome que descubría gente por la costa y que venía desnuda.

Levantéme asustado, y tomando en la mano la escopeta me salí fuera. Encubierto de la peña a cuyo abrigo estaba, reconocí dos hombres desnudos con cargas pequeñas a las espaldas, y haciendo ademanes con la cabeza como quien busca algo. No me pesó de que viniesen sin armas, y por estar ya cerca, les salí al encuentro.

Turbados ellos mucho más sin comparación que lo que

37. Discovering after sounding it that there was no ford
38. a huge bear
39. butt-end (of a musket)
40. craggy ledge

yo lo estaba, lo mismo fué verme que arrodillarse, y puestas las manos comenzaron a dar voces en castellano y a pedir cuartel.[41]

Arrojé yo la escopeta, y llegándome a ellos los abracé. Respondiéronme a las preguntas que inmediatamente les hice, dijéronme que eran católicos y que acompañaban a su amo que venía atrás y se llamaba Juan González, vecino del pueblo de Tejosuco. Andaban por aquellas playas buscando ámbar. Dijeron también el que era aquella costa la que llamaban de Balacal en la provincia de Yucatán.

Siguióse a estas noticias tan en extremo alegres y más en ocasión en que la vehemencia de mi tristeza me ideaba muerto entre gentes bárbaras el darle a Dios y a su santísima Madre repetidas gracias. Disparando tres veces, que era contraseña[42] para que acudiesen los compañeros, con su venida, que fué inmediata y acelerada, fué común entre todos el regocijo.

No satisfechos de nosotros los yucatecos,[43] dudando si seríamos de los piratas ingleses y franceses que por allí discurren, sacaron de lo que llevaban en sus mochilas[44] para que comiésemos. Dándoles (no tanto por retorno, cuanto porque depusiesen el miedo que en ellos veíamos)[45] dos de nuestras escopetas, no las quisieron.

A breve rato nos avistó su amo porque venía siguiendo a sus indios con pasos lentos. Reconociéndonos, quería volver aceleradamente atrás para meterse en lo más espeso del monte, donde no sería fácil el que lo hallásemos, quedando en rehenes uno de sus dos indios, fué el otro a persuasiones nuestras a asegurarlo.[46]

Después de una larga plática que entre sí tuvieron, vino, aunque con sobresalto y recelo.[47] Hablándole yo con grande benevolencia y cariño, y haciéndole una relación pequeña de

41. to ask for mercy
42. signal
43. Yucatecans
44. knapsacks
45. (to quiet their fears more than to repay them)
46. one of his two Indians stayed as hostage while the other, at our insistence, went to reassure him.
47. although frightened and suspicious

trabajos grandes, entregándole todas nuestras armas para que depusiese el miedo[48] con que lo veíamos, conseguí el que se quedase con nosotros aquella noche, para salir a la mañana siguiente donde quisiese llevarnos.

Díjonos, entre varias cosas que se parlaron, le agradeciésemos a Dios por merced muy suya, el que no me hubiesen visto sus indios primero, y a largo trecho, porque si teniéndonos por piratas se retiraran al monte para guarecerse en su espesura,[49] jamás saldríamos de aquel paraje inculto y solitario, porque nos faltaba embarcación para conseguirlo.

48. to quiet his fears
49. to take refuge in its fastnesses

VII

Pasan a Tejozuco, de allí a Valladolid, donde experimentan molestias; llegan a Mérida; vuelve Alonso Ramírez a Valladolid; y son aquéllas mayores. Causa por que vino a México y lo que de ello resulta.

Si a otros ha muerto un no esperado júbilo, a mí me quitó la calentura[1]. Libre, pues de ella, salimos de allí cuando rompía el día, y después de haber andado por la playa de la ensenada[2] una legua, llegamos a un puertecillo donde tenían varada una canoa.[3] Entramos en ella, y quejándonos todos de mucha sed, haciéndonos desembarcar en una pequeña isla de las muchas que allí habían. Allí hallamos un edificio, al parecer antiquísimo, compuesto de solas cuatro paredes, y en el medio de cada una de ellas una pequeña puerta.

Vimos también allí cerca unos pozos hechos a mano y llenos de excelente agua. Después que bebimos hasta quedar satisfechos, admirados de que en un islote que boxeaba doscientos pasos,[4] se hallase agua, y con el edificio que tengo dicho, supe el que no sólo éste, sino otros que se hallan en partes de aquella provincia, y mucho mayores, fueron fábrica de gentes que muchos siglos antes que la conquistaran los españoles vinieron a ella.

Prosiguiendo nuestro viaje, a cosa de las nueve del día se divisó una canoa de mucho porte.[5] Asegurándonos la vela que traían (que se reconoció ser de petate o estera,[6] que todo es uno), no ser piratas ingleses como se presumió, me pro-

1. If an unexpected joy has killed some (persons), it rid me of my fever
2. bay
3. where a canoe was beached
4. boxed in (enclosed within) two hundred paces
5. rather big
6. made out of straw or palm matting

255

puso Juan González el que les embistiésemos y los apresásemos.[7]

A vela y remo les dimos caza. Eran catorce las personas (sin unos muchachos) que en la canoa iban. Habiendo hecho poderosa resistencia disparando sobre nosotros lluvias de flechas, atemorizados de los tiros de escopeta, que aunque eran muy continuos y espantosos iban sin balas, porque siendo impiedad matar a aquellos pobres sin que nos hubiesen ofendido, ni aun levemente, di rigurosa orden a los míos de que fuese así.[8]

Después de haberles abordado le hablaron a Juan González, que entendía su lengua, y prometiéndole un pedazo de ámbar que pesaría dos libras, y cuanto maíz quisiésemos del que allí llevaban, le pidieron la libertad.

Guardóse Juan González el ámbar, y amarradas las canoas y asegurados los prisioneros, proseguimos nuestra derrota hasta que atravesada la ensenada, ya casi entrada la noche, saltamos en tierra.

Gastóse el día siguiente en moler maíz y disponer bastimento para los seis que dijeron habíamos de tardar para pasar el monte. Echando por delante a los indios con la provisión, comenzamos a caminar. A la noche de este día, queriendo sacar lumbre con mi escopeta,[9] no pensando estar cargada,[10] y no poniendo por esta inadvertencia el cuidado que se debía saliéndoseme de las manos y lastimándome el pecho y la cabeza, se me quitó el sentido.[11]

No volví en mi acuerdo[12] hasta que cerca de medianoche comenzó a caer sobre nosotros tan poderoso aguacero que inundando el paraje en que nos alojamos, perdimos la mayor parte del bastimento y toda la pólvora, menos la que tenía en mi graniel.[13]

Con esta incomodidad, y llevándome cargado los indios

7. to attack and capture them
8. (i.e. not to kill them)
9. to strike a light (to make a fire)
10. not realizing it was loaded
11. I fainted, lit. left me unconscious
12. I did not come to
13. powder horn

porque no podía moverme, dejándonos a sus dos criados para que nos guiasen, y habiéndose Juan González adelantado, así para solicitarnos algún refresco como para noticiar a los indios de los pueblos inmediatos adonde habíamos de ir, el que no éramos piratas, como podían pensar, sino hombres perdidos que íbamos a su amparo.[14]

Proseguimos por el monte nuestro camino, sin un indio y una india de los gentiles que, valiéndose del aguacero se nos huyeron. Pasamos excesiva hambre, hasta que dando en un platanal,[15] no sólo comimos hasta satisfacernos, sino que proveídos de plátanos asados, se pasó adelante.

Noticiado por Juan González el beneficiado de Tejozuco de nuestros infortunios,[16] nos despachó un muy buen refresco, y fortalecidos con él llegamos al día siguiente a un pueblo de su feligresía,[17] que dista como una legua de la cabecera[18] y se nombra Tila, donde hallamos gente de parte suya, que con un regalo de chocolate y comida espléndida nos esperaba.

Allí nos detuvimos hasta que llegaron caballos en que montamos, y rodeados de indios que salían a vernos como cosa rara, llegamos al pueblo de Tejozuco como a las nueve del día.

Es pueblo no sólo grande, sino delicioso y ameno, asisten en él muchos españoles, y entre ellos D. Melchor Pacheco, a quien acuden los indios como a su encomendero.[19]

La iglesia parroquial se forma de tres naves, y está adornada con excelentes altares y cuida de ella como su cura beneficiado el licenciado D. Cristóbal de Muros, a quien jamás pagaré dignamente lo que le debo, y para cuya alabanza[20] me faltan voces.

14. lost men seeking their help
15. banana plantation
16. Informed by Juan González of our misfortunes, Tejozuco's curate sent to us
17. parish
18. district parish's chief city
19. a landowner who holds an **encomienda,** which is a trusteeship system in which an allotment of Indians was assigned to a landowner for work on his lands
20. praise

Saliónos a recibir con el cariño de Padre, y conduciéndonos a la iglesia nos ayudó a dar a Dios Nuestro Señor las debidas gracias por habernos sacado de la opresión tirana de los ingleses, de los peligros en que nos vimos por tantos mares, y de los que últimamente toleramos en aquellas costas, y acabada nuestra oración, acompañados de todo el pueblo, nos llevó a su casa.

En ocho días que allí estuvimos a mí y a Juan de Casas nos dió su mesa abastecida de todo, y desde ella enviaba siempre sus platos a diferentes pobres.

Acudióseles también y a proporción de lo que con nosotros se hacía, no sólo a los compañeros sino a los indios gentiles, en abundancia.

Repartió éstos (después de haberlos vestido)[21] entre otros que ya tenía bautizados de los de su nación para catequizarlos,[22] disponiéndonos para la confesión de que estuvimos imposibilitados por tanto tiempo, oyéndonos con la paciencia y cariño que nunca he visto, conseguimos el día de Santa Catalina que nos comulgase.[23]

En el ínterin que esto pasaba, notició a los alcaldes de la Villa de Valladolid (en cuya comarca cae aquel pueblo)[24] de lo sucedido, y dándonos carta así para ellos como para el guardián de la Vicaría[25] de Tixcal, que nos recibió con notable amor, salimos de Tejozuco para la villa.

Encontrónos en este pueblo de Tixcacal un sargento que remitían los alcaldes para que nos condujese, y en llegando a la villa y a su presencia, les di carta.

Eran dos estos alcaldes como en todas partes se usa; llámase el uno D. Francisco de Zelerun, hombre a lo que me pareció poco entremetido,[26] y de muy buena intención, y el otro D. Ziphirino de Castro.

No puedo proseguir sin referir un donosísimo [27] cuento

21. He scattered the latter after providing them with clothes
22. to catechise them, i.e. to convert to and instruct them in the Christian faith
23. that he administered communion to us
24. under whose jurisdiction that town fell
25. Vicarage
26. not a meddler or busybody
27. very amusing

que aquí pasó. Sabiéndose, porque yo se lo había dicho a quien lo preguntaba, ser esclavo mío el negrillo Pedro, esperando uno de los que me habían examinado a que estuviese solo, llegándose a mí y echándome los brazos al cuello, me dijo así:

—¿Es posible, amigo y querido paisano mío, que os ven mis ojos? ¡Oh, cuántas veces se me han anegado en lágrimas al acordarme de vos! ¡Quién me dijera que os había de ver en tanta miseria! Abrazadme recio, mitad de mi alma, y dadle gracias a Dios de que esté yo aquí.

Preguntéle quién era y cómo se llamaba, porque de ninguna manera lo conocía.

—¿Cómo es eso? —me replicó— cuando no tuvisteis en vuestros primeros años mayor amigo. Para que conozcais el que todavía soy el que entonces era, sabed que corren voces que sois espía de algún corsario,[28] y noticiado de ello el gobernador de esta provincia os hará prender, y sin duda alguna os atormentará.[29] Yo por ciertos negocios en que intervengo tengo con su señoría relación estrecha,[30] y lo mismo es proponerle yo una cosa que ejecutarla. Bueno será granjearle la voluntad[31] presentándole ese negro, y para ello no sería malo el que me hagáis donación de él. Considerad que el peligro en que os veo es en extremo mucho.

—No soy tan simple —le respondí— que no reconozca ser Vd. un grande embustero y que puede dar lecciones de robar a los mayores corsarios. A quien me dé trescientos reales, le regalaré mi negro, y vaya con Dios.

No me replicó, porque llamándome de parte de los alcaldes, me quité de allí. Era D. Francisco de Zelerum no sólo alcalde sino también teniente, y como de la declaración que le hice de mis trabajos resultó saberse por toda la villa lo que dejaba en las playas. Pensando muchos el que por la necesidad casi extrema que padecía haría baratas,[32] comenzaron a

28. pirates (here, pirate company)
29. will torture you
30. Because of certain business activities in which I participate I am in close touch with his lordship
31. It would be wise, in order to win his favor
32. would sell them cheaply

prometerme dinero por que les vendiese siquiera lo que estaba en ellas, y me daban luego quinientos pesos.

Quise admitirlos,[33] y volver con algunos que me ofrecieron su compañía, así para remediar la fragata como para poner cobro [34] a lo que en ella tenía. Pero enviándome a notificar D. Ziphirino de Castro el que debajo de graves penas no saliese de la villa para las playas,[35] porque la embarcación y cuanto en ella venía pertenecía a la cruzada,[36] me quedé suspenso, y acordándome del sevillano Miguel, encogí los hombros.[37]

Súpose también cómo al encomendero de Tejozuco D. Melchor Pacheco le di un criz y un espadín mohoso [38] que conmigo traía, y de que se aficionó. Persuadidos por lo que dije del saqueo de Cicudana a que tendrían empuñadura de oro y diamantes,[39] y noticiado de que quería yo pedir justicia, y que se me oyese, al segundo día me remitieron a Mérida.

Lleváronme con la misma velocidad con que yo huía con mi fragata cuando avistaba ingleses, y sin permitirme visitar el milagroso santuario de Nuestra Señora de Ytzamal, a ocho de diciembre de 1689, dieron conmigo mis conductores en la ciudad de Mérida.

Reside en ella como gobernador y capitán general de aquella provincia D. Juan Joseph de la Bárcena, y después de haberle besado la mano yo y mis compañeros y dádole extrajudicial relación de cuanto queda dicho, me envió a las que llaman casas reales de San Cristóbal. A quince, por orden suyo, me tomó declaración de lo mismo el Sargento mayor Francisco Guerrero, a 7 de enero de 1690, Bernardo Sabido, escribano real, certificación de que después de haber salido

33. I wished to accept them (i.e. the pesos)
34. to recover, lit. to put away in a safe place
35. that there would be a severe penalty should I leave the town for the beach
36. to the tribunal, i.e. to the government
37. I shrugged my shoulders
38. a Malayan dagger and a rusty rapier
39. Convinced by what I said of the Cicudana pillage, from which they would get (as a gift) a sword hilt of gold and diamonds

perdido por aquellas costas me estuve hasta entonces en la ciudad de Mérida.

Las molestias que pasé en esta ciudad no son ponderables.[40] No hubo vecino de ella que no me hiciese relatar cuanto aquí se ha escrito, y esto no una, sino muchas veces. Para esto solían llevarme a mí y a los míos de casa en casa, pero al punto de medio día me despachaban todos.[41]

Es aquella ciudad, y generalmente toda la provincia, abundante y fértil y muy barata. Si no fué el Licenciado D. Cristóbal de Muros mi único amparo, un criado del encomendero D. Melchor Pacheco que me dió un capote[42] y el Ilmo. Sr. Obispo D. Juan Cano y Sandoval que me socorrió con dos pesos, no hubo persona alguna que viéndome a mí y a los míos casi desnudos y muertos de hambre extendiese la mano para socorrerme.

Ni comimos en las que llaman Casas Reales de San Cristóbal (son un honrado mesón en que se albergan forasteros),[43] sino lo que nos dieron los indios que cuidan de él y se redujo a tortillas de maíz y cotidianos fríjoles.[44] Porque rogándoles una vez a los indios el que mudasen manjar[45] diciendo que aquello lo daban ellos (póngase por esto en el catálogo de mis benefactores) sin esperanza de que se lo pagase quien allí nos puso, y que así me contentase con lo que gratuitamente me daban, callé mi boca.

Faltándome los fríjoles con que en las reales casas de San Cristóbal me sustentaron los indios, y fué esto en el mismo día en que dándome la certificación me dijo el escribano tenía ya libertad para poder irme donde gustase. Valiéndome del alférez Pedro Flores de Ureña, paisano mío, a quien si a correspondencia de su pundonor y honra le hubiera acudido la fortuna, fuera sin duda alguna muy poderoso,[46] pre-

40. The annoyances which I had undergone in this city are nothing to brag about.
41. they would get rid of me (so as not to have to feed me)
42. cloak
43. a decent inn which caters to strangers
44. limited to tortillas and the daily ration of beans
45. to change the victuals, i.e. to change the menu
46. who had fortune favored him, as his reliability and honor so well deserved, would had been powerful

cediendo información que di y con declaración que hizo el negro Pedro de ser mi esclavo, lo vendí en trescientos pesos. Con esto vestí a mis hombres, dándoles alguna ayuda de costa para que buscasen su vida,[47] permití (porque se habían juramentado de asistirme siempre) pusiesen la proa de su elección donde los llamase el genio.[48]

Prosiguiendo D. Ziphirino de Castro en las comenzadas diligencias para recaudar lo que estaba en las playas y a bordo, quiso abrir camino en el monte para conducir a la villa en recuas lo que a hombros de indios no era muy fácil.[49]

Opúsose al beneficiado D. Cristóbal de Muros previniendo era facilitarles a los corsantes y piratas que por allí cruzan el que robasen los pueblos de su feligresía, hallando camino andable y no defendido para venir a ellos.

Llevóme la cierta noticia que tuve de esto, a Valladolid, quise pasar a las playas a ser ocular testigo[50] de la iniquidad que contra mí y los míos hacían los que por españoles y católicos estaban obligados a ampararme y socorrerme con sus propios bienes. Llegando al pueblo de Tila con amenazas de que sería declarado por traidor al rey, no me consintió el alférez Antonio Zapata el que pasase de allí, diciendo tenía orden de D. Ziphirino de Castro.

A persuasiones, y con fomento de[51] D. Cristóbal de Muros volví a la ciudad de Mérida, y habiendo pasado la Semana Santa en el Santuario de Ytzmal llegué a aquella ciudad el miércoles después de Pascua. Lo que decretó el gobernador, a petición que le presenté, fué tenía orden del Excmo. Sr. Virrey[52] de la Nueva España para que viniese a su presencia con brevedad.[53]

No sirvieron de cosa alguna réplicas mías, y sin dejar-

47. giving them a little money besides to keep them going
48. i.e. to make their decisions according to their own ideas
49. Proceeding with his original plan of taking possession of the loot lying on the beach or on board the ship, Don Ziphirino de Castro wanted to cut a path through the forest so as to bring in (the cargo) on animals, (a chore) that would not have been easy on the backs of Indians.
50. eyewitness
51. with the support of
52. Viceroy
53. at once

me aviar[54] salí de Mérida domingo 2 de abril. Viernes 7 llegué a Campeche, jueves 13 en una balandra del Capitán Peña salí del puerto. Domingo 16 salté en tierra en Veracruz. Allí me dieron los oficiales reales veinte pesos, y saliendo de aquella ciudad a 24 del mismo mes llegué a México a 1 de abril.

El viernes siguiente besé la mano a Su Excelencia y correspondiendo sus cariños afables a su presencia augusta, compadeciéndose primero de mis trabajos y congratulándose de mi libertad con parabienes y plácemes[55] escuchó atento cuanto en la vuelta entera que he dado al mundo queda escrito, y allí sólo le insinué a Su Excelencia en compendio breve.[56]

Mandóme (o por el afecto con que lo mira o quizá porque estando enfermo divirtiese sus males con la noticia que yo le daría de los muchos míos) fuese a visitar a don Carlos de Sigüenza y Góngora, cosmógrafo y catedrático[57] de matemáticas del Rey nuestro señor en la Academia mexicana, y capellán mayor[58] del hospital Real del Amor de Dios de la ciudad de México (títulos son estos que suenan mucho y valen muy poco, y a cuyo ejercicio le empeña más la reputación que la conveniencia).[59] Compadecido de mis trabajos, no sólo formó esta Relación en que se contienen, sino que me consiguió la intercesión y súplicas que en mi presencia hizo al Excmo. Sr. Virrey, Decreto para que D. Sebastián de Guzmán y Córdoba, factor veedor y proveedor de las cajas reales[60] me socorriese, como se hizo.

Otro para que se me entretenga en la Real Armada de Barlovento hasta acomodarme,[61] y mandamiento para que el

54. without making preparations
55. celebrating my freedom with compliments and congratulations
56. although I gave His Excellency but a very brief summary
57. professor
58. First Chaplain
59. titles which sound big but which are of little value and to which he is committed more because of the fame attached to them than for practical reasons
60. a high officer in the department of finances: Overseer and Purveyor of the Royal Coffers
61. Another (order was) that the Royal Windward Fleet look after me until I get settled; and instructions to the Governor of Yucatán to have the officers who took over the stuff on the beach and on board the ship

gobernador de Yucatán haga que los ministros que cogieron lo que estaba en las playas y hallaron a bordo, a mí o a mi odatario,[62] sin réplica ni pretexto le entreguen todo.

Ayudóme para mi viaje con lo que pudo, y disponiendo bajase en Veracruz en compañía de D. Juan Enríquez Barroto, capitán de la Artillería de la Real Armada de Barlovento, mancebo excelentemente consumado en la hidrografía,[63] docto en las ciencias matemáticas y por eso íntimo amigo y huésped suyo en esta ocasión, me excusó de gastos.[64]

62. representative
63. extremely well-versed in hydrography
64. took care of all my expenses

SOR JUANA INES DE LA CRUZ

b. Nepantla, Mexico, November 12, 1651
d. Mexico City, April 17, 1695

Juana de Asbaje, better known as Sor Juana Inés de la Cruz, is unquestionably the outstanding literary figure of the Colonial period. Born in the village of Nepantla, a few miles from Mexico City, she was the scion of a poor but honorable family. Her father was a Basque; her mother, a Creole; but because of certain Colonial regulations, they never married. Gide would have claimed that this was to Juana's advantage for does not "the future belong to the bastards?" On this matter, however, authorities seem to be divided. Some dismiss the allegation lightly, claiming that bastardry was quite common at the time in New World society. Others claim that illegitimacy produced on her dire traumatic effects, resulting not only in her failure to marry and lead "a normal life" but in her hatred for men, her entering a convent, and (some add), in her erotic interest in women.

As the *Respuesta de la Poetisa a la muy ilustre Sor Filotea de la Cruz* reveals, Juana was a precocious child who wrote poetry before her eighth birthday and who in another few years learned all that Spanish civilization had to offer in the seventeenth century. Since women were not allowed at the University in Mexico City (she planned to attend classes dressed as a boy but failed), Juana was forced to amass her vast erudition from her grandfather's library. Only for Latin did she need a tutor, who, after the twentieth lesson, quit, because "he could teach her nothing more." Portuguese she picked up by herself in order to read the then popular Jesuit theologian António Vieyra, whom she later attacked full blast in her *Carta Atenagórica*.

Concerned as much by her precociousness as by her good

265

looks, Juana's parents brought her to the attention of the Viceroy himself. At Court the young girl became a veritable sensation, especially after forty professors—"authorities" in history, philosophy, science, literature, theology—were summoned to test her knowledge. The result was spectacular. Gleefully the Viceroy comments: "It was not in human judgment to believe what happened, for Juana extricated herself from her questions and objections presented as a royal galleon might defend itself against a horde of attacking canoes."

Before her sixteenth birthday Juana must have seen through all the Court's shallowness, pretense, and hypocrisy, and showed her preference for the peace and quiet of a convent cell. Of course other more complex, deeply-hidden urges might have been at work, but, at any rate, on August 14, 1667, Juana entered the Convent of San José of the Barefooted Carmelites. Conditions there she found not at all ideal. The discipline was perhaps too harsh for her liking and peace was impossible considering the early vigils, cold baths, penances and skimpy meals. In a few months she was back at the Viceroy's palace. Not for long, however, for in 1669 she entered the Convent of San Jerónimo, taking her vows on February 24 of that year "to live and die all the time and space of my life in poverty, chastity, and obedience, renouncing all earthly property, and perpetually cloistered . . ." But the Order of Saint Jerome was by no means as strict as that of the Barefooted Carmelites; in fact, the convent resembled a community center with an active cultural program, and very often Sor Juana was asked to take part in civic affairs. She wrote plays, poetry, and prose, and many of her writings are shot through with secular ideas and feelings, dangerously unorthodox in her Cartesianism and relativism. An error has persisted in textbooks and elsewhere in classifying Sor Juana as a mystic. She *did* belong to a religious environment which exerted a religious influence on her, but her intellectual curiosity and scientific restlessness removed her from mystical spheres to throw her for punishment into the iron hands of anti-intellectual Colonial leaders. Somehow Sor Juana managed to bring into her cell over four thousand volumes (the finest library in Mexico) as well as all sorts of musical instruments, scientific equipment, canvas and easels—for she painted, played several instruments, wrote a treatise on musical composition, and performed scientific experiments, something unheard of and vigorously condemned at the time. In her spare moments she wrote and produced plays, and likewise penned some of the most extraordinary lyrics in the Spanish language.

After the *Carta Atenagórica* scandal (see footnote 1 to the *Respuesta*), the authorities brutally curbed her, for Sor Juana's epoch and society were not meant for thinking and creating. It was not the Italian Renaissance: it was, indeed, an age of darkness, fiercely antagonistic to intellectuals, especially, to intellectual nuns. The authorities managed to silence her, but theirs was an ignominious victory: they had succeeded only in blotting out a great scientific mind. Sor Juana sold her fine library and donated the proceeds to beggars. She was making ready for death. When in 1695 an epidemic of the plague broke out in Mexico City, she hastened to the streets to nurse the victims. Her scientific mind told her what to expect, and the inevitable took place; she caught the infection and succumbed at the age of forty-three, extremely young in spirit and magnificently endowed with promise.

Having vowed to abstain from pen and ink, she had scratched on a parchment with her fingernail dipped in her own blood the frightful declaration: "I have been the worst woman in the world." According to the recent adroit comment of the British poet Robert Graves, "It was in no spirit of mock-humility that she described herself as the worst of women . . . She meant that, when she first took the Leucadian Leap by becoming a nun, it had not been into the sea of pure religion. Still keeping her intellectual pride, her thirst for scientific knowledge and her pleasure in profane authors, lay visitors and the minor pleasures of the flesh, she could remember what it had been to love and to write poetry . . ." Juana called herself the worst of women because she lacked the resolve either to follow her Muse to the end, or make her renunciation total and complete.

BEST EDITIONS: *Obras completas,* edited by Alfonso Méndez Plancarte, México, Fondo de Cultura Económica, 1951-1957, 4 vols.; *El sueño,* edición y prosificación de Alfonso Méndez Plancarte, México, Imprenta Universitaria, 1951.

ABOUT SOR JUANA: Ermilo Abreu Gómez: *Sor Juana Inés de la Cruz: bibliografía y biblioteca,* México, Monografías Bibliográficas Mexicanas, 1934; Anita Arroyo: *Razón y pasión de Sor Juana Inés,* México, Porrúa, 1952; Carlos Blanco Aguinaga: "Dos sonetos del siglo XVIII: amor-locura en Quevedo y Sor Juana," *Modern Language Notes* (Philadelphia), LXXVII (March 1962), 145-162; Clara Campoamor: *Sor Juana Inés de la Cruz,* Buenos Aires, Emecé, 1944; Alfredo Cardona Peña: "Lectura de Sor Juana: *El Primer Sueño,*" *Abside* (México), XV (October-December 1951), 491-499; Rosa Chacel: *Poesía de la circunstancia,* Bahía Blanca (Argentina), Universidad Nacional del Sur, 1958; Ezequiel A. Chávez: *Ensayo de psicología de Sor Juana Inés de la Cruz,* Barcelona, Araluce, 1931; José María de Cossío: "Observaciones sobre la vida y obra de Sor Juana Inés de la Cruz," *Boletín de la Real Academia Española* (Madrid), XXXII (January-April 1952), 27-48; Patricia Cox: *Sor Juana Inés de la Cruz,* México, Editorial Continental, 1958; Clementina Díaz y de Ovando: "Acerca de las redondillas de Sor Juana Inés de la Cruz," *Anales del Instituto de Investigaciones Estéticas* (México), XIII (1945), 45-54; Manuel Durán: "El drama intelectual de Sor Juana y el anti-intelectualismo hispánico," *Cuadernos Americanos* (México), XXII (July-August 1963), 238-253; Isidoro Enríquez Calleja: *Las tres celdas de Sor Juana,* México Aquelarre, 1953; Gerald Cox Flynn: "The Alleged Mysticism of Sor Juana Inés de la Cruz," *Hispanic Review* (Philadelphia), XXVIII (July 1960), 233-244; José Gaos: "El sueño de un sueño," *Historia Mexicana* (México), X (July-September 1960), 54-71; Eunice J. Gates: "Reminiscences of Góngora in the Works of Sor Juana Inés de la Cruz," *PMLA,* LIV (December 1939), 1041-1058; Paula Gómez Alonzo: "Ensayo sobre la filosofía en Sor Juana Inés de la Cruz," *Filosofía y Letras* (México), No. 60-62 (January-December 1956), 59-74; Robert Graves: "Juana Inés de la Cruz," *Encounter* (London), I (December 1933), 5-13; Juan María Gutiérrez: *Escritores coloniales americanos,* Buenos Aires, Editorial Raigal, 1957, pp. 295-343; Pedro Henríquez

Ureña: "Bibliografía de Sor Juana Inés de la Cruz," *Revue Hispanique* (París), XL (1917), 161-214, reprinted in *El Libro y el Pueblo* (México), Nos. 3, 4 and 5 (March, April, May 1934) ; Julio Jiménez Rueda: *Sor Juana Inés de la Cruz en su época*, México, Porrúa, 1951; Francisco López Cámara: "El cartesianismo en Sor Juana y Sigüenza y Góngora," *Filosofía y Letras* (México), No. 20 (July-September 1950), 107-132; Francisco López Cámara: "La conciencia criolla en Sor Juana y Sigüenza y Góngora," *Historia Mexicana* (México), VI (January-March 1957), 350-373; Jerónimo Mallo: "La vocación religiosa de Sor Juana Inés de la Cruz," *Symposium* (Syracuse), III (November 1949), 238-244; Gabriela Mistral: "Silueta de Sor Juana Inés de la Cruz," *Abside* (México), XV (October-December 1951), 501-506; Gerardo Moldenhauer: "Observaciones críticas para una edición definitiva del *Sueño* de Sor Juana Inés de la Cruz," *Boletín de Filología* (Santiago de Chile), VIII (1954-1955), 293-306; Patricia Morgan: "Sor Juana Inés de la Cruz," *Atenea* (Concepción), XXXIII (March-April 1956), 256-288; Tomás Navarro: "Los versos de Sor Juana," *Romanic Philology*, VII (August 1953), 44-50; Armén Ohanian: "La tragedia social de Juana de Asbaje," in his *Clásicos mexicanos,* México, privately printed, 1939, pp. 31-75; Octavio Paz: "Sor Juana," *Sur* (Buenos Aires), No. 206 (December 1951), 27-40; Ludwing Pfandl: *Sor Juana Inés de la Cruz: La Décima Musa de México*, México, Instituto de investigaciones Estéticas, 1963; Robert Ricard: *Une Poétese Mexicaine du XVII e Siécle: Sor Juana de la Cruz)*, Paris, 1964; José Rojas Garcidueñas: "Sor Juana Inés de la Cruz," *Universidad Nacional de Nuevo León* (Monterrey), No. 14-15 (April 1957), 57-71; José Rojas Garcidueñas: "Una importante contribución de Robert Ricard al estudio de Sor Juana Inés de la Cruz," *Anales del Instituto de Investigaciones Estéticas,* (México), VIII (1963), 103-116; Alfonso Rubio: "Sor Juana en nuestra vida literaria," *Primeras Jornadas de Lengua y Literatura Hispanoamericanas*, Universidad de Salamanca (Spain), I (1956), 145-158; Rubén Salazar Mallén: *Apuntes para una biografía de Sor Juana Inés*, México, Stylo, 1952; Pedro Salinas: "En busca de Juana de Asbaje," *Memoria del Segundo Congreso Internacional de Catedráticos de Literatura Iberoamericana (Los Angeles, California)*, University of California Press, 1941, pp. 173-191; Alicia Sarre: "Gongorismo y conceptismo en la poesía lírica de Sor

Juana," *Revista Iberoamericana*, XVII (February-July 1951), 33-52; Agustín del Saz: *Sor Juana Inés de la Cruz*, Barcelona, Industrias Gráficas, 1954; Arturo Torres Rioseco: "Sor Juana Inés de la Cruz," *Revista Iberoamericana*, XII (February 1947), 13-38; Karl Vossler: "La décima musa de México," *Logos* (Buenos Aires), 1942, No. 2, pp. 290-313, another translation in *Investigaciones Lingüísticas* (México), III (1935), 58-72; Elizabeth Wallace: *Sor Juana Inés de la Cruz, poetisa de corte y convento*, México, Xochitl, 1944.

RESPUESTA DE LA POETISA A LA MUY ILUSTRE SOR FILOTEA DE LA CRUZ [1]

Desde que me rayó la primera luz de la razón,[2] fue tan vehemente y poderosa la inclinación a las letras, que ni ajenas represiones [3] —que he tenido muchas—, ni propias reflejas [4] —que he hecho no pocas—, han bastado a que deje de seguir este natural impulso que Dios puso en mí: Su Majestad sabe por qué y para qué; y sabe que le he pedido que apague la luz de mi entendimiento [5] dejando sólo lo que baste para guardar su Ley, pues lo demás sobra, según al-

1. Ordered by one of her superiors to refute a sermon by the famed Portuguese Jesuit Antonio Vieyra, Sor Juana did such a thorough job of demolition that the Bishop of Puebla printed her remarks, without her knowledge, under the title **Carta Atenagórica**. Signing himself "Sor Filotea de la Cruz," the Bishop wrote on November 25, 1690 to Sor Juana and enclosed a copy of her recently published **Carta Atenagórica**, with his congratulations. At the same time, he ordered her to stop frittering away her days with poetry and such mundane matters: "You have wasted a great deal of time in the study of philosophy and poets —now you should give up books and devote yourself to perfecting yourself." Incensed by this criticism, Sor Juana replied on March 1, 1691, with eloquent courage, and this, her **Respuesta de la Poetisa a la muy ilustre Sor Filotea de la Cruz**, from which some excerpts are here included, fully justifies her life. Sor Juana's words mirror the development of her genius: her inner conflict of reason vs. faith her thirst for knowledge, her literary vocation, her concern for women's rights, her intense pathos in the face of man's predicament. The Bishop's letter amounted to a death sentence: to tell Sor Juana to stop reading, writing and studying was equivalent to telling her to stop breathing. The complete text of **Carta Atenagórica** is included in **Obras Completas**, México: Fondo de Cultura Económica, 1951-1957, 4 vols., Vol. IV, pp. 412-439; and a translation may be found in Fanchon Foyer: **The Tenth Muse**, Paterson, N. J.: St. Anthony Guild Press, 1952, pp. 86-120. For the **Respuesta** in full, see **Obras Completas**, Vol. IV, pp. 440-475.
2. from the time when the first light of reason dawned on me
3. reproaches of others
4. my own reflections
5. to put out the light of my understanding —i.e. of secular learning— so that she may devote herself wholeheartedly and completely to religion

gunos, en una mujer; y aun hay quien diga que daña.⁶ Sabe también Su Majestad que no consiguiendo esto, he intentado sepultar con mi nombre mi entendimiento, y sacrificárselo sólo a quien me lo dio; y que no otro motivo que entró en religión, no obstante que al desembarazo y quietud que pedía mi estudiosa intención eran repugnantes los ejercicios y compañía de una comunidad;⁷ y después, en ella, sabe el Señor, y lo sabe en el mundo quien sólo lo debió saber,⁸ lo que intenté en orden a esconder mi nombre, y que no me lo permitió, diciendo que era tentación; y sí sería. Si yo pudiera pagaros algo de lo que os debo, Señora mía, creo que sólo os pagara contaros esto, pues no ha salido de mi boca jamás, excepto para quien debió salir. Pero quiero que con haberos franqueado de par en par las puertas de mi corazón, haciéndoos patentes sus más sellados secretos, conozcáis que no desdice de mi confianza lo que debo a vuestra venerable persona y excesivos favores.⁹

Prosiguiendo en la narración de mi inclinación, de que os quiero dar entera noticia, digo que no había cumplido los tres años de mi edad cuando enviando mi madre a una hermana mía, mayor que yo, a que se enseñase a leer en una de las que llaman Amigas,¹⁰ me llevó a mí tras ella el cariño y la travesura;¹¹ y viendo que le daban lección, me encendí yo de manera en el deseo de saber leer,¹² que engañando, a mi parecer, a la maestra, le dije que mi madre ordenaba me diese lección. Ella no lo creyó, porque no era creíble; pero, por complacer al donaire,¹³ me la dio. Proseguí yo en ir y

---

6. the rest is more than enough (according to some) in a woman, and there are some who say it is injurious
7. notwithstanding that with the freedom and quietude which my studious intent required, the exercises and company of a community were repugnant
8. the only one who has the right to know, i.e. her confessor
9. in flinging open the doors of my heart to you and revealing its innermost secrets, I want you to realize that what I owe your venerable person and great favors is not unworthy of my confidence
10. schools for young girls
11. affection and mischievousness made me follow her
12. so burned with a desire to know how to read
13. to humor me (lit. to pay me for my pertness ⌈charm⌉)

ella prosiguió en enseñarme, ya no de burlas, porque la desengañó la experiencia;[14] y supe leer en tan breve tiempo, que ya sabía cuando lo supo mi madre, a quien la maestra lo ocultó por darle el gusto por entero y recibir el galardón[15] por junto; y yo lo callé, creyendo que me azotarían por haberlo hecho sin orden. Aún vive la que me enseñó (Dios la guarde), y puede testificarlo.

Acuérdome que en estos tiempos, siendo mi golosina la que es ordinaria en aquella edad, me abstenía de comer queso,[16] porque oí decir que hacía rudos,[17] y podía conmigo más el deseo de saber que el de comer, siendo éste tan poderoso en los niños. Teniendo yo después como seis o siete años, y sabiendo ya leer y escribir, con todas las otras habilidades de labores y costuras que deprenden las mujeres,[18] oí decir que había Universidad y Escuelas en que se estudiaban las ciencias, en Méjico; y apenas lo oí cuando empecé a matar a mi madre con instantes e importunos ruegos[19] sobre que, mudándome el traje,[20] me enviase a Méjico, en casa de unos deudos que tenía, para estudiar y cursar la Universidad; ella no lo quiso hacer, e hizo muy bien, pero yo despiqué[21] el deseo en leer muchos libros varios que tenía mi abuelo, sin que bastasen castigos ni reprensiones a estorbarlo; de manera que cuando vine a Méjico, se admiraban, no tanto del ingenio, cuanto de la memoria y noticias que tenía en edad que parecía que apenas había tenido tiempo para aprender a hablar.

Empecé a desprender gramática,[22] en que creo no llegaron a veinte las lecciones que tomé; y era tan intenso mi cui-

14. no longer as a jest, for experience undeceived her
15. reward
16. my appetite for dainties being the usual one at that age, I abstained from eating cheese
17. made one stupid
18. with all the other needlework and sewing skills that pertain to women
19. I began to harass my mother with my urgent and importunate requests
20. changing my manner of dress, i.e. dressing me in boy's clothes
21. satisfied
22. i.e. Latin

dado, que siendo así que en las mujeres[23] —y más en tan florida juventud— es tan apreciable el adorno natural del cabello, yo me cortaba de él cuatro o seis dedos, midiendo hasta dónde llegaba antes, e imponiéndome ley de que si cuando volviese a crecer hasta allí no sabía tal o tal cosa que me había propuesto deprender en tanto que crecía, me lo había de volver a cortar en pena de la rudeza.[24] Sucedía así que él crecía y yo no sabía lo propuesto, porque el pelo crecía aprisa y yo aprendía despacio, y con efecto lo cortaba en pena de la rudeza: que no me parecía razón que estuviese vestida de cabellos cabeza que estaba tan desnuda de noticias, que era más apetecible adorno. Entréme religiosa, porque aunque conocía que tenía el estado cosas (de las accesorias hablo, no de las formales), muchas repugnantes a mi genio,[25] con todo, para la total negociación que tenía al matrimonio, era lo menos desproporcionado y lo más decente que podía elegir[26] en materia de la seguridad que deseaba de mi salvación; a cuyo primer respeto (como al fin más importante) cedieron y sujetaron la cerviz todas las impertinencillas de mi genio, que eran de querer vivir sola,[27] de no querer tener ocupación obligatoria que embarazase la libertad de mi estudio, ni rumor de comunidad que impidiese el sosegado silencio de mis libros.[28] Esto me hizo vacilar algo en la determinación, hasta que alumbrándome personas doctas[29] de que era tentación, la vencí con el favor divino, y tomé el estado que tan indignamente tengo.[30] Pensé yo que huía de mí misma, pero ¡miserable de mí! trájeme a mí conmigo y traje mi mayor

23. that since among women
24. as punishment for stupidity
25. many things at odds with my temperament (I speak of accessories, not of forms)
26. with my complete denial of marriage, it was the least outlandish and the most decent thing I could choose
27. And I curbed all the little whims of my spirit, which added up to the wish to live alone
28. nor communal noise to disrupt the peaceful silence of my books
29. learned persons enlightening me
30. took this estate (i.e. of a nun) which I hold so unworthily

enemigo en esta inclinación, que no sé determinar si por prenda o castigo me dio el Cielo.[31]

Volví (mal dije, pues nunca cesé); proseguí, digo, a la estudiosa tarea (que para mí era descanso en todos los ratos que sobraban a mi obligación) de leer y más leer, de estudiar, sin más maestro que los mismos libros. Ya se ve cuán duro es estudiar en aquellos caracteres sin alma, careciendo de la voz viva y explicación del maestro; pues todo este trabajo sufría yo muy gustosa por amor de las letras. ¡Oh, si hubiese sido por amor de Dios, que era lo acertado, cuánto hubiera merecido!

* * *

Solía sucederme que, como entre otros beneficios, debo a Dios un natural tan blando y tan afable[1] y las religiosas me aman mucho por él (sin reparar, como buenas, en mis faltas) y con esto gustan mucho de mi compañía, conociendo esto y movida del grande amor que las tengo, con mayor motivo que ellas a mí, gusto más de la suya: así, me solía ir los ratos que a unas y a otras nos sobraban, a consolarlas y recrearme con su conversación. Reparé que en este tiempo hacía falta a mi estudio, y hacía voto de no entrar en celda alguna si no me obligase a ello la obediencia o la caridad: porque, sin este freno tan duro, al de sólo propósito lo rompiera el amor; y este voto (conociendo mi fragilidad) lo hacía por un mes o por quince días; y dando cuando se cumplía, un día o dos de treguas,[2] lo volvía a renovar, sirviendo este día, no tanto a mi descanso (pues nunca lo ha sido para mí el no estudiar) cuanto a que no me tuviesen por áspera, retirada e ingrata al no merecido cariño de mis carísimas hermanas.

Bien se deja en esto conocer cuál es la fuerza de mi in-

---

31. which I cannot determine whether heaven gave me as endowment or punishment

1. bland and affable (sweet and kind) disposition
2. a let-up or truce of one or two days duration

clinación. Bendito sea Dios que quiso fuese hacia las letras y no hacia otro vicio, que fuera en mí casi insuperable; y bien se infiere también cuán contra la corriente han navegado (o por mejor decir, han naufragado) mis pobres estudios.[3] Pues aún falta por referir lo más arduo de las dificultades; que las de hasta aquí sólo han sido estorbos obligatorios y casuales,[4] que indirectamente lo son; y faltan los positivos que directamente han tirado a estorbar y prohibir el ejercicio. ¿Quién no creerá, viendo tan generales aplausos, que he navegado viento en popa? Pues Dios sabe que no ha sido muy así, porque entre las flores de esas aclamaciones se han levantado y despertado tales áspides[5] de emulaciones y persecuciones, cuantas no podré contar, y los que más nocivos y sensibles para mí han sido, no son aquéllos que con declarado odio y malevolencia me han perseguido, sino los que amándome y deseando mi bien (y por ventura, mereciendo mucho con Dios por la buena inteción), me han mortificado y atormentado más que los otros, con aquel: *No conviene a la santa ignorancia que deben, este estudio; se ha de perder, se ha de desvanecer en tanta altura con su misma perspicacia y agudeza.* ¿Qué me habrá costado resistir esto? ¡Rara especie de martirio donde yo era el mártir y me era el verdugo![6]

Pues por la —en mí dos veces infeliz— habilidad de hacer versos, aunque fuesen sagrados, ¿qué pesadumbres me han dado o cuáles no ·me han dejado de dar? Cierto, señora mía, que algunas veces me pongo a considerar que el que señala —o le señala Dios,[7] que es quien sólo lo puede hacer— es recibido como enemigo común, porque parece a algunos que usurpa los aplausos que ellos merecen o que hace estanque[8] de las admiraciones a que aspiraban, y así le persiguen.

3. it can be readily deduced how much (**cuán - cuánto**) my poor studies had sailed (or, rather, come crashing)
4. compulsory or casual hindrances
5. asps (snakes, vipers)
6. I was the martyr and my own tormentor
7. who makes himself famous or God chooses
8. stores up, monopolizes

Aquella ley políticamente bárbara de Atenas,[9] por la cual salía desterrado de su república el que se señalaba en prendas y virtudes porque no tiranizase con ellas la libertad pública, todavía dura, todavía se observa en nuestros tiempos, aunque no hay ya aquel motivo de los atenienses;[10] pero hay otro, no menos eficaz aunque no tan bien fundado, pues parece máxima del impío Maquiavelo:[11] que es aborrecer al que se señala porque desluce a otros.[12] Así sucedió siempre.

* * *

Yo confieso que me hallo muy distante de los términos de la sabiduría,[1] y que la he deseado seguir, aunque *a longe.*[2] Pero todo ha sido acercarme más al fuego de la persecución, al crisol[3] del tormento; y ha sido con tal extremo que han llegado a solicitarme que se me prohiba el estudio.

Una vez lo consiguieron con una prelada[4] muy santa y muy cándida que creyó que el estudio era cosa de Inquisición y me mandó que no estudiase. Yo la obedecí (unos tres meses que duró el poder ella mandar) en cuanto a no tomar libro, que en cuanto a no estudiar absolutamente, como no cae debajo de mi potestad, no lo pude hacer, porque aunque no estudiaba en los libros, estudiaba en todas las cosas que Dios crió, sirviéndome ellas de letras, y de libro toda esta máquina universal. Nada veía sin refleja;[5] nada oía sin consideración, aun en las cosas más menudas y materiales; porque como no hay criatura, por baja que sea, en que no se

---

9. i.e. ostracism
10. Athenians
11. impious (Niccolo) Machiavelli (1469-1527), Florentine statesman and political writer, author of The Prince
12. to hate a distinguished person because he dulls the lustre of others (i.e. because he outshines average men)

1. I confess to be far from attaining knowledge
2. from afar
3. crucible
4. prelatess, i.e. a nun of superior rank and authority: an abbess or Mother Superior
5. without pondering about it

conozca el *me fecit Deus*,[6] no hay alguna que no pasme el entendimiento, si se considera como se debe.[7] Así yo, vuelvo a decir, las miraba y admiraba todas; de tal manera que de las mismas personas con quienes hablaba, y de lo que me decían, me estaban resaltando mil consideraciones: ¿De dónde emanaría aquella variedad de genios e ingenios, siendo todos de una especie? ¿Cuáles serían los temperamentos y ocultas cualidades que lo ocasionaban? Si veía una figura, estaba combinando la proporción de sus líneas y mediándola[8] con el entendimiento y reduciéndola a otras diferentes. Paseábame algunas veces en el testero[9] de un dormitorio nuestro (que es una pieza muy capaz) y estaba observando que siendo las líneas de sus dos lados paralelas y su techo a nivel, la vista fingía que sus líneas se inclinaban una a otra y que su techo estaba más bajo en lo distante que en lo próximo: de donde infería que las líneas visuales corren rectas, pero no paralelas, sino que van a formar una figura piramidal. Y discurría si sería ésta la razón que obligó a los antiguos a dudar si el mundo era esférico o no. Porque, aunque lo parece, podía ser engaño de la vista, demostrando concavidades donde pudiera no haberlas.

Este modo de reparos[10] en todo me sucedía y sucede siempre, sin tener yo arbitrio en ello, que antes me suelo enfadar porque me cansa la cabeza; y yo creía que a todos sucedía esto mismo y el hacer versos, hasta que la experiencia me ha mostrado lo contrario; y es de tal manera esta naturaleza o costumbre, que nada veo sin segunda consideración. Estaban en mi presencia dos niñas jugando con un trompo,[11] y apenas yo vi el movimiento y la figura, cuando empecé, con esta mi locura, a considerar el fácil moto[12] de la forma esférica, y cómo duraba el impulso ya impreso e

6. God made me
7. all living creatures are capable of impressing us if we observe them properly
8. appraising it
9. front lobby
10. this way of observing things
11. spinning top
12. movement

independiente de su causa, pues distante la mano de la niña, que era la causa motiva, bailaba el trompillo; y no contenta con esto, hice traer harina y cernerla[13] para que, en bailando el trompo encima, se conociese si eran círculos perfectos o no los que escribía con su movimiento; y hallé que no eran sino unas líneas espirales que iban perdiendo lo circular cuanto se iba remitiendo el impulso.[14] Jugaban otras a los alfileres[15] (que es el más frívolo juego que usa la puerilidad); yo me llegaba a contemplar las figuras que formaban; y viendo que acaso se pusieron tres en triángulo, me ponía a enlazar uno en otro, acordándome de que aquélla era la figura que dicen tenía el misterioso anillo de Salomón,[16] en que había unas lejanas luces y representaciones de la Santísima Trinidad, en virtud de lo cual obraba tantos prodigios y maravillas; y la misma que dicen tuvo el arpa de David,[17] y que por eso sanaba Saúl a su sonido; y casi la misma conservan las arpas en nuestros tiempos.

Pues ¿qué os pudiera contar, Señora, de los secretos naturales que he descubierto estando guisando?[18] Veo que un huevo se une y fríe en la manteca o aceite[19] y, por contrario, se despedaza en el almíbar;[20] ver que para que el azúcar se conserve fluida basta echarle una muy mínima parte de agua en que haya estado membrillo u otra fruta agria;[21] ver que la yema y clara de un mismo huevo[22] son tan contrarias, que en los unos, que sirven para el azúcar, sirve cada una de por sí y juntos no. Por no cansaros con tales frialdades, que sólo refiero por daros entera noticia de mi natural y creo que os causará risa; pero, señora, ¿qué podemos saber las mujeres sino filosofías de cocina? Bien dijo Luper-

---

13. I had flour brought in and sifted it
14. as it slowed down, as it stopped sipinning
15. pins
16. Solomon's ring
17. David's harp
18. while cooking
19. fried in lard or oil
20. breaks up, disintegrates (when you fry it) in syrup
21. quince or some other sour fruit
22. the yolk and white of the same egg

cio Leonardo,[23] que bien se puede filosofar y aderezar la cena.[24] Y yo suelo decir viendo estas cosillas: Si Aristóteles[25] hubiera guisado, mucho más hubiera escrito. Y prosiguiendo en mi modo de cogitaciones,[26] digo que esto es tan continuo en mí, que no necesito de libros; y en una ocasión que, por un grave accidente de estómago, me prohibieron los médicos el estudio, pasé así algunos días, y luego les propuse que era menos dañoso el concedérmelos, porque eran tan fuertes y vehementes mis cogitaciones, que consumían más espíritus en un cuarto de hora que el estudio de los libros en cuatro días; y así se redujeron a concederme que leyese; y más, Señora mía, que ni aun el sueño se libró de este continuo movimiento de mi imaginativa;[27] antes suele obrar en él más libre y desembarazada,[28] confiriendo con mayor claridad y sosiego las especies[29] que ha conservado del día, arguyendo, haciendo versos, de que os pudiera hacer un catálogo muy grande, y de algunas razones y delgadezas que he alcanzado dormida mejor que despierta, y las dejo por no cansaros, pues basta lo dicho para que vuestra discreción y trascendencia penetre y se entere perfectamente en todo mi natural y del principio, medios y estado de mis estudios.

Si éstos, Señora, fueran méritos (como los veo por tales celebrar en los hombres), no lo hubieran sido en mí, porque obro necesariamente. Si son culpa, por la misma razón creo que no la he tenido; mas. con todo, vivo siempre tan desconfiada de mí, que ni en esto ni en otra cosa me fío de mi juicio: y así remito la decisión a ese soberano talento, sometiéndome luego a lo que sentenciare, sin contradicción ni re-

23. It was the Spanish poet Bartolomé Leonardo de Argensola (1562-1631) who said this in his "Sátira No. 1" and not his brother Lupercio Leonardo de Argensola (1559-1613), who was equally distinguished as a poet
24. to prepare supper
25. Aristotle (B. C. 384-322), the Greek philosopher
26. cogitations, i.e. profound thinking
27. the constant stirrings of my imagination
28. easy, i.e. unrestrained, unencumbered
29. sorts of things (ideas, images)

pugnancia, pues esto no ha sido más de una simple narración de mi inclinación a las letras.[30]

* * *

¡Oh cuántos daños se excusaran en nuestra república si las ancianas fueran doctas como Leta,[1] y que supieran enseñar como manda San Pablo y mi Padre San Jerónimo¡ Y no que por defecto de esto y la suma flojedad[2] en que han dado en dejar a las pobres mujeres, si algunos padres desean doctrinar más de lo ordinario a sus hijas, les fuerza la necesidad y falta de ancianas sabias, a llevar maestros hombres a enseñar a leer, escribir y contar, a tocar y otras habilidades, de que no pocos daños resultan, como se experimentan cada día en lastimosos ejemplos de desiguales consorcios,[3] porque con la inmediación del trato y la comunicación del tiempo, suele hacerse fácil lo que no se pensó ser posible. Por lo cual, muchos quieren más dejar bárbaras e incultas a sus hijas que no exponerlas a tan notorio peligro como la familiaridad con los hombres, lo cual se excusara si hubiera ancianas doctas, como quiere San Pablo, y de unas en otras fuese sucediendo el magisterio como sucede en el de hacer labores y lo demás que es costumbre.

Porque ¿qué inconveniente tiene que una mujer anciana, docta en letras y de santa conversación y costumbres, tuviese a su cargo la educación de las doncellas? Y no que éstas o se pierden por falta de doctrina o por querérsela aplicar por tan peligrosos medios cuales son los maestros hombres, que cuando no hubiera más riesgo que la indecencia de sentarse al lado de una mujer verecunda[4] (que aun se sonrosea[5] de que la mire a la cara su propio padre) un hombre tan ex-

---

30. my literary inclinations
1. as learned as Leta (one of Saint Jerome's favorite pupils)
2. because from lack of this and the extreme negligence
3. regrettable examples of unequal (i.e. ill-matched, irregular) marriages
4. shy, bashful
5. blushes

traño, a tratarla con casera familiaridad y a tratarla con magistral llaneza, el pudor del trato con los hombres y de su conversación basta para que no se permitiese. Y no hallo yo que este modo de enseñar de hombres a mujeres pueda ser sin peligro, si no es en el severo tribunal de un confesionario o en la distante docencia[6] de los púlpitos o en el remoto conocimiento de los libros, pero no en el manoseo de la inmediación.[7] Y todos conocen que esto es verdad; y con todo, se permite por el efecto de no haber ancianas sabias; luego es grande daño el no haberlas.

* * *

Lo que sólo he deseado es estudiar para ignorar menos: que, según San Agustín,[1] unas cosas se aprenden para hacer y otras sólo para saber: *Discimus quaedam, ut sciamus; quaedam, ut faciamus.*[2] Pues ¿en qué ha estado el delito, si aun lo que es lícito a las mujeres, que es enseñar escribiendo, no hago yo porque conozco que no tengo caudal para ello, siguiendo el consejo de Quintiliano:[3] *Noscat quisque, et non tantum ex alienis praeceptis, sed ex natura sua capiat consilium?*[4]

Si el crimen está en la *Carta Atenagórica*, ¿fue aquélla más que referir sencillamente mi sentir con todas las venias[5] que debo a nuestra Santa Madre Iglesia? Pues si ella, con su santísima autoridad, no me lo prohibe, ¿por qué me lo han de prohibir otros? ¿Llevar una opinión contraria de Vieyra fue en mí atrevimiento,[6] y no lo fue en su Paternidad lle-

6. teaching
7. familiarity (i.e fondling, caressing) brought about by proximity (of man and woman)

1. Saint Augustine, Bishop of Hippo (354-430), theologian and philosopher, known for his **Confessions** and **The City of God**
2. We learn certain things just for the sake of learning; others, for the sake of doing (i.e. for putting them into practice)
3. Quintilian (35-100), Roman rhetorician and critic, born in Spain
4. Let people learn not just from other persons' precepts (experiences) but from their own, too
5. indebtedness, bows
6. a rash act, an impudence

varla contra los tres Santos Padres de la Iglesia?[7] Mi entendimiento tal cual ¿no es tan libre como el suyo, pues viene de un solar? ¿Es alguno de los principios de la Santa Fe, revelados, su opinión, para que la hayamos de creer a ojos cerrados? Demás que yo ni falté al decoro que a tanto varón se debe, como acá ha faltado su defensor, olvidado de la sentencia de Tito Lucio: *Artes committatur decor;*[8] ni toqué a la Sagrada Compañía en el pelo de la ropa;[9] ni escribí más que para el juicio de quien me lo insinuó. Que si creyera se había de publicar, no fuera con tanto desaliño [10] como fue. Si es, como dice el censor, herética, ¿por qué no la delata? y con eso él quedará vengado y yo contenta, que aprecio, como debo, más el nombre de católica y de obediente hija de mi Santa Madre Iglesia, que todos los aplausos de docta. Si está bárbara —que en eso dice bien—, ríase, aunque sea con la risa que dicen del conejo,[11] que yo no le digo que me aplauda, pues como yo fui libre para disentir de Vieyra, lo será cualquiera para disentir de mi dictamen.[12]

* * *

Pues si vuelvo los ojos a la tan perseguida habilidad de hacer versos, que en mí es tan natural, que aun me violento para que esta carta no lo sean. Viéndola condenar a tantos tanto y acriminar, he buscado muy de propósito cuál sea el daño que puedan tener, y no le he hallado; antes sí los veo aplaudidos en las bocas de las Sibilas;[1] santificados en las plumas de los Profetas,[2] especialmente del Rey David.

7. was he not rash, in turn, to stand against the three Holy Fathers of the Church?
8. The arts are accompanied by decorum.
9. nor did I mean to embarrass the Society of Jesus (to which Vieyra belonged)
10. so carelessly, so slovenly
11. rabbit
12. opinion

1. approved by the Sibyls (the ten prophetesses of the ancient world, the most famous of which was the Cumaean, consulted by Aeneas.
2. praised in the writings (plumas - pens) of the Prophets

Los más de los libros sagrados ³ están en metro, como el Cántico de Moisés; y los de Job, dice San Isidro, en sus Etimologías, que están en verso heróico. En los Epitalamios los escribió Salomón; en los Trenos, Jeremías.

(Sor Juana goes on mentioning martyrs, saints, dignitaries and Fathers of the Church who wrote hymns and lyrics. She adds that the Church never scorned poetry but, on the contrary, used it in most of its functions. Therefore, what harm can there be in the writing of verses?)

* * *

¿Cuál es el daño que pueden tener ellos en sí? Porque el mal uso no es culpa del arte, sino del mal profesor que los vicia,¹ haciendo de ellos lazos del demonio; y esto en todas las facultades y ciencias sucede.

Pues si está el mal en que los use una mujer, ya se ve cuántas los han usado loablemente;² pues ¿en qué está el serlo yo? Confieso desde luego mi ruindad y vileza; pero no juzgo que se habrá visto una copla mía indecente.³ Demás, que yo nunca he escrito cosa alguna por mi voluntad, sino por ruegos y preceptos ajenos; de tal manera, que no me acuerdo haber escrito por mi gusto si no es un papelillo que llaman *El Sueño*.⁴ Esa carta que vos, Señora mía, honrasteis tanto, la escribí con más repugnancia que otra cosa; y así porque era de cosas sagradas a quienes (como he dicho) tengo reverente temor, como porque parecía querer impugnar,⁵ co-

---

3. most of the Holy Scriptures are in verse: the Canticle, the Book of Job, The Song of Songs (Epitalamios), Jeremiah's Lamentation (Trenos)

1. vitiates them (weaving them into a Devil's snare)
2. in a praiseworthy manner
3. but no one ever saw an obscene poem (written by me)
4. Sor Juana implies that the one poem she wrote for pleasure and quite of her own volition was the baroque **The Dream**, which is so very beautiful and so very difficult.
5. to refute, to impugn

sa a que tengo aversión natural. Y creo que si pudiera haber prevenido el dichoso destino a que nacía —pues, como a otro Moisés, la arrojé expósita[6] a las aguas del Nilo del silencio, donde la halló y acarició una princesa como vos—; creo, vuelvo a decir, que si yo tal pensara, la ahogara antes entre las mismas manos en que nacía, de miedo de que apareciesen a la luz de vuestro saber los torpes borrones[7] de mi ignorancia. De donde se conoce la grandeza de vuestra bondad, pues está aplaudiendo vuestra voluntad lo que precisamente ha de estar repugnando vuestro clarísimo entendimiento. Pero ya que su ventura la arrojó a vuestras puertas, tan expósita y huérfana que hasta el nombre le pusisteis vos, pésame que, entre más deformidades llevase también los defectos de la prisa; porque así por la poca salud que continuamente tengo, como por la sobra de ocupaciones en que me pone la obediencia, y carecer de quien me ayude a escribir, y estar necesitada a que todo sea de mi mano y porque, como iba contra mi genio y no quería más que cumplir con la palabra a quien no podía desobedecer, no veía la hora de acabar; y así dejé de poner discursos enteros y muchas pruebas[8] que se me ofrecían, y las dejé por no escribir más; que, a saber que se había de imprimir, no las hubiera dejado, siquiera por dejar satisfechas algunas objeciones que se han excitado,[9] y pudiera remitir, pero no seré tan desatenta que ponga tan indecentes objetos a la pureza de vuestros ojos, pues basta que los ofenda con mis ignorancias, sin que los remita a ajenos atrevimientos. Si ellos por sí volaren por allá (que son tan livianos que sí harán), me ordenaréis lo que debo hacer.

* * *

Yo de mí puedo asegurar que las calumnias algunas veces me han mortificado, pero nunca me han hecho daño, porque

6. exposed (applied to a child abandoned —the connection here is with the story of Moses)
7. lit. blot of ink on paper (here, unworthy scrawl or scribbling)
8. I left out many reasons (favoring my thesis) and many proofs
9. rebuttals that have emerged

yo tengo por muy necio al que teniendo ocasión de merecer, pasa el trabajo y pierde el mérito, que es como los que no quieren conformarse al morir y al fin mueren sin servir su resistencia de excusar la muerte, sino de quitarles el mérito de la conformidad, y de hacer mala muerte la muerte que podía ser bien. Y así, Señora mía, estas cosas creo que aprovechan más que dañan[1], y tengo por mayor el riesgo de los aplausos en la flaqueza humana, que suelen apropiarse lo que no es suyo, y es menester estar con mucho cuidado y tener escritas en el corazón aquellas palabras del Apóstol: *Quid autem habes quod non accepisti? Si autem accepisti, quid gloriaris quasi non acceperis?*,[2] para que sirvan de escudo que resista las puntas de las alabanzas, que son lanzas que, en no atribuyéndose a Dios, cuyas son, nos quitan la vida y nos hacen ser ladrones de la honra de Dios y usurpadores de los talentos que nos entregó y de los dones que nos prestó y de que hemos de dar estrechísima cuenta. Y así, Señora, yo temo más esto que aquello; porque aquello, con sólo un acto sencillo de paciencia, está convertido en provecho; y esto, son menester muchos actos reflexos[3] de humildad y propio conocimiento para que no sea daño. Y así, de mí lo conozco y reconozco que es especial favor de Dios el conocerlo, para saberme portar en uno y en otro con aquella sentencia de San Agustín: *Amico laudanti credendum non est, sicut nec inimico detrahenti.*[4] Aunque yo soy tal que las más veces lo debo de echar a perder o mezclarlo con tales defectos e imperfecciones, que vicio lo que de suyo fuera bueno. Y así, en lo poco que se ha impreso mío, no sólo mi nombre, pero ni el consentimiento para la impresión ha sido dictamen propio, sino libertad ajena que no cae debajo de mi dominio, como lo fue la impresión de la *Carta Atenagórica.*

---

1. do more good than harm
2. "What have you got that was not given to you? And if anything has been given to you, why boast of it as if it were something you had achieved yourself?" I Corinthians IV: 7.
3. many acts of reflection (i.e. much thinking) is needed
4. "Believe neither the friend who praises you nor the enemy who censures you."

ESTE AMOROSO TORMENTO[1]

Este amoroso tormento
que en mi corazón se ve,
sé que lo siento, y no sé
la causa porque lo siento.

Siento una grave agonía
por lograr un devaneo,
que empieza como deseo
y para en melancolía.[2]

Y cuando con más terneza
mi infeliz estado lloro,
sé que estoy triste e ignoro
la causa de mi tristeza.

Siento un anhelo tirano[3]
por la ocasión a que aspiro,
y cuando cerca la miro
yo misma aparto la mano.

Porque, si acaso se ofrece,
después de tanto desvelo,
la desazona el recelo
o el susto la desvanece.[4]

1. Love causes irrational emotions. Sor Juana loves, but knows
not why, and her longing leads to melancholy. When what she
desires seems imminent, fear makes her reject it. It is love
itself, perhaps, that obliges her to be disdainful, for she finds
herself refusing small favors to the one she would give her life
for. She may say anything against her love, but despises anyone who agrees with her. Anyone who has ever loved, she
writes, will understand her dilemma. The **redondilla form** used
here is a lyric composed of an unspecified number of stanzas,
each consisting of four octosyllabic consonant verses, rhyming
a b b a.
2. I feel a deep yearning (lit. I agonize) to fulfil a mad desire that
stems from longing and turns to melancholy
3. I fiercely crave, I feel a compulsive yearning
4. mistrust spoils its flavor and fear dispels it

Y si alguna vez sin susto
consigo tal posesión,
cualquiera leve ocasión
me malogra todo el gusto.[5]

Siento mal del mismo bien
con receloso temor,[6]
y me obliga el mismo amor
tal vez a mostrar desdén.

Con poca causa ofendida,
suelo, en mitad de mi amor,
negar un leve favor
a quien le diera la vida.[7]

Ya sufrida, ya irritada,
con contrarias penas lucho:[8]
que por él sufriré mucho,
y con él sufriré nada.

No sé en qué lógica cabe
el que tal cuestión se pruebe:
que por él lo grave es leve,
y con él lo leve es grave.

Sin bastantes fundamentos
forman mis tristes cuidados,
de conceptos engañados,
un monte de sentimientos;

y en aquel fiero conjunto
hallo, cuando se derriba,
que aquella máquina altiva
sólo estribaba en un punto.[9]

5. robs it of all pleasure (I might derive from it)
6. distrustful dread
7. i.e. **a aquél a quien le diera la vida**
8. Now patient, now fretful, I am torn by conflicting **woes. Sufrir,** in the following lines, keeps the meaning of **bearing or withstanding patiently.**
9. that that proud machine was based on a single **pin**

Tal vez el dolor me engaña
y presumo, sin razón,
que no habrá satisfacción
que pueda templar mi saña.[10]

Y aunque el desengaño toco,
con la misma pena lucho,
de ver que padezco mucho
padeciendo por tan poco.

A vengarse se abalanza
tal vez el alma ofendida;[11]
y después, arrepentida,
toma de mí otra venganza.

No huyo el mal ni busco el bien:
porque, en mi confuso error,
ni me asegura el amor
ni me despecha el desdén.[12]

En mi ciego devaneo,
bien hallada con mi engaño,
solicito el desengaño
y no encontrarlo deseo.[13]

Si alguno mis quejas oye,
más a decirlas me obliga
porque me las contradiga,
que no porque las apoye.[14]

Porque si con la pasión
algo contra mi amor digo,
es mi mayor enemigo
quien me concede razón.

10. that may assuage my passion
11. perhaps the offended (wounded) soul rushes forth for vengeance
12. neither love reassures me nor does scorn enrage me
13. In my blind folly, content (bien hallada) with my deceit, I seek
disenchantment while hoping not to find it.
14. If some one hears my plaintive cries, he will oblige me to reveal
them further, so that he may contradict them and not agree
with me.

Y si acaso en mi provecho
hallo la razón propicia,
me embaraza la justicia
y ando cediendo el derecho.

Nunca hallo gusto cumplido,
porque, entre alivio y dolor,
hallo culpa en el amor
y disculpa en el olvido.

Esto de mi pena dura
es algo del dolor fiero;
y mucho más no refiero
porque pasa de locura.

Si acaso me contradigo
en este confuso error,
aquél que tuviere amor
entenderá lo que digo.

HOMBRES NECIOS QUE ACUSAIS[1]

Hombres necios[2] que acusáis
a la mujer sin razón,
sin ver que sois la ocasión
de lo mismo que culpáis:[3]

si con ansia sin igual[4]
solicitáis su desdén,
¿por qué queréis que obren bien[5]
si las incitáis al mal?

1. Men blame in women what they themselves bring out. Men
   seduce women, and when women yield, they censure them for lack
   of virtue. It is impossible to meet with male approval: women who
   resist are complained of; women who comply are mocked.
2. stupid
3. the cause of the very thing you blame
4. ardor beyond compare; unparalleled ardor
5. how can you expect them to act virtuously

Combatís [6] su resistencia
y luego, con gravedad,[7]
decís que fué liviandad [8]
lo que hizo la diligencia.[9]

Parecer quiere el denuedo
de vuestro parecer loco,
al niño que pone el coco [10]
y luego le tiene miedo.

Queréis, con presunción necia,
hallar a la que buscáis,
para pretendida, Thais,[11]
y en la posesión, Lucrecia.[12]

¿Qué humor [13] puede ser más raro
que el que, falto de consejo,
él mismo empaña el espejo,[14]
y siente que no esté claro?

Con el favor y el desdén
tenéis condición igual,
quejándoos, si os tratan mal,
burlándoos, si os quieren bien.

---

6. you fight down; you break down
7. solemnly; in all seriousness
8. light-mindedness
9. persistence
10. The audacity of your mad behavior resembles that of the child
    who sets up a bogeyman
11. to be Thais (Greek courtesan, "whose loveliness was as great
    as her wanton disregard for the respectable decency of life")
    when you woo her
12. Lucretia (Roman lady, illustrious for her virtue. She was the
    wife of Lucius Tarquinius Collatinus and after being raped
    by Sextus Tarquinius, she committed suicide. Her name is now
    synonymous with virtuous womanhood) when you possess her
13. behavior
14. blurs; breathes on a mirror

Opinión,[15] ninguna gana;
pues la que más se recata,[16]
si no os admite, es ingrata,[17]
y si os admite, es liviana.[18]

Siempre tan necios andáis
que, con desigual nivel,[19]
a una culpáis por cruel
y a otra por fácil culpáis.

¿Pues cómo ha de estar templada[20]
la que vuestro amor pretende,
si la que es ingrata, ofende,
y la que es fácil, enfada?

¿Cuál mayor culpa ha tenido
en una pasión errada:
la que cae rogada,
o el que ruega de caído?[21]

¿O cuál es de más culpar,
aunque cualquiera mal haga:
la que peca por la paga,
o el que paga por pecar?[22]

Pues ¿para qué os espantáis
de la culpa que tenéis?[23]
Queredlas cual las hacéis
o hacedlas cual las buscáis.[24]

15. praise; favorable opinion
16. the most prudent
17. if she rejects you (keeps you out), you consider her ungrateful
18. if she yields to you (lets you in), you consider her loose
19. with unjust impartiality, i.e. unfairly
20. So how is (a woman) to be constituted
21. who is to bear the greater blame in a guilty affair, she who falls on being entreated, or he who entreats when she has fallen (on his knees)?
22. she who sins for payment or he who pays for sinning?
23. But why are you so astonished (terrified) at the fault that is your own?
24. Love (women) the way you make them, or make them the way you would have them

LIRA

AMADO DUEÑO MIO [1]

Amado dueño mío,
escucha un rato mis cansadas quejas,
pues del viento las fío,
que breve las conduzca a tus orejas,
si no desvanece el triste acento
como mis esperanzas en el viento. [2]

Oyeme con los ojos,
ya que están tan distantes los oídos,
y de ausentes enojos
en ecos, de mi pluma mis gemidos; [3]
y ya que a ti no llega mi voz ruda,
óyeme sordo, pues me quejo muda.

Si del campo te agradas,
goza de sus frescuras venturosas,
sin que aquestas cansadas

1. Absent from her lover, Sor Juana expresses her grief in writing. The natural phenomena he may see will embody her emotion and communicate her hope and anguish to him. But when will she see him again? Her verdant hope is watered by the tears of her grief. The lira's stanzaic form here consists of six lines (more usually of only five): two lines of seven syllables each and four of eleven, rhyming thus: a B a B C C. The lira was named after the word **lira** (lyre) which appeared in the first line ("Si de mi baja lira . . .") of the poem "A la flor del Gnido" by the Spanish poet Garcilaso de la Vega (1503-1536), discoverer of the form.
2. Beloved master, listen for a while to my weary plaints; I entrust them to the wind, that they may quickly reach your ears. (I am hoping) that the woeful strains (of my voice) will not vanish, like my hopes, on the wind.
3. Listen to me with your eyes, since your ears are so far away. Listen to my pen echoing grievous sighs (lit. groans) because you are absent.

lágrimas te detengan, enfadosas;
que en él verás, si atento te entretienes,
ejemplos de mis males y mis bienes.[4]

Si al arroyo parlero
ves, galán de las flores en el prado,
que, amante y lisonjero,
a cuantas mira intima su cuidado,
en su corriente mi dolor te avisa
que a costa de mi llanto tiene risa.[5]

Si ves que triste llora
su esperanza marchita, en ramo verde,
tórtola gemidora,
en él y en ella mi dolor te acuerde,
que imitan, con verdor y con lamento,
él mi esperanza y ella mi tormento.[6]

Si la flor delicada,
si la peña, que altiva no consiente
del tiempo ser hollada,
ambas me imitan, aunque variamente,
ya con fragilidad, ya con dureza,
mi dicha aquélla y ésta mi firmeza.[7]

Si ves el ciervo herido
que baja por el monte, acelerado,
buscando, dolorido,

4. If you revel in the countryside, enjoy its random pleasures (refreshing delights)—let not my tiresome, vexatious tears spoil your enjoyment, for if you watch attentively, it will evidence both my sorrows and my bliss.
5. If you see the prattling brook courting flowers in the meadow, imparting (its desire) lovingly and flatteringly to all that gaze upon it, remember its laughing current reflects my grief.
6. If you see the plaintive turtledove (perched) on a green branch sadly weeping for its withered hope, may they remind you of my plight, for in their greenness and lament they mirror (the branch) my hope and (the turtledove) my despair.
7. If (you see) a delicate flower; if (you see) a rock which haughtily challenges the destructive flux of time, they are like me, each in its own way: the flower's fragility (resembles) my happiness; the rock's hardness, my constancy (in love)

294

alivio al mal en un arroyo helado,
y sediento al cristal se precipita,
no en el alivio, en el dolor me imita.[8]

Si la liebre encogida
huye medrosa de los galgos fieros,
y por salvar la vida
no deja estampa de los pies ligeros,
tal mi esperanza, en dudas y recelos,
se ve acosada de villanos celos.[9]

Si ves el cielo claro,
tal es la sencillez del alma mía;
y si, de luz avaro,
de tinieblas se emboza el claro día,
es con su obscuridad y su inclemencia,
imagen de mi vida en esta ausencia.[10]

Así que, Fabio amado,
saber puedes mis males sin costarte
la noticia cuidado,
pues puedes de los campos informarte;
y pues yo a todo mi dolor ajusto,
saber mi pena sin dejar tu gusto.[11]

---

8. If you see a wounded stag go rushing down the mountainside
on its way to a brook's icy stream, so as to ease its pain plunging thirstily into the crystal (i.e. crystal waters), it (the stag)
mirrors me in its distress but not in the relief (it succeeds in
getting)
9. If you see a frightened hare fleeing from savage hounds and
(which) while trying to save its life, leaves no trace of its
nimble feet (because it runs so swiftly)—(remember that) sim-
ilarly, my hope, in doubt and misgiving, finds itself hounded by
cruel jealousies
10. If you see a serene sky, (remember that) my pure soul is just
like that; if niggard of light the clear day wraps itself in darkness
(i.e. if dark clouds change brightness to gloom), this gloominess
and inclemency are the very image of my life after your departure
11. Thus, Fabio, my darling, without too much trouble you will
know of my woes, for Nature will keep you posted, and since
I adapt my grief to any circumstance, learn of my sorrow without curbing your pleasures

Mas ¿cuándo, ¡ay gloria mía!,
mereceré gozar tu luz serena?
¿Cuándo llegará el día
que pongas dulce fin a tanta pena?
¿Cuándo veré tus ojos, dulce encanto,
y de los míos quitarás el llanto? [12]

¿Cuándo tu voz sonora
herirá mis oídos, delicada,
y el alma que te adora,
de inundación de gozos anegada,
a recibirte con amante prisa
saldrá a los ojos desatada en risa? [13]

¿Cuándo tu luz hermosa
revestirá de gloria mis sentidos?
¿Y cuándo yo, dichosa,
mis suspiros daré por bien perdidos,
teniendo en poco el precio de mi llanto,
que tanto ha de penar quien goza tanto? [14]

¿Cuándo de tu apacible
rostro alegre veré el semblante afable,
y aquel bien indecible
a toda humana pluma inexplicable,
que mal se ceñirá a lo definido
lo que no cabe en todo lo sentido? [15]

12. But, alas, my love, when will I be able to enjoy your serene light?
When will the day come when you will put a sweet end to so
much grief? Sweetheart, when will I see your eyes and when
will you stop the tears (from flowing) from mine?
13. When will your sonorous voice gently strike my ears? And when
(may I), the soul that adores you, brimming with delight, come
forth in loving haste, to welcome you, bursting with laughter?
14. When will your beautiful light bring radiance to my senses?
And when, blissfully, may I deem my sighs a thing of the past,
belittling my tears, when so much joy is the price of so much
pain?
15. When shall I see the pleasant demeanor of your gentle, joyous
face, and that unutterable virtue which no human pen can
adequately describe? For how can such an overflow of feeling
be circumscribed in so short a space? (Because of the pun with
pluma, which means both **pen** and **feather**, Sor Juana uses here
the adjective **humana**, i.e. belonging to a human being and not
to a bird)

Vén, pues, mi prenda amada:
que ya fallece mi cansada vida
de esta ausencia pesada;
vén, pues: que mientras tarda tu venida,
aunque me cueste su verdor enojos,
regaré mi esperanza con mis ojos.[16]

16. So, my beloved treasure, hurry back, for now my weary life is
ebbing, because of your unbearable (lit. weighty) absence. Come
then, for, while your coming tarries, I shall water hope with my
eyes (with tears), though it may cost me much anguish to keep
it green.

VILLANCICO [1]

AQUELLA ZAGALA

Aquella Zagala
del mirar sereno,
hechizo del soto
y envidia del Cielo;[2]
la que al Mayoral
de la cumbre, excelso,
hirió con un ojo,[3]
prendió en un cabello:
a quién su querido
le fue mirra[4] un tiempo,
dándole morada
sus cándidos pechos: [5]
la que en rico adorno
tiene, por aseo,
cedrina la casa
y florido el lecho: [6]
la que se alababa
que el color moreno
se lo iluminaron
los rayos Febeos: [7]

1. A **villancico** is a brief lyric, with a refrain, popular in character, often very folksy. It deals with religious themes and shepherds are the main characters.
2. That Shepherdess/ serene of gaze/ charm of the grove/ and envy of the Sky
3. She whose eye smote the summit's Shepherd, i.e. the Shepherd on high—the Sun
4. myrrh, aromatic gum, perfume, frequently mentioned in the Bible
5. sheltering him between her white breasts
6. she who tastefully ornaments and keeps clean the cedar house and flowery bed
7. she who boasted that Phoebus' rays (i.e. the sun) had lighted her skin with the color of darkness

la por quien su Esposo
con galán desvelo [8]
pasaba los valles,
saltaba los cerros:
la del hablar dulce,
cuyos labios bellos
destilan panales,
leche y miel vertiendo: [9]
la que preguntaba
con amante anhelo
dónde de su Esposo
pacen los corderos: [10]
a quien su Querido,
liberal y tierno,
del Líbano llama
con dulces requiebros,[11]
por gozar los brazos
de su amante Dueño,
trueca el valle humilde
por el monte excelso.[12]
Los pastores sacros
del Olimpo eterno,
la gala le cantan
con dulces acentos;[13]
pero los del valle,
su fuga siguiendo
dicen presurosos
en confusos ecos:

8. vigil
9. from whose beautiful lips (which are like honeycombs) flow milk and honey
10. where the lambs of her Spouse seek pasture (lit. graze)
11. to whom her generous, tender beloved calls from Lebanon. Probably a reference to Deuteronomy 3:25: "Let me pass over, please, and see the the good land that is across the Jordan, this good mountainous region and Lebanon."
12. leaves the humble valley (i.e. the world) for the lofty hill (i.e. Heaven)
13. the sacred shepherds of Olympus (i.e. the angels) hail her arrival with sweet songs

¡Al Monte, al Monte, a la Cumbre;
corred, volad, Zagales,
que se nos va María por los aires!
¡Corred, corred, volad aprisa, aprisa,
que nos lleva robadas las almas y las vidas,
y llevando en sí misma nuestra riqueza,
nos deja sin tesoros el Aldea! [14]

14. **la aldea,** the village, i.e., the world

EL DIVINO NARCISO [1]
(lines 1221-1255)

Ovejuela[2] perdida,
de tu dueño olvidada
¿adónde vas errada?
Mira que dividida
de mí, también te apartas de tu vida.

Por las cisternas viejas [3]
bebiendo turbias aguas,[4]
tu necia sed enjuagas [5]
y con sordas orejas,[6]
de las aguas vivíficas te alejas

En mis finezas piensa:
verás que, siempre amante,
te guardo vigilante,
te libro de la ofensa,
y que pongo la vida en tu defensa.

1. These lines are from **El Divino Narciso** (The Divine Narcissus),
   one of Sor Juana's religious plays **(auto sacramental)** in the
   baroque style.
2. young ewe
3. old cisterns—Biblical allusion, from **Jeremiah** 2: 13: "For my
   people have done two evils. They have forsaken me, the fountain
   of living water, and have digged to themselves cisterns, broken
   cisterns, that can hold no water."
4. stagnant, muddy water
5. you quench **(enjuagas,** Old Spanish **enjaguas)** your foolish thirst
   with muddy water
6. deaf ears—Biblical allusion, from **Micheas** 7:16: "Their ears shall
   be deaf." So that because your ears are deaf, you do not notice
   and therefore move away **(te alejas)** from the living waters
   (aguas vivíficas)

De la escarcha[7] y la nieve
cubierto, voy siguiendo
tus necios pasos, viendo
que ingrata no te mueve
ver que dejo por ti noventa y nueve.[8]

Mira que mi hermosura
de todas es amada,
de todas es buscada,
sin reservar criatura,
y sólo a ti te elige tu ventura.

Por sendas horrorosas
tus pasos voy siguiendo,
y mis plantas hiriendo
de espinas dolorosas,
que estas selvas producen, escabrosas.[9]

Yo tengo de buscarte,
y aunque tema perdida,
por buscarte, la vida,
no tengo de dejarte,
que antes quiero perderla, por hallarte.

7. frost
8. i.e. almost everything
9. which these rugged (wild) forests produce

ESTE, QUE VES, ENGAÑO COLORIDO [1]

Este, que ves, engaño colorido,[2]
que del arte ostentando los primores,[3]
con falsos silogismos [4] de colores
es cauteloso engaño [5] del sentido;

éste es quien lisonja[6] ha pretendido
excusar de los años los horrores,[7]
y venciendo del tiempo los rigores [8]
triunfar de la vejez y del olvido,[9]

es un vano artificio [10] del cuidado,
es una flor al viento delicada,[11]
es un resguardo inútil para el hado: [12]

es una necia diligencia errada,[13]
es un afán caduco [14] y, bien mirado,
es cadáver,[15] es polvo, es sombra, es nada.

1. Sor Juana looks at a flattering portrait of herself and calls it
a "colored deceit." The skills of art attempt to triumph over the
cruel effects of time, but cannot. Sor Juana contradicts the lying
artist by telling what the portrait really is: "the portrait" is
the subject of the two tercets.
2. colored deceit; painted lie; trickery of paint
3. displaying the niceties of art; vaunting crafty artistry
4. specious, or lying syllogism; false logic
5. cunning deceit; discreet delusion (of the senses)
6. flattery
7. to cover or to exempt from the horrors of old age
8. rigors; cruelty
9. forgetfulness
10. futile artifice; silly ruse
11. frail flower (exposed) to the wind
12. useless protection or defense against fate
13. foolish, mistaken effort
14. senile ardor; expired zeal
15. corpse

EN PERSEGUIRME, MUNDO ¿QUE INTERESAS?[1]

En perseguirme, Mundo, ¿Qué interesas?
¿En qué te ofendo, cuando sólo intento
poner bellezas en mi entendimiento
y no mi entendimiento en las bellezas?[2]

Yo no estimo tesoros ni riquezas;
y así, siempre me causa más contento
poner riquezas en mi pensamiento
que no mi pensamiento en las riquezas.

Yo no estimo hermosura que, vencida,
es despojo civil de las edades,
ni riqueza me agrada fementida,[3]

teniendo por mejor, en mis verdades,
consumir vanidades de la vida
que consumir la vida en vanidades.[4]

1. This baroque sonnet is playfully based on balance and ambivalence. Sor Juana rejects the transitory goods of this world
and asserts her allegiance to the mind.
2. to bring beauty into my mind and not keep my mind on beauty
3. And I do not care for constrained beauty, the lawful spoil of
time; nor do I revel in false wealth
4. I deem it far better to vex vanity in life, than to vex my life in
vanity

ROSA DIVINA QUE EN GENTIL CULTURA[1]

Rosa divina que en gentil cultura[2]
eres, con tu fragante sutileza,[3]
magisterio purpúreo en la belleza,[4]
enseñanza nevada a la hermosura.

Amago[5] de la humana arquitectura,
ejemplo de la vana gentileza,[6]
en cuyo ser unió naturaleza
la cuna alegre y triste sepultura.[7]

¡Cuán altiva en tu pompa, presumida,
soberbia, el riesgo de morir desdeñas,[8]
y luego desmayada y encogida

de tu caduco ser das mustias señas,[9]
con que docta muerte y necia vida,
viviendo engañas y muriendo enseñas![10]

1. The rose is a lesson in the transitory nature of beauty. Its haughty life deceives, but its shriveled death instructs.
2. in a pleasant garden (cultivation, nurture)
3. sweet-smelling subtlety
4. beauty's crimson lesson
5. intimation; image; symptom
6. unavailing grace
7. joyful cradle and mournful tomb
8. How lofty in your splendor, presumptuous and arrogant, you scorn the threat of death
9. and then, dismayed and shrunk, you show withered signs of your decrepit self
10. so that with wise death and foolish life, by living, you deceive, and by dying, you teach

305

MIRO CELIA UNA ROSA QUE EN EL PRADO [1]

Miró Celia una rosa que en el prado [2]
ostentaba [3] feliz la pompa vana
y con afeites de carmín y grana [4]
bañaba alegre el rostro delicado;

y dijo: —Goza, sin temor del Hado, [5]
el curso breve de tu edad lozana, [6]
pues no podrá la muerte de mañana [7]
quitarte lo que hubieres hoy gozado;

y aunque llega la muerte presurosa
y tu fragante vida se te aleja, [8]
no sientas el morir tan bella y moza:

mira que la experiencia te aconseja
que es fortuna morirte siendo hermosa
y no ver el ultraje [9] de ser vieja.

1. Celia advises a rose to seize and enjoy the fleeting course of its youth, for then death cannot rob it of that enjoyment. Do not worry about dying young, for it is preferable to die while young and beautiful than to have to experience the outrage of old age.
2. meadow
3. displayed
4. make-up, rouge—**Carmín** and **grana** are pink and bright red cosmetics (**afeites**), derived from cochineal
5. fate
6. fresh or sprightly age, i.e. youthful years
7. prompt, hasty
8. draws away
9. outrage

DIUTURNA ENFERMEDAD DE LA ESPERANZA[1]

Diuturna[2] enfermedad de la Esperanza,
que así entretienes[3] mis cansados años
y en el fiel[4] de los bienes y los daños
tienes en equilibrio la balanza;[5]

que siempre suspendida, en la tardanza
de inclinarse, no dejan tus engaños
que lleguen a excederse en los tamaños[6]
la desesperación o confianza:[7]

¿quién te ha quitado el nombre de homicida?[8]
Pues lo eres más severa, si se advierte
que suspendes el alma entretenida;[9]

y entre la infausta o la felice suerte,[10]
no lo haces tú por conservar la vida
sino por dar más dilatada muerte.[11]

1. Hope appears to be soothing but it is really cruel, for it suspends the soul between happiness and sorrow, and delays death rather than prolonging life.
2. long-lasting; of long continuance
3. entertain; sustain
4. scale
5. balances (holds in equilibrium) fortune and misfortune (good and evil)
6. in quantity
7. despair or confidence
8. who has cleared you of a murderer's name?
9. deluded soul
10. ill luck and happiness
11. to inflict a more protracted death; to make death more diffuse

VERDE EMBELESO DE LA VIDA HUMANA[1]

Verde embeleso[2] de la vida humana,
loca Esperanza, frenesí dorado,
sueño de los despiertos intincado,[3]
como de sueños, de tesoros vana;[4]

alma del mundo, senectud lozana,
decrépito verdor imaginado;[5]
el hoy de los dichosos esperado
y de los desdichados el mañana:[6]

sigan tu sombra en busca de tu día
los que, con verdes vidrios por anteojos,
todo lo ven pintado a su deseo;[7]

que yo, más cuerda en la fortuna mía,
tengo en entrambas manos ambos ojos
y solamente lo que toco veo.[8]

1. Sor Juana addresses Hope declaring it to be a foolish ornament
   for those who desire pleasant self-deception. More canny, she
   believes only what she sees before her eyes, and sees only what
   she can touch.
2. embellishment, ravishment
3. fatuous (demented) hope, gilded frenzy
4. the waking man's dream (dream of the unsleeping), like all
   dreams, involved (confusing) and worthless (i.e. empty of
   treasure)
5. Sor Juana loves to juxtapose opposites, such as **lush senility,
   decrepit vigor** (verdure), in true baroque style.
6. for the happy ones' awaited today and for the unhappy ones'
   tomorrow
7. let those who seek daylight **(día)** in your shadows **(sombra),**
   those who, with green glasses for spectacles, see everything
   just as they want it
8. but I, much wiser (or more mindful of my destiny), keep both
   my eyes on my two hands and see only what I touch

308

ESTA TARDE, MI BIEN, CUANDO TE HABLABA[1]

Esta tarde, mi bien,[2] cuando te hablaba,
como en tu rostro y tus acciones vía[3]
que con palabras no te persuadía,
que el corazón me vieses deseaba;

y Amor, que mis intentos ayudaba,[4]
venció lo que imposible parecía:
pues entre el llanto, que el dolor vertía,
el corazón deshecho[5] destilaba.

Baste ya de rigores,[6] mi bien, baste;
no te atormenten más celos tiranos,[7]
ni el vil recelo tu quietud contraste[8]

con sombras necias, con indicios vanos,[9]
pues ya en líquido humor[10] viste y tocaste
mi corazón deshecho[11] entre tus manos.

---

1. Unable to allay her beloved's suspicion with words, she weeps, and her heart reveals itself to him in her tears.
2. beloved
3. gestures; **vía** = **veía**
4. that came to help my purpose
5. melted
6. Put an end to (lit. enough of harshness now)
7. let no cruel jealousy torture you
8. nor base suspicion attack your virtue
9. with foolish shadows; with empty evidence
10. humor—According to early notions of physiology, the humors were four different liquids which combined to constitute the body and determined, by their relative proportions, a person's health and disposition
11. broken, shattered

DETENTE, SOMBRA DE MI BIEN ESQUIVO [1]

Detente, sombra de mi bien esquivo,[2]
imagen del hechizo [3] que más quiero,
bella ilusión por quien alegre muero,[4]
dulce ficción por quien penosa vivo.

Si al imán [5] de tus gracias, atractivo,
sirve mi pecho de obediente acero,[6]
¿para qué me enamoras lisonjero [7]
si has de burlarme luego fugitivo?

Mas blasonar [8] no puedes, satisfecho,
de que triunfa de mí tu tiranía:
que aunque dejas burlado el lazo estrecho [9]

que tu forma fantástica ceñía,[10]
poco importa burlar brazos y pecho
si te labra prisión mi fantasía.[11]

1. Her beloved attracts her and then, when she falls in love, becomes aloof. He cannot, however, truly claim to have triumphed,
for though he may mock her, he is imprisoned in her imagination.
2. Stay (Tarry), shadow of my elusive treasure
3. sorcery; charm; sortilege; spell
4. fair illusion for which I gladly die
5. magnet
6. steel
7. enticingly; in a wheedling or deceitful way; flatteringly
8. to boast
9. tight bond; knot; snare
10. girded; encircled; besieged
11. if my fantasy builds a prison for you, i.e. if I imprison you in
my fantasy

QUE NO ME QUIERA FABIO, AL VERSE AMADO [1]

Que no me quiera Fabio, al verse amado,
es el dolor sin igual en mí sentido; [2]
mas que me quiera Silvio, aborrecido, [3]
es menor mal, mas no menos enfado. [4]

¿Qué sufrimiento no estará cansado
si siempre le resuenan al oído
tras la vana arrogancia de un querido
el cansado gemir de un desdeñado? [5]

Si de Silvio me cansa el redimiento, [6]
a Fabio canso con estar rendida;
si de éste busco el agradecimiento, [7]

a mí me busca el otro agradecida:
por activa y pasiva es mi tormento,
pues padezco en querer y en ser querida. [8]

1. Sor Juana's conflict is that she suffers for loving Fabio (who does not love her) and for being loved by Silvio (whom she hates).
2. an unbearable (lit. matchless - **sin igual**) ache (grief) experienced by me
3. despised, abhorrent
4. annoyance (source of irritation)
5. bemoaning (pining away) of a scorned (suitor)
6. submission, surrender
7. having yielded (surrendered)
8. for I suffer by loving and by being loved

FELICIANO ME ADORA Y LE ABORREZCO [1]

Feliciano me adora y le aborrezco;[2]
Lisardo me aborece y yo le adoro;
por quien no me apetece ingrato, lloro,
y al que me llora tierno, no apetezco.[3]

A quien más me desdora, el alma ofrezco;[4]
a quien me ofrece víctimas, desdoro;
desprecio al que enriquece mi decoro,[5]
y al que le hace desprecios, enriquezco.

Si con mi ofensa al uno reconvengo,[6]
me reconviene el otro a mí, ofendido;
y a padecer de todos modos vengo,[7]

pues ambos atormentan mi sentido:
aquéste, con pedir lo que no tengo;
y aquél, con no tener lo que le pido.[8]

---

1. A variation on the same theme: to love or to be loved, as a source of anguish.
2. I hate him
3. I have no use for (lit. I do not desire or relish)
4. I offer my soul to the man who sullies (dishonors) me most
5. I hate the man who enhances (holds in great esteem) my honor
6. reproach —i.e. If I reproach myself with slighting one,/ the other takes offense at my misdeed
7. (so that) I end by suffering in any case
8. the one (lit. the latter) asking for what I do not have; the other (lit. the former) lacks what I ask for

AL QUE INGRATO ME DEJA, BUSCO AMANTE [1]

Al que ingrato me deja, busco amante;
al que amante me sigue, dejo ingrata;
constante adoro a quien mi amor maltrata;
maltrato a quien mi amor busca constante.

Al que trato de amor, hallo diamante,[2]
y soy diamante al que de amor me trata;
triunfante quiero ver al que me mata,
y mato al que me quiere ver triunfante.

Si a éste pago, padece mi deseo;
si ruego a aquél, mi pundonor enojo:[3]
de entrambos modos infeliz me veo.

Pero yo, por mejor partido, escojo
.re quien no quiero, ser violento empleo,
que, de quien no me quiere, vil despojo.[4]

---

1. Another variation on the same theme: Sor Juana spurns men who care for her and cares for the men who spurn her, and so she is inevitably cruel to those who love her and scorned by those she loves.
2. diamond-like, i.e. adamant, hard
3. I sully my honor; vex my dignity
4. vile leavings or scraps

FABIO: EN EL SER DE TODOS ADORADAS [1]

Fabio: en el ser de todos adoradas,
son todas las beldades ambiciosas;
porque tienen las aras por ociosas
si no las ven de víctimas colmadas.[2]

Y así, si de uno solo son amadas,
viven de la fortuna querellosas,[3]
porque piensan que más que ser hermosas
constituye deidad el ser rogadas.[4]

Mas yo soy en aquesto tan medida,[5]
que en viendo a muchos, mi atención zozobra,[6]
y sólo quiero ser correspondida

de aquél que de mi amor réditos cobra;[7]
porque es la sal del gusto el ser querida:
que daña lo que falta y lo que sobra.[8]

1. Rather than be courted by numerous lovers, the way most girls
   are, Sor Juana prefers to be loved by one and one only—Fabio.
2. beauties aspire to be loved by all men, for they consider their
   altars empty if they do not see them piled high with victims
3. they complain of their (unhappy) lot
4. lit. because they believe that to be courted is more god-like
   (divine) than to be beautiful
5. But I am in this so moderate
6. founders, sinks
7. collects income
8. for scarcity and excess (of anything) are equally harmful

SILVIO, YO TE ABORREZCO, Y AUN CONDENO [1]

Silvio, yo te aborrezco, y aun condeno
el que estés de esta suerte en mi sentido:[2]
que infama al hierro el escorpión herido,
y a quien lo huella, mancha inmundo el cieno.[3]

Eres como el mortífero veneno
que daña a quien lo vierte inadvertido,[4]
y en fin eres tan malo y fementido
que aun para aborrecido no eres bueno.[5]

Tu aspecto vil a mi memoria ofrezco,
aunque con susto me lo contradice,[6]
por darme yo la pena que merezco:

pues cuando considero lo que hice,
no sólo a ti, corrida,[7] te aborrezco,
pero a mí por el tiempo que te quise.

---

1. Sor Juana hates not only the wicked, unfaithful Silvio but herself for the time she spent loving him.
2. to be thus present in my mind
3. for the wounded scorpion tarnishes the iron (i.e. the weapon that wounded it) just as slime stains with filth the person who steps in it
4. You are like a deadly poison that harms whosoever pours it out unwittingly
5. so wicked and unfaithful, that you are not even worth hating
6. I offer your vile presence to my memory though (memory), in dread, objects to it
7. ashamed

YO NO PUEDO TENERTE NI DEJARTE[1]

Yo no puedo tenerte ni dejarte,
ni sé por qué, al dejarte o al tenerte,
se encuentra un no sé qué para quererte[2]
y muchos sí sé qué[3] para olvidarte.

Pues ni quieres dejarme ni enmendarte,[4]
yo templaré mi corazón de suerte
que la mitad se incline a aborrecerte
aunque la otra mitad se incline a amarte.[5]

Si ello es fuerza querernos, haya modo,
que es morir el estar siempre riñendo:
no se hable más en celo y en sospecha,[6]

y quien da la mitad, no quiera el todo;[7]
y cuando me la estás allá haciendo,
sabe que estoy haciendo la deshecha.[8]

1. I can neither keep you nor leave you, for I desire to love you but have reasons for wanting to forget you. Since you will not leave or mend your ways, I shall love you with half my heart and hate you with the other half. Therefore, we need no longer fight: when you are away deceiving me, I shall be here deceiving you.
2. a certain lovable something (Cf. the French un je ne sais quoi) which endears you to me
3. i.e. your many infidelities and treacheries
4. mend your ways
5. I will temper my heart in such a way that half of it will hate you while the other half will love you
6. If we must love each other, let us find a way: let us put an end to quarreling (which is so deadly) and avoid harsh words of jealousy and mistrust
7. whoever gives half, should not expect back the whole. Sor Juana believes in perfect equality between the sexes. Cf. the redondillas **Hombres necios que acusáis**
8. and while you are deceiving me out there, I am deceiving you (right here)

DICES QUE YO TE OLVIDO, CELIO, Y MIENTES [1]

Dices que yo te olvido, Celio, *y mientes*
en decir que me acuerdo *de olvidarte,*
pues no hay en mi memoria *alguna parte*
en que, aun como olvidado, te *presentes.*

Mis pensamientos son tan *diferentes*
y en todo tan ajenos de *tratarte,*
que ni saben ni pueden *agraviarte,*
ni, si te olvidan, saben si lo *sientes.*

Si tú fueras *capaz de ser querido,*
fueras capaz de olvido; y ya era *gloria,*
al menos, la potencia de haber *sido.*

Mas tan lejos estás de esa *victoria,*
que aqueste no acordarme no es *olvido*
sino una negación de la *memoria.*

1. Dialectical tour de force wherein love is tossed about between remembrance and forgetfulness with uncanny conceit and virtuosity: You say that I forget you, Celio, and you lie,/ in claiming that I recall forgetting you,/ for in my memory there is no room/ wherein, even as a forgotten person, you may still be present./ My thoughts are so different (from all this)/ and so removed from you,/ that they neither know whether they are capable of forgetting you nor are capable of hurting you/ nor, were they to forget you, will they know whether you will regret it./ Were you worth loving,/ then you might be worth forgetting;/ and (your) potentiality for inspiring love,/ might at least be considered a victory./ But you are so far from any such victory/ that this unremembering of yours is not forgetfulness/ but a negation of memory itself.

ROMANCES

MIENTRAS LA GRACIA ME EXCITA[1]

Mientras la Gracia me excita
por elevarme a la Esfera,
más me abate a lo profundo
el peso de mis miserias.[2]

La virtud y la costumbre
en el corazón pelean,
y el corazón agoniza
en tanto que lidian ellas.[3]

Y aunque es la virtud tan fuerte,
temo que tal vez la venzan,
que es muy grande la costumbre
y está la virtud muy tierna.

Oscurécese el discurso
entre confusas tinieblas;
pues ¿quién podrá darme luz
si está la razón a ciegas?

---

1. Sor Juana depicts in this deeply-felt, revealing poem the sharp conflict between her religious and mundane selves. She chose for this and the two poems following—so different in theme— the **romance** form, a metric combination which may be used in any number of stanzas. Each stanza has four eight-syllable lines, the second and fourth rhyming in assonance: a b c b.
2. The more (lit. While) Grace stimulates me to lift myself up to the Sphere (Heaven), the more the burden of my wretchedness weighs me down
3. While they do battle

De mí misma soy verdugo
y soy cárcel de mí misma.
¿Quién vió que pena y penante
una propia cosa sean? [4]

Hago disgusto a lo mismo
que más agradar quisiera; [5]
y del disgusto que doy,
en mí resulta la pena.

Amo a Dios y siento en Dios;
y hace mi voluntad misma
de lo que es alivio, cruz,
del mismo puerto, tormenta. [6]

Padezca, pues Dios lo manda;
mas de tal manera sea,
que si son penas las culpas,
que no sean culpas las penas. [7]

4. I am both my hangman and my jail—who would ever dream
that sentence and culprit (i.e. penalty and perpetrator) were
both the selfsame thing?
5. I offend the very thing I most would fain to please, i.e. the Soul,
now habitually enamored of God, sometimes becomes irksome
and even offensive by its all-too-human lapses in conduct
6. Of my own volition I convert my consolation into a cross, the
port into a storm
7. Let me suffer (then) since God orders it; but in such a way
that though my sinning brings me pain, my pain will not bring
me to sin

YA QUE PARA DESPEDIRME[1]

Ya que para despedirme,
dulce idolatrado dueño,
ni me da licencia el llanto
ni me da lugar el tiempo,

háblente los tristes rasgos,[2]
entre lastimosos ecos,
de mi triste pluma, nunca
con más justa causa negros.

Y aun ésta[3] te hablará torpe
con las lágrimas que vierto,
porque va borrando el agua
lo que va dictando el fuego.

Hablar me impiden mis ojos;
y es que se anticipan ellos,
viendo lo que he de decirte,
a decírtelo primero.

Oye la elocuencia muda
que hay en mi dolor, sirviendo
los suspiros, de palabras,
las lágrimas, de conceptos.

1. A letter from a young woman to her beloved (Febo) who is
embarking on a journey. She implores him to read her message,
written with tearful eyes and great lament. It may be assumed
that this romance belongs to the Febo cycle; the anonymous
lover reappears in Sor Juana's love lyrics.
2. let the sorrowful flourishes of my pen
3. i.e. her pen

Mira la fiera borrasca[4]
que pasa en el mar del pecho,
donde zozobran, turbados,
mis confusos pensamientos.[5]

Mira cómo ya el vivir
me sirve de afán grosero;
que se avergüenza la vida[6]
de durarme tanto tiempo.

Mira la muerte, que esquiva[7]
huye porque la deseo;
que aun la muerte, si es buscada,
se quiere subir de precio.

Mira cómo el cuerpo amante,
rendido a tanto tormento,
siendo en lo demás cadáver,[8]
sólo en el sentir es cuerpo.

Mira cómo el alma misma
aun teme, en su ser exento,[9]
que quiera el dolor violar
la inmunidad de lo eterno.

En lágrimas y suspiros
alma y corazón a un tiempo,
aquél se convierte en agua,
y ésta se resuelve en viento.

Ya no me sirve de vida
esta vida que poseo,
sino de condición sola
necesaria al sentimiento.

4. violent storm
5. when my perplexed thoughts (sentiments) founder, confusedly
6. life is ashamed
7. aloof
8. corpse
9. free

Mas ¿por qué gasto razones
en contar mi pena, y dejo
de decir lo que es preciso,
por decir lo que estás viendo?

En fin, te vas. ¡Ay de mí!
Dudosamente lo pienso:
pues si es verdad, no estoy viva,
y si viva, no lo creo.

¿Posible es que ha de haber día
tan infausto, tan funesto,
en que sin ver yo las tuyas
esparza sus luces Febo? [10]

¿Posible es que ha de llegar
el rigor a tan severo,
que no ha de darles tu vista
a mis pesares aliento? [11]

¿Que no he de ver tu semblante,
que no he de escuchar tus ecos,
que no he de gozar tus brazos
ni me ha de animar tu aliento?

¡Ay, mi bien, ay prenda mía,[12]
dulce fin de mis deseos!
¿Por qué me llevas el alma,
dejándome el sentimiento?

10. Will there come a day so accursed, so dismal, that without my
seeing yours (i.e. your lights) Phoebus will, nonetheless, shed
his light upon the earth? In this passage Phoebus stands both
for the beloved (Febo) and the sun (in classical mythology,
Phoebus).
11. breath, spirit, life; i.e. your eyes (vision) will not instil life
(happiness) into my grief
12. my darling

Mira que es contradicción
que no cabe en un sujeto,
tanta muerte en una vida,
tanto dolor en un muerto.

Mas ya que es preciso, ¡ay triste!,
en mi infelice suceso,[13]
ni vivir con la esperanza
ni morir con el tormento,

dáme algún consuelo tú
en el dolor que padezco;
y quien en el suyo [14] muere,
viva siquiera en tu pecho.

No te olvides que te adoro,
y sírvante [15] de recuerdo
las finezas [16] que me debes,
si no las prendas [17] que tengo.

Acuérdate que mi amor,
haciendo gala del riesgo,[18]
sólo por atropellarlo [19]
se alegraba de tenerlo.

Y si mi amor no es bastante,
el tuyo mismo te acuerdo,
que no es poco empeño haber
empezado ya en empeño.[20]

13. i.e. **infeliz**—in my unhappy plight
14. **suyo**, i.e. en su pecho
15. let serve, i.e. que te sirvan
16. favors
17. gifts, endowments, virtues
18. making a display of the risk
19. to trample it under foot
20. for it reveals no slight determination, (i.e. shows considerable
   determination) to have started out by **giving a pledge**

Acuérdate, señor mío,
de tus nobles juramentos;
y lo que juró tu boca
no lo desmientan tus hechos.

Y perdona si en temer
mi agravio,[21] mi bien, te ofendo,
que no es dolor, el dolor
que se contiene en lo atento.[22]

Y a Dios; que, con el ahogo
que me embarga los alientos,[23]
ni sé ya lo que te digo
ni lo que te escribo leo.

21. grievance
22. for the sorrow that contains itself within the limits of politeness
is not true sorrow
23. anguish which paralyzes my existence, lit. the choking which
cuts off my breath

EN RECONOCIMIENTO A LAS INIMITABLES
PLUMAS DE LA EUROPA[1]

¿Cuándo, Númenes divinos,
dulcísimos Cisnes, cuándo
merecieron mis descuidos
ocupar vuestros cuidados? [2]

¿De dónde a mí tanto elogio?
¿De dónde a mí encomio tanto? [3]
¿Tánto pudo la distancia
añadir a mi retrato? [4]

¿De qué estatura me hacéis?
¿Qué Coloso habéis labrado,
que desconoce la altura
del original lo bajo? [5]

No soy yo la que pensáis,
sino es que allá me habéis dado
otro ser en vuestras plumas
y otro aliento en vuestros labios,

1. Sor Juana's fame had spread to several European and American nations but, with that humility and self-effacement which characterized her, she claimed that her admirers had overrated her because of their kindness, because of the distance separating them from her, and because she was a woman.
2. Sor Juana addresses here the Poetical Geniuses (**Númenes**) and sweetest Swans (**cisnes**), or lyric poets of Europe, Peru, and Nueva Granada (Colombia) who have admired her poetry, and asks them "why should my careless jotting so attract you?"
3. why so much praise?
4. Did distance add so much to my portrait?
5. What Colossus have you wrought, ignoring the height of the lowly original?

y diversa de mí misma
entre vuestras plumas ando,
no como soy, sino como
quisisteis imaginarlo.

A regiros por informes,
no me hiciera asombro tanto,
que ya sé cuánto el afecto
sabe agrandar los tamaños.[6]

Pero si de mis borrones
visteis los humildes rasgos,
que del tiempo más perdido
fueron ocios descuidados,

¿qué os pudo mover a aquellos
mal merecidos aplausos?
¿Así puede a la verdad
arrastrar lo cortesano?[7]

¿A una ignorante mujer,
cuyo estudio no ha pasado
de ratos, a la precisa
ocupación mal hurtados;

a un casi rústico aborto
de unos estériles campos,
que el nacer en ellos yo,
los hace más agostados;[8]

6. I am surprised (at the high opinion you have of me), knowing
how affection magnifies the size (of things)
7. But if you did come to realize that my worthless writing (lit.
the humble flourishes of my jottings) were but otiose recreations
of my squandered time (idleness), what could have prompted
you to this undeserved applause? May courtesy drag truth so
low?
8. to an almost rustic abortion of some sterile fields whose bar-
renness I have increased with my birth

a una educación inculta,
en cuya infancia ocuparon
las mismas cogitaciones
el oficio de los ayos,

se dirigen los elogios
de los Ingenios más claros
que en Púlpitos y en Escuelas
el Mundo venera sabios? [9]

¿Cuál fue la ascendente Estrella
que, dominando los Astros,
a mí os ha inclinado, haciendo
lo violento voluntario? [10]

¿Qué mágicas infusiones
de los indios herbolarios
de mi Patria, entre mis letras
el hechizo derramaron? [11]

¿Qué proporción de distancia,
el sonido modulando
de mis hechos, hacer hizo
cónsono lo destemplado? [12]

9. to a poorly educated person (Sor Juana is thinking of her very
   brief formal education at the Amiga [girls' elementary school]
   of Amecameca, near her native village) whose only tutors (ayos)
   were her own thoughts (las mismas cogitaciones)—is this un-
   cultured person really deserving of praise from the loftiest figures of Pulpit and School (i.e. preachers and professors), so
   admired by the whole world for their wisdom and erudition?
10. which was the ascendant Sta. dominating the Planets, that drew
    you to me, making the foreordained voluntary?
11. What magical infusions (brewed by) of the Indian herbalists
    of my native country spilled their enchantment over my poems?
12. How much distance was required for modulating the sound of
    my doings and thus harmonizing all dissonances? Cónsono =
    consonante, harmonious

¿Qué siniestras perspectivas
dieron aparente ornato
al cuerpo compuesto sólo
de unos mal distintos trazos? [13]

¡Oh cuántas veces, oh, cuántas,
entre las ondas de tantos
no merecidos loores,
elogios mal empleados;[14]

oh cuántas, encandilada
en tanto golfo de rayos,
o hubiera muerto Faetonte
o Narciso peligrado,[15]

a no tener en mí misma
remedio tan a la mano,
como conocerme, siendo
lo que los pies para el pavo! [16]

Vergüenza me ocasionáis
con haberme celebrado,
porque sacan vuestras luces
mis faltas más a lo claro.[17]

13. rough sketches
14. unwarranted compliments
15. dazzled by so much light, Phaeton would have perished or
Narcissus would have been endangered. (Phaeton symbolizes
here arrogance and foolhardiness. He induced his father, Helios,
the sun god, to permit him to drive the chariot of the sun; his
lack of skill would have set the world on fire, had he not been
struck down with a thunderbolt by Zeus. Narcissus fell in love
with the reflection of himself mirrored in a pool. In Sor Juana's
poem he becomes dazzled by his own beauty, thus endangering
his life).
16. had I not within myself the remedy: self-knowledge, being what
ugly feet are to the peacock. Sor Juana recalls Phaedrus' fable:
the peacock, so proud of his gorgeous tail, is properly humiliated
when accidentally he notices his ugly feet. Kind and generous,
Sor Juana would always berate and belittle herself.
17. your lights bring out my faults all the more clearly (lights =
wisdom as well as intellects and perception)

Vosotros me concebisteis
a vuestro modo, y no extraño
lo grande: que esos conceptos
por fuerza han de ser milagros.[18]

La imagen de vuestra idea
es la que habéis alabado;
y siendo vuestra, es bien digna
de vuestros mismos aplausos.

Celebrad ese, de vuestra
propia aprehensión, simulacro,
para que en vosotros mismos
se vuelva a quedar el lauro.[19]

Si no es que el sexo ha podido
o ha querido hacer, por raro,
que el lugar de lo perfecto
obtenga lo extraordinario;

mas a esto solo, por premio
era bastante el agrado,
sin desperdiciar conmigo
elogios tan empeñados.[20]

---

18. You conceived me in your own image and, therefore, I am not
surprised at the greatness (of your picture of me); being, as it is,
your picture (i.e. a product of your imagination), it had to be
magnificent

19. Celebrate the semblance of your own perception (i.e. the sketch
drawn by your imagination), that the laurel may again be yours
(laurel = triumph, fame of your genius)

20. Sor Juana argues that all these poetical geniuses (Númenes)
and swans (cisnes), lofty literary critics, have overrated her
owing to a unique circumstance: the writer they admire is a
woman. She is naturally grateful but advises them not to squan-
der such forced (excessive) compliments on her

JUAN DEL VALLE Y CAVIEDES

b. Porcuna, province of Jaén, Spain, 1651 (?)
d. Lima, Peru, 1697 (?)

Although born in a village of Andalusia located with utmost topographical accuracy, there exists no precise reliable information as to the year of his birth or death. What is known is that he was brought to Peru as a very young child, spending the rest of his life there. Not only did he adapt himself to the new environment but he became one of its most authentic mouthpieces. He had the verve, the raillery, the satiric humor, as well as the mystic fervor generally associated with the colorful, garrulous and somewhat depraved capital of the Spanish Empire in the New World, and most especially with seventeenth century Lima under the viceroy.

Caviedes' claim to fame rests particularly on a collection of forty-seven poems entitled *Diente del Parnaso* (Tooth of Parnassus), a rambunctious attack against the M.D.'s of his day. This work is a *biting* satire of the quackery of the day, for Caviedes calls it a virulent exposé "by a patient who miraculously escaped his doctors' blunders." The dedication is "To Death, Empress of M.D.'s, to whose august and pale scepter they pay tithes in the form of corpses and dying patients." Throughout the *Diente del Parnaso* M.D.'s are equated with hangmen. Caviedes wishes to make people laugh so that with their laughter they may neutralize the nefarious influence of doctors, or at least he wishes to warn all God's children to avoid certain death.

In addition to these satiric poems, Caviedes wrote love lyrics in the bucolic style then in vogue, as well as religious and philosophical poems, some of them evidencing considerable social awareness. However it was not all sweetness when it came to the ladies, for at times Caviedes dreaded them almost as much as doctors. In his religious poetry this ambivalence is equally noticeable: alongside of fervent prayers to the Virgin and tender verses to the Crucifix he places ferocious attacks against worldly priests and religious hypocrisy. At least half a dozen of the poems in *Diente del Parnaso* are anticlerical. For instance, in "Los curas encubridores" he accuses priests of conniving with doctors because both earned a good living on funerals. Priests are depicted here as "field hands cultivating in the sick a harvest of burials."

Caviedes' reputation travelled far and wide. It is known that Sor Juana Inés de la Cruz requested from him a copy of *Diente del Parnaso,* and much flattered but quite humbly the author replied with an autobiographically revealing poem: "Carta a la monja de México."

Of the poets of the Colonial Period, Caviedes is no doubt one of the most engaging. He was not endowed with the ubiquitous genius of Sor Juana, but he did have a similar rationalistic afflatus—he attacked susperstitions, quackery, hypocrisy—and of course a similar satiric vein, though he was more acid and pedestrian, and often verged on obscenity.

Caviedes was given to bittersweet reflections, and was lively, facetious, and burlesque, though often lugubrious. In many ways he was an early exponent of that *criollista* trend which has made its presence felt throughout the entire development of Peruvian letters, all the way to the saucy "tradiciones" of Ricardo Palma (1833-1919).

In the absence of documentary evidence, several modern critics have exerted their imagination to build Caviedes up into a Peruvian François Villon: a nondescript peddler and jailbird, an irresponsible bohemian who drank himself to death before his fortieth birthday. They depict him as a Lima shopkeeper, selling trinkets from a stall in front of the Viceroy's palace, and/or as the heir to a small fortune which he readily squandered on women and wine. The women repaid his venery with a loathsome disease—and this is how Caviedes came to fall into the hands of doctors who failed wretchedly to cure him. Neat conjectures indeed to explain *Diente del Parnaso* and its author's attitude towards women and medics. Without the benefit of such myths it is quite conceivable that Caviedes had trouble with both doctors *and* women: medical science was not too advanced in the Lima of his day and many, many women were wenches. Besides, in those days it was quite stylish to make fun of doctors. One of the writers most admired and imitated by Caviedes was the Spanish satirist Francisco de Quevedo (1580-1645) who in his *Sueños,* and elsewhere, fulminated against the quackery of the medics, while of course anti-medical utterances abounded in all the popular picaresque novels still in circulation: the *Guzmán de Alfarache* (1599), of Mateo Alemán, *Vida de Marcos de Obregón* (1618) of Vicente Espinel, *La hija de la Celestina* (1612) of Salas Barbadillo, and many others.

Two poems which have almost invariably represented Caviedes in anthologies are not to be found here: the piquant "Título, coche o mujer" simply because it belongs to the Spanish poet and playwright Eugenio Gerardo Lobo (1679-1750), and "Lamentaciones sobre la vida en pecado" which is the work of the baroque Spaniard Juan Martínez de Cuéllar (1640-1706).

BEST EDITION: *Obras de Don Juan del Valle y Caviedes,* edited by Rubén Vargas Ugarte, Lima, Studium, 1947 (Clásicos Peruanos, Vol. I).

ABOUT CAVIEDES: Emilio Champion: "Nota biográfica de Caviedes," *Letras* (Lima), V (1939), 98-103; Emilio Champion: "Picardía de Caviedes," *3* (Lima), No. 4 (March 1940), 50-56; Juan María Gutiérrez: *Escritores coloniales americanos,* Buenos Aires, Editorial Raigal, 1957, pp. 261-289; Glen L. Kolb: *Juan del Valle y Caviedes. A Study of the Life, Times and Poetry of a Spanish Colonial Satirist,* New London, Conn., 1959 (Connecticut College Monograph No. 7); Guillermo Lohmann Villena: "Un poeta virreinal del Perú: Juan del Valle Caviedes," *Revista de Indias* (Madrid), Año VIII, No. 33-34 (1948), 771-794; Dolores de las Mercedes Márquez: "Caviedes y el *Diente del Parnaso,*" *Historium* (Buenos Aires), Año VIII, No. 94 (March 1947), 151-

153; Daniel R. Reedy: *The Poetic Art of Juan del Valle y Caviedes*, Chapel Hill, University of North Carolina Press, 1964; Luis Alberto Sánchez: *Escritores representativos de América*, Madrid, Editorial Gredos, 1963, pp. 18-38; Rubén Ugarte: "Introducción" to his edition of *Obras de Don Juan del Valle y Caviedes*, Lima, Stadium, 1947, pp. VIII-XXIV; Luis Favio Xammar: "La poesía de Juan del Valle y Caviedes en el Perú colonial," *Revista Iberoamericana*, XII (February 1947), 75-91.

COLOQUIO QUE TUVO CON LA MUERTE UN MEDICO MORIBUNDO [1]

El mundo todo es testigo,[2]
Muerte de mi corazón,[3]
que no has tenido razón
de portarte [4] así conmigo.
Repara[5] que soy tu amigo,
y que de tus tiros tuertos [6]
en mí tienes los aciertos;[7]
excúsame la partida,[8]
que por cada mes de la vida
te daré treinta y un muertos.

¡Muerte! Si los labradores
dejan siempre de sembrar
¿cómo quieres agotar
la semilla de doctores?
Frutos te damos mayores;[9]
pues, con purgas y con untos,[10]
damos a tu hoz [11] asuntos

1. Actually this is not a colloquy or conversation but rather the soliloquy of a physician, who at the moment of his death addresses himself to Death, insisting that it is most unfair to kill him since in his capacity of M.D. he brings in a lot of business to Death's kingdom, providing constantly innumerable corpses.
2. witness
3. "My beloved Death" (Death of my heart) is the way the M.D. addresses Death
4. to behave this way with me
5. Consider
6. random or stray shots
7. good hits (hitting the bull's eye)
8. excuse my demise, i.e. allow me to remain alive
9. we bring you more bountiful crops
10. by means of cathartics and ointments
11. we give business to your sickle (tool used by Death for reaping down people)

para que llenes las trojes,[12]
y por cada doctor coges
diez fanegas[13] de difuntos.

No seas desconocida
ni contigo uses rigores,[14]
pues la Muerte sin doctores
no es muerte, que es media vida.
Pobre, ociosa y desvalida[15]
quedarás en esta suerte,
sin que tu aljaba[16] concierte,
siendo en tan grande mancilla[17]
una pobre muertecilla
o Muerte de mala muerte.

Muerte sin médico es llano,
que ser, por lo que infiero,
mosquete sin mosquetero,[18]
espada o puñal sin mano.
Este concepto no es vano:
porque aunque la muerte sea
tal, que todo cuanto vea
se lo lleve por delante,
que a nadie mata es constante
si el doctor no la menea.[19]

¡Muerte injusta! Tú también
me tiras por la tetilla;[20]
mas ya sé no es maravilla
pagar mal el servir bien.

12. granary (here it means a place for storing the dead)
13. i.e. lots of corpses: **fanega**, which is equivalent to **bushel, is used** figuratively
14. Don't be ungrateful or cruel to yourself
15. destitute
16. quiver—by extension, without aiming adroitly your **deadly arrows**
17. blemish, disgrace, shame
18. musket without musketeer
19. activize, stir up things
20. pulling me away from the nipple, i.e. taking the bottle away from me, easing me out

Por galeno [21] juro, a quien
veneno, que si el rigor
no conviertes en amor
sanándome de repente,[22]
y muero de este accidente,
que no he de ser más doctor.

Mira que en estos afanes,
si así a los médicos tratas,
han de andar después a gatas
los curas y sacristanes.[23]
Porque soles ni desmanes,[24]
la suegra y suegro peor,
fruta y nieve sin licor,
bala, estocadas y canto,[25]
no matan al año tanto
como el médico mejor.

21. I swear by Galen (famous Greek physician, A.D. 130-200)
22. healing me at once
23. priests and sextons will have to walk on all fours, i.e. will be
ruined
24. For neither sunstrokes nor excesses
25. bullets, sword stabs and stones

PARA HALLAR EN PALACIO ESTIMACIONES [1]

Para hallar en Palacio estimaciones
se ha de tener un poco de embusteros, [2]
poco y medio de infames lisonjeros [3]
y dos pocos cabales de bufones. [4]

Tres pocos y un poquito de soplones [5]
y cuatro de alcahuetes recauderos; [6]
cinco pocos y un mucho de parteros, [7]
las obras censurando, y las acciones

será un amén continuo a cuanto hablare
el Señor o el Virrey a quien sirviere, [8]
y cuando más el tal disparate, [9]

aplaudir con más fuerza se requiere,
y si con esta ganga [10] continuare
en Palacio tendrá cuanto quisiere.

1. How to Succeed at Court
2. you have to be somewhat of a liar
3. half plus a despicable apple-polisher
4. a double clown, a perfect clown
5. a tattletale, a gossip
6. haggling pimp
7. male mid-wife
8. actions will forever agree with your lord or viceroy's words, i.e. you'll be a perfect yes-man
9. the more the above-mentioned would talk nonsense
10. easy job, a cinch

PRIVILEGIOS DEL POBRE [1]

El pobre es tonto si calla,
y si habla es un majadero;[2]
si sabe, es un hablador,[3]
y si afable, es un embustero;[4]
si es cortés, entrometido;[5]
cuando no sufre, soberbio;[6]
cobarde, cuando es humilde,
y loco, cuando es resuelto;[7]
si valiente, es temerario;[8]
presumido,[9] si es discreto;
adulador,[10] si obedece,
y si se excusa, grosero;[11]
si pretende, es atrevido;
si merece, es sin aprecio;
su nobleza es nada vista
y su gala, sin aseo;[12]
si trabaja, es codicioso,
y, por el contrario extremo,
un perdido,[13] si descansa . . .
¡Miren si son privilegios!

1. A poor man's privileges
2. a bore
3. a charlatan
4. a liar; a hypocrite
5. i.e. **entremetido**, a busybody, a meddler
6. haughty
7. determined, confident, steady
8. reckless
9. conceited, i.e. presumptuous, if he is discreet
10. flatterer
11. uncouth, rude—i.e. if he apologizes for doing something, he is
    rude/If he has aspirations, he is insolent/If he is deserving, he
    is without appreciation
12. filthy—i.e. his Sunday best is not neat
13. a loafer, a good-for-nothing—i.e. he is a vagrant if he rests

A MI MUERTE PROXIMA[1]

Que no moriré de viejo,
que no llego a los cuarenta,
pronosticado me tiene
de físicos la caterva.[2]
Que una entraña hecha gigote[3]
al otro mundo me lleva,
y el día menos pensado
tronaré como arpa vieja.[4]
Nada me dicen de nuevo;
sé que la muerte me espera,
y pronto; pero no piensen
que he de cambiar de bandera.
Odiando las medicinas
como viví, así perezca;[5]
que siempre el buen artillero
al pie del cañón revienta.[6]
Mátenme de sus palabras
pero no de sus recetas,[7]
que así matarme es venganza
pero no muerte a derechas.[8]
Para morirme a mi gusto
no recurriré a la ciencia
de matalotes idiotas[9]

1. To my imminent death
2. numerous doctors (lit. the swarm of physicians)
3. for my guts all messed up
4. one fine day I'll jangle like an old harp
5. may I perish
6. for always a good gunner (artillery man) croaks (lit. bursts)
   close to his cannon
7. prescriptions
8. a fair or just death
9. clumsy slaughtermen

que por la ciudad pasean.
¿Yo a mi *Diente del Parnaso* [10]
por miedo traición hiciera? [11]
¡Cuál rieran del cronista
las edades venideras! [12]
Jesucristo unió el ejemplo
a la doctrina, y a quien piensa
predicando ser apóstol,
de sus obras no reniega.
¡Me moriré! buen provecho.[13]
¡Me moriré! en hora buena;[14]
pero sin médicos cuervos
junto de mi cabecera.[15]
Un amigo, si esta *avis* [16]
rara mi fortuna encuentra,
y un franciscano [17] que me hable
de las verdades eternas,
y venga lo que viniere,
que apercibido me encuentra
para reventar lo mismo
que cargada camareta.[18]

10. **Tooth of Parnassus** (the title of Caviedes' famous book)
11. i.e. Would I, through intimidation, renege on my **Tooth of Parnassus?**
12. How the future will poke fun at the chronicler
13. May it benefit you (usual greeting before or after a meal)
14. well and good
15. scavenging physicians, lit. raven-doctors, (greedy quacks) by my bedside
16. rare bird, for Caviedes considers it difficult to find good friends
17. a friar of the Order of St. Francis
18. come what may, I'll be ready to explode just like a loaded gun

AL TERREMOTO DE LIMA DEL AÑO 8 [1]

Cuando el alba, que es prólogo del día,
el blandón [2] de los orbes atizaba [3]
en doradas cenizas [4] que anunciaba
del fénix [5] de la luz que renacía

segoviana ostentaba argentería
la luna, [6] que de plata se llenaba,
a cuyo cetro el aire se alteraba
que la tierra en cavernas suprimía. [7]

Exhalación rompió con tal aliento
los duros calabozos de los riscos, [8]
que, a pesar de las montañas y collados,

ligeras alas dió a la tierra el viento,
pues volaron los montes y obeliscos
y cayeron al mar precipitados. [9]

1. In **To the Earthquake of the Year 8** (i.e. 1608) Caviedes has poetized one of the West Coast's recurrent phenomena. His baroque utterance verges here on surrealism.
2. wax taper, large candlestick
3. stirred
4. ashes
5. phoenix: a fabulous bird which rises in youthful freshness from its own ashes, so is an emblem of immortality
6. as the phoenix of light (the sun) rose, the moon was showing off its Segovian silver embroidery (i.e. its delicate silver light)
7. the moon (which regulates tides, etc.) has altered the wind, suppressing it (i.e. compressing it) under the earth caverns (so that an explosion will necessarily follow)
8. a violent explosion does take place shattering the hard dungeons of the precipices (i.e. blasting away caves and rocks)
9. the wind gave wings to the earth and despite the barrier of hills and mountains, everything (woods and obelisks) flew away, falling precipitously into the sea

HOY NO EL MORIR, SEÑOR, LLEGO A TEMER

Hoy no el morir, Señor, llego a temer,[1]
pues sé que es numerado el respirar,[2]
desde el nacer me pude recelar
porque el morir empieza del nacer.

Mi temor más glorioso viene a ser,
pues sólo es mi temor considerar
que si más padecer[3] es el amar,
hoy me quita el morir más padecer.

Sólo de amor, Señor, quiero morir;
divino amor, las flechas aprestad,
yo os presento por blanco el corazón.[4]

Y es que el tiro no ha de deslucir,
que del blanco, Señor, la indignidad
no desaira el acierto del harpón.[5]

1. I am not afraid of dying
2. the number (of days) for breathing are counted, i.e. man's life
   is brief
3. to suffer
4. get ready the arrows (to kill me), I offer you my heart as
   target
5. the shooting will not be impaired; the unworthiness of the (target)
   does not negate the accuracy of the harpoon (arrow)

A CRISTO

Congojado [1] mi espíritu cobarde,
vergonzoso y confuso, llega a veros,
que, aunque mucho he tardado en conoceros,
tengo un Dios como Vos para que aguarde.

El jornalero [2] soy que, por la tarde,
llegó a la viña donde otros jornaleros
que madrugaron más, tantos dineros
les disteis como a aquel que llegó tarde.

Mi maldad, mi desgracia y mi pecado,
de quien soy me han tenido siempre ajeno,
teniéndoos con los vicios olvidado,

ciego en torpezas, [3] de miserias lleno,
mas para pecador tan obstinado
hay un Dios infinitamente bueno.

1. aggrieved
2. day-laborer, farmhand
3. turpitude, infamy

PIDE PERDON A DIOS EL ALMA ARREPENTIDA

Dueño del alma, en quien amante fío
la gracia y el perdón de mi pecado,
que, aunque ingrato y traidor con Vos he andado,
uno es vuestro, mi bien, y lo otro mío.

Si os ofendí con ciego desvarío,[1]
ya la razón de aquesto me ha apartado,[2]
no hagáis de un miserable un condenado,
por Vos lo habéis de hacer si en Vos confío.

Ya basta, vida mía, para enojos,[3]
consoladme en la pena y el quebranto,[4]
mirad como de un frágil mis antojos,[5]

respondedme, mi bien, mas, entre tanto,
salga el alma deshecha por los ojos
porque lave mis culpas con el llanto.[6]

1. wrongdoing, foolish acts
2. reason has already removed me from it all (i.e. from so much sin)
3. stop being angry
4. weakness, suffering
5. whims
6. let my soul burst out from me so that my sins be washed away
   with the tears (of my repentance)

FRANCISCA JOSEFA DEL CASTILLO

(La Madre Castillo)

b. Tunja, Colombia, October 1671
d. Tunja, 1742

Daughter of the Spanish merchant Ventura Castillo and of the noble lady María Guevara, a native of Tunja and descendant of the Marqueses de Poza, Francisca Josefa grew up in a thoroughly religious environment. Three of her brothers became friars while two of her sisters as well as her mother (after Don Ventura's death), became nuns. A sickly, extremely sensitive girl with "el don de lágrimas," and "una grande y natural inclinación al retiro y soledad," Francisca Josefa did all her studies at home. Eventually she fell desperately in love with a cousin, but, after her father's harsh reprimands, decided "salvarse para el cielo," entering the Convent of Santa Clara. She was far from happy there, for the nunnery was a small, rather impoverished establishment inhabited by coarse, ignorant women. Francisca Josefa felt as if she was "en una cárcel de la Inquisición," suffering the pangs of hunger to the extent of having at times to eat flowers not to starve to death: "comer flores para no morir de hambre." Somehow in the seclusion of her cell she learned Latin and managed also to read the Spanish mystics, especially Santa Teresa de Jesús, who influenced her deeply. Although not endowed with the dynamism of the "femina andariega" (Santa Teresa), Francisca Josefa was not a quietist. On the contrary, she did all she could to teach the nuns and helped in the convent in many capacities as porter, clerk, butler, sacristan. Her cooperation and usefulness finally led to her promotiom to mother Superior, which explains why she is known now as La Madre Castillo. She died "en olor de santidad" at the

347

age of seventy-one and, when years later her body was exhumed, it was intact.

It is truly amazing that a woman from the narrow restricted confines of a remote provincial town, and during the colonial period, should achieve immortal fame for her writings. Her autobiography, *Vida de la Venerable Madre Francisca de la Concepción, escrita por ella* was published in Philadelphia in 1817, seventy-five years after her death, while another work, *Sentimientos espirituales,* essentially a series of descriptions of La Madre Castillo's mystical experiences, interspersed with some of her loveliest lyrics, was published in 1843.

BEST EDITIONS: *Mi vida,* Bogotá, Imprenta Nacional, 1942 (Biblioteca Popular Colombiana, Vol. 16); *Sor Francisca Josefa de la Concepción: su vida, escrita por ella misma,* Bogotá, Ministerio de Educación Nacional, 1956 (Biblioteca de Autores Colombianos, Vol. 103); *Afectos espirituales,* 2 vols. Bogotá, A B C, 1942 (Biblioteca Popular de Cultura Colombiana, Vols. 24 and 36); *Afectos espirituales,* 2 vols., Ministerio de Educación Nacional, 1956 (Biblioteca de Autores Colombianos, Vols. 104 and 105); *Análisis crítico de los "Afectos espirituales" de Sor Francisca Josefa de la Concepción del Castillo.* Texto restablecido, introducción y comentarios por Darío Achury Valenzuela, Bogotá, Ministerio de Educación Nacional, 1962 (Biblioteca de Cultura Colombiana, Vol. 1).

ABOUT MADRE CASTILLO: Darío Achury Valenzuela, *see above,* and also his essay "La Venerable Madre del Castillo y su obra," *Revista Nacional de Cultura* (Caracas), XX (July-August 1958), 108-120; H. Bejarano Díaz: "La Madre Castillo," *Universidad Pontificia Bolivariana* (Medellín), XXIII (January-March 1959), 17-21; Rafael María Carrasquilla: *Oraciones,* Bogotá, Biblioteca Aldeana de Colombia, 1935, pp. 101-137; Rafael María Carrasquilla: "La Madre Castillo," *Universidad Pontificia Bolivariana* (Medellín), XXII (August-November 1957), 183-197; Ramón C. Correa and others: "Homenaje a la ilustre escritora tunjana, Sor Francisca Josefa del Castillo y Guevara," *Repertorio Boyacense* (Tunja), XVIII (1942), 763-807; Antonio Gómez Restrepo: "La Madre Castillo," *Anuario de la Academia Colombiana* (Bogotá), VIII (1941), 21-66; Antonio Gómez Restrepo: *Historia de la Literatura Colombiana,* Bogotá, Ministerio de Educación Nacional, 1946, Vol. II, pp. 33-162; Gustavo Otero Muñoz: *Semblanzas colombianas,* Bogotá, Biblioteca de Historia Nacional, 1938, Vol. I, pp. 101-111; Daniel Samper Ortega: *Al galope,* Bogotá, Editorial Minerva, 1930, pp. 41-75; Daniel Samper Ortega: "La Madre Castillo," *Anuario de la Academia Colombiana* (Bogotá), X (1943), 330-350.

DELIQUIOS [1] DEL AMOR DIVINO

I

El habla delicada
del Amante que estimo,
miel y leche destila
entre rosas y lirios.

Su meliflua [2] palabra
corta como rocío, [3]
y con ella florece
el corazón marchito. [4]

Tan suave se introduce
su delicado silbo, [5]
que duda el corazón
si es el corazón mismo.

Tan eficaz persuade
que, cual fuego encendido,
derrite como cera
los montes y los riscos. [6]

1. ecstasies
2. honeyed
3. dew
4. withered
5. whistle
6. melts hills and mountain crags (rocks) as if they were made
out of wax

Tan fuerte y tan sonoro
es su aliento divino,
que resucita muertos
y despierta dormidos.[7]

Tan dulce y tan suaves
se percibe al oído,
que alegra de los huesos
aún lo más escondido.

II

Al monte de la mirra
he de hacer mi camino,
con tan ligeros pasos
que iguale al cervatillo.[8]

Mas ¡ay, Dios! que mi **Amado**
al huerto ha descendido,
y como árbol de mirra
suda el licor más primo.[9]

De bálsamo es mi Amado,
apretado racimo
de las viñas de Engadi:[10]
el amor le ha cogido.

De su cabeza el pelo,
aunque ella es oro fino,
difusamente baja
de penas a un abismo.

7. So strong and so sonorous is His divine breath that it resurrects
   the dead and awakens the sleeping
8. To the hill of myrrh I shall direct my steps, as fast as those
   of a fawn
9. sweats most excellent liquid
10. a thick cluster (of grapes) from the vines of Engaddi (Biblical
    reference to the vines from Engedi or Engaddi, an area on the
    the west coast of the Dead Sea)

El rigor de la noche
le da el color sombrío,
y gotas de su hielo
le llenan de rocío.

¿Quién pudo hacer ¡ay, cielo!
temer a mi querido
que huye el aliento y queda
en un mortal deliquio?

Rotas las azucenas [11]
de sus labios divinos,
mirra amarga destilan
en su color marchitos.

Huye, Aquilo; ven, Austro,
sopla en huerto mío; [12]
las eras de las flores
den su olor escogido.

Sopla más favorable,
amado vientecillo;
den su olor las aromas,
las rosas y los lirios.

Mas ¡ay! que si sus luces
de fuego y llamas hizo,
hará dejar su aliento
el corazón herido.

11. Broken the lilies
12. Go away, north wind; come, south wind, blow in my orchard

VILLANCICO AL NACIMIENTO DEL REDENTOR [1]

Todo el aliño [2] del campo
era un hermoso clavel [3]
sin que el rigor de la escarcha [4]
pueda quitarle el arder. [5]

Quien ha visto hermosa flor
tanto abrazar, por querer
lucir acá, entre las sombras
todo el cielo es un clavel.

Como hay sol entre las sombras
venid pastores a ver,
cómo el fuego ya está al hielo
y el hielo abrasar se ve.

Cómo nace el Niño amor
siendo gigante en poder
rendir tantos albedríos
al fuego de su querer.

Cómo nace por amar,
cómo muere por querer;
como que tiene en sus manos
como el morir el nacer.

1. Carol at the Birth of the Redeemer
2. dress
3. carnation
4. the cruelty of the frost
5. its radiance

ODA AL SANTISIMO [1]

Feliz el alma se abrasa[2]
del Sacramento al ardor
para que muriendo así
reviva a tan dulce sol.

Cante la gloria si muere,
pues en tal dulce dolor
descansa en paz, en quien es
centro ya del corazón.

Publique su muerte al mundo
el silencio de su voz,
la memoria que murió.
para que viva en olvido

Cerró los ojos el alma
a los rayos de este sol,
y ya vive a mejor luz
después que desfalleció.[3]

Hacen clamor los sentidos,
sentidos de su dolor,
porque ellos pierden la vida
que ella muriendo ganó.

1. Ode to the Holy Sacrament
2. consumes itself
3. after it fainted away, after it swooned

JUAN BAUTISTA AGUIRRE

b. Daule, Ecuador, April 11, 1725
d. Tivoli, Italy, June 15, 1786

Born in the province of Guayas not far from the port
city of Guayaquil, Juan Bautista was sent to Quito at an
early age to study at the Colegio Seminario de San Luis. He
joined the Society of Jesus at the age of fifteen (April 11,
1740) and took his final bows in 1765. As a professor of
philosophy, his influence was felt most significantly at the
University of San Gregorio Magno during the theological
quarrel between Dominicans and Jesuits.

When not involved in his numerous academic respon-
sibilities, Aguirre found time for writing. Most of his verse
is conceived in a humorous, somewhat sardonic, vein: a
perfect example of his comic spirit is his epistle praising Guayaquil while poking fun at Quito. In his serious moments,
which were equally memorable, he mirrors the idiom and
technical peculiarities of the pervasive and never-ending
gongorism.

When in 1767 the Jesuits were expelled from Spanish
America, Aguirre sailed from Guayaquil with seventy-seven
other Jesuits. From then on, until 1786, he lived in Rome
and several Italian towns—for a while he was Father Superior of a convent in Ravenna—and died in Tivoli at the
age of sixty-one.

EDITIONS: *Poesías y obras oratorias,* edited by Gonzalo Zaldumbide (verse) and Aurelio Espinosa Pólit (prose), Quito Imprenta del Ministerio de Educación, 1943 (Clásicos Ecuatorianos,
III); *Los dos primeros poetas coloniales ecuatorianos (Siglo
XVII y XVIII): Antonio de Bastidas (y) Juan Bautista Aguirre,*
edited by Gonzalo Espinosa Pólit, Puebla, (México), Editorial
J.M. Cajiga, 1959 (Biblioteca Ecuatoriana Mínima).

ABOUT AGUIRRE: Augusto Arias: "Nuestro poeta Aguirre," *Filosofía y Letras* (Quito), IX (January-June), 76-83; Isaac J. Barrera: *Historia de la literatura ecuatoriana (Siglo XVIII)*, Quito, Editorial Ecuatoriana, 1944, Vol. II, 138-162; Emilio Carilla: *Un olvidado poeta colonial*, Buenos Aires, Imprenta de la Universidad, 1943; Juan María Gutiérrez: *Escritores coloniales americanos*, Buenos Aires, Editorial Raigal, 1957, pp. 385-413; Richard A. Latcham: "San Ignacio de Loyola en los poemas mayores de inspiración jesuítica," *Finis Terrae* (Santiago de Chile), III (April-June 1956), 3-13; Gonzalo Zaldumbide: *Cuatro clásicos americanos*, Madrid, Ediciones Cultura Hispánica, 1951, pp. 221-269.

A UNA TORTOLA QUE LLORABA
LA AUSENCIA DE SU AMANTE

¿Por qué, tórtola, en cítara doliente [1]
haces que el aire gima con tu canto?
Si alivios buscas en ajeno llanto, [2]
mi dolor te lo ofrece; aquí detente.

Al verte sola, de tu amante ausente,
publicas triste en ayes tu quebranto; [3]
yo también ¡ay dolor! suspiro [4] tanto
por no poder gozar mi bien presente. [5]

Pero cese ya, oh tórtola, el gemido,
que aunque es inmenso tu infeliz desvelo, [6]
mayor sin duda mi tormento ha sido:

pues tú perdiste un terrenal cansuelo
en tu consorte, [7] pero yo he perdido
en mi aorado bien la luz del cielo.

1. Why do you, turtledove, (transformed into a) grieving zither, cause the wind to lament with your song?
2. if you seek consolation through some one else's weeping
3. plaintively you make public, by means of your lamentation, your deep sorrow (ayes, plural of ay, alas, lit. by means of "woe is me!")
4. sigh
5. present love
6. your unfortunate anxiety
7. for you lost earthly consolation in your consort

CARTA A LISARDO PERSUADIENDOLE QUE TODO LO NACIDO MUERE DOS VECES, PARA ACERTAR A MORIR UNA

LIRAS

¡Ay, Lisardo querido!
si feliz muerte conseguir esperas,
es justo que advertido,
pues naciste una vez, dos veces mueras.
Así las plantas, brutos y aves lo hacen:
dos veces mueren y una sola nacen.

Entre catres de armiño
tarde y mañana la azucena yace,[1]
si una vez al cariño
del aura[2] suave su verdor renace:
¡Ay flor marchita! ¡ay azucena triste!
dos veces muerta si una vez naciste.

Pálida a la mañana,
antes que el sol su bello nácar[3] rompa,
muere la rosa, vana
estrella de carmín, fragante pompa;
y a la noche otra vez: ¡dos veces muerta!
¡oh incierta vida en tanta muerte cierta!

En poca agua muriendo
nace el arroyo, y ya soberbio río
corre al mar con estruendo,[4]

1. in beds of ermine the lily lies afternoons and mornings
2. breeze
3. mother-of-pearl
4. uproar

en el cual pierde vida, nombre y brío: [5]
¡Oh cristal triste, arroyo sin fortuna!
muerto dos veces porque vivas una.

En sepulcro suave,
que el nido forma con vistoso halago, [6]
nace difunta el ave,
que del plomo es después fatal estrago: [7]
Vive una vez y muere dos: ¡Oh suerte!
para una vida duplicada muerte.

Pálida y sin colores
la fruta, de temor, difunta nace,
temiendo los rigores
del noto que después vil la deshace. [8]
¡Ay fruta hermosa, qué infeliz que eres!
una vez naces y dos veces mueres.

Muerto nace el valiente
oso que vientos calza y sombras viste, [9]
a quien despierta ardiente
la madre, y otra vez no se resiste
a morir; y entre muertes dos naciendo,
vive una vez y dos se ve muriendo.

Muerto en el monte el pino
sulca el ponto con alas, bajel o ave,
y la vela de lino
con que vuela el batel altivo y grave
es vela de morir: [10] dos veces yace
quien monte alado muere y pino nace.

5. spirit, elegance
6. showy flattery
7. that later on becomes the victim of the bullet (lit. lead)
8. fearing the cruelty of the south wind that later destroys it
9. the brave bear shod with wind and dressed in shadows (i.e. that wears the wind as shoes = that moves fast; and is covered with black hair and prowls at night)
10. **sulca** = **surca**, it furrows (i.e. it sails) the sea (**ponto**) with wings, as a sailboat or bird, and the sail (made out) of linen (i.e. canvas) with which the proud, majestic skiff flies is a wax candle for the dead (**vela** means both sail and candle)

De la ballena altiva
salió Jonás y del sepulcro sale
Lázaro,[11] imagen viva
que al desengaño humano vela y vale;[12]
cuando en su imagen muerta y viva viere
que quien nace una vez dos veces muere.

Así el pino, montaña
con alas, que del mar al cielo sube;[13]
el río que el mar baña;
el ave que es con plumas vital nube;[14]
la que marchita nace flor del campo
púrpura vegetal, florido ampo,[15]

todo clama ¡oh Lisardo!
que quien nace una vez dos veces muera;
y así, joven gallardo,
en río, en flor, en ave, considera,
que, dudando quizá de su fortuna,
mueren dos veces por que acierten una.

Y pues tan importante
es acertar en la última partida,
pues penden de este instante
perpetua muerte o sempiterna vida,
ahora ¡oh Lisardo! que el peligro adviertes,
muere dos veces porque alguna aciertes.

11. From the haughty whale Jonah came out (the Hebrew prophet
who was swallowed by a whale, Matt. XII, 40) and from the
tomb Lazarus comes out (reference to the citizen of Bethany
whom Jesus raised from the dead, John XI)
12. keeps watch and is of value (letter transposition: **vela, vale,** a
gongorist device)
13. the pine tree, winged mountain, rising from the sea to sky (i.e.
the ship mast)
14. (the bird is compared to a cloud that is alive)
15. blossoming whiteness (i.e. field covered with white flowers)

A UN ZOILO QUE VIENDO UNAS POESIAS DEL AUTOR, DIJO QUE ERAN AJENAS[1]

Miraste mis poesías,
y tu envidia mortal de ardores llena[2]
dijo que no eran mías,
sino parto feliz de pluma ajena:[3]
así lo dijo, pero no me admira
que la envidia dé cuerpo a la mentira.

Con ocultos esfuerzos
a algunos simples persuadir previenes
que han tenido mis versos
catorce padres como tú los tienes;
más sabe que es, aunque tu furia ladre,[4]
más honrada mi musa que tu madre.

¿Acaso no has sabido
de mi instrumento la dulzura? ¿acaso
ignoras que yo he sido
de los aires dulcísimo embarazo,[5]
adornando mis sienes oficiosa
de bella Dafne[6] la esquivez frondosa?

1. To a certain Zoilus (a proper name and also term used for a malicious critic), who, on seeing some of the author's poems, attributed them to another writer.
2. your death-dealing envy fraught with hatred
3. felicitous offspring of someone else's pen (i.e. somebody else's writings)
4. even though your anger may bark
5. sweetest embarrassment
6. i.e. crowning me with a laurel wreath (reference to the nymph Daphne transformed into a laurel tree)

¿Ignoras, dime, ignoras
que al eco de mi lira se suspenden
las aves, que canoras
el ceño verde del Parnaso atienden,[7]
y que escuchan mi hechizo peregrino
tejiendo el aire en éxtasis divino?

¿No sabes que ha sonado
mi dulce voz en uno y otro polo,
y que he sido envidiado
de los cisnes tal vez, tal vez de Apolo?[8]
¿No sabes, Zoilo, que produce en suma
sublimes partos mi fecunda pluma?[9]

Pues si esto has conocido,
si tú no ignoras mi divina musa,
¿cómo, cómo, atrevido,
así tu lengua contra mí se aguza?[10]
Pero es tu envidia tan villana y ciega,
que aunque ve la verdad, la verdad niega.

Tú, sí, que cuando escribes,
en vez de pluma, mueves bien las uñas,
y así, Zoilo, concibes
que hurtan los otros cuando tú rasguñas,[11]
porque todo ladrón con viles modos
se persuade que son ladrones[12] todos

Tú, sí, que algunas veces
que al parto pones a tu ingenio corto,
al cabo de seis meses,

7. i.e. birds attending Parnassus' green groves stop singing when they listen to my poetry (lit. to my lyre's echo)
8. I was probably envied by the swans, (and) perhaps by Apollo
9. that, in short, my fertile pen produces sublime offspring
10. attacks me (lit. sharpens [his tongue] against me)
11. scratch
12. thieves

por ser sin tiempo, pares en aborto,[13]
aborto que, en su traza y fealdad rara,
es propia imagen de tu ingenio y cara.

Tú, sí, que sólo aciertas
a formar unas coplas desiguales,
pesadas, patituertas,
y más toscas, en fin, que tus modales,
sin que puedan pulirlas a porrazos
ni ochenta escoplos con ochenta mazos.[14]

Tú, sí que persuadido
de que el que miente es poeta verdadero,
por ser poeta aplaudido
has dado en ser grandísimo embustero,[15]
y según tú lo juzgas y lo sientes,
siempre haces versos porque siempre mientes.

Y así, Zoilo, derrama[16]
contra mí tu mentira, que entre tanto
el eco de mi fama
irá creciendo al grito de mi canto;
miente cuanto quisieres, pues no viene
a quitar el honor quien no lo tiene.

Di que sólo prevengo
pues aquellos que tengo
engañar con mis versos a algún bobo,[17]
me los soplan tal vez, tal vez los robo;[18]
pero advierta tu envidia que, si aprieta,[19]
a su costa verá si soy poeta.

13. miscarry; i.e. give birth to a stillborn creature
14. to put together some stanzas—irregular, clumsy, crooked-legged,
    coarser, in short, than your manners which not even the hammer-
    ings from eighty chisels and eighty mallets could polish
15. liar
16. pour
17. make ready to fool with my verses some simpleton or other
18. are prompted to me or perhaps I steal them
19. but let your envy be aware of the fact, if it gets worse

A UNA DAMA IMAGINARIA

Qué linda cara tienes,
válgate Dios por muchacha,
que si te miro, me rindes
y si me miras, me matas.

Esos tus hermosos ojos
son en ti, divina ingrata,
arpones cuando los flechas,
puñales cuando los clavas.[1]

Esa tu boca traviesa
brinda, entre coral y nácar,
un veneno que da vida
y una dulzura que mata.[2]

En ella las gracias viven:
novedad privilegiada,
que haya en tu boca hermosura
sin que haya en ella desgracia.

Primores y agrados hay
en tu talle y en tu cara;
todo tu cuerpo es aliento,
y todo tu aliento es alma.

---

1. harpoons when you shoot them (i.e. when you look at someone),
poignards when you stick them (into someone) (i.e. when you
stare at someone)
2. offers between coral and mother-of-pearl (i.e. between lips and
teeth) a poison that gives life and a sweetness that kills

El licencioso cabello
airosamente declara
que hay en lo negro hermosura,
y en lo desairado hay gala.[3]

Arco de amor son tus cejas,
de cuyas flechas tiranas,
ni quien se defiende es cuerdo,
ni dichoso quien se escapa.

¡Qué desdeñosa te burlas!
y ¡qué traidora te ufanas,
a tantas fatigas firme
y a tantas finezas falsa!

¡Qué mal imitas al cielo
pródigo contigo en gracias,
pues no sabes hacer una
cuando sabes tener tantas!

3. in mourning there is festiveness, and there is elegance in the
   unattractive (**negro** stands for the blackness of the hair and for
   mourning)

FRAGMENTO

(De un romance)

Bellísima dueño mío
por quien dulcemente muero,
suspende, suspende el golpe
con que me hieres el pecho.
¿Por qué, mi bien, me atormentas?[1]
¿acaso es porque te quiero?
Pues si tú obligas a amarte,
¿qué culpa tengo en hacerlo?

1. My love, why do you torture me?

BREVE DISEÑO [1] DE LAS CIUDADES DE GUAYAQUIL Y QUITO

Guayaquil, ciudad hermosa,
de la América guirnalda,
de tierra bella esmeralda
y del mar perla preciosa,
cuya costa poderosa
abriga tesoro tanto,
que con suavísimo encanto
entre nácares divisa
congelado en gracia y risa
cuanto el alba vierte en llanto;

Ciudad que es por su esplendor,
entre las que dora Febo,[2]
la mejor del mundo nuevo
y aun del orbe la mejor;
abundo en todo primor,
en toda riqueza abunda,
pues es mucho más fecunda
en ingenios, de manera
que, siendo en todo primera,
es en esto sin segunda.

Tribútanle con desvelo
entre singulares modos
la tierra sus frutos todos,
sus influencias el cielo;
hasta el mar que con anhelo

1. sketch, design
2. Phoebus, the sun

367

soberbiamente levanta
su cristalina garganta
para tragarse esta perla,
deponiendo su ira al verla
le besa humilde la planta.[3]

Los elementos de intento
la miran con tal agrado,
que parece se ha formado
de todos un elemento;
ni en ráfagas brama el viento,
ni son fuego sus calores,[4]
ni en agua y tierra hay rigores,
y así llega a dominar
en tierra, aire, fuego y mar,
peces, aves, luces, flores.

Los rayos que al sol regazan[5]
allí sus ardores frustran,
pues son luces que la ilustran
y no incendios que la abrasan;
las lluvias nunca propasan
de un rocío que de prisa
al terreno fertiliza,
y que equivale en su tanto
de la aurora al tierno llanto,
del alba a la bella risa.

Templados de esta manera
calor y fresco entre sí,
hacen que florezca allí
una eterna primavera;

---

3. its crystalline throat to swallow this pearl, gets rid of its wrath
on seeing her (i.e. Guayaquil) and humbly kisses the sole (of
her feet)
4. i.e. neither too windy nor too hot
5. tuck up, fondle

por lo cual si la alta esfera
fuera capaz de desvelos,
tuviera sin duda celos
de ver que en blasón fecundo[6]
abriga en su seno el mundo
ese trozo de los cielos.

Tanta hermosura hay en ella
que dudo, al ver su primor,
si acaso es del cielo flor,
si acaso es del mundo estrella;
es, en fin, ciudad tan bella
que parece en tal hechizo,[7]
que la omnipotencia quiso
dar una señal patente
de que está en el Occidente
el terrenal paraíso.[8]

Esta ciudad primorosa,
manantial de gente amable,
cortés, discreta y afable,
advertida e ingeniosa[9]
es mi patria venturosa;
pero la siempre importuna
crueldad de mi fortuna,
rompiendo a mi dicha el lazo,
me arrebató del regazo
de esa mi adorada cuna.[10]

Buscando un lugar maldito
a que echarme su rigor,
y no encontrando otro peor,
me vino a botar[11] a Quito;

6. fertile blazon, glory
7. sorcery
8. the earthly Paradise is located in the Western Hemisphere
9. circumspect and talented
10. snatched me away from (lit. the lap of this) my adored cradle
11. to fling me

a Quito otra vez repito
que entre toscos,[12] nada menos,
varios diversos terrenos,
siguiendo, hermano, su norma,
es un lugar de esta forma,
disparate [13] más o menos.

Es su situación tan mala,
que por una y otra cuesta[14]
la una mitad se recuesta,
la otra mitad se resbala;
ella se sube y se cala
por cerros, por quebradones,
por *guaicos* y por rincones,
y en andar así escondida
bien nos muestra que es guarida
de un enjambre de ladrones.[15]

Tan empinado es el talle
del sitio sobre que estriba,
que se hace muy cuesta arriba
el andar por cualquier calle;[16]
no hay hombre que no se halle
la vista en tierra clavada,
porque es cosa averiguada
que el que anda sin atención
cae, si no en tentación,
en una cosa privada.

12. rough
13. a piece of foolishness, a blunder
14. slope
15. one half (of it) leans over, reclines; the other half slides down-
    ward, climbs and works its way through hills and ravines, through
    the lowlands, and through nooks, and being so hidden, clearly
    shows it to be the hangout for a swarm of crooks
16. so steep are the contours over which it leans, that any street you
    walk on leads you far uphill

Hacen a Quito muy hondo
una y otra rajadura,[17]
y teniendo tanta hondura,
es ciudad de ningún fondo.
Aquí hay desdichas abondo,
aquí el hambre y sed se aúnan
y a todos nos importunan;[18]
aquí, en fin, ¡raros enojos!
los que comen son los piojos,
los demás todos ayunan.[19]

Son estos piojos taimados [20]
animales infelices,
grandes como mis narices,
gordos como mis pecados;
cuando veo que estirados
van muy graves en cuadrilla,[21]
me asusto que es maravilla
desde que un piojillo arisco,
sólo con darme un pellizco,
me sumió la rabadilla.[22]

Las sillas de mano aquí
se miran como a porfía,
y te aseguro a fe mía
que tan malas no las vi;[23]
luego que las descubrí
por unos lados y otros,

17. cleft, fissure
18. Misfortunes abound here, thirst and hunger merge here and
    bother us all
19. The only ones who eat are the lice; the other inhabitants fast
20. sly, stubborn
21. stuck up, they march on, most solemnly, in formation (lit. in
    quadrille)
22. since the time when a vicious little louse pushed my backbone in
    with just one of his bites
23. Sedan-chairs are here at a premium, but I declare, on my word,
    never have I seen chairs as dilapidated as these

viendo los asientos rotos
y quebradas las tablillas,[24]
dije: Bien pueden ser sillas,
mas yo las tengo por potros.[25]

En estas sillas se encierra,
llevando cualquier serrana,
mucho pelo y poca lana,[26]
como oveja de la tierra.
Aquí, pues, en civil guerra
con femeniles enojos
son de los piojos despojos,
y con dentelladas bellas,
los piojos las muerden a ellas,
y ellas muerden a los piojos.[27]

Estas quiteñas [28] como oso
están llenas de cabello,
y aunque tienen tanto vello,[29]
mas nada tienen hermoso;
así vivo con reposo
sin alguna tentación,
siquiera por distracción
me venga, pues si las hablo,
juzgando que son el diablo,
hago actos de contrición.[30]

Lo peor es la comida
(Dios ponga tiento en mi boca):
ella es puerca y ella es poca,
mal guisada y bien vendida;

24. seats torn and the slats broken
25. racks (for torturing people)
26. i.e. the stuffing of the chairs contains a lot of horse hair but little wool
27. they are spoils of the lice, and with terrific nips the lice bite them and they bite the lice
28. women from Quito
29. soft hair, down
30. to do penance

aquí toda ella es podrida,[31]
y ¡vive Dios! que me aburro,
cuando imagino y discurro
que una quiteña taimada
me envió dentro una empanada
un gallo, un ratón y un burro.[32]

Hay tal o cual procesión,
mas con rito tan impío,
que te juro, hermano mío,
que es cosa de inquisición:
van cien Cristos en montón
corriendo como unas balas,
treinta quiteños sin galas,
más de ochenta Dolorosas,
San Juan, Judas y otras cosas,
casi todas ellas malas.

Con calva, gallo, y sin manto,[33]
un San Pedro se adelanta,
y, por más que el gallo canta,
no quiere llorar el Santo;
pero le provoca a llanto
de sus llaves la reyerta,
pues cuenta por cosa cierta,
estando el Santo con sueño,
que se las hurtó un quiteño
para falsear una puerta.[34]

Va también tal cual rapaz
vestido de ángel andante,
con su cara por delante

31. poorly cooked and very expensive; here all of it is putrid
32. a shrewd woman from Quito sent to me a meatpie stuffed with
    rooster, mice and jackass
33. bald-headed, a rooster, and without cloak, a Saint Peter moves on
34. but he is moved to tears by a brawl that broke out because of his
    (Saint Peter's) keys, for, when the Saint was dozing, a fellow
    from Quito stole them to break into a house

y máscara por detrás;[35]
con tan donoso disfraz
echan unas trazas raras,
dándonos señales claras
que, en el quiteño vaivén,
aun los ángeles también
son figuras de dos caras.

De penitentes con guantes
salen los nobles por no
dar limosna, y temo yo
que han de salir de danzantes.[36]
Estos quiteños bergantes [37]
¿cómo harán tal indecencia?,
pues hallo yo en mi conciencia
que es muy grave hipocresía
vestir la cicatería
con traje de penitencia.[38]

Después se ven unos viejos
beatos, brujos y quebrados,[39]
y algunos frailes cargados
con sus barbas y agarejos;[40]
luego se sigue a lo lejos
una recua de Cofrades,
después las Comunidades,
y otras bestias con pendones,
porque aquí las procesiones
todas son bestialidades.[41]

35. He goes about like some youngster disguised as an angel, face in front and mask behind
36. The aristocrats come out (dressed up) as penitents wearing gloves not to have to give alms, and I would not be surprised if (one day) they came out dressed as mountebanks
37. These Quito rascals
38. to cover up their sordid niggardliness by wearing the garb of penitents
39. sanctimonious, witch-like, and dilapidated
40. outfit
41. a multitude (lit. a drove) of Confriers, and behind them the Guilds and other beasts with banners, because here (in Quito) all

Mil pobres despilfarrados [42]
se miran a cada instante,
mas ninguno es vergonzante,
que son bien desvergonzados; [43]
ciegos, mudos, corcobados
y enanos hay en verdad
tantos en esta ciudad,
que yo afirmo sin rebozo
que es este Quito piojoso
el Valle de Josafat. [44]

Hermano, en aqueste Quito
muchos mueren de apostemas,
de bubas, llagas y flemas,
mas nadie muere de ahito; [45]
y hay serrano tan maldito
que al rezar la letanía
pide a la Virgen María,
con grandísimo fervor,
que le conceda el favor
de morir de apoplejía. [46]

A cualquiera forastero, [47]
con extraña cortesía,
sea de noche, sea de día,
le quitan luego el sombrero; [48]
y si él no trata ligero

religious processions are beastly
42. a thousand ragged beggars
43. but rather than shamefaced (**vergonzante** is an honest, decent, needy person) they are shameless
44. there are so many blindmen, deaf-mutes, hunchbacks, and dwarfs in this city, that I openly (**sin rebozo**) declare that this lousy Quito is the Valley of Josaphat
45. many die from abscesses, from bubos, sores and phlegm, but no one dies from indigestion
46. apoplexy
47. a stranger or outsider (i.e. some one from another town or nation)
48. steal his hat for him

de tomar otra derrota,[49]
le quitan también sin nota
estos corteses ladrones
la camisa y los calzones,
hasta dejarlo en pelota.[50]

Andan como las cigarras
gritando por estas sierras
que son leones en las guerras,
y lo son sólo en las garras;[51]
para hurtar estos panarras
con sutileza y con tiento
son todos un pensamiento,
de suerte que yo he juzgado
que en las uñas vinculado
tienen el entendimiento.[52]

. . . Cualquier chisme o patarata[53]
lo cuentan por novedad,
y para no hablar verdad
tienen gracia *gratis data:* [54]
todo hombre en lo que relata
miente o a mentir aspira;
mas esto ya no me admira,
porque digo siempre: ¡Alerta! [55]
sólo la mentira es cierta
y lo demás es mentira.

Mienten con grande desvelo,[56]
miente el niño, miente el hombre,

49. to alter his route immediately
50. to strip him to the bone (double meaning: **naked and penniless**)
51. Like crickets they go clamoring around that they are lions in
wartime, but really they resemble lions only in their claws
52. when it comes to stealing these dolts become so subtle and tactful
that I have come to the conclusion that their nails are intimately
connected with their brains
53. piece of gossip or foolishness
54. gratuitous
55. Watch out! Look out!
56. very openly

y, para que más te asombre,
aun sabe mentir el cielo;
pues vestido de azul velo
nos promete mil bonanzas,
y muy luego, sin tardanzas,
junta unas nubes rateras,
y nos moja[57] muy de veras
el buen cielo con su chanzas.[58]

Llueve y más llueve, y a veces
el aguacero es eterno,
porque aquí dura el invierno
solamente trece meses;
y así mienten los franceses
que andan a Quito situando
bajo de la línea,[59] cuando
es cierto que está este suelo
bajo las ingles del cielo
es decir, siempre meando.[60]

Este es el Quito famoso
y yo te digo, jocundo,
que es el sobaco del mundo
viéndolo tan asqueroso.[61]
¡Feliz tú! que de dichoso
puedes llevarte la palma,
pues gozas en dulce calma
de ese suelo soberano,
y con esto, adiós, hermano.
Tu afecto, Juan de buen alma.

---

57. dressed in a blue veil (i.e. blue, clear skies) promising good
weather, (lit. a thousand bonanzas) and very soon thereafter
sneaky clouds gather and (lit. the sky) gets us wet
58. jests
59. i.e. the Equator
60. under the groins of the sky, that is to say, it is always pissing
61. merrily I let you know that Quito is the world's armpit, considering how disgusting it is

FRANCISCO JAVIER EUGENIO DE SANTA CRUZ Y ESPEJO

b. Quito, Ecuador, February 19 (or 20), 1747
d. Quito   December 26 (or 27), 1795

The son of an Indian from Cajamarca who had changed his name from Chushig to Benites, and a mestizo woman from Quito named Catalina Aldaz, the person known as Francisco Javier Eugenio de Santa Cruz y Espejo was recorded at birth in 1747 in the Register for white citizens, but at his death, forty-eight years later, was consigned to the Register for Indians.

In his anxiety for prestige and recognition, this proud, ambitious and very brilliant man of mixed heritage had recourse to many different last names: Benites, Apéstegui, Espejo, Perochena, de la Cruz y Espejo, Apéstegui y Perochena. Today he is generally known as Dr. Espejo and proudly remembered as an indefatigable champion of civil liberties, scientific progress, progressive education, and the independence of Ecuador.

After obtaining his medical degree, Dr. Espejo studied the causes and cure of smallpox and wrote a book on it. Soon afterwards he took up jurisprudence and set about to keeping abreast with the latest scientific and philosophical developments. For disseminating the ideology of the French Encyclopedists —this was the period of the French Revolution—and exposing some backward aspects of Ecuadorean life, he was considered a dangerous person and duly persecuted. In the 1790's he founded a Patriotic Society and started Ecuador's first journal, *Primicias de la Cultura* (Quito, 1792), which lasted three months and landed him in jail, where he died at the age of forty-eight.

Dr. Espejo's most significant contribution was his *Nue-*

vo Luciano o Despertador de ingenios (1797), nine dialogues in defense of reason and good taste. The immediate targets were the educational ideas of the colonial period ("educación de esclavos"), the gongoristic hang-over in literature, and the obscurantism present in the scientific and philosophical writings of the Ecuador of his age.

EDITIONS: *Escritos del doctor Francisco Javier Eugenio Santa Cruz y Espejo*, 3 vols., Vol. I and II edited by Federico González Suárez, Vol. III edited by Jacinto Jijón y Caamaño and Homero Viteri Lafronte, Quito, Imprenta Municipal, 1912-1923; *El Nuevo Luciano de Quito*, edited by Aurelio Espinosa Pólit, Quito, Imprenta del Ministerio de Gobierno, 1943 (Clásicos Ecuatorianos, Vol. IV); *Primicias de la Cultura de Quito*. Edición facsimilar. Quito, Archivo Municipal, 1947.

ABOUT ESPEJO: Miguel Albornoz: "El mestizo que venció los prejuicios: a qué precio el ecuatoriano Eugenio Espejo conquistó la inmortalidad," *Revista Nacional de Cultura* (Caracas), January-February 1945, pp. 63-75; Alejandro Andrade Coello: *Quiteños auténticos*, Quito, Imprenta Municipal, 1934; Augusto Arias Robalino: *El cristal indígena*, Quito, 1934; Philip L. Astuto: *Francisco Javier Eugenio Santa Cruz y Espejo, a Man of the Enlightenment in Ecuador*, Columbia University thesis 1956 (typescript); Philip L. Astuto: "Eugenio Espejo: a Man of the Enlightenment in Ecuador," *Revista de Historia de América* (México), No. 44 (December 1957), 369-391; Philip L. Astuto: "Eugenio Espejo, hombre de la Ilustración en el Ecuador," *Boletín de la Academia Nacional de Historia* (Quito) V (December 1959), 113-139; Isaac J. Barrera: *Historia de la literatura ecuatoriana (Siglo XVIII)*, Quito, Editorial Ecuatoriana, 1944, Vol. II, pp. 44-69; Isaac J. Barrera: "Prólogo," to Espejo's *El Nuevo Luciano de Quito*, Quito, Imprenta del Ministerio de Gobierno, 1943, pp. vii-xxii; L. F. Borja: "Espejo, el héroe nacional," *Boletín de la Academia Nacional de Historia* (Quito) XXVII (1947), 27-37; Edouard Clavery: *Trois précurseurs de l'indépéndance des démocraties sudaméricaines* (Miranda, Espejo, Nariño), París, F. Michel; 1932; Comité Nacional Pro-Bicentenario de Espejo: *Apoteosis de Eugenio Espejo* (Contributions by Pío Jaramillo Alvarado, Jorge Chacón,

Luis Monsalve Pozo and others), Quito, Editorial Ecuatoriana, 1947; Enrique Garcés: *Eugenio Espejo, médico y duende,* Quito, Editorial Casa de la Cultura Ecuatoriana, 1959; "Homenaje a Espejo," *Previsión Social,* (Quito), May 1947, pp. 9-157 (Contributions by Antonio Montalvo, Francisco López Baca, Juan José Samaniego, Luis A. León, Virgilio Paredes Borja, Sergio Lasso M. and Remigio Tamariz Crespo); Antonio Montalvo: *Francisco Javier Eugenio de Santa Cruz y Espejo,* Quito, Talleres Gráficos Nacionales, 1947; Gonzalo Rubio Orbe: *Francisco Eugenio de Santa Cruz y Espejo,* Quito, Talleres Gráficos Nacionales, 1950.

ARTE POPULAR Y EDUCACION SUPERIOR

(Excerpts from a speech delivered in Quito favoring the creation of a cultural center: the Escuela de la Concordia)

Vais, señores, a formar desde luego una sociedad literaria y económica. Vais a reunir en un solo punto, las luces y los talentos. Vais a contribuir al bien de la patria, con los socorros del espíritu y del corazón,[1] en una palabra, vais a sacrificar a la grandeza del estado, al servicio del Rey y a la utilidad pública y vuestra, aquellas facultades con que en todos sentidos os enriqueció la providencia. Vuestra sociedad admite varios objetos: quiero decir, señores, que vosotros por diversos caminos, sois capaces de llenar aquellas funciones a que os inclinare el gusto, u os arrastrare el talento. Las ciencias y las artes, la política, no han de estar lejos de la esfera de vuestros conocimientos: al contrario, cada una, dirélo así, de estas provincias, ha de ser la que sirva de materia a vuestras indagaciones[2] y cada una de ellas exige su mejor constitución del esmero[3] con que os apliquéis a su prosperidad y aumento. El genio quiteño[4] lo abraza todo, todo lo penetra, a todo alcanza. ¿Veis, señores, aquellos infelices artesanos que, agobiados con el peso de su miseria, se congregan las tardes en las cuatro esquinas[5] a vender los efectos de su industria y su labor? Pues allí el pintor y el farolero, el herrero y el sombrerero, el franjero y el escultor, el latonero y el zapatero, el omniscio y universal artista,[6] presentan

1. with the help of your minds and hearts
2. research
3. careful (painstaking) attention
4. the genius of the people of Quito
5. gather at the marketplace in the afternoon
6. There the painter and the lampmaker, the blacksmith and the hatmaker, the trimmer and the sculptor, the tinsmith and the shoemaker, the brazier, the omniscient and universal artist

a vuestros ojos preciosidades, que la frecuencia de verlas nos induce a la injusticia de no admirarlas. Familiarizados con la hermosura y delicadeza de sus artefactos,[7] no nos dignamos siquiera a prestar un tibio elogio [8] a la energía de sus manos, al numen [9] de invención que preside en sus espíritus, a la abundancia de genio que enciende y anima su fantasía. Todos y cada uno de ellos, sin lápiz, sin buril, sin compás,[10] en una palabra, sin sus respectivos instrumentos, iguala sin saberlo, y a veces aventaja, al europeo industrioso de Roma, Milán, Bruxelas, Dublin, Amsterdam, Venecia, París y Lonbien equipado, de una oficina bien proveída, de un obrador dres. Lejos del aparato, en su línea magnífico, de un taller bien ostentoso,[11] que mantiene el flamenco,[12] el francés y el italiano; el quiteño, en el ángulo estrecho y casi negado a luz, de una mala tienda, perfecciona sus obras en el silencio; y como el formarlas ha costado poco a la valentía de su imaginación y a la docilidad y destreza de sus manos, no hace vanidad de haberlas hecho, concibiendo alguna de producirse con ingenio y con el influjo de las musas: a cuya cuenta, vosotros, señores, les oís el dicho agudo, la palabra picante, el apodo irónico, la sentencia grave, el adagio festivo,[13] todas las bellezas en fin de un hermoso y fecundo espíritu. Este, éste es el quiteño nacido en la oscuridad, educado en la desdicha y destinado a vivir de su trabajo. ¿Qué será el quiteño de nacimiento, de comodidad, de educación, de costumbres y de letras? Aquí me paro; porque, a la verdad, la sorpresa posee en este punto mi imaginación. La copia[14] de luz, que parece veo despedir de sí el entendimiento de un quiteño que lo cultivó, me deslumbra; porque el quiteño de luces, para definirle bien, es el verdadero talento universal. En es-

7. artifacts, handiwork
8. lukewarm praise
9. inspiration
10. without burin, without compasses
11. magnificent workshop
12. the Fleming (native of Belgium)
13. witty sayings, piquant words, ironic nicknames, severe maxims, festive proverbs
14. abundance

te momento me parece, señores, que tengo dentro de mis manos a todo el globo; yo lo examino, yo lo revuelvo por todas partes, yo observo sus innumerables posiciones, y en todo él no encuentro horizonte más risueño, clima más benigno, campos más verdes y fecundos, cielo más claro y sereno qu el de Quito . . .

Con tan raras y benéficas disposiciones físicas que concurren a la delicadísima estructura de un quiteño, puede concebir cualquiera cuál sea la nobleza de sus talentos y cuál la vasta extensión de sus conocimientos, si los dedica al cultivo de las ciencias. Pero éste es el que falta, por desgracia, en nuestra patria, y éste es el objeto esencial en que pondrá todas sus miradas la sociedad.

Para decir verdad, señores, nosotros estamos destituídos de educación; nos faltan los medios de prosperar; no nos mueven los estímulos del honor y el buen gusto anda muy lejos de nosotros; ¡molestas y humillantes verdades por cierto! pero dignas de que un filósofo las descubra y las haga escuchar; porque su oficio es decir con sencillez y generosidad los males que llevan a los umbrales [15] de la muerte la República. Si yo hubiera de proferir palabras de un traidor agudo, me las ministraría copiosamente esa venenosa destructora del universo, la adulación;[16] y esta misma me inspirara el seductor lenguaje de llamaros, ahora mismo, con vil lisonja,[17] ilustrados, sabios, ricos y felices. No los sois: hablemos con el idioma de la escritura santa: [18] vivimos en la más grosera ignorancia y la miseria más deplorable. Ya lo he dicho a pesar mío; pero señores, vosotros lo conocéis ya de más a más sin que yo os repita más tenaz y frecuentemente proposiciones tan desagradables. Mas oh ¡qué ignominia será la vuestra, si conocida la enfermedad dejáis que a su rigor pierda las fuerzas, se enerve y perezca la triste patria! ¿Qué importa que vosotros seáis superiores en racionalidad a una mul-

15. threshold
16. adulation, that poisonous destroyer of the universe, would supply them to me
17. dastardly flattery
18. Holy Scriptures

titud innumerable de gentes y de pueblos, si sólo podéis representar en el gran teatro del universo el papel del idiotismo [19] y la pobreza? ...

No desmayéis: [20] la primera fuente de vuestra salud sea la concordia, la paz doméstica, la reunión de personas y de dictámenes.[21] Cuando se trata de una sociedad, no ha de haber diferencia entre el europeo y el español americano. Deben proscribirse y estar fuera de vosotros aquellos celos secretos, aquella preocupación, aquel capricho de nacionalidad, que enajenan [22] infelizmente las voluntades. La sociedad sea la época de la reconciliación, si acaso se oyó alguna vez el eco de la discordia en nuestros ánimos. Un Dios que de una masa formó nuestra naturaleza nos ostenta su unidad, y la establece ...

19. the role of idiocy
20. do not weaken
21. opinions
22. alienate

MANUEL DE LAVARDEN

b. Buenos Aires, June 9, 1754
d. Colonia del Sacramento (?), 1808 (?)

Just as Luis de Tejeda is generally regarded as Argentina's earliest poet, Lavardén may be regarded as Argentina's earliest playwright. Scion of a noble family—his father had been *Oidor* of the Audiencia of Charcas and for many years had served as advisor to the Viceroy Pedro de Cevallos—Lavardén studied law at the University of Chuquisaca. During his residence there, one of his teachers opened his rich library to him, and it is reasonable to assume that his readings inspired him to write. Actually he became a journalist, but he wrote poetry and became interested in the theatre. With a group of friends he founded the Teatro de la Ranchería, Buenos Aires' first playhouse, and it was there, during the Carnival of 1789, that his three-act tragedy *Siripo* was produced. Although it scored a tremendous success—it dealt with the pageant of Spanish colonization: the conflict between the settlers of the River Platte and the aboriginal population—the play has been lost and its authorship has been questioned.

Lavardén's reputation today rests almost solely on his ode to the Paraná River, published on April 1, 1801 in the *Telégrafo Mercantil*, Argentina's first newspaper. The poem's outstanding merit is its theme, introducing as it does the Argentine landscape into the mainstream of Spanish literature. Yet there is a glaring, inevitable discrepancy between the author's classical approach—his conventional mythological allusions and rhetorical clichés—and the vernacular landscape. As a facetious critic puts it: "los genios y ninfas que juguetean en los arroyuelos de Helicón no sobrenadan airosamente en las aguas del río montaraz."

Perhaps Lavardén was aware of these shortcomings, for he soon abandoned literature and went into the cattle business. He traveled to the Banda Oriental (now Uruguay), and soon thereafter disappeared. The place or year of his death remains unknown.

ABOUT LAVARDEN: Mariano G. Bosch: "El *Siripo* atribuido a Lavardén: del verdadero nadie conoce un solo verso," *La Prensa* (Buenos Aires), July 3, 1932; Mariano G. Bosch: "El supuesto *Siripo* de Lavardén: se trata de una obra de otro siglo y de otro espíritu," La Prensa (Buenos Aires), August 28, 1932; Mariano G. Bosch: "Luis Ambrosio Morante ante el problema del *Siripo* apócrifo tenido por de Lavardén," *Boletín de la Academia Argentina de Letras* (Buenos Aires), III (April-June 1935), 123-172; Mariano G. Bosch: *Manuel de Lavardén, poeta y filósofo*, Buenos Aires, Sociedad General de Autores de la Argentina, 1944; Juan de la Cruz Puig: *Antología de poetas argentinos*, Buenos Aires, 1910, Vol. II, pp. 3-60; Alberto Ghiraldo: "Un precursor del teatro en América," *Atenea* (Concepción), April 1937, pp. 88-97; Juan María Gutiérrez: *Estudios biográficos y críticos sobre algunos sudamericanos anteriores al siglo XIX*, Buenos Aires, 1865, pp. 35-128; Vicente Martínez Cuitiño: "Prólogo" to Mariano G. Bosch: *Manuel de Lavardén, poeta y filósofo*, Buenos Aires, Sociedad General de Autores de la Argentina, 1944, pp. 7-19; Arturo Reynal O'Connor: *Los poetas argentinos* Buenos Aires, 1904, Vol. I pp. 137-226; José E. Rodó: *Ensayos históricos rioplatenses*, Montevideo, Imprenta Nacional, 1935; Ricardo Rojas: *La literatura argentina* 4 vols. Buenos Aires, Coni, 1917-1922, Vol. II, 1918, pp. 430-455.

ODA AL PARANA[1]

Augusto Paraná, sagrado río,
primogénito ilustre del Océano,
que en el carro de nácar refulgente,
tirado de caimanes, recamados
de verde y oro, vas de clima en clima,
de región en región, vertiendo franco
suave frescor y pródiga abundancia,
tan grato al portugués como al hispano;[2]
si el aspecto sañudo de Mavorte,
si de Albión los insultos temerarios
asombrando tu cándido carácter,
retroceder te hicieron asustado
a la gruta distante[3] que decoran
perlas nevadas, ígneos topacios,
y en que tienes volcada la urna de oro
de ondas de plata siempre rebosando;[4]

1. One of the longest rivers in the world, the Paraná flows down for over two thousand miles from the confluence of the Paranahyba and the Rio Grande (Brazil) to the River Platte and the Atlantic Ocean, so that directly, or indirectly through its many tributaries, it has influenced the history of Brazil, Paraguay, Bolivia, Uruguay and Argentina.
2. Admiringly the poet addresses the Paraná, the "Majestic (augusto), sacred river, illustrious first-born child (primogénito) of the Atlantic Ocean. The river moves along "on a refulgent mother-of-pearl chariot drawn by alligators (caimanes)" whose backs are "inlaid with green and gold." From one geographical zone to another, from one climate to another, the river moves on, spreading "coolness and prodigious abundance" (i.e. irrigating vast areas), thus bringing happiness to Portuguese (Brazilians) and Spaniards alike.
3. However, "the wrathful countenance of Mars" (Mavortian-from Mavors or Mars, i.e. warlike disturbances) and "the overbold insults from Albion" (i.e. British vessels entering the Platte estuary and threatening to invade Buenos Aires) have frightened the Paraná and caused it to back up (retroceder) and take refuge in some distant grotto (gruta).
4. decorated with white pearls and red topazes, wherein your spilled gold urn forever overflows its silver waves

si las sencillas ninfas argentinas
contigo temerosas profugaron
y el peine de carey allí escondieron,
con que pulsan y sacan sones blandos
en liras de cristal, de cuerdas de oro,
que os envidian las Deas del Parnaso;[5]
desciende yá, dejando la corona
de juncos retorcidos, y dejando
la banda de silvestre camalote,
pues que ya el ardimiento provocado
del heróico español, cambiando el oro
por el bronce marcial, te allana el paso,
y para el arduo, intrépido combate,
Carlos presta el valor, Jove los rayos.[6]

Cerquen tu augusta frente alegres lirios
y coronen la popa de tu carro;
las ninfas te acompañen adornadas
de guirnaldas, de aromas y amaranto;
y altos himnos entonen, con que avisen
tu tránsito a los dioses tributarios.[7]
El Paraguay, el Uruguay lo sepan,
y se apresuren próvidos y urbanos
a salirte al camino, y a porfía
te paren en distancia los caballos

5. If the argentine (**argentinas** means both silvery and belonging to Argentine) nymphs fled (to the grotto) with you, hiding their tortoise-shell comb with which they play, producing soft music from golden-stringed lyres—these nymphs are envied by the goddesses of Parnassus
6. At this point the poet begs the river to come down, leaving behind the crown of twisted bulrushes and aquatic plants (**camalote**) by the river banks: come down because the doughty Spaniards are about to face the English pirates. The Spaniards find inspiration in their great King, Charles III, who lends them courage, just as Jupiter lends them his thunderbolts
7. Let cheerful lilies encircle your majestic forehead and bedeck the stern (**popa**) of your chariot, and let the nymphs follow, adorned with garlands, perfumes, and amaranth, singing lofty hymns and thus warning the tributary gods (i.e. the tributaries of the Paraná) of your journey

que del mar patagónico trajeron;[8]
los que ya zambullendo,[9] ya nadando,
ostentan su vigor, que, mientras llegan,
lindos céfiros [10] tengan enfrenado.

Baja con majestad, reconociendo
de tus playas los bosques y los antros;
extiéndete anchuroso, y tus vertientes,
dando socorros a sedientos campos,[11]
den idea cabal de tu grandeza.
No quede seno que a tu excelsa mano
deudor no se confiese. Tú las sales
derrites,[12] y tú elevas los extractos
de fecundos aceites: tú introduces
el humor nutritivo, y suavizando
al árido terrón, haces que admita
de calor y humedad fermentos caros.
Ceres de confesar no se desdeña
que a tu grandeza debes sus ornatos.
No el ronco caracol, la cornucopia,
sirviendo de clarín, venga anunciando
tu llegada feliz.[13] Acá tus hijos,
hijos en que te gozas, y que a cargo
pusiste de unos genios tutelares
que por divisa la bondad tomaron,
céfiros halagüeños por honrarte

8. On learning of your trip, (these tributaries), the Paraguay and
the Uruguay, will hasten, propitious and urbane, to greet you
and stop the horses brought from the Patagonian Sea (Patagonia
is Argentina's southernmost area)
9. diving
10. zephyr, i.e. west wind, by extension any gentle breeze
11. bringing relief to parched fields (Strangely enough, for the
past few years, previous to the British threat, the Paraná had
ceased to have its yearly summer floods)
12. The Paraná dilutes (lit. melts) the salt (from the incoming tide),
irrigates the fields (lit. introduces nutritive humors)
13. Ceres (goddess of growing vegetation) does not hesitate to
confess all that she owes you. So let a cornucopia (horn of
plenty) rather than a hoarse conch (summoning to war) an-
nounce your felicitous arrival

bullen y te preparan sin descanso
perfumados altares en que brilla
la industria popular, triunfales arcos,[14]
en que las artes liberales lucen,
y enjambre vistosísimo de naos
de incorruptible leño, que es don tuyo,
con banderolas de colores varios
aguardándote está.[15] Tú, con la pala
de plata,[16] las arenas dispersando,
su curso facilita. La gran corte
en grande gala espera. Ya los sabios
de tu dichoso arribo se prometen
muchos conocimientos más exactos
de la admirable historia de tus reinos,
y los laureados jóvenes, con cantos
dulcísonos de pura poesía[17]
que tus melifluas ninfas enseñaron,
aspiran a grabar tu excelso nombre
para siempre de Pindo en los peñascos,[18]
donde de hoy más se canten tus virtudes
y nos las iras del furioso Janto.
Ven, sacro río, para dar impulso
al inspirado ardor; bajo tu amparo
corran, como tus aguas, nuestros versos.[19]

14. (To celebrate your arrival) your sons, whose motto or slogan
is kindness (**bondad**) (i.e. they are from **Buenos Aires**, good
airs, **céfiros halagüeños**), prepare excitedly for you: perfumed
altars, triumphal arches, etc.
15. a most glamorous swarm (**enjambre**) of ships, (made out) of
incorruptible wood (**leño**, log), your gift, is waiting for you, (all
bedecked) with little banners of varied colors
16. silver shovel
17. So that men of science will be there to learn more about the
river (especially about the current phenomenon, the stoppage
of summer floods) and also young poets (**laureados jóvenes**)
with sweet-toned (**dulcísonos**) songs of pure poetry
18. these poets, who have been taught (in the art of poetry) by the
mellifluous nymphs, aspire to engrave your lofty name forever on
the Pindo rocks (a mountain range in Thessaly devoted to Apollo
and the muses, i.e. aspire to immortalize their songs about you)
19. The poet begs the river to come down and inspire all the poets,
so that "under your protection (**bajo tu amparo**) our verses, like
your waters, may flow on"

no quedarás sin premio ¡premio santo!
Llevarás guarnecidos de diamantes,
y de rojos rubíes, dos retratos,
dos rostros divinales, que conmueven:
uno de Luisa es, otro de Carlos.[20]
Ves ahí, que tan magnífico ornamento
transformará en un templo tu palacio;
ves ahí, para las ninfas argentinas,
y su dulce cantar, asuntos gratos.

---

20. (The river will receive a prize for this), "a sacred prize (¡premio santo!); you will carry on your back two portraits, set in diamonds and red rubies, two divine countenances that stir up everyone: one is Luisa, the other Carlos" (a rather corny finale, exhibiting Lavardén's adulation for Charles IV of Spain and his wife Louise María of Parma!)

RAFAEL GARCIA GOYENA

b. Guayaquil, Ecuador 1766
d. Guatemala City, November 9, 1823

García Goyena's father had come as a merchant from
Navarre, Spain, to Guayaquil, where he married the aristo-
cratic *criolla* Baltasara de Gastelú. Rafael was born in Guayaquil in 1766. Soon thereafter, his father moved to Guatemala
City and found employment with the Marquis Juan Fermín de
Aycinena. When Rafael was twelve he came to Guatemala,
where with some reluctance he attended first the secondary
school and later the Pontifical University of San Carlos. From
philosophy and the classics he went on to the study of law
which was interrupted when he became involved in a love-
affair that ended up in marriage. His angry father had him
jailed in the Colegio de Cristo and a few weeks later sent
the young couple off to Cuba. But they were never to arrive.
Suspicious of them and considering their documents inad-
equate, the port commander at Omoa imprisoned them (January 22, 1787) and they could not return to Guatemala until
July. So Rafael went back to law school to receive his degree
of licenciate in 1791 and his doctorate in 1804.

At his father's death Rafael inherited a substantial fortune which he merrily squandered in the purchase of "cucharas de oro" for his gourmet dinners and "cestas de dulce para regalarlas a los niños." Needless to add, the generous
poet died in extreme poverty.

His legacy was his poetry, consisting of satirical *letrillas*
and fables, some of which had come out in periodicals at the
beginning of the nineteenth century. His collected writings,
Fábulas y poesías varias, were not published until two years
after his death. In his fables, while satirizing the human
condition, García Goyena dramatized the animals of the

American torrid zone, some of which were little known outside of Guatemala.

BEST EDITION: *Fábulas,* edited by Carlos Samayoa Chinchilla, Guatemala, Ediciones del Gobierno de Guatemala, 1950 (Colección "Los Clásicos del Istmo")

ABOUT GARCIA GOYENA: Rafael Arévalo Martínez: "Poetas de Guatemala," *Boletín de la Biblioteca Nacional,* January 1937, No. 4; Isaac J. Barrera: *Historia de la literatura ecuatoriana (Siglo XVIII),* Quito, Editorial Ecuatoriana, 1944, Vol. II pp. 218-225; Antonio Batres Jáuregui: *Biografías de Literatos Nacionales,* Guatemala, Tipografía "La Unión," 1889, Vol. I; Carlos Samayoa Chinchilla: "Prólogo: De la Fábula y de García Goyena," in his edition of García Goyena's *Fábulas,* Guatemala, Ediciones del Gobierno de Guatemala, 1950, pp. xiii-lvi; David Vela: *Literatura guatemalteca,* Guatemala, Tipografía Nacional, 1944.

Fábula XXI

LA MARIPOSA Y LA ABEJA[1]

La mariposa brillante,
matizada de colores,
visita y liba[2] las flores
con vuelo y gusto inconstante.

A un fresco alhelí[3] se inclina,
y apenas lo gusta, inquieta,
pasa luego a una violeta,
después a una clavellina.[4]

Sin tocar a la verbena
sobre un tomillo aletea,
percibe su aura sabea
y descansa en la azucena.[5]

De allí con rápido vuelo
en otro cuadro distinto,
da círculos a un jacinto[6]
y se remonta hasta el cielo.

Vuelve con el mismo afán
sobre un clavel encarnado;[7]
en cuanto lo hubo gustado
se traslada a un tulipán.[8]

1. The Butterfly and the Bee
2. sucks, extracts the juice
3. gillyflower
4. pink
5. without alighting on the vervain, it flutters over the thyme and rests upon a lily and smells its fragrance
6. flies round a hyacinth, and then soars up to the sky
7. red carnation
8. moves on to a tulip

Atraída de su belleza,
en una temprana rosa
por un momento reposa
y el dorado cáliz besa.

Ya gira sobre un jazmín,
ya sobre el lirio, de modo,
que corre el ámbito todo
del espacioso jardín.

Sobre un alto girasol,[9]
por último, toma asiento,
y en continuo movimiento
brillan sus alas al sol.

Haciendo de bachillera
le dirige la palabra
a cierta abeja que labra
dulce miel y blanda cera.[10]

Y le dice: —Vaya, hermana,
¡qué carácter tan paciente!
Te tuve por diligente,
pero eres grande haragana.[11]

De una en una he repasado
las flores; tú, en una sola,
en una simple amapola
media mañana has gastado.[12]

---

9. sunflower
10. As a babbler, she addresses a bee who is making sweet honey and soft wax
11. I thought you were industrious, but you are just a big loafer
12. I have gone one by one over flowers while you have wasted half of the morning on a simple poppy

Nuestra frágil vida imita
a la flor que se apetece;
aquélla en su flor perece,
y ésta en botón se marchita.

No malogres [13] de esa suerte
un tiempo tan mal seguro;
goza del deleite puro
antes que pruebes la muerte—.

La abeja entonces contesta
(sin divertir su atención
de su actual ocupación)
con la siguiente respuesta:

—Tú en las flores sólo miras
aquel jugo [14] delicado
a tu gusto acomodado,
único objeto a que aspiras.

Yo trabajo con constancia
en la flor que me acomoda
hasta que le extraigo toda
la preciosa útil substancia. [15]

No consulto a mi provecho,
sino al de la sociedad
y pública utilidad
en el fruto que cosecho.

Sigue tu genio ligero
en pos de lo deleitable,
porque lo útil y lo estable
pide un afán tesonero—. [16]

13. waste
14. juice
15. until I extract from it all its precious, useful substance
16. requires a tenacious effort

De este modo, amigo, piensa
una abeja, y tú pensaras
como ella, si censuras
los escritos de la prensa.

Si unas con otras cotejas [17]
verás que liban las flores
las obras de los autores,
más mariposas que abejas.

17. If you compare them

Fábula XXVII

EL PAVO REAL, EL GUARDA Y EL LORO [1]

Un soberbio pavo real
de pluma tersa y dorada
con brillantez adornada
se paseaba en su corral.
El petulante animal
con aire de señorío
miraba el rico atavío
de su pluma;[2] pero mudo,
aun en su elogio no pudo
decir: "Este pico es mío." [3]

Mientras tanto tomó asiento
allí cerca, un pobre guarda,
de estos de la pluma parda
que no tienen lucimiento;
pero con melífluo acento
abre la dulce garganta,[4]
y de tal manera canta,
con voz delicada y suave,
que aun el pavón que no sabe
admiró dulzura tanta.

1. The Peacock, the Guarda (or Guardabarranca, a singing bird found in Guatemalan forests), and the Parrot
2. his gorgeous plumage (lit. the rich attire of feathers)
3. i.e. could not utter a word
4. sings beautifully (lit. opens up its sweet throat with honeyed accents)

Necio entonces y orgulloso,
al mismo tanto que rico,
quiere imitarle, abre el pico,
y da un graznido espantoso.[5]
Mi loro, que es malicioso,
con una falsa risilla[6]
dijo: —¡Bravo, qué bien brilla
con el resplandor del oro!
Mas no tiene lo canoro
de esa discreta avecilla—.[7]

Dime musa, si has sabido
los misterios de los hados,[8]
¿por qué están enemistados
lo rico con lo entendido?
Bajo un humilde vestido
vive el sabio en menosprecio,
mientras el soberbio necio,
lleno de oro y de arrogancia,
en medio de la ignorancia
merece el común aprecio.

5. lets out an awful cackling
6. feigned a little laughter
7. but it lacks that discreet little bird's musical quality
8. mysteries of fate

Fábula XXX

LAS GOLONDRINAS Y LOS BARQUEROS [1]

Unas golondrinas
desde Guatemala,
quisieron hacer
un viaje a La Habana.

Y dando principio
a su caminata
volaron diez días
haciendo mil pausas.

Llegan a Trujillo,
y estando en la playa
en vez de temer
resuelven la marcha. [2]
Una de prudencia
entre ellas estaba,
y les dijo: —Amigas,
mirad tantas aguas.

No nos expongamos
a morir ahogadas, [3]
si a medio camino
las fuerzas nos faltan.

1. The Swallows and the Boatmen
2. instead of being afraid they decide to fly on
3. Let us not run the risk of drowning

Mejor es pedir
en aquella barca
un lugar pequeño
que tal vez no falta—.

Apenas había
dicho estas palabras,
cuando respondieron
con gran petulancia:

—Barca no queremos,
pues con nuestras alas
tenemos de sobra[4]
para ir hasta España—.

Los barqueros todos
oyendo esto estaban
y también reían
de tal petulancia.

Pasada la noche,
en la madrugada,
alzaron el vuelo
con gran algazara.[5]

También los barqueros
hicieron su marcha
con la ligereza
que andan los piratas.

Y apenas dos leguas
llevaban andadas,
cuando ven llegar
las aves cansadas.

4. we have more than enough
5. uproar

404

Con súplicas mil
todas desmayadas,
amparo pedían
a los de las barcas.[6]

Mas ellos entonces
riendo a carcajadas,[7]
sólo les decían: —
—¿Pues no tenéis alas?—

Al fin perecieron
nuestras camaradas,
y así los barqueros
tomaron venganza.

Esta fabulilla
se llama la capa,
vístala el lector
si acaso le entalla.[8]

6. dead tired, they asked shelter of the men in the boats
7. bursting with laughter
8. is called a cape, if it fits the reader, let him wear it

MANUEL MARTINEZ DE NAVARRETE

b. Zamora, Mexico, June 17, 1768
d. Real de Minas de Tlalpujahua, Mexico,
July 19, 1809

Since his widowed mother could not afford to see him
through the University, Manuel de Navarrete was sent, after
his primary schooling in Zamora and Valladolid, to a relative
who had a business in Mexico City. There the brilliant youngster found time to study mathematics, dancing, and fencing
while attending some art classes at the famous Academia de
San Carlos.

In accordance with his mother's wishes, on August 7,
1787 Manuel entered the Franciscan convent at Querétaro.
He was nineteen years old, dynamic and ambitious, but was
soon to suffer an acute attack of pleurisy that impaired his
health for life. From Querétaro he was sent to the convent
in Celaya, where he taught a few years, and then back to
Querétaro to tutor some Latin courses. Transferred to Real
de Minas de Tlalpujahua as *guardián* (Father Superior), he
died a few weeks later at the age of forty-one.

Navarrete's work began to appear in print in 1806, in the
newly-founded newspaper *Diario de México*. For the most
part his contributions were anacreontic lyrics, echoing in tone
and sonority some of the poets of the Spanish Renaissance,
particularly Garcilaso. In recognition of his talent he was invited to join *Arcadia,* a literary group advocating neoclas-
sicism and reliving the bucolic age. In *Arcadia* he became *mayoral* or head-shepherd. But Navarrete was not bound or limited to pastorals or Latin classics, dearly loved and imitated
by him (especially Vergil). All through the complex texture
of his lyrics pulsates the Baroque—that Baroque which had
become so firmly entrenched in the poetic utterance of Mexico
since the days of Balbuena and Sor Juana. Over and beyond

the Baroque and the neoclassical one may perceive characteristics readily associated with the Romantic school: a nocturnal, "graveyard" tonality derived, to some extent, from two of his favorite poets: the Spanish Juan Meléndez Valdés (1754-1817) and the English Edward Young (1683-1765). Yet the very last phase of Navarrete's development seems to have been dedicated to religious verse. His *La divina providencia* is closer to Fray Luis de León and the mystics of the Spanish Golden Age than to any of his other favorites. With *La divina providencia* he wished to atone for the sensual suggestiveness of his earlier love lyrics even though there was really very little in them that might be regarded as either sensual or carnal. His final, most destructive act of contrition he performed a few days before his death by consigning thirty of his unpublished love poems to the flames.

EDITIONS: *Obras de Fray Manuel Navarrete; poesías,* México, Tipografía V. Agüeros, 1904; *Poemas inéditos,* ed. by Carlos M. de Bustamante, México, Sociedad de Bibliófilos Mexicanos, 1929; *Poesías profanas,* ed. by Francisco Monterde, México, Ediciones de la Universidad Nacional Autónoma, 1939 (Biblioteca del Estudiante Universitario, No. 7); *Fray Manuel Martínez de Navarrete.* Selección y prólogo del Dr. Rafael C. Haro, Morelia, Cuadernos de Literatura Michoacana, 1953.

ABOUT NAVARRETE: Carlos M. de Bustamante: "Apuntes biográficos," in Navarrete's *Poemas inéditos,* México, Sociedad de Bibliófilos Mexicanos, 1929; Juan María Gutiérrez: *Estudios biográficos sobre algunos poetas sudamericanos anteriores al siglo XX,* Buenos Aires, 1865; Rafael C. Haro: "Prólogo," to his *Fray Manuel Martínez de Navarrete: Selección,* Morelia, Cuadernos de Literatura Michoacana, 1953; Francisco Monterde: "Prólogo," to his edition of *Fray Manuel Navarrete: Poesías profanas,* México, Ediciones de la Universidad Nacional Autónoma. 1939, pp.vii-xxii; F. Pimentel: *Biografía y crítica de los principales poetas mejicanos,* Madrid, 1868; Manuel Toussaint: "Nuevos aspectos en la biografía de Fray Manuel Navarrete," *Revista de Literatura Mexicana* (México), I (1941), 226-234; Luis G. Urbina: *La poesía mexicana de la Independencia,* México, 1917, rep. 1942.

CON OTRAS ZAGALEJAS . . .

Con otras zagalejas,[1]
un día de verano,
por modo de paseo,
salió Clorila al campo.

Cuando daban la vuelta,
traían en las manos
hacecillos curiosos,
de flores matizados.[2]

Sobre las rubias trenzas,
que el aire iba soplando,
se ostentaban las rosas
que habían entrelazado.[3]

Dispuso la fortuna
que yo saliera al paso:
Clorila dióme luego
un muy gracioso ramo.

Ramo que había sido
lisonja del olfato,
émulo de los otros,
y honor ya de mi mano.[4]

1. young shepherdesses (dim. of zagala)
2. they were holding in their hands strange little bunches (dim. of haz) colored with flowers, i.e. bunches of many-colored flowers
3. showed the roses they had entwined (in their blonde tresses)
4. a bouquet of flowers which had been a delight to the sense of smell, a competitor of the others (i.e. of the other bouquets) and now the pride of my hand

Algunos pastorcillos[5]
que supieron el caso,
su inocencia y mi dicha
gruñeron y ladraron.[6]

Mas yo digo a Clorila:
¿Cuándo vuelves al campo
con otras zagalejas
un día de verano?

5. young shepherds
6. grunted and barked

A UNA INCONSTANCIA

Suspende, fuentecilla,
tu ligera corriente,[1]
mientras que triste lloro
mis ya perdidos bienes.

¿Cuántas veces, estando
en tus orillas verdes,
Lisi me aseguraba
su amor hasta la muerte?

Aquí su diestra mano,[2]
más blanca que la nieve,
en esta arena frágil,[3]
escribió muchas veces:

"Primero ha de tornarse
el curso de esta fuente,
que el corazón de Lisi,
que a su Salicio quiere".[4]

Mas tus promesas, Lisi,
no han sido menos leves
que el papel que escogías
para firmarlas siempre.

1. Stop, brooklet, your fast-running stream
2. Here her right hand
3. in this fragile sand (i.e. minute and transitory)
4. the spring will first turn its course rather than the heart of Lisi,
who loves her Salicio (these proper names are typical of shepherds and shepherdesses of bucolic poetry)

411

Las letras se borraron [5]
por los soplos más tenues [6]
del viento, y tus promesas
por lo que tu quisieres.

¡Ay, contentos soñados
de prometidos bienes! [7]
¡Ay, inconstancia propia
de fáciles mujeres!

5. the letters were blotted out, erased
6. by the lightest puff of wind
7. Alas, pleasant dreams of promised happiness!

RECUERDOS TRISTES

Cuando tu blanca frente yo ceñia
de yedra azul y de encarnada rosa;[1]
cuando en el fértil prado y selva umbrosa[2]
mil cariños muy dulces te decía;

Cuando de agreste flauta[3] me servía
para cantar tu cara milagrosa;
cuando en nuestra cabaña venturosa[4]
me nombraba por tuyo, y tú por mía;

Cuando... mas no, no quiera, Clori amada,
que refiera más gustos, pues no intento
que gima la memoria lastimada.[5]

Iba a decirte que en aquel momento
que recuerdo la vida ya pasada,
no sé cómo no muero de tormento.

1. girded with blue ivy (**yedra** = **hiedra**) and red roses
2. fertile meadow and shady grove
3. rustic flute
4. enjoyable hut
5. for I do not wish to pine away aggrieved by memory

INFLUJO DE AMOR [1]

Célebres calles de la corte indiana,[2]
grandes plazas, soberbios edificios,
templos de milagrosos frontispicios,[3]
elevados torreones de arte ufana.[4]

altos palacios de la gloria humana,
fuentes de primorosos artificios,
chapiteles, pirámides, hospicios,
que arguyen la grandeza americana.[5]

¡Oh México!, sin duda yo gozara
del gusto que me brinda tu grandeza
si causa superior no lo estorbara.[6]

De tu suelo me arranca con presteza
el suave influjo de la dulce cara
de una agraciada rústica belleza.[7]

1. love's influence
2. lit. of the Indian court, i.e. of Mexico's capital city
3. amazing façades
4. tall towers (the product) of masterly art (i.e. of architecture)
5. fountains of exquisite workmanship, spires, pyramids, hospitals
   —all testifying to the grandeur of America. (This enthusiastic
   praise of Mexico City clearly echoes that of Balbuena's **Grandeza Mexicana).**
6. prevented me (from enjoying your grandeur)
7. from your soil I am quickly torn away by the tender influence
   of the sweet face of a lovely country girl

DE LA HERMOSURA

Mira esa rosa, Lisi, en la mañana
con las perlas del alba enriquecida,
y en trono de esmeraldas, tan erguida,
que parece del campo soberana.

No tarda, aunque la miras tan ufana,[1]
en verse por los vientos sacudida,
y advertirás entonces convertida
en mutis palidez su hermosa grana.[2]

No de otra suerte, Lisi, tu belleza,
cual si de eterna fuese su esperanza,
te adorna de gallarda gentileza;

Pero vendrá la muerte sin tardanza,
y marchito el verdor de su entereza,
del trono la hará caer de la privanza.[3]

1. although you see it so proud
2. changed its gorgeous scarlet for silent pallor
3. But death will come speedily, and when (the rosebush's) total greenness dries up, (death) will force (the rose) to tumble down from its privileged position at court (i.e. will force the rose to fall down from the throne it occupies in the garden)

DE LA JUVENTUD

¿No ves ese clavel ya deshojado
por la crueldad del cierzo enfurecido,[1]
tan muerto, que parece enternecido
las exequias le cante triste el prado?[2]

Pues ayer se ostentó tan encarnado,[3]
tan fragante, tan verde, tan lucido,
que entre el vistoso ejército florido
por galán de la selva fué estimado.[4]

Así será tu muerte lastimosa,
y no tarde tampoco; aunque reflejo
que presumes de un alma muy fogosa.[5]

¡Pronóstico fatal![6] Mas te aconsejo,
en premio del retrato de la rosa,
que este clavel te pongas por espejo.[7]

1. Don't you see that carnation that the cruel, enraged cold wind
has already stripped of its petals?
2. on sadly singing its exequies the meadow seems moved to pity
3. yesterday made a show of itself, so red
4. was considered the leading man of the forest, i.e. the pride of
the fields
5. although I believe that you boast of having a very impetuous soul
6. fatal prophecy
7. But I advise you, in connection with the rose's plight (described
in the sonnet above, De la hermosura), that you take this carnation for a mirror, i.e. consider that what happened to the carnation may happen to you

LA PRIMAVERA

Ya vuelve la deseada primavera
en alas de los blandos cefirillos [1]
y el coro de los dulces pajarillos
con su voz la saluda lisonjera.

Del abundoso río la ribera
atrae con el olor de sus tomillos [2]
a los simples y mansos corderillos
que pacen de los montes la ladera. [3]

Su zampoña el pastor ya templa ufano [4]
para cantar amores con terneza
a su zagala por el verde llano.

Se alegra la común naturaleza
cuando vuelve la ninfa del verano
a ostentar por los prados su belleza.

1. now longed-for spring returns on the wings of tender breezes
   (lit. soft little zephyrs)
2. thyme (sweet-smelling herbs)
3. tamed baby lambs that graze by the hillside
4. now the shepherd proudly tunes up his pipe

LA INMORTALIDAD

En este triste solitario llano,
do violentas me asaltan las congojas,[1]
no ha mucho que extendió sus verdes hojas
y salpicó[2] de flores el verano.
Este tronco esqueleto,[3] con que ufano
estuvo el patrio suelo,
abrigaba los tiernos pajarillos
entre frondosas ramas;
el líquido arroyuelo,
por márgenes sembradas de tomillos,
de cantuesos, de pálidas retamas,
de rubias amapolas,
de albos jazmines y purpúreas violas,[4]
mansamente corría
bañando el fértil prado de alegría.
Benigno el aire en la espaciosa estancia
de los lejanos frutos y las flores,
desparramaba el bálsamo y fragancia.[5]
¡Oh tiempo, y lo que vencen tus rigores!
Llega del año la estación más cruda,
y mostrando el invierno sus enojos,
todo el campo desnuda
a vista de mis ojos,
que ya lloran ausentes
los pájaros, las flores y las fuentes.

1. In this dismal, lonely plain where (**do** = **donde**) deep grief overwhelms me
2. spattered, sprinkled
3. This wasted (dried up) tree trunk (lit. skeletal trunk)
4. along banks blossoming with thyme, lavender, pale broom, blonde poppies, white jasmines and purple violets
5. scattering (lit. spilling) balm and fragrance

En los que miro ¡ay triste! retratados
los gustos de mi vida,
por la mano del tiempo arrebatados,
¡Dulces momentos, aunque ya pasados,
cuan helada quedó mi edad florida.
a mi vida volved como a esta selva
han de volver las cantoras aves,
las vivas fuentes y las flores suaves,
cuando el verano delicioso vuelva!
Mas ¡ay, votos perdidos
que el corazón arroja
al impulso mortal de mi congoja!
Huyéronse los años más floridos,
y la edad que no para,
allá se lleva mis mejores días . . .
Adiós, breves pasadas alegrías,
¿que no volvéis siquier la dulce cara?⁶ . . .

Aridas tierras, más que yo dichosas,
no así voostras, que os enviando el cielo
anuales primaveras deliciosas,
se corona con mirtos y con rosas
la nueva juventud de vuestro suelo.
Pero ¿qué rayo ¡ay Dios! a mi alma enciende?⁷
¡Ah! luz consoladora,
que del solio estrellado⁸ se desprende . . .
más allá de la vida fatigada . . .
sí, de la vida cruel que tengo ahora.
Cuando sea reanimada
esta porción de tierra organizada,
entonces, por influjos celestiales,
en los campos eternos
florecerán mis gustos inmortales
seguros de los rígidos inviernos.

6. why do you not even (**siquier = siquiera**) turn your tender faces?
7. sets my soul afire
8. starred canopy

419

LA MAÑANA

Ya se asoma[1] la cándida mañana
con su rostro apacible; el horizonte
se baña de una luz resplandeciente
que hace brillar la cara de los cielos.

Huyen como azoradas las tinieblas[2]
a la parte contraria. Nuestro globo,
que estaba al parecer como suspenso
por la pesada mano de la noche,
sobre sus firmes ejes me parece
que le siento rodar.[3] En un instante
se derrama el placer por todo el mundo.

¡Agradable espectáculo! ¿Qué pecho
no se siente agitado si contempla
la milagrosa luz del almo día?[4]
Ya comienza a volar el aire fresco,
y a sus vitales soplos se restauran
todos los seres que hermosean la tierra.
El ámbar de las flores ya se exhala
y suaviza la atmósfera;[5] las plantas
reviven todas en el verde valle
con el jugo sutil que les discurre
por sus secretas delicadas venas.[6]
Alegre la feraz Naturaleza[7]

1. leans out (as from a balcony)
2. as if frightened, the shadows flee
3. I seem to feel (the world) rotating on its massive axles
4. blessed day
5. the amber of the flowers already wafts (its perfume) and sweetens
   the atmosphere
6. the subtle sap that flows through their secret, delicate veins
7. fertile Nature

se levanta risueña y agradable;
parece, cuando empieza su ejercicio,
que una mano invisible la despierta.
Retumban los collados con las voces
de las cantoras inocentes aves;
susurran las frondosas arboledas,
y el arroyuelo brinca y mueve un ronco
pero alegre murmullo entre las piedras.[8]

¡Qué horas tan saludables en el campo
son estas de la luz madrugadora,
que los lánguidos miembros vigorizan,
y que malogran en mullidos lechos
los pálidos y entecos ciudadanos![9]
Todo excita en el alma un placer vivo
que con secreto impulso se levanta
a grandes y sublimes pensamientos.
Todo lleva el carácter estampado
de su Hacedor eterno. Allá a su modo
parecen alabar todos los entes
la mano liberal que los produce.[10]

Todo se pone en pronto movimiento
cada cual de los simples habitantes
comienza su ejercicio con el día;
tras su manada de corderas blancas
leda la pastorcilla se entretiene,
tejiendo una guirnalda que matiza
de varias flores para su alba frente.[11]
El vaquero gobierna su ganado,

8. The voices of the innocent, singing birds re-echo among the hills;
the leafy groves whisper, and the brook frolics and raises a
hoarse but gleeful murmur among the stones
9. in their soft beds the pale, sickly city dwellers miss
10. All things bear the imprint of their eternal Creator. All living
beings seem to praise, each after his own fashion, the bountiful
hand that made them.
11. the gentle shepherdess follows her flock of white sheep while
she weaves a garland that she colors with varied flowers for her
white forehead

que se dilata en el hermoso ejido;[12]
el labrador robusto se dispone
para el cultivo del terreno fértil.

Voime al sembrado que la Providencia
con su invisible diestra me señala; [13]
sufriré el sol ardiente; pero alegre
con los frutos sazones y abundantes
que los surcos me dan,[14] que beneficio,
apagado el bochorno de la tarde,
me volveré a mi choza apetecible.[15]
morada de la paz y de los gustos,
donde mi esposa dulce ya me espera
con sus brazos abiertos. Mis hijitos,
después de recibirme con mil fiestas,
penderán de mi cuello;[16] ciertamente
que vendré a ser entonces como el árbol
de que cuelgan racimos los más dulces.[17]

¿Y he de trocar entonces mi cabaña,
aunque estrecha y humilde, por el grande
y soberbio palacio donde brilla
como el sol en su esfera un señor rico,
pisando alfombras con relieves de oro? [18]
Nada menos. Tampoco este instrumento,
este instrumento rústico y grosero,
bienhechor, que me da lo necesario
en todas las urgencias de mi vida,
por el cetro brillante que un monarca
empuña con su diestra poderosa.[19]

12. The cowboy manages his herd that overflows the beautiful commons
13. I go (**voime = me voy**) to the tilled fields assigned to me by the invisible hand of Providence
14. happy with the ripe, abundant crops the furrows give me
15. assuaged the heat of evening, I shall return to my delightful hut
16. will hang from my neck
17. the sweetest clusters
18. treading on carpets with designs of gold on them
19. neither (shall I change) this rustic, uncouth tool, my benefactor, for the refulgent scepter that a monarch wields in his all-powerful right hand

No cabe el gozo dentro de mi pecho,
ni de alabar me canso en la mañana
al Padre universal de las criaturas,
que miro en esa luz madrugadora,[20]
sin dejarlo de ver en las restantes
producciones tan grandes de su seno
¡Oh, cuántas cuales son, y qué admirables!
Pero ninguna como el alba hermosa,
que parece que a todas les da vida
enviándoles la luz de su semblante.
¡Oh risa de los cielos y alegría
de estos campos felices! Precursora
de los rayos del sol, yo te saludo.
Las frescas sombras, las campiñas verdes,
las fuentes claras, los favonios blandos,[21]
las aves dulces y las flores tiernas
te saludan también allá a su modo.

Su faz hermosa la Naturaleza
sacar parece del sepulcro ahora.[22]
Todos sus entes cobran nueva vida
a tu presencia dulce y agradable;
corren las fieras a sus cuevas hondas,
brincan las cabras, los corderos balan,
llaman las vacas a sus becerrillos,
mugen los toros[23] y responde el eco
que sale de los montes retumbando.
Los pastorcillos y las zagalejas[24]
sonoros himnos cantan al Eterno
Autor que baña tu semblante hermoso
de tan alegre luz por la mañana.

20. dawning light
21. balmy zephyrs
22. Nature seems to raise its lovely face from the sepulchers
23. wild animals rush to their deep lairs, goats frisk, sheep bleat,
cows call their little calves, bulls bellow
24. The young shepherds and shepherdesses

ASPAVIENTOS [1] DE UN MUCHACHO, A VISTA DE DOS MIL PESOS, QUE UN POBRE NEGRO GANO EN LA LOTERIA

Válgate Judas,
pícaro negro,
¿de ónde sacaste
tanto dinero? [2]

Sólo robando
puedes haberlo,
porque ¿tú de ónde
tanto dinero?

¿Cuándo soñaron
ni tus abuelos
el tener junto
tanto dinero?

Lo˘ estoy mirando,
y no lo creo.
Mira, nanita,
cuanto dinero.

---

1. exaggerated astonishment
2. Judas bless you (altering comically and ironically the old cliché
   ¡Válgate Dios!, Heaven bless you), roguish Negro, where (ónde =
   dónde) did you get so much money from?

LA DIVINA PROVIDENCIA

(excerpts)

Lejos de mí, versos profanos,
y con sagrada lira
cantemos al Señor [1] que nos inspira
asuntos soberanos;
lejos de mí los versos que son vanos.

Como aquél que despierta alborozado [2]
después de haber soñado
mil quimeras [3] preciosas,
pero que como sombra su alegría
desaparece, mirando que estas cosas
fueron engaños de su fantasía,
así pienso el que estoy: un gran vacío
hallo en el pecho mío
después de que canté tantos amores
de inocentes zagalas y pastores.

Mas ya que la verdad con presto vuelo
de la mansión lumbrosa [4]
baja y disipa como luz del cielo
la apariencia engañosa
que tuvieron por fútiles mis versos
otros caminos seguiré diversos
y elevaré mis tonos entretanto
que alabo la Divina Providencia
del numen sacrosanto. [5]

1. The poet wishes to push aside his profane (i.e. secular) Muse
   in order to sing the Lord
2. overjoyed
3. chimeras
4. radiant (derived from **lumbre**, light)
5. holy inspiration

¡Oh si pudiera hacer una pintura
de su amor y clemencia!
Entonces la poesía
empleara como debe su hermosura,
y dando en estos cantos
gracias debidas por favores tantos,
sus sienes ceñiría
con un laurel eterno
que no lo marchitara el crudo invierno.[6]

¡Oh, abrásame, mi Dios! Dame tu aliento;
que no tiene la pobre musa mía
para tanto argumento,
ni discurso, ni gracia, ni ornamento.
¡Oh si todo lo hubiese de tu mano!
Dame, Señor, tu aliento soberano,
y mi agradecimiento, y mis amores,
saliendo del letargo más profundo,
cantarán tus favores,
y extenderán tu nombre en todo el mundo . .

* * *

. . . Alza, mortal, los ojos, ve y admira
los cuidados de Dios, siempre velando
sobre toda la gran naturaleza;[7]
mira los bienes, los regalos mira
que está siempre manando
la fuente perennal[8] de sus ternezas;
todo anuncia cariños y finezas
del padre universal, del Dios de amores
que al mirar nuestra débil existencia
nos colma de favores:
todo anuncia su amable providencia.

6. would gird (Poetry's) temples with eternal laurel which crude
winter could not wither
7. These lines, like many others in Navarrete's poem, seem to echo
Fray Luis de León (Noche serena, etc.):
    ¡Ay! levantad los ojos
    a aquesta celestial eterna esfera
8. perennal = perenne, continual, perennial

Ríe el alba en los cielos avisando
que viene el claro día,
y luego asoma el sol resplandeciente
a cuyo fuego blando
restaura su alegría
y su vital calor todo viviente.
Sólo Dios pudo ser tan providente:
Su infatigable empeño [9]
aun en lo más pequeño
se muestra cuidadoso:
Porque ¿quién sino el Todopoderoso
dice a las aves, al dejar sus nidos,
que vuelen en bandadas
a los anchos y fértiles ejidos, [10]
para volver cargadas
a socorrer sus míseros hijuelos,
que al padre de los cielos
en flébiles piadas
le piden el sustento? [11]
Sólo Dios pudo hacer este portento.

Pero aún a más se extiende su cuidado,
viendo por lo que está más retirado:
Porque, ¿quién sino él mismo pule y viste [12]
en el valle más hondo y apartado,
de tan bello color, al lirio triste?
Sólo Dios, el señor de cuanto existe.
Y si su mano ahora
hace que salga por el alto cielo
la rutilante aurora
para alegrar la habitación del suelo;
después hará a la noche que descienda
sobre nuestra morada,

9. indefatigable concern (for us), protection
10. commons, communal farms
11. in plaintive chirpings beg God for food
12. polishes and dresses up

y del sueño tranquilo acompañada,
hará benigno que sus alas tienda . . .

* * *

. . .¡Cuán bella se nos muestra por el llano,
y cuál es su decoro
de esa la amable ninfa del verano,
cuando el sol ufano
en la alta casa del carnero de oro!
¡Cuán risueña se mira en la espaciosa
y afortunada selva, coronando
al joven año de clavel y rosa!
Y al verla tan hermosa,
los apacibles céfiros volando,
los arroyos corriendo,
los melodiosos pájaros cantando
y las flores riendo . . .
Naturaleza toda a su presencia
alaba a la Divina Providencia.

Sigue el año su curso presuroso,
y en tanto que los cielos van rodando
sobre sus firmes ejes,[13] va tornando
el sol por su camino luminoso.
Asoma luego el caluroso estío,
y las espigas de los campos dora[14]
que hizo brotar la mano agricultora
entre la escarcha del invierno frío.[15]
Arden los valles; pero el ancho río,
los bosques y las auras matinales,[16]
restauran el vigor de los mortales;
cuando, por otra parte, los despojos
de la alegre y fecunda sementera[17]

13. rotating on its steady axles
14. hot summer comes and gilds the spikes of the fields (i.e. ripens the crops)
15. amidst the cold winter frost
16. morning breeze
17. tilled fields, sown land

ofrecen mil contentos a los ojos;
la rubia mies[18] preséntase en manojos
sobre los altos carros; la galera
en su anchuroso seno la atesora;[19]
prepárase la era,[20]
y la hambre asoladora,[21]
que hace a las gentes formidable guerra,
como asustada sale de la tierra.
Resuena en las cabañas la alegría
de la gente del campo bienhadada,
y la sombra de Ceres [22] disipada,
el canto sube a la región del día.

Pero el Señor le escucha, y con violencia
convoca a su presencia
mil espesos nublados,
que de agua y refrigerio van cargados.[23]
Su seña aguardan, y en el mismo instante
que responde a su voz el firmamento,
la máquina del mundo, vacilante,
se pone en movimiento:
sopla agitado el viento;
el polo cruje; el éter se ilumina:
la catarata se abre repentina,
y baja por el aire, estrepitosa,
en torrentes la lluvia cristalina.
Cruza la tempestad, y la frescura
que deja por la tierra calurosa,
fomenta el seno de la gran natura.[24]

---

18. blonde grain, cereal
19. the silo in its ample bosom, hoards it
20. vegetable patch, i.e. farmlands
21. desolating (destructive) hunger
22. goddess of growing vegetation
23. a thousand storm clouds loaded with water and coolness
24. cooling the air and stimulating Nature to produce bountiful crops

¡Tiempo dichoso en que la huerta amena
su abundancia nos brinda, ya madura
de frutas tantas con que Dios la llena!
Este es el tiempo en que el cantor famoso
de la otoñal riqueza nos mostraba
las matutinas horas, y ardoroso
con su cítara[25] dulce las cantaba.

25. zither (a musical instrument, similar to a guitar), to which birds
singing in the early hours of the morning are compared

JOSE JOAQUIN FERNANDEZ DE LIZARDI

b. Mexico City, November 15, 1776
d. Mexico City, June 27, 1827

As the son of an impoverished physician, José Joaquín's education was fairly sketchy. After a few years with the Jesuits in Tepotzotlán, he was sent to the Colegio San Ildefonso in Mexico City, which he left in 1798 before earning his degree. In 1805 he married, and his wife's modest dowry allowed him a certain ease for a while. In 1808 his first literary effort was published: oddly enough, a poem celebrating Ferdinand VII's ascension to the Spanish throne—oddly, because eventually Lizardi became Ferdinand's and Spain's most fulminating enemy.

From 1811 on Lizardi's satirical vein became evident. He wrote squibs in verse which he published as leaflets or pamphlets selling them for a few centavos each and lampooning all the obnoxious creatures who made up the élite or emerging middle class of Mexico. Suspicion concerning his ideology increased when, as *teniente de justicia* (a sort of sheriff) of Taxco, instead of quelling an uprising, he promptly surrendered. Arrested by the Spanish authorities, he was taken to Mexico City but soon thereafter the case was dropped. Not long after, he founded a newspaper, *El Pensador Mexicano*, (1812-1814), a few issues of which advocated freedom of the press. To Lizardi this was of greatest urgency and importance, for he wished to expose the corrupt politicians and tremendous inequities prevalent in Mexico. The ninth issue, a scathing attack on the Viceroy Venegas, landed him in jail where he remained for six months, whereupon the praise of a new Viceroy (Calleja) won him back his freedom. But the "Pensador mexicano," as he was now called, was not to go unscathed. When not hounded by the políticos, the Inquisition was after him.

Between 1816-1820, taking advantage of relative peace in the country, Lizardi devoted his time to writing novels: *El Periquillo Sarniento* (1816), *La Quijotita y su prima* (1818-1819), *Vida y hechos del famoso caballero don Catrín de la Fachenda* (1819, published posthumously, 1832). Into these works of fiction he poured his social criticism, hoping that because of their *fictional* form they would not be taken too seriously by the censor. However, when the Inquisition and the Junta de Censura were abolished and the constitutional government restored (May 1820), Lizardi abandoned the indirectness of fiction and went back to journalism and pamphleteering. From 1811 until the year of his death (1827), he wrote some two hundred fifty pamphlets. Because of his social consciousness as a man of the Enlightenment, everything he wrote had a decidedly didactic purpose. He wanted to teach, and tried to show that man was basically good but that society corrupts him. For the lessons he wished to illustrate in *El Periquillo Sarniento,* Lizardi chose an old Spanish form, the picaresque, and stuffed it full of eighteenth century wisdom and *bon sens*. In the Spanish picaresque, the hero, or anti-hero, was a *pícaro* or rogue who would give the reader a first-person accounting of his experiences in the day to day struggle for life. Hunger was the propelling force, and as the *pícaro* moved on from one job to another the author might describe the various social strata—different classes, professions, etc.—and thus present a broad panorama of the life of the times. In *El Periquillo Sarniento,* the reader immediately becomes aware of the author's didactic preoccupations because of Lizardi's emphasis on his hero's education. Different from the Spanish picaresque (in *Lazarillo de Tormes,* for instance, three or four pages suffice to depict the hero's early background and education), the Mexican *Periquillo* is extremely slow in tempo, for Lizardi wished to show the various evil influences which contributed to his hero's demoralization: his parents who spent their time in gatherings and parties, leaving the boy in the hands of ignorant servants, the gruesome conditions of private schools, etc., etc. Readers see clearly that Periquillo's transgressions are the result of his poor upbringing.

The novel's episodes are amusing because of their wicked mockery and grotesqueness but, alas, for every two or three pages of action there are twenty or thirty of moral digressions and preaching. The narrative thread is snowed under mountains of lofty platitudes and ethical philosophizing. When Katherine Anne Porter prepared an English version of *Periquillo*—entitling it *The Itching Parrot*—she deleted four fifths of the novel (the sermons) and came out with a most readable novella. Lizardi, to be sure, would have considered Miss Porter's performance a mutilation, since to him the pivotal part of his masterpiece was the didactic. Yet Miss Porter proved that Lizardi was despite himself at least as good as the anonymous author of *Lazarillo de Tormes* or the Grimmelhausen of *Simplicissimus*.

BEST EDITIONS: *El Periquillo Sarniento*, edited by Jefferson Rea Spell, México, Porrúa, 1961, 3rd. ed.; *La Quijotita y su prima*, México, Cámara Mexicana del Libro, Imprenta M. León Sánchez, 1942; *Don Catrín de la Fachenda*, edited by Jefferson R. Spell, México, Editorial Cultura, 1944.

ABOUT LIZARDI: Luis F. Avilés: "La indisciplina de Fernández de Lizardi," *Repertorio Americano*, June 15, 1951; Mariano Azuela: *Cien años de novela mexicana*, México, Botas, 1947, pp. 35-72; Harold E. Davis: *Latin American Leaders*, New York, Wilson, 1949, pp. 111-118; Angel Flores: *Historia y Antología del cuento y la novela en Hispanoamérica*, New York, Las Américas Publishing Co., 1959, pp. 11-12; Manuel Pedro González: *Trayectoria de la novela en México*, México, Botas, 1951; Bernabé Godoy: *Corrientes culturales que definen al "Periquillo,"* Guadalajara, 1938; Bernabé Godoy: "Lo permanente y lo transitorio en el *Periquillo*," *Et Caetera* (Guadalajara), January-June 1951, pp. 1-22; Luis González Obregón: *Novelistas mexicanos*: *J. J. Fernández de Lizardi*, México, Botas, 1938, new ed.; Carlos Lozano: *El Periquillo Sarniento y la Histoire de Gil Blas de Santillane*," *Revista Iberoamericana*, XX (September 1955), 263-274; Katherine Anne Porter:

"Introduction: Notes on the Life and Death of a Hero," to José Joaquín Fernández de Lizardi: *The Itching Parrot*, New York, Doubleday, Doran, 1942; E. Solís: *Lo picaresco en las novelas de Fernández de Lizardi*, México, Lim, 1952; Jefferson Rea Spell: *The Life and Works of José Fernández de Lizardi*, Philadelphia, University of Pennsylvania Press, 1931; J. R. Spell: "The Intellectual Background of Lizardi as Reflected in *El Periquillo*," *PMLA*, LXXI (July 1956), 414-432; J. R. Spell: "The Historical and Social Background of *El Periquillo Sarniento, Hispanic American Historical Review*, XXXVI (November 1956), 447-470; Agustín Yáñez: "Estudio preliminar," to *El Pensador Mexicano*, México, Universidad Nacional Autónoma, 1940, pp. vii-liii.

EL PERIQUILLO SARNIENTO

(excerpts from Book I, Chapter 1; Book II, Chapters 3, 4, 5 and 6, and Book III, Chapter 3)

Periquillo da razón de sus padres, patria, nacimiento y demás ocurrencias de su infancia[1]

Nací en México, capital de la América Septentrional, en la Nueva España. Nací en esta rica y populosa ciudad por los años de 1771 a 73 de unos padres no opulentos, pero no constituídos en la miseria; al mismo tiempo que eran de una limpia sangre,[2] la hacían lucir y conocer por su virtud.

Luego que nací, después de las lavadas y demás diligencias[3] de aquella hora, mis tías, mis abuelas y otras viejas del antiguo cuño querían amarrarme las manos, y fajarme o liarme como un cohete, alegando que si me las dejaban sueltas, estaba yo propenso a espantarme, a ser muy *manilargo* de grande,[4] y por último, y como la razón de más peso y el

---

1. Like all picaresque novels, **El Periquillo Sarniento** is written in autobiographical form: the life story of one Pedro Sarmiento. Periquillo is the diminutive of Pedro, but it happened that our hero showed up in school dressed in green and yellow and the boys began to call him Perico and Periquillo, associating his name with **perico** (parrot), and distorted his last name, Sarmiento, into **sarniento**, i.e. sarnoso, one suffering from **sarna** = itch, scabies. So that in this runabout way Pedro Sarmiento became **the itchy parrot,** El periquillo sarniento.
2. So that after informing us that he was born in Mexico City, "capital city of North (**Septentrional**) America, in the New Spain (Mexico)" he says that his parents, "neither rich nor poor," were of "clean blood," i.e. unmixed blood—in Old Spain "sangre limpia" meant not mixed with either Arabic or Jewish blood, implying also purity of faith: "pure Christian."
3. after the washing and the other activities (connected with childbirth)
4. my aunts, my grandmothers, and other women of the old school wished to bind my hands and bundle and wrap me up like a firecracker, claiming that if they left me untied I was apt to scare myself, or be belligerent (lit. long-handed, i.e. free with my fists, always ready to fight) when I grew up

argumento más incontrastable, decían que este era el modo con que a ellas las habían criado, y que por tanto era el mejor y el que se debía seguir como más seguro, sin meterse a disputar para nada del asunto, porque los viejos eran en todo más sabios que los del día, y pues ellos amarraban las manos a sus hijos, se debía seguir su ejemplo a ojos cerrados.

A seguida sacaron de un canastito una cincha de listón que llamaban *faja de dijes,* guarnecida con *manitas de azabache,* el ojo *del venado, colmillo de caimán* y otras baratijas de esta clase, dizque para engalanarme[5] con estas reliquias del supersticioso paganismo el mismo día que se había señalado para que en boca de mis padrinos fuera yo a profesar la fe y santa religión de Jesucristo.

¡Válgame Dios, cuánto tuvo mi padre que batallar con las preocupaciones de las benditas viejas! ¡Cuánta saliva no gastó para hacerles ver que era una quimera y un absurdo pernicioso[6] el liar y atar las manos a las criaturas! ¡Y qué trabajo no le costó persuadir a estas ancianas inocentes a que el azabache, el hueso, la piedra, ni otros amuletos de esta ni ninguna clase, no tiene virtud alguna contra el aire, rabia, mal de ojos, y semejantes faramallas![7]

Así me lo contó mi padre muchas veces, como también el triunfo que logró de todas ellas, que a fuerza o de grado accedieron a no prisionarme, a no adornarme sino con un rosario, la santa cruz, un relicario y los cuatro evangelios, y luego se trató de bautizarme.

Mis padres ya habían citado los padrinos, y no pobres, sencillamente persuadidos a que en el caso de orfandad me servirían de apoyo.[8]

Los míos, ricos, me sirvieron tanto como si jamás me hubieran visto; bastante motivo para que no me vuelva a

5. they took out of a little basket a piece of ribbon, called a relic-belt, garnished with jet, with the eye of a deer, the tooth of an alligator, and other knickknacks of this sort, intending (**dizque = dicen que, they claim**) to adorn me
6. a chimera (wild fancy) and a pernicious absurdity
7. have no virtue against drafts, rabies, evil-eye and such nonsense
8. (godparents) who would support me in case I should become **an orphan**

acordar de ellos. Ciertamente que fueron tan mezquinos, indolentes y mentecatos,[9] que por lo que toca a lo poco o nada que les debí ni de chico ni de grande, parece que mis padres los fueron a escoger de los más miserables del hospicio de pobres.

Bautizáronme, por fin, y pusiéronme por nombre *Pedro*, llevando después, como es uso, el apellido de mi padre, que era *Sarmiento*.

Mi madre era bonita, y mi padre la amaba con extremo; con esto y con la persuasión de mis discretas tías, se determinó *némine discrepante*, a darme nodriza, o chichigua como acá decimos.[10]

¡Ay, hijos! Si os casareis algún día y tuviereis sucesión, no la encomendéis a los cuidados mercenarios de esta clase de gentes: lo uno, porque regularmente son abandonadas,[11] y al menor descuido son causas de que se enfermen los niños, pues como no los aman y sólo los alimentan por su mercenario interés, no se guardan de hacer cóleras, de comer mil cosas que dañan su salud,[12] y de consiguiente la de las criaturas que se les confían, ni de cometer otros excesos perjudiciales, que no digo por no ofender vuestra modestia; y lo otro, porque es una cosa que escandaliza a la naturaleza que una madre racional haga lo que no hace una burra, una gata, una perra, ni ninguna hembra puramente animal y destituida de razón.

¿Cuál de éstas fía el cuidado de sus hijos a otro bruto, ni aun al hombre mismo? ¿Y el hombre dotado de razón ha de atropellar las leyes de la naturaleza, y abandonar a sus hijos en los brazos alquilados de cualquier india, negra o blanca, sana o enferma, de buenas o depravadas costumbres, puesto que en teniendo leche de nada más se informan los padres, con escándalo de la perra, de la gata, de la burra y de todas las madres irracionales?

9. so stingy, indolent, and stupid
10. it was unanimously (**nemine discrepante** - without disagreement) decided to give me a wet-nurse or tit-servant, as we call them here
11. careless
12. they fail to control their anger, they eat all kinds of junk that impairs their health

Quedé, pues, encomendado al cuidado o descuido de mi chichigua, quien seguramente carecía de buen natural, esto es, de un espíritu bien formado; porque si es cierto que los primeros alimentos que nos nutren nos hacen adquirir alguna propiedad de quien nos lo suministra, de suerte que el niño a quien ha criado una cabra no será mucho que salga demasiado travieso y saltador, como se ha visto;[13] si es cierto esto, digo: que mi primera nodriza era de un genio maldito, según que yo salí de mal intencionado, y mucho más cuando no fue una sola la que me dio sus pechos, sino hoy una, mañana otra, pasado mañana otra, y todas, o las más, a cual peores. La que no era borracha, era golosa: la que no era golosa, estaba gálica; la que no tenía este mal, tenía otro; y la que estaba sana, de repente resultaba encinta.[14]

No sólo consiguieron mis padres hacerme un mal genio con su abandono, sino también enfermizo con su cuidado. Mis nodrizas comenzaron a debilitar mi salud, y hacerme resabido, soberbio e impertinente con sus desarreglos y descuidos, y mis padres la acabaron de destruir con su prolijo y mal entendido cuidado y cariño; porque luego que me quitaron el pecho,[15] que no costó poco trabajo, se trató de criarme demasiado regalón y delicado, pero siempre sin dirección ni tino.

Es menester que sepáis que mi padre era de mucho juicio, nada vulgar, y por lo mismo se oponía a todas las candideces de mi madre; pero algunas veces, por no decir las más, flaqueaba en cuanto la veía afligirse o incomodarse demasiado, y esta fue la causa porque yo me crié entre bien y mal, no sólo con perjuicio de mi educación moral, sino también de mi constitución física.

13. it would not be too much to expect the child reared by a goat to turn out wild and thievish, as has been known to happen
14. She who was not a drunk was a big eater, or had syphilis; and if she did not have this disease, had another; she who was healthy, suddenly became pregnant.—
15. and made me vicious, proud and impertinent with their disorder and carelessness, and my parents finished destroying (my health) with their over-zealous and misdirected care and affection; for as soon as they took me off the breast

Bastaba que yo manifestara deseo de alguna cosa, para que mi madre hiciera por ponérmela en las manos, aunque fuera injustamente. Supongamos: quería yo su rosario, el dedal con que cosía, un dulcecito [16] que otro niño de casa tuviera en la mano, o cosa semejante, se me había de dar en el instante, y cuenta como se me negaba, porque aturdía yo el barrio a gritos;[17] y como me enseñaron a darme cuanto gusto quería, porque no llorara, yo lloraba por cuanto se me antojaba para que se me diera pronto.

Si alguna criada me incomodaba, hacía mi madre que la castigaba, como para satisfacerme, y esto no era otra cosa que enseñarme a ser soberbio y vengativo.

Me daban de comer cuanto quería, indistintamente a todas horas, sin orden ni regla en la cantidad y calidad de los alimentos, y con tan bonito método lograron verme dentro de pocos meses cursiento, barrigón y descolorido.[18]

Yo, a más de esto, dormía hasta las quinientas, y cuando me despertaban, me vestían y envolvían como un tamal de pies a cabeza; de manera que, según me contaron, yo jamás me levantaba de la cama sin zapatos, ni salía del *jonuco* sin la cabeza entrapajada.[19] A más de esto, aunque mis padres eran pobres, no tanto que carecieran de proporciones para no tener sus vidrieritas;[20] teníanlas en efecto, y yo no era dueño de salir al corredor o al balcón sino por un raro accidente, y eso ya entrado el día. Me economizaban los baños terriblemente. y cuando me bañaban por campanada de vacante, era en la recámara muy abrigada[21] y con una agua bien caliente.

De esta suerte fue mi primera educación física: ¿y qué podía resultar de la observancia de tantas preocupaciones juntas, sino el criarme demasiado débil y enfermizo? Como ja-

16. the thimble she was sewing with, a little candy
17. deafened the neigborhood with my screams
18. diarrheic, big-bellied and jaundiced
19. never left my little hole (**jonuco**) without my head covered up in rags (**entrepajada**)
20. they could afford glass windows
21. and when it was absolutely necessary to bathe me, it was (done) in a well-sheltered room

más, o pocas veces, me franqueban el aire, ni mi cuerpo estaba acostumbrado a recibir sus saludables impresiones, al menor descuido las extrañaba mi naturaleza, y ya a los dos y tres años padecía catarros y constipados con frecuencia, lo que me hizo medio raquítico.[22]

Otra candidez tuvo la pobrecita de mi madre, y fue llenarme la fantasía de *cocos, viejos y macacos,* con cuyos extravagantes nombres me intimidaba cuando estaba enojada[23] y yo no quería callar, dormir o cosa semejante. Esta corruptela[24] me formó un espíritu cobarde y afeminado, de manera que aun ya de ocho o diez años, yo no podía oir un ruidito a medianoche sin espantarme, ni ver un bulto que no distinguiera, ni un entierro, ni entrar en un cuarto oscuro, porque todo me llenaba de pavor; y aunque no creía entonces en el *coco,* pero sí estaba persuadido de que los muertos se aparecían a los vivos cada rato, que los diablos salían a rasguñarnos y apretarnos el pescuezo con la cola[25] cada vez que estaban para ello, que había bultos que se nos echaban encima, que andaban las ánimas en pena mendigando nuestros sufragios,[26] y creía otras majaderías de esta clase más que los artículos de la fe. ¡Gracias a un puñado de viejas necias que, o ya en clase de criadas o de visitas, procuraban entretener al niño con cuentos de sus espantos, visiones y apariciones intolerables! ¡Ah, qué daño me hicieron estas viejas! ¡De cuántas supersticiones llenaron mi cabeza!

Mi padre era, como he dicho, un hombre muy juicioso y muy prudente; se incomodaba con estas boberías;[27] era demasiadamente opuesto a ellas; pero amaba a mi madre con extremo, y este excesivo amor era causa de que por no darle pesadumbre, sufriera y tolerara, a su pesar, casi todas sus extravagantes ideas, y permitiera, sin mala intención, que mi

22. had frequent colds and constipation, which made me rather rachitic
23. fill my head with bugbears, hobgoblins and bogies, with the extravagant names of which she intimidated me when she was angry
24. abuse
25. the devils came out to scratch us and choke us with their tails
26. the souls in purgatory go about begging our help
27. he was always annoyed by this foolishness

madre y mis tías se conjuraran en mi daño. ¡Válgame Dios,
y qué consentido y mal criado me educaron! [28] ¿A mí negarme
lo que pedía, aunque fuera una cosa ilícita en mi edad o
perniciosa a mi salud? Era imposible. ¿Reñirme por mis primeras groserías? De ningún modo. ¿Refrenar los ímpetus
primeros de mis pasiones? Nunca. Todo lo contrario. Mis
venganzas, mis glotonerías, mis necedades y todas mis boberías pasaban por gracias propias de la edad,, como si la edad
primera no fuera la más propia para imprimirnos las ideas de
la virtud y el honor.

Todos disculpaban mis extravíos y canonizaban mis toscos
errores con la antigua y mal repetida cantinela de *déjelo
usted*;[29] *es niño; es propio de su edad; no sabe lo que hace.*
¿Cómo ha de comenzar por donde nosotros acabamos?, y
otras tonterías de este jaez, con cuyas indulgencias me per-
vertía más mi madre, y mi padre tenía que ceder a su impertinente cariño. ¡Qué mal hacen los hombres que se dejan dominar de sus mujeres, especialmente acerca de la crian-
za o educación de sus hijos!

Finalmente, así viví en mi casa los seis años primeros
que vi el mundo. Es decir, viví como un mero animal, sin
saber lo que me importaba saber y no ignorando mucho de lo
que me convenía ignorar.

Llegó, por fin, el plazo de separarme de casa por algunos ratos; quiero decir, me pusieron en la escuela, y en ella
ni logré saber lo que debía, y supe, como siempre, lo que
nunca debía haber sabido, y todo esto por la irreflexiva dis-
posición de mi querida madre.

[Schools with their pedantic or cruel teachers did
not help Periquillo either. As a drop-out he drifted from
job to job, from crime to crime, from jail to jail].

28. how spoiled and badly trained they reared me!
29. They all excused my bad behavior and praised my boorish errors
    with the old, oft-repeated story of: "Leave him alone . . ."

El motivo por qué Periquillo salió de la casa de Chanfaina.

[Periquillo was hoping to learn a great deal from Scrivener don Cosme Casalla, known to jailbirds as Chanfaina [Stewpot], when he got involved in an affair that brought everything tumbling down].

A las dos de la tarde volvió mi maestro contento porque no había perdido en el juego; puse la mesa, comió y se fue a dormir siesta. Yo fui a hacer la misma diligencia a la cocina, donde me despachó muy bien nana Clara, que era la cocinera.[1] Después me bajé a la esquina a pasar el rato con el tendero[2] mientras despertaba mi patrón. Este, luego que despertó, me dejó mi tarea de escribir como siempre y se marchó para la calle, de donde volvió a las siete de la noche con una nueva huéspeda que venía a ser nuestra compañera.

Luego que la vi la conocí. Se llamaba Luisa. No era fea y pareció muy bien a mi amo. ¡Ojalá y a mí no me hubiera parecido lo mismo!

En cuanto entró, le dijo mi amo:

—Ana, hija, desnúdate y vete con nana Clara, que ella te impondrá de lo que has de hacer.[3]

Fuese ella muy humilde, y cuando estuvimos solos, me dijo Chanfaina:

—Periquillo, me debes dar las albricias[4] por esta nueva criada que he traído; ella viene de recamarera y te vas a ahorrar de algún quehacer, porque ya no barrerás, ni harás la cama, ni servirás la mesa, ni limpiarás los candeleros, ni harás otras cosas que son de tu obligación, sino solamente los mandados.[5] Lo único que te encargo es que tengas cuidado

1. where "aunt" Clara, the cook, took good care of me
2. storekeeper
3. Go ahead, daughter, take off your street-clothes and go to "aunt" Clara, she will tell you what to do
4. congratulate me
5. chambermaid, and you are going to be saved from some chores, for now you will not have to sweep, make beds, or serve table, clean candlesticks, or do any of these things, except run errands

con ella, avisándome si se asoma al balcón muy seguido, o si sale o viene alguno a verla cuando no estuviere yo en casa. En fin, tú cuídala 'y avísame de cuanto notares. Pues, porque al fin es mi criada, está a mi cargo, tengo que dar cuenta a Dios de ella y no soy muy ancho de conciencia, ni quiero condenarme por pecados ajenos. ¿Entiendes?

—Sí, señor —le contesté, riéndome interiormente de la necedad con que pensaba que era yo capaz de tragar su hipocresía.[6]

Ya se ve, el muy camote[7] me tenía por un buen muchacho o por un mentecato. Como en cerca de dos meses que yo viví con él había hecho tan al vivo el papel de hombre de bien, pues ni salía a pasear aun dándome licencia él mismo, ni me deslicé en lo más mínimo con la vieja cocinera,[8] me creyó el amigo Chanfaina muy inocente, o quién sabe qué, y me confió a su Luisa, que fue fiarle un jamón a un perro hambriento. Así salió ello.

Esa noche cenamos y me fui a acostar sin meterme en más dibujos. Al día siguiente nos dio chocolate la recamarerita; hizo la cama, barrió, atizó el cobre,[9] porque plata no la había, y puso la casa albeando,[10] como dicen las mujeres.

Seis u ocho días hizo la Luisa el papel de criada, sirviendo la mesa y tratando a Chanfaina como amo, delante de mí y de la vieja; pero no pudo éste sufrir mucho tiempo el disimulo. Pasado este plazo, la fue haciendo comer de su plato, aunque en pie; después la hacía sentar algunas veces, hasta que se desnudó del fingimiento y la colocó a su lado señorilmente.

Los tres comíamos y cenábamos juntos en buena paz y compañía. La muchacha era bonita, alegre, viva y decidora; yo era joven, no muy malote, y sabía tocar el bandoloncito

6. to swallow his hypocrisy
7. the big scoundrel
8. nor making the least slip with the old cook
9. cleaned (**atizar = limpiar con tiza,** to clean with chalk) **the** copper
10. spotlessly bright

y cantar no muy ronco;[11] al paso que mi amo era casi viejo, no poseía las gracias que yo; sacándolo de sus trapacerías con la pluma, era en lo demás muy tonto, hablaba gangoso y rociaba de babas al que lo atendía, a causa de que el gálico y el mercurio lo habían dejado sin campanilla ni dientes;[12] no era nada liberal, y sobre tantas prendas, tenía la recomendable de ser celosísimo en extremo.

Ya se deja comprender que no me costaría mucho trabajo la conquista de Luisa, teniendo un rival tan despreciable. Así fue, en efecto. Breve nos conchabamos,[13] y quedamos de acuerdo correspondiéndonos nuestros afectos amigablemente. El pobre de mi amo estaba encantado con su recamarera y plenamente satisfecho de su escribiente, quien no osaba alzar los ojos a verla delante de él.

Mas ella, que era pícara y burlona, abusaba del candor de mi amo y me ponía en unos aprietos[14] terribles en su presencia; de suerte que a veces me hacía reír y a veces incomodar con sus chocarrerías.[15]

Algunas ocasiones me decía:

—Señor Pedrito, ¡qué mustio es usted!, parece usted novicio fraile recién profeso, ni alza los ojos para verme; ¿qué soy tan fea que espanto? ¡Zonzo! Dios me libre de usted. Será usted más tunante que el que más. Sí, de éstos que no comen miel, libre Dios nuestros panales, don Cosme.[16]

Otras veces me preguntaba si estaba yo enamorado de alguna muchacha o si me quería casar, y treinta mil simplezas

11. The girl was pretty, merry, lively, and talkative; I was young, not altogether bad looking and knew how to play the guitar and sing not too hoarsely
12. aside from his frauds (lit. deceitful tricks) with his pen, he was for the rest very silly, he talked through his nose and sprinkled with spittle anyone who listened to him, because syphilis and mercury (the usual medicine for venereal diseases at the time) had deprived him of his soft palate and teeth
13. shortly we came to an understanding
14 tight spots
15. made me angry at her coarse jokes
16. you are like a novice or a friar recently professed. You do not even lift your eyes to look at me. Am I so ugly that I scare people? Fool! God save me from you! You are probably more debauched than the worst of them. Don Cosme protect our honeycombs from those who (say they) do not like honey

444

de éstas, con las que me, exponía a descubrir nuestros maliciosos tratos; pero el bueno de mi maestro estaba lelo y en nada menos pensaba que en ellos; antes solía preguntarme, a excusas de ella, si le observaba yo alguna inquietud, y yo le decía:

—No, señor, ni yo lo permitiera, pues los intereses de usted los miro como míos, y más en esta parte.

Con esto quedaba el pobre enteramente satisfecho de la fidelidad de los dos. Pero como nada hay oculto que no se revele, al fin se descubrió nuestro mal procedimiento de un modo que pudo haberme costado bien caro.

Estaba una mañana Luisa en el balcón y yo escribiendo en la sala. Antojóseme chupar un cigarro y fui a encenderlo a la cocina. Por desgracia estaba soplando la lumbre una muchacha de no malos bigotes,[17] llamada Lorenza, que era sobrina de nana Clara y la iba a visitar de cuando en cuando por interés de los percances[18] que le daba la buena vieja, la que a la sazón no estaba en la casa, porque había ido a la plaza a comprar cebollas y otras menestras para guisar.[19] Me hallé, pues, solo con la muchacha, y como era de corazón alegre, comenzamos a chacotear[20] familiarmente. En este rato me echó menos Luisa; fue a buscarme, y hallándome enajenado, se enceló furiosamente y me reconvino con bastante aspereza, pues me dijo:

—Muy bien, señor Perico. En eso se le va a usted el tiempo, en retozar con esa grandísima tal . . .[21]

—No, eso de tal —dijo Lorenza toda encolerizada—, eso de tal lo será ella y su madre y toda su casta.

Y sin más cumplimientos, se arremetieron y afianzaron de las trenzas, dándose muchos araños y diciéndose primo-

17. I felt like smoking a cigarette and went to light it in the kitchen. Unfortunately there was a not-so-bad looking girl fanning the fire
18. favors
19. onions and other stuff for cooking
20. fooling around
21. finding me enraptured, she was furiously jealous and took me to task, rather harshly, for she said to me: "So that's how it is, Perico, wasting your time fooling around with this big such and such..."

res; pero esto con tal escándalo y alharaca, que se podía haber oído el pleito y sabido el motivo a dos leguas en contorno de la casa.[22] Hacía yo cuanto estaba de mi parte por desapartarlas; mas era imposible, según estaban empeñadas en no soltarse.

A este tiempo entró nana Clara, y mirando a su sobrina bañada en sangre, no se metió en averiguaciones, sino que tirando el canasto de verdura, arremetió contra la pobre Luisa, que no estaba muy sana, diciéndole:

—Eso no, grandísima cochina, *lambe platos,* piojo resucitado,[23] a mi sobrina no, tal. Agora verás quién es cada cual.

Y en medio de estas jaculatorias le menudeaba muy fuertes palos con una cuchara.[24]

Ya no pude sufrir que con tal ventaja estropearan[25] dos a mi pobre Luisa, y así, viendo que no valían mis ruegos para que la dejaran, apelé a la fuerza, y di sobre la vieja a pescozones.[26]

Una zambra era aquella cocina.[27] Como no estábamos quietos en un punto, sino que cayendo y levantando andábamos por todas partes y la cocina era estrecha, en un instante se quebraron las ollas, se derramó la comida, se apagó la lumbre y la ceniza nos emblanqueció las cabezas y ensució las caras.

Todo era desvergüenzas, gritos, porrazos y desorden. No había una de las contendientes que no estuviera sangrada, desgreñada[28] y toda hecha pedazos, sin quedarme yo limpio en la función. El campo de batalla, o la cocina, estaba sembrado de despojos. Por un rincón se veía una olla hecha pe-

22. And without further ado, they flew at each other, grabbed and pulled their tresses, scratched each other, exchanged niceties —with such scandal and uproar that the brawl and its cause were broadcast two leagues roundabout the house
23. Not that, big sow, applepolisher (lit. platelicker), resurrected louse
24. And along with these remarks she beat her up with a ladle
25. hurt
26. slapped the old woman
27. That kitchen was a shambles.
28. dishevelled

dazos, por aquí una sartén,[29] por allí un manojo de cebollas, por esotro lado la mano del metate,[30] y por todas partes las reliquias de nuestra ropa. El perrillo alternaba sus ladridos con nuestros gritos, y el gato, todo espeluzado, no se atrevía a bajar del brasero.[31]

En medio de esta función llegó Chanfaina, vestido en su propio traje, y viendo que su Luisa estaba desangrada, hecha pedazos, bañada en sangre y envuelta entre la cocinera y su sobrina,[32] no esperó razones, sino que haciéndose de un garrote,[33] dio sobre las dos últimas, pero con tal gana y coraje, que a pocos trancazos cesó el pleito,[34] dejando a la infeliz recamarera, que ciertamente era la que había recibido la peor parte.

Cuando volvimos todos en nuestro acuerdo,[35] no tanto por el respeto del amo, cuanto por el miedo del garrote, comenzó el escribano a tomarnos declaración sobre el asunto o motivo de tan desaforada riña.[36] La vieja nana Clara nada decía, porque nada sabía en realidad; Luisa tampoco, porque no le tenía cuenta; yo menos, porque era el actor principal de aquella escena; pero la maldita Lorenza, como que era la más instruida e inocente, en un instante impuso a mi amo del contenido de la causa,[37] diciéndole que todo aquello no había sido más que una violencia y provocación de aquella tal celosa que estaba en su casa, que quizá era mi amiga, pues por celos de mí y de ella había armado aquel escándalo . . .

Hasta aquí oí yo a Lorenza, porque en cuanto advertí que ésta había descorrido el velo de nuestros indignos tratos [38] más de lo necesario, y que mi amo me miraba con ojos de loco furioso, temí como hombre, eché a correr como una

29. frying pan
30. rolling pin of the grinding stone
31. and the cat, fur on end, did not dare come down off the brazier
32. bathed in blood and floored between the cook and her niece
33. stick
34. after a few blows the quarrel ended
35. when we came to our senses
36. disorderly brawl
37. since she was the most informed and most blameless, instantly told my master all about the quarrel
38. that she had raised the curtain on our treacherous relations

liebre por la escalera abajo,[39] con lo que confirmé en el momento cuanto dijo Lorenza. acabando de irritar a mi patrón, quien no queriendo que me fuera de su casa sin despedida, bajó tras de mí como un rayo.[40]

Como dos cuadras corrió Chanfaina tras de mí gritándome sin cesar:

—Párate, bribón; párate, pícaro; —pero yo me volví sordo y no paré hasta que lo perdí de vista y me hallé bien lejos y seguro del garrote.

[This took place at noon. Periquillo ran all the way from the Calle de las Ratas [where the Scrivener lived] to the Alameda, meeting there Agustín Rapamentas [Chinscraper] barber-friend of his deceased father. Chinscraper took Periquillo as his barber apprentice]

Periquillo cuenta la acogida que le hizo un barbero, y el motivo por qué salió de su casa.

El barbero, condolido de mí, me llevó a su casa, y su familia, que se componía de una buena vieja llamada tía Casilda y del muchacho aprendiz, me recibió con el extremo más dulce de hospitalidad.

Cené aquella noche mejor de lo que pensaba, y al día siguiente me dijo el maestro:

—Hijo, aunque ya eres grande para aprendiz (tendría yo diecinueve o veinte años; decía bien), si quieres, puedes aprender mi oficio, que si no es de los muy aventajados, a lo mejor nos da qué comer; y así, aplícate que yo te daré la casa y el bocadito, que es lo que puedo.

Yo le dije que sí, porque por entonces me pareció conveniente; y según esto, me comedía a limpiar los paños, a tener la bacía y a hacer algo de lo que veía hacer al aprendiz.[1]

---

39. I began to run as (fast as) a hare down the stairway
40. like a bolt of lightning

1. I was willing to launder towels, hold the basin, and do whatever I saw the other apprentice do

Una ocasión que el maestro no estaba en casa por ver si estaba algo adelantado, cogí un perro, a cuya fajina me ayudó el aprendiz, y atándole los pies, las manos y el hocico,[2] lo sentamos en la silla amarrado en ella, le pusimos un trapito para limpiar las navajas y comencé la operación de la rasura.[3] El miserable perro oponía sus gemidos en el cielo. ¡Tales eran las cuchilladas que solía llevar de cuando en cuando![4]

Por fin se acabó la operación y quedó el pobre animal retratable,[5] y luego que se vio libre, salió para la calle como alma que se llevan los demonios, y yo, engreido[6] con esta primera prueba, me determiné a hacer otra con un pobre indio que se fue a rasurar de a medio. Con mucho garbo le puse los paños, hice al aprendiz trajera la bacía con la agua caliente, asenté las navajas y le di una zurra de raspadas y tajos, que el infeliz, no pudiendo sufrir mi áspera mano, se levantó diciendo.

—Amoquale, quistiano, amoquale.[7]

Ello es que él dio el medio real y se fue también medio rapado.

Todavía no contento con estas malas pruebas, me atreví a sacarle una muela a una vieja que entró a la tienda rabiando de un fuerte dolor y en solicitud de mi maestro; pero como era resuelto, la hice sentar y que entregara la cabeza al aprendiz para que se la tuviera.

Hizo éste muy bien su oficio; abrió la cuitada vieja su desierta boca después de haberme mostrado la muela que le

---

2. I got hold of a dog—the apprentice helped me out in this task (fajina)—and binding its feet, front paws, and muzzle
3. we laid out a little rag for cleaning razors and I began the shaving operation
4. The wretched hound raised his whines to heaven, so many were the cuts he kept getting
5. was fit to sit for a portrait
6. puffed up
7. on a poor Indian who came to be shaved for half a real (i.e. for a penny). With great nonchalance I tied the towels around him, had the apprentice bring the basin of hot water, sharpened the razors, and gave him such a punishment of scratching and cutting that the poor devil, unable to endure my rough hand any longer, got up, shouting: "Let go of me, Christian, let me go!"

dolía, tomé el descarnador y comencé a cortarla trozos de encía alegremente.[8]

La miserable, al verse tasajear tan seguido y con una porcelana de sangre delante,[9] me decía:

—Maestrito, por Dios ¿hasta cuándo acaba usted de descarnar?

—No tenga usted cuidado, señora —le decía yo—; haga una poca de paciencia, ya le falta poco de la quijada.[10]

En fin. así que le corté tanta carne cuanto bastó para que almorzara el gato de casa; le afiancé [11] el hueso con el respectivo instrumento, y le di un estirón tan fuerte y mal dado, que le quebré la muela,[12] lastimándole terriblemente la quijada.

—¡Ay Jesús! —exclamó la triste vieja—. Ya me arrancó usted las quijadas, maestro del diablo.

—No hable usted, señora —le dije—, que se le meterá el aire y le corromperá la mandíbula.[13]

—¡Que *malíbula* ni qué demonios! —decía la pobre— ¡Ay, Jesús!, ¡ay!, ¡ay!, ¡ay!

—Ande, nanita, siéntese y abra la boca, acabaremos de sacar ese hueso maldito; vea usted que un dolor quita muchos. Ande usted, aunque no me pague.

—Vaya usted mucho noramala —dijo la anciana—, y sáquele otra muela o cuantas tenga a la grandísima borracha que lo parió.[14] No tienen la culpa estos raspadores cochinos, sino quien se pone en sus manos.

Prosiguiendo en estos elogios se salió para la calle, sin querer ni volver a ver el lugar del sacrificio.

Yo algo me compadecí de su dolor, y el muchacho no dejó de reprenderme, porque cada rato decía:

—¡Pobre señora! ¡Qué dolor tendría! Y lo peor que si se lo dice al maestro ¿qué dirá?

8. I took the scraper and merrily cut off slices of her gum
9. slashed, so continuously, and with a bowl of blood in front of her
10. it's now a little way to the jawbone
11. took hold
12. I gave it a jerk, so violent and awkward, that I broke her tooth
13. the air will get into (your mouth) and rot your mandible
14. curse you (**noramala** = **en hora mala**), go pull teeth out of the big drunk who bore you

—Diga lo que dijere —le respondí—, yo lo hago por ayudarle a buscar el pan; fuera de que así se aprende, haciendo pruebas y ensayándose.

A la maestra le dije que habían sido monadas de la vieja, que tenía la muela matriculada [15] y no se la puede arrancar al primer tirón, cosa que al mejor le sucede.

Con esto se dieron todos por satisfechos, y yo seguí haciendo mis diabluras, las que me pagaban o con dinero o con desvergüenzas.

Cuatro meses y medio permanecí con don Agustín, y fue mucho, según lo variable de mi genio. Es verdad que en esta dilación tuvo parte el miedo que tenía a Chanfaina, y el no encontrar mejor asilo, pues en aquella casa comía, bebía y era tratado con una estimación respetuosa de parte del maestro. De suerte que yo ni hacía mandados ni cosa más útil que estar cuidando la barbería y haciendo mis fechorías cada vez que tenía proporción;[16] porque yo era un aprendiz de honor, y tan consentido y bobachón que, aunque sin camisa, no me faltaba quien envidiara mi fortuna. Este era Andrés, el aprendiz, quien un día que estábamos los dos conversando en espera de marchante que quisiera ensayarse a mártir, me dijo:

—Señor, ¡quién fuera como usted!

—¿Por qué, Andrés? —le pregunté.

—Porque ya usted es hombre grande, dueño de su voluntad y no tiene quien le mande; y no yo que tengo tantos que me regañen, y no sé lo que es tener medio en la bolsa.[17]

—Pero así que acabes de aprender el oficio —le dije—, tendrás dinero y serás dueño de tu voluntad.

—¡Qué verde está eso! —decía Andrés—. Ya llevo aquí dos años de aprendiz y no sé nada.

—¿Cómo nada, hombre? —le pregunté muy admirado.

—Así, nada —me contestó—. Ahora que está usted en casa he aprendido algo.

---

15. **monkey-shines of the old woman who had a rotten tooth**
16. **misbehaving whenever I had a chance**
17. **while I have many to scold me and do not know what it is to have have half a real in my pocket**

—¿Y qué has aprendido? —le pregunté.

—He aprendido —respondió el gran bellaco— a afeitar perros, desollar indios y desquijarar viejas, que no es poco. Dios se lo pague a usted que me lo ha enseñado.

—¿Pues y qué, tu maestro no te ha enseñado nada en dos años?

—¡Qué me ha de enseñar! —decía Andrés—. Todo el día se me va en hacer mandados aquí y en casa de doña Tulitas, la hija de mi maestro; y allí pior, porque me hacen cargar el niño, lavar los pañales, ir a la peluquería, fregar toditos los trastes y aguantar cuantas calillas quieren, y con esto, qué he de aprender del oficio? [18] Ya cuento dos años de aprendizaje, y vamos corriendo para tres, y no se da modo ni manera el maestro de enseñarme nada.

—Pero. ¿por qué no aprendiste tú a sastre? —pregunté a Andrés Y éste me dijo:

—¡Ay, señor! ¿Sastre? Se enferman del pulmón.

—¿Y a hojalatero? [19]

—No, señor; por no ver que se corta uno con la hoja de lata y se quema con los fierros.

—¿Y a carpintero por qué no?

—¡Ay! No, porque se lastima mucho el pecho.

—¿Y a carrocero o herrero? [20]

—No lo permita Dios; ¡si parecen diablos cuando están junto a la fragua aporreando el fierro! [21]

—Pues, hijo de mi alma; Pedro Sarmiento, hermano de mi corazón —le dije a Andrés levantándome del asiento—, tú eres mi hermano; somos mellizos o *cuates;*[22] dame un abrazo. Desde hoy te debo amar y te amo más que antes, porque miro en ti el retrato de mi modo de pensar; pero tan

18. and there it's even worse, because they make me carry the baby, launder diapers, run back and forth to the barbershop, wash all the dishes, and put up with as many disagreeable chores as they like. With all that how can I learn the trade?
19. tinsmith
20. coach-maker or blacksmith
21. they look like devils when they are at the forge beating the iron
22. twins

parecido, que se equivoca con el prototipo, si ya no es que nos identificamos tú y yo. Eres tan flojo como el hijo de mi madre. A ti no te acomodan los oficios por las penalidades que traen anexas, ni te gusta servir porque regañan los amos; pero sí te gusta comer, beber, pasear y tener dinero con poco o ningún trabajo. Pues, tatita, lo mismo pasa por mí; de modo que, como dice el refrán, Dios los cría y ellos se juntan. Ya verás si tengo razón demasiada para quererte.

—Eso es decir —repuso Andrés— que usted es un flojo y yo también.

—Adivinaste, muchacho —le contesté—, adivinaste. ¿Ves cómo en todo mereces que yo te quiera y te reconozca por mi hermano?

—Pues si sólo por eso lo hace —dijo Andresillo—, muchos hermanos debe usted tener en el mundo, porque hay muchos flojos de nuestro mismo gusto; pero sepa usted que a mí lo que me hace, no es el oficio, sino dos cosas: la una, que no me lo enseñan, y la otra, el genio que tiene la maldita vieja de la maestra; que si eso no fuera, yo estuviera contento en la casa, porque el maestro no puede ser mejor.

—Así es —dije yo—. Es la vieja el mismo diablo, y su genio es enteramente opuesto al de don Agustín, pues éste es prudente, liberal y atento, y la vieja condenada es majadera, regañona y mezquina como Judas. Ya se ve, ¿qué cosa buena ha de hacer con su cara de sábana encarrujada y su boca de chancleta? [23]

Hemos de advertir que la casa era una accesoria con un altito de éstas que llaman de taza y plato,[24] y nosotros no habíamos atendido a que la dicha maestra nos escuchaba, como nos escuchó toda la conversación, hasta que yo comencé a loarla en los términos que van referidos, e irritada justamente contra mí, cogió con todo silencio una olla de agua hirviendo que tenía en el brasero y me la volcó a plomo en la

23. the damned old woman is the very devil, quarrelsome and a Judas. What good can she do with her face like a wrinkled sheet and her mouth like an old slipper?
24. It must be said that the house opened directly on the street, with a little upstairs, the kind called cup-and-saucer (and we had not noticed the old woman)

cabeza,[25] diciéndome:

—¡Pues, maldito, mal agradecido, fuera de mi casa, que yo no quiero en ella arrimados [26] que vengan a hablar de mí!

No sé si habló algo más, porque quedé sordo y ciego del dolor y de la cólera. Andrés, temiendo otro baño peor, y escarmentado en mi cabeza, huyó para la calle. Yo, rabiando y todo pelado, subí la escalerita de palo con ánimo de desmechar a la vieja, topara en lo que topara, y después marcharme como Andrés;[27] pero esta condenada era varonil y resuelta, así luego que me vio arriba, tomó el cuchillo del brasero y se fue sobre mí con el mayor denuedo,[28] y hablando medias palabras de cólera, me decía:

—¡Ah, grandísimo bellaco [29] atrevido! Ahora te enseñaré . . .

Yo no pude oir qué me quería enseñar ni me quise quedar a aprender la lección, sino que volví la grupa con la mayor ligereza, y fue con tal desgracia, que tropezando con un perrillo bajé la escalera más presto que la había subido y del más extraño modo, porque la bajé de cabeza, magullándome las costillas.[30]

La vieja estaba hecha un chile [31] contra mí. No se compadeció ni se detuvo por mi desgracia, sino que bajó detrás de mí como un rayo con el cuchillo en la mano, y tan determinada, que hasta ahora pienso que si me hubiera cogido, me mata sin duda alguna; pero quiso Dios darme valor para correr, y en cuatro brincos me puse cuatro cuadras lejos de su furor [32] porque, eso sí, tenía yo alas en los pies, cuando me amenazaba algún peligro y me daban lugar para la fuga.

25. a pot of hot water which she had on the stove and dumped it, to the last drop (lit. perpendicularly, a **plomo**), on my head
26. parasites
27. taking warning from my (scalded) head, fled into the street. Raving and skinned all over, I dashed up the little wooden staircase with the intention of knocking the daylights out of the old woman and then escaping, like Andrés
28. most daringly
29. scoundrel
30. turned tail instantly, but so unfortunately that, stumbling over a puppy dog, I went downstairs faster than I had gone up, headfirst, smashing my ribs
31. was fuming (lit. like a hot chili pepper)
32. in four jumps I put four city blocks between me and her fury

Periquillo de Boticario [1]

[Fearing to meet Chanfaina or the Barber, Periquillo looked for a safe place to hide. Hungry and tired he ended up in the disreputable *Inn of the Angel*. Through the influence of the innkeeper, Periquillo found a job in a drugstore].

Llegamos a la botica[2] que estaba cerca, me presentó al amo, quien me hizo veinte preguntas, a las que contesté a su satisfacción, y me quedé en la casa con salario asignado de cuatro pesos mensuales y plato.[3]

Permanecí dos meses en clase de mozo, moliendo palos, desollando culebras, atizando el fuego, haciendo mandados[4] y ayudando en cuanto se ofrecía y me mandaban, a satisfacción del amo y del oficial.

Luego que tuve juntos ocho pesos, compré medias, zapatos, chaleco, chupa y pañuelo: todo del Baratillo, pero servible.[5] Lo traje a la casa ocultamente, y a otro día que fue domingo, me puse hecho un veinticuatro.[6]

No me conocía el amo, y alegrándose de mi metamorfosis, decía al oficial:

—Vea usted, se conoce que este pobre muchacho es hijo de buenos padres y que no se crió de mozo de botica. Así se hace, hijo, manifestar uno siempre sus buenos principios, aunque sea pobre, y una de las cosas en que se conoce al hombre, que los ha tenido buenos, es que no le gusta andar roto ni sucio. ¿Sabes escribir?

—Sí, señor —le respondí.

—A ver tu letra —dijo—; escribe aquí.

1. Periquillo as druggist
2. drugstore
3. room and board
4. grinding bark, skinning snakes, stirring up the fire, running errands
5. I bought stockings, shoes, jacket, waistcoat, and neckerchief, all secondhand, but serviceable
6. like an Alderman (in many Spanish towns the Council generally consisted of twenty-four [**veinticuatro**] Aldermen, the most important and supposedly the best dressed men in the community)

Yo, por pedantear[7] un poco y confirmar al amo en el buen concepto que había formado de mí escribí lo siguiente:

Qui scribere nesciunt nullum putant esse laborem.
Tres digiti scribunt, coetera membra dolent.

—¡Hola! —dijo mi amo todo admirado—; escribe bien el muchacho y en latín. ¿Pues qué entiendes tú lo que has escrito?

—Sí, señor —le dije—; eso dice que los que no saben escribir piensan que no es trabajo; pero que mientras tres dedos escriben, se incomoda todo el cuerpo.[8]

—Muy bien —dijo el amo—; según eso, sabrás qué significa el rótulo de esa redoma.[9] Dímelo.

Yo leí *Oleum vitellorum ovorum*, y dije:

—Aceite de yema de huevo.[10]

—Así es —dijo don Nicolás.

Y poniéndome botes, frascos, redomas y cajones, me siguió preguntando:

—¿Y aquí qué dice?

Yo, según él me preguntaba, respondía:

—*Oleum scorpionum.* Aceite de alacranes . . . *Aqua menthae,* Agua de hierba buena . . . *Aqua petroceline* . . . Agua de perejil . . . *Sirupus pomorum* . . . Jarabe de manzanas . . . *Unguentum cucurbitae* . . . Ungüento de calabaza[11] . . . *Elixir* . . .

—Basta —dijo el amo.

Y volviéndose al oficial le decía:

—Qué dice usted, don José, ¿no es lástima que este pobre muchacho esté de mozo pudiendo estar de aprendiz con tanto como tiene adelantado?

—Sí, señor —respondió el oficial.

Y continuó el amo hablando conmigo.

7. to show off
8. the whole body is uncomfortable
9. the label on that flask
10. oil of the yolk of eggs
11. oil of scorpions, peppermint water, parsley water, apple syrup, pumpkin ointment

—Pues bien, hijo, ya desde hoy eres aprendiz; aquí te estarás con don José y entrarás con él al laboratorio para que aprendas a trabajar, aunque ya algo sabes por lo que has visto.

Yo le agradecí el ascenso [12] que me había dado subiéndome de mozo de servicio a aprendiz de botica, y el diferente trato que me daba el oficial, pues desde ese momento ya no me decía Pedro a secas [13] sino don Pedro.

Me vanaglorié de la mudanza de mi suerte, y me contenté demasiado con el rumboso título de aprendiz de botica sin saber el común refrancillo que dice: *Estudiante perdulario, sacristán o boticario.*[14]

Sin embargo, en nada menos pensé que en aplicarme el estudio de química y botánica. Mi estudio se redujo a hacer algunos menjurjes,[15] a aprender algunos términos técnicos, y a agilitarme [16] en el despacho; pero comó era tan buen hipócrita, me granjeé la confianza y el cariño del oficial (pues mi amo no estaba mucho en la botica), y tanto que a los seis meses ya yo le ayudaba también a don José, que tenía lugar de pasear y aun de irse a dormir a la calle.

Desde entonces, o tres meses antes, se me asignaron ocho pesos cada mes, y yo hubiera salido oficial como muchos si un accidente no me hubiera sacado de la casa. Pero antes de referir esta aventura es menetser imponeros en algunas circunstancias.[17]

Había en aquella época en esta capital un médico viejo a quien llamaban por mal nombre el doctor Purgante,[18] porque a todos los enfermos decía que facilitaba la curación con un purgante.

Era este pobre viejo buen cristiano, pero mal médico y sistemático, y no adherido a Hipócrates, Avicena, Galeno y

---

12. promotion
13. plain Pedro
14. I boasted of my change of luck and my glamorous (**rumboso**) title of pharmacy apprentice, not knowing a proverb that says: An undisciplined student (always ends up) as sacristan or pharmacist.
15. i.e. limited to mixing up some horrible concoctions
16. to taking care of customers
17. you should know certain other details
18. nicknamed Doctor Physic

Averroes, sino a su capricho.[19] Creía que toda enfermedad no podía provenir sino de abundancia de humor pecante[20] y así pensaba que con evacuar este humor se quitaba la causa de la enfermedad. Pudiera haberse desengañado a costa de algunas víctimas que sacrificó en las aras de su ignorancia.

Este médico estaba igualado con mi maestro.[21] Esto es, mi maestro Nicolás enviaba cuantos enfermos podía al doctor Purgante, y éste dirigía a todos sus enfermos a nuestra botica. El primero decía que no había mejor médico que el dicho viejo, y el segundo decía que no había mejor botica que la nuestra, y así unos y otros hacíamos muy bien nuestro negocio. La lástima es que este caso no sea fingido, sino que tenga un sin fin de originales.

El dicho médico me conocía muy bien, como que todas las noches iba a la botica, se había enamorado de mi letra y genio (porque cuando yo quería era capaz de engañar al demonio), y no faltó ocasión en que me dijera: —Hijo, cuando te salgas de aquí, avísame, que en casa no te faltará qué comer ni qué vestir.

Quería el viejo poner botica y pensaba tener en mí un oficial instruido y barato.

Yo le di las gracias por su favor, prometiéndole admitirlo siempre que me descompusiera con el amo,[22] pues por entonces no tenía motivo de dejarlo.

En efecto, yo me pasaba una vida famosa y tal cual la puede apetecer un flojo. Mi obligación era mandar por la mañana al mozo que barriera la botica, llenar las redomas de las aguas que faltaran y tener cuidado de que hubiera provisión de éstas destiladas o por infusión;[23] pero de esto no se me daba un pito, porque el pozo me sacaba del cuidado,[24] de suerte que yo decía: En distinguiéndose los letreros, aunque el agua sea la misma, poco importa, ¿quién lo ha de echar

19. he did not go by Hippocrates, Avicena, Galen and Averroes (famous physicians of the past) but according to his own caprices
20. excessive humor
21. was in a kind of partnership with my master
22. fell out with my master
23. distilled and infused water
24. I did not care a whistle about all this: the well saved me the trouble of distilling water

de ver? El médico que las receta quizá no las conoce sino por el nombre; y el enfermo que las toma las conoce menos y casi siempre tiene perdido el sabor, conque esta droga va segura.

Otro abuso perniciosísimo había en la botica en que yo estaba, y es comunísimo en todas las demás. Este es que así que se sabía que se escaseaba alguna droga en otras partes, la encarecía don José hasta el extremo de no dar medios de ella, sino de reales arriba;[25] siguiéndose de este abuso (que podemos llamar codicia sin el menor respeto) que el miserable que no tenía más que medio real y necesitaba para curarse un pedacito de aquella droga, supongamos alcanfor,[26] no lo conseguía con don José ni por Dios ni por sus santos.

De noche tenía mayor desahogo,[27] porque el amo iba un rato por las mañanas, recogía la venta del día anterior y ya no volvía para nada. El oficial, en esta confianza, luego que me vió apto para el despacho, a las siete de la noche tomaba su capa y se iba a cumplimentar a su madama; aunque tenía cuidado de estar muy temprano en la botica.

Con esta libertad estaba yo en mis glorias; pues solían ir a visitarme algunos amigos que de repente se hicieron míos, y merendábamos alegres y a veces jugábamos nuestros alburitos de a dos, tres y cuatro reales, todo a costa del cajón de las monedas, contra quien tenía libranza abierta.[28]

Así pasé algunos meses, y al cabo de ellos se le puso al amo hacer balance, y halló que, aunque no había pérdida de consideración, porque pocos boticarios se pierden, sin embargo, la utilidad apenas era perceptible.

No dejó de asustarse don Nicolás al advertir el demérito, y reconviniendo a don José por él,[29] satisfizo éste diciendo que el año había sido muy sano, y que años semejantes

25. (another very pernicious and very common abuse): as soon as it became known that some drug was scarce, don José jacked up the price to the extent of refusing to sell less than a real's worth of it
26. let us say camphor
27. rest, leisure
28. we ate together merrily, sometimes playing cards at two, three or four reals, all at the expense of the money drawer (cash register), against which I had an open draft (i.e. helped myself freely)
29. a deficit, and taking don José to task for it

eran funestos, o a lo menos de poco provecho para médicos, boticarios y curas.

No se dio por contento el amo con esta respuesta, y con un semblante bien serio, le dijo:

—En otra cosa debe consistir el demérito de mi casa, que no en las templadas estaciones del año; porque en el mejor no faltan enfermedades ni muertos.

Desde aquel día comenzó a vernos con desconfianza y a no faltar de su casa muchas horas, y dentro de poco tiempo volvió a recobrar el crédito la botica, como que había más eficacia en el despacho; el cajón padecía menos evacuaciones y él no se iba hasta la noche, que se llevaba la venta. Cuando algún amigo lo convidaba a algún paseo, se excusaba diciéndole que agradecía su favor, pero que no podía abandonar las atenciones de su casa, y que quien tiene tienda es fuerza que la atienda.

Con este método nos aburrió breve,[30] porque el oficial no podía pasear ni el aprendiz merendar, jugar ni holgarse de noche.

En este tiempo, por no sé qué trabacuentas, se disgustó mi amo con el médico y deshizo la iguala y la amistad enteramente.[31] ¡Qué verdad es que las más amistades se enlazan con los intereses! Por eso son tan pocas las que hay ciertas.

Ya pensaba en salirme de la casa, porque ya me enfadaba la sujeción y el poco manejo que tenía en el cajón, pues a la vista del amo no lo podía tratar con la confianza que antes pero me detenía el no tener dónde establecerme ni qué comer saliéndome de ella.

En uno de los días de mi indeterminación, sucedió que me metí a despachar una receta que pedía una pequeña dosis de magnesia.[32] Eché el agua en la botella y el jarabe, y por coger el bote donde estaba la magnesia, cogí el en donde estaba el arsénico, y le mezclé su dosis competente.[33] El tris-

30. we were soon bored
31. due to I don't know what misunderstanding, my master quarreled with the Doctor and broke off their agreement and friendship
32. set about to fill a prescription that called for a small dose of magnesia
33. I picked up the arsenic and mixed the required dose

te enfermo, según supe después, se la echó a pechos con la mayor confianza, y las mujeres de su casa le revolvían los asientos del vaso con el cabo de la cuchara,[34] diciéndole que los tomara, que los polvitos eran lo más saludable.

Comenzaron los tales polvos a hacer su operación, y el infeliz enfermo a rabiar, acosado de unos dolores infernales que le despedazaban las entrañas.[35] Alborotóse la casa, llamaron al médico, que no era lerdo, dijéronle al punto que tomó la bebida que había ordenado, había empezado con aquellas ansias y dolores. Entonces pide el médico la receta, la guarda, hace traer la botella y el vaso que aún tenía polvos asentados, los ve, los prueba, y grita lleno de susto:

—Al enfermo lo han envenenado,[36] ésta no es magnesia sino arsénico; que traigan aceite y leche tibia, pero mucha y pronto.

Se trajo todo al instante, y con estos y otros auxilios, dizque se alivió el enfermo. Así que lo vio fuera de peligro preguntó de que botica se había traído la bebida. Se lo dijeron y dio parte al protomedicato,[37] manifestando su receta, el mozo que fue a la botica, y la botella y vaso como testigos fidedignos de mi atolondramiento.[38]

Los jueces comisionaron a otro médico; y acompañado del escribano, fue a casa de mi amo, quien se sorprendió con semejantes visitas.

El comisionado y el escribano breve y sumariamente substanciaron el proceso, como que yo estaba confeso y convicto.[39] Querían llevarme a la cárcel, pero informados de que no era oficial, sino un aprendiz bisoño,[40] me dejaron en paz, cargando a mi amo toda la culpa, de la que sufrió por pena la exhibición de doscientos pesos de multa en el acto, con aper-

34. the women of the house stirred up the dregs in the glass with the handle of the spoon
35. began to froth, writhing in the infernal pains that tore at his entrails
36. the sick man is poisoned
37. a tribunal composed of expert physicians from the medical association
38. reliable proof of my carelessness
39. The commissioner and the scrivener briefly and summarily stated the case, as though I had already confessed and been convicted
40. inexperienced

cibimiento de embargo, caso de dilación;[41] notificándole el comisionado de parte del tribunal y bajo pena de cerrarle la botica, que no tuviera otra vez aprendices en el despacho, pues lo que acababa de suceder no era la primera, ni sería ia última desgracia que se llorara por los aturdimientos de semejantes despachadores.[42]

No hubo remedio: el pobre de mi amo subió en el coche con aquellos señores, poniéndome una cara de herrero mal pagado, y mirándome con bastante indignación, dijo al cochero que fuera para su casa, donde debía entregar la multa. Yo, apenas se alejó el coche un poco, entré a la trasbotica,[43] saqué un capotillo que ya tenía y mi sombrero, y le dije al oficial:

—Don José, yo me voy, porque si el amo me halla aquí, me mata. Déle usted las gracias por el bien que me ha hecho, dígale que perdone esta diablura, que fue un mero accidente.

Ninguna persuasión del oficial fue bastante a detenerme. Me fui acelerando el paso, sintiendo mi desgracia y consolándome con que a lo menos había salido mejor que de casa de Chanfaina y de don Agustín.

En fin, quedándome hoy en este truco y mañana en el otro, pasé veinte días, hasta que me quedé sin capote ni chaqueta; y por no volverme a ver descalzo y en peor estado, determiné ir a servir de cualquier cosa al doctor Purgante.

41. he suffered as penalty the payment of two hundred pesos fine, in the act, and threat of embargo in case of delay in payment
42. of such drugstore clerks
43. backroom

Periquillo de médico

Hallé al doctor Purgante una tarde después de siesta en su estudio, sentado en una silla poltrona con un libro delante y la caja de polvos a un lado.[1] Era este sujeto alto, flaco de cara y piernas, y abultado de panza, trigueño y muy cejudo, ojos verdes, nariz de caballete, boca grande y despoblada de dientes, calvo, por cuya razón usaba en la calle peluquín con bucles.[2] Su vestido, cuando lo fui a ver, era una bata hasta los pies, de aquellas que llaman de quimones, llena de flores y ramaje, y un gran birrete muy tieso de almidón y relumbroso de la plancha.[3]

Luego que entré me conoció y me dijo:

—¡Oh, Periquillo, hijo! ¿Por qué extraños horizontes has venido a visitar este tugurio?[4]

No me hizo fuerza su estilo, porque ya sabía yo que era muy pedante, y así le iba a relatar mi aventura con intención de mentir en lo que me pareciera; pero el doctor me interrumpió diciéndome:

—Ya sé de la turbulenta catástrofe que te pasó con tu amo el farmacéutico. En efecto, Perico, tú ibas a despachar en un instante al pacato paciente del lecho al féretro improvisamente, con el trueque del arsénico por la magnesia. Es cierto que tu mano trémula y atolondrada tuvo mucha parte de la culpa, mas no la tiene menos tu preceptor el *fármaco,* y todo por seguir su capricho. Yo le documenté que todas estas drogas nocivas y *venenáticas* las encubriera bajo una llave bien segura que sólo tuviera el oficial más diestro, y con

1. seated in an armchair, with a book before him and a snuffbox at his side
2. He was a tall man, thin of face and leg, bulky of paunch, swarthy and heavy-browed, green-eyed, beak-nosed, big-mouthed and toothless, (and so) bald that he always wore a curled peruke when on the street.
3. a long dressing gown (bathrobe), called kimono, covered with flowers and foliage, and a big cap (headgear worn by professors, lawyers, judges, etc.), stiff with starch and shiny (**relumbroso**) from the iron
4. From what strange horizons have you come to visit this poor hut? (pedantic phrasing revealing the doctor's character. In his pedantry Dr. Purgante resembles Molière's Monsieur Purgon, a character in his play **Le malade imaginaire**).

esta asidua diligencia se evitarían estos equívocos mortales; pero a pesar de mis insinuaciones, no me respondía más sino que eso era particularizarse e ir contra la secuela de los *fármacos,* sin advertir que *sapientis est mutare consilium* (que es propio del sabio mudar de parecer) y que *consuetudo est altera natura* (la costumbre es otra naturaleza). Allá se lo haya. Pero dime ¿qué te has hecho tanto tiempo? Porque si no han fallado las noticias que en las alas de la fama han penetrado mis *aurículas,* ya días hace que te lanzaste a la calle de la oficina de Esculapio.

Conocí que me quería para criado entre de escalera abajo y de arriba;⁵ advertí que mi trabajo no era demasiado; que la conveniencia no podía ser mejor, y que yo estaba en el caso de admitir cosa menos; pero no podía comprender a cuánto llegaba mi salario, por lo que le pregunté, que por fin cuánto ganaba cada mes. A lo que el doctorete, como enfadándose, me respondió:

—*Claris verbis* que disfrutarás quinientos cuarenta y cuatro maravedís.⁶

—Pero, señor —insté yo—, ¿cuánto montan en dinero efectivo quinientos cuarenta y cuatro maravedís? Porque a mí me parece que no merece mi trabajo tanto dinero.

—Sí merece, *stultisime famule,* pues no importan esos centenares más que dos pesos.⁷

—Pues, bien, señor doctor —le dije—, no es menester incomodarse; ya sé que tengo dos pesos de salario, y me doy por muy contento sólo por estar en compañía de un caballero tan *sapiente* como usted, de quien sacaré más provecho con sus lecciones que con los polvos y mantecas de don Nicolás.⁸

—Y como que sí —dijo el señor Purgante—, pues yo te abriré, como te apliques, los palacios de Minerva, y será esto premio superabundante a tus servicios, pues sólo con mi

5. for an upstairs and downstairs servant
6. Clearly (claris verbis), you will enjoy five hundred and forty-four maravedís (smallest Spanish coin used in the colonies, worth only a fraction of a silver peso)
7. Yes, it is worth it, foolish young servant (stultisime famule), for these hundreds amount to only two pesos
8. sapiente = sabio; I will get more benefit from your lessons than I did from don Nicolás' powders and greases

464

doctrina, conservarás tu salud luengos años, y acaso, acaso te contraerás algunos intereses y estimaciones.[9]

Quedamos corrientes desde este instante, y comencé a cuidar de lisonjearlo, igualmente que a su señora hermana, que era una vieja, beata Rosa, tan ridícula como mi amo, y aunque yo quisiera lisonjear a Manuelita, que era una muchachilla de catorce, sobrina de los dos y bonita como una plata, no podía, porque la vieja condenada la cuidaba más que si fuera de oro, y muy bien hecho.

Siete u ocho meses permanecí con mi viejo, cumpliendo con mis obligaciones perfectamente, esto es, sirviendo la mesa, mirando cuándo ponían las gallinas,[10] cuidando la mula y haciendo los mandados. La vieja y el hermano me tenían por un santo, porque en las horas que no tenía quehacer me estaba en el estudio, según las sólitas concedidas,[11] mirando las estampas anatómicas y entreteniéndome de cuando en cuando con leer libros antiguos y modernos, según me venía la gana.

Esto, las observaciones que yo hacía de los remedios que mi amo recetaba a los enfermos pobres que iban a verlo a su casa, que siempre eran a poco más o menos, pues llevaba como regla el trillado refrán de *como te pagan vas,* y las lecciones verbales que me daba, me hicieron creer que yo ya sabía medicina, un día que me riñó ásperamente y aun me quiso dar de palos porque se me olvidó darle de cenar a la mula, prometí vengarme de él y mudar de fortuna de una vez.

Con esta resolución esa misma noche le di a la doña mula ración doble de maíz y cebada, y cuando estaba toda la casa en lo más pesado de su sueño, la ensillé con todos sus arneses, sin olvidarme de la gualdrapa;[12] hice un lío en el que escondí catorce libros, unos truncos,[13] otros en latín y otros en castellano; porque yo pensaba que a los médicos y a los abogados los suelen acreditar los muchos libros, aunque no

9. and perhaps even acquire some property and esteem
10. gathering the eggs
11. since permission was granted to do so
12. I saddled her with all the harness, not forgetting her blanket (trappings)
13. some of them mutilated

sirvan o no los entiendan. Guardé en el dicho maletón la capa de golilla y la golilla misma de mi amo, juntamente con una peluca vieja de pita, un formulario de recetas, y lo más importante, sus títulos de bachiller en medicina y la carta de examen,[14] cuyos documentos los hice míos a favor de una navajita y un poquito de limón, con lo que raspé y borré lo bastante para mudar los nombres y las fechas.

No se me olvidó habilitarme de monedas,[15] pues aunque en todo el tiempo que estuve en la casa no me habían pagado nada de salario, yo sabía en dónde tenía la señora hermana una alcancía en la que rehundía todo lo que cercenaba del gasto; y acordándome de aquello de que quien roba al ladrón, etc.,[16] le robé la alcancía diestramente; la abrí y vi con la mayor complacencia que tenía muy cerca de cuarenta duros, aunque para hacerlos caber por la estrecha rendija de la alcancía los puso blandos.

Con este viático tan competente,[17] emprendí mi salida de la casa a las cuatro y media de la mañana, cerrando el zaguán y dejándoles la llave por debajo de la puerta.[18]

A las cinco o seis del día me entré en un mesón, diciendo que en el que estaba había tenido una mohina la noche anterior y quería mudar de posada.[19]

Como pagaba bien, se me atendía puntualmente. Hice traer café. y que se pusiera la mula en caballeriza para que almorzara harto.

En todo el día no salí del cuarto, pensando a qué pue-

14. I also bundled up (put into the big bundle) my master's gown and collar (ruff or collar worn by magistrates, etc.), along with an old sisal (fiber obtained from the maguey plant) wig, a formulary (book of medical prescriptions), and, most important of all, his Bachelor of Medicine diploma and his certificate of examination.
15. I did not forget to supply myself with money.
16. a moneybox in which she hoarded (lit. re-sank) what she pared off the house expenses, which reminded me of the old saying: **quién roba al ladrón (tiene cien años de perdón)**
17. she had packed them so tightly that she nearly mashed them (or melted them). With this quite respectable viaticum
18. locking the entrance and shoving the key back under the door
19. I entered an inn, saying that I had some trouble the night before in the one where I had been staying and wanted to change my lodging

blo dirigiría mi marcha y con quién, pues ni yo sabía caminos ni pueblos, ni era decente aparecerse un médico sin equipaje ni mozo.

En estas dudas dio la una del día, hora en que me subieron de comer, y en esta diligencia estaba, cuando se acercó a la puerta un muchacho a pedir por Dios un bocadito.[20]

Al punto que lo vi y lo oí, conocí que era Andrés, el aprendiz de casa de don Agustín, muchacho, no sé si lo he dicho, como de catorce años, pero de estatura de dieciocho. Luego lo hice entrar, y a pocas vueltas de la conversación me conoció, y le conté cómo era médico y trataba de irme a algún pueblecillo a buscar fortuna, porque en México había más médicos que enfermos, pero que me detenía carecer de un mozo fiel que me acompañara y que supiera de algún pueblo donde no hubiera médico.

El pobre muchacho se me ofreció y aun me rogó que lo llevara en mi compañía; que él había ido a Tepeji del Río, en donde no había médico y no era pueblo corto,[21] y que si nos iba mal allí, nos iríamos a Tula, que era pueblo más grande.

Yo le disfracé mis aventuras haciéndole creer que me había acabado de examinar en medicina; que ya le había insinuado que quería salir de esta ciudad; y así que me lo llevaría de buena gana, dándole de comer y haciéndolo pasar por barbero en caso de que no lo hubiera en el pueblo de nuestra ubicación.[22]

—Pero, señor —decía Andrés—, todo está muy bien; pero si yo apenas sé afeitar un perro, ¿cómo me arriesgaré a meterme a lo que no entiendo?

—Cállate —le dije—, no seas cobarde: sábete que *audaces fortuna juvat, timidosque repellit . . .*[23]

—¿Qué dice usted, señor, que no lo entiendo?

20. and begged a mouthful for God's sake
21. he had (once) gone to Tepejí del Río (small town in the state of Hidalgo, about fourteen miles from Tula), where there was no doctor and was a fair-sized town (Tula [de Allende], ancient capital of the Toltecs, is some sixty miles from Mexico City)
22. in case there was none in the town where we would settle
23. fortune favors the daring and disdains the timid

—Que a los atrevidos —le respondí— favorece la fortuna y a los cobardes los desecha; y así no hay que desmayar; tú serás tan barbero en un mes que estés en mi compañía, como yo fui médico en el poco tiempo que estuve con mi maestro, a quien no sé bien cuánto le debo a esta hora.

En fin, dieron las tres de la tarde, y me salí con Andrés al Baratillo, en donde compré un colchón, una cubierta de vaqueta para envolverlo, un baúl, una chupa negra y unos calzones verdes con sus correspondientes medias negras, zapatos, sombrero, chaleco encarnado, corbatín y un capotito para mi fámulo y barbero que iba a ser, a quien también le compré seis navajas, una bacía, un espejo, cuatro ventosas, dos lancetas, un trapo para paños, unas tijeras, una jeringa grande y no sé qué otras baratijas;[24] siendo lo más raro que en todo este ajuar[25] apenas gasté veintisiete o veintiocho pesos. Ya se deja entender que todo ello estaba como del Baratillo; pero con todo eso, Andrés volvió al mesón contentísimo.

Andrés ya tenía el viaje dispuesto y todo corriente; porque abajo estaban unos mozos de Tula que habían traído un colegial y se iban de vacío; que con ellos había propalado el viaje, y aun se había determinado a ajustarlo en cuatro pesos, y que sólo esperaban los mozos que yo confirmara el ajuste.[26]

—¿Pues no lo he de confirmar, hijo? —le dije a Andrés—. Anda y llama a esos mozos ahora mismo.

Bajó Andrés como un rayo y subió luego luego con los mozos, con quienes quedé en que me habían de dar mula para mi avío y una bestia de silla para Andrés,[27] todo lo que

24. I bought a mattress, a cowhide cover to wrap it in, and a trunk; for my servant (**fámulo**) and barber to be, a black waistcoat, green breeches with the corresponding black stockings, shoes, hat, a red vest, a cravat, and a short cape, and I also bought for him six razors, a basin, a mirror, four cupping-glasses, two lancets, a rag for (making) towels, a pair of scissors, a big clyster, and I know not what other odds and ends

25. supplies

26. had brought a student and were returning without a load, (Andrés) had made arrangements with them and fixed the price at four pesos, and that they were waiting only for me to confirm the deal.

27. a mule for my baggage and a saddle animal for Andrés

me ofrecieron, como también que habían de madrugar antes del alba.

A las cuatro de la mañana ya estaban los mozos tocándonos la puerta. Nos levantamos y desayunamos mientras que los arrieros cargaban.

Luego que se concluyó esta diligencia, pagué el gasto que habíamos hecho yo y mi mula, y nos pusimos en camino.

Yo no estaba acostumbrado a caminar, con esto me cansé pronto, y no quise pasar de Cuautitlán,²⁸ por más que fuéramos a dormir a Tula.

Al segundo día llegamos al dicho pueblo, y yo posé o me hospedé en casa de uno de los arrieros, que era un pobre viejo, sencillote y hombre de bien, a quien llamaban tío Bernabé, con el que me convine en pagar mi plato,²⁹ el de Andrés y el de la mula, sirviéndole, por vía de gratificación, de médico de cámara para toda su familia, que eran dos viejas, una su mujer y otra su hermana; dos hijos grandes, y una hija pequeña como de doce años.

El pobre admitió ³⁰ muy contento, y cátenme ustedes ya radicado en Tula³¹ y teniendo que mantener al maestro barbero, que así llamaremos a Andrés, a mí y a mi *macha*,³² que aunque no era mía, yo la nombraba por tal; bien que siempre que la miraba me parecía ver delante de mi al doctor Purgante con su gran bata y birrete parado, que lanzando fuego por los ojos me decía:

—Pícaro, vuélveme mi mula, mi gualdrapa, mi golilla, mi peluca, mis libros, mi capa y mi dinero, que nada es tuyo.

Como no se me habían olvidado aquellos principios de urbanidad que me enseñaron mis padres, a los dos días luego que descansé, me informé de quiénes eran los sujetos principales del pueblo, tales como el cura y sus vicarios, el subdelegado y su director, el alcabalero, el administrador de correos,³³ tal cual tendero y otros señores decentes; y a todos

28. a town, seventeen miles from Mexico City on the way to Tula
29. board
30. accepted
31. there I was settled already in Tula
32. mule
33. the priest and his vicars, the subdelegate and his director, the tax collector, the postmaster

469

ellos envié recado con el bueno de mi patrón[34] y Andrés, ofreciéndoles mi persona e inutilidad.

Con la mayor satisfacción recibieron todos la noticia, correspondiendo corteses mi cumplimiento, y haciéndome mis visitas de estilo,[35] las que yo también les hice de noche vestido de ceremonia, quiero decir, con mi capa de golilla, la golilla misma y mi peluca encasquetada, porque no tenía traje mejor ni peor; siendo lo más ridículo, que mis medias eran blancas, todo el vestido de color y los zapatos abotinados, con lo que parecía más bien alguacil que médico;[36] y para realizar mejor el cuadro de mi ridiculez, hice andar conmigo a Andrés con el traje que le compré, que os acordaréis que era chupa y medias negras, calzones verdes, chaleco encarnado, sombrero blanco y su capotillo azul rabón y remendado.

Ya los señores principales me habían visitado, según dije, y habían formado de mí el concepto que quisieron; pero no me había visto el común del pueblo vestido de punta en blanco[37] ni acompañado de mi escudero; mas el domingo que me presenté en la iglesia vestido a mi modo entre médico y corchete, y Andrés entre tordo y perico,[38] fue increíble la distracción del pueblo, y creo que nadie oyó misa por mirarnos.

Como en los pueblos son muy noveleros,[39] lo mismo que en las ciudades, al momento corrió por toda aquella comarca la noticia de que había médico y barbero en la cabecera, y de todas partes iban a consultarme de sus enfermedades.

Por fortuna los primeros que me consultaron fueron de aquellos que sanan aunque no se curen, pues les bastan los auxilios de la sabia naturaleza, y otros padecían porque o no querían o no sabían sujetarse a la dieta que les interesaba.

34. I sent a message with my good host
35. formal visits
36. my shoes half-gaiters, so that I looked more like a constable than a doctor
37. in full regalia (dressed to kill)
38. partly like a doctor, partly like a village constable, and Andrés partly like a thrush and partly like a parrot
39. nosy (fond of hearing and telling news, like a newsmonger)

Sea como fuere, ellos sanaron con lo que les ordené, y en cada uno labré un clarín a mi fama.[40]

A los quince o veinte días ya yo no me entendía de enfermos,[41] especialmente indios, los que nunca venían con las manos vacías, sino cargando gallinas, frutas, huevos, verduras, quesos y cuanto los pobres encontraban. De suerte que el tío Bernabé y sus viejas estaban contentísimos con su huésped. Yo y Andrés no estabamos tristes; pero más quisiéramos monedas; sin embargo de que Andrés estaba mejor que yo, pues los domingos desollaba indios [42] a medio real que era una gloria, llegando a tal grado su atrevimiento que una vez se arriesgó a sangrar a uno [43] y por accidente quedó bien. Ello es que con lo poco que había visto y el ejercicio que tuvo se le agilitó la mano en términos que un día me dijo:

—*Ora* sí, señor, ya no tengo miedo, y soy capaz de afeitar al *Sursum-corda*.[44]

Volaba mi fama de día en día; pero lo que me encumbró a los cuernos de la luna[45] fue una curación que hice (también de accidente como Andrés) con el alcabalero, para quien una noche me llamaron a toda prisa.

Fui corriendo, y encomendándome a Dios para que me sacara con bien de aquel trance,[46] del que no sin razón pensaba que pendía mi felicidad.

Llevé conmigo a Andrés con todos sus instrumentos, encargándole en voz baja, porque no lo oyera el mozo, que no tuviera miedo como yo no lo tenía; que para el caso de matar a un enfermo lo mismo tenía que fuera indio que español,[47] y que nadie llevaba su pelea más segura que nosotros, pues si el alcabalero sanaba nos pagarían bien y se aseguraría nuestra fama; si se moría, como de nuestra habilidad

---

40. I made a trumpet for my fame (out of every case)
41. I had so many patients I scarcely knew what to do
42. skinned Indians
43. he risked bleeding one of them
44. ora = ahora . . . I am capable of shaving a **Sursum corda** (supposedly anonymous character of much importance)
45. what sent my stock sky-high (lit. what sent me up to the horns of the moon)
46. to help me out of that pinch
47. it mattered little whether he was Indian or Spanish

se podía esperar, con decir que ya estaba de Dios[48] y que se le había llegado su hora, estábamos del otro lado, sin que hubiera quien nos acusara de homicidio.

En estas pláticas llegamos a la casa, que la hallamos hecha una Babilonia;[49] porque unos entraban, otros salían, otros lloraban y todos estaban aturdidos.[50]

A este tiempo llegaron el señor cura y el padre vicario con los santos óleos.[51]

—Malo —dije a Andrés—, esta es enfermedad ejecutiva. Aquí no hay medio, o quedamos bien o quedamos mal. Vamos a ver cómo nos sale este albur.[52]

Entramos todos juntos a la recámara y vimos al enfermo tirado boca arriba en la cama, privado de sentidos, el semblante denegrido y con todos los síntomas de un apoplético.[53]

—¡Ay, señor! ¿Qué dice usted, se muere mi padre?

Yo, afectando mucha serenidad de espíritu y con una confianza de profeta, les respondí:

—Callen ustedes, niñas, ¡qué se ha de morir! Estas son efervescencias del humor sanguíneo, que oprimiendo los ventrículos del corazón embargan el cerebro porque cargan con el *pondus* de la sangre sobre la espina medular y la traquearteria; pero todo esto se quitará en un instante, pues *si evacuatio fit, recedet pletora.*[53b]

Las señoras me escuchaban atónitas, y el cura no se cansaba de mirarme de hito en hito, sin duda mofándose de mis desatinos,[54] los que interrumpió diciendo:

—Señoras, los remedios espirituales nunca dañan ni se

48. it was God's will
49. which was like a madhouse (lit. which we found a [perfect] Babel)
50. worried, confused
51. the priest arrived with his vicar and the holy oils
52. game, risky contingency
53. his face purple, (showing) every symptom of apoplexy
53 b. the effervescense of sanguinary humor oppressing the ventricles of his heart, stifling his cerebrum, because it presses with the **pondus** (Latin, **weight**) of the blood upon the medular and the trachea; but all this will be stopped in an instant, for **by evacuation we free ourselves of the plethora** (Latin)
54. stared at me, amused by my crazy words

oponen a los temporales. Bueno será absolver a mi amigo y olearlo, y obre Dios.[55]

—Señor cura —dije yo con toda la pedantería que acostumbrada—, señor cura, usted dice bien, y yo no soy capaz de introducir mi hoz en mies ajena; pero *venia tanti,* digo que esos remedios espirituales no sólo son buenos, sino necesarios, *necesitate medii y necesitate praecepti in articulo mortis: sed sic est* que no estamos en ese caso; *ergo,* etc.[56]

El cura, que era harto prudente e instruido, no quiso hacer alto [57] en mis charlatanerías, y así me contestó:

—Señor doctor, el caso en que estamos no da lugar a argumentos, porque el tiempo urge; yo sé mi obligación y esto importa.

Decir esto y comenzar a absolver al enfermo y el vicario a aplicarle el santo sacramento de la unción,[58] todo fue uno. Los doliente como si aquellos socorros espirituales fueran el fallo cierto de la muerte de su deudo, comenzaron a aturdir la casa a gritos; luego que los señores eclesiásticos concluyeron sus funciones, se retiraron a otra pieza cediéndome el campo y el enfermo.

Inmediatamente me acerqué a la cama, le tomé el pulso, miré a las vigas del techo por largo rato, después le tomé el otro pulso haciendo mil monerías, como eran arquear las cejas, arrugar la nariz,[59] mirar al suelo, morderme los labios, mover la cabeza a uno y otro lado y hacer cuantas mudanzas pantomímicas me parecieron oportunas para aturdir a aquellas pobres gentes que, puestos los ojos en mí, guardaban un profundo silencio teniéndome sin duda por un segun-

55. it will be well to absolve my friend, annoint him, let God do His work
56. you speak truly, and far be it from me to put my sickle in another's harvest; but with your permission (Latin), I claim that spiritual remedies are not only good but necessary—such **procedure is necessary when the patient is near death; but the fact is** (Latin) that such is not the case, **therefore,** etc.
57. did not pay any attention
58. No sooner had he said this than he began to absolve the patient; and the vicar to administer the holy sacrament of extreme unction
59. a thousand monkeyshines, such as arching my eyebrows, wrinkling my nose

do Hipócrates; a lo menos esa fue mi intención, como también ponderar el gravísimo riesgo del enfermo y lo difícil de la curación, arrepentido de haberles dicho que no era cosa de cuidado.

Acabada la tocada del pulso, le miré el semblante atentamente, y le hice abrir la boca con una cuchara para verle la lengua, le alcé los párpados, le toqué el vientre y los pies, e hice dos mil preguntas a los asistentes sin acabar de ordenar ninguna cosa, hasta que la señora, que ya no podía sufrir mi cachaza,[60] me dijo:

—Por fin, señor, ¿qué dice usted de mi marido? ¿Es de vida o de muerte?

—Señora —le dije—, no sé de lo que será; sólo Dios puede decir qué es vida y resurrección, como que fue el que *Lazarum quem resuscitavit a monumento foetidum*, y si lo dice, vivirá aunque esté muerto. *Ego sum resurrectio et vita, qui credit in me, etiam si mortuus fuerit, vivet.*[61]

—¡Ay, Jesús —gritó una de las niñas—, ya se murió mi padrecito!

Como ella estaba junto al enfermo, su grito fue tan extraño y doloroso, y cayó privada[62] de la silla, pensamos todos que en realidad había expirado, y nos rodeamos de la cama.[63]

El señor cura y el vicario, al oir la bulla, entraron corriendo y no sabían a quien atender, si al apoplético o a la histérica, pues ambos estaban privados. La señora, ya medio colérica, me dijo:

—Déjese de latines, y vea si cura o no cura a mi marido. ¿Para qué me dijo cuando entró que no era cosa de cuidado y me aseguró que no se moría?

—Yo lo hice, señora, por no afligir a usted —le dije—, pero no había examinado al enfermo *methodice vel juxta artis nostrae praecepta*,[64] pero encomiéndese usted a Dios y vamos

60. who could not bear my delay any longer
61. **Lazarus whom He (Jesus) raised from a tomb of corruption** (John XII:1) and, according to this, he will live even though he dies. I am the resurrection and the life: he that believeth in me, though he were dead, yet shall he live (John XI:25)
62. unconscious
63. we gathered around the bed
64. **methodically, according to the rules of our art**

a ver. Primeramente, que se ponga una olla grande de agua
a calentar.

—Eso sobra —dijo la cocinera.

—Pues bien, maestro Andrés —continué yo—. Usted,
como buen flebotomiano, déle luego luego un par de sangrías
de la vena cava.[65]

Andrés, aunque con miedo y sabiendo tanto como yo de
venas cavas, le ligó los brazos y le dio dos piquetes que parecían puñaladas,[66] con cuyo auxilio, al cabo de haberse lle-
nado dos porcelanas[67] de sangre, cuya profusión escandali-
zaba a los espectadores, abrió los ojos el enfermo y comenzó
a conocer a los circunstantes y a hablarles.

Inmediatamente hice que Andrés aflojara las vendas y
cerrara las cisuras,[68] lo que no costó poco trabajo, ¡tales fueron de prolongadas!

Después hice que se le untase vino blanco en el cerebro
y pulsos, que se le confortara el estómago por dentro con un
atole de huevos y por fuera con una tortilla de los mismos,
condimentada con aceite rosado, vino, culantro y cuantas por-
querías se me antojaron; encargando mucho que no lo re-
supinaran.[69]

—¿Qué es eso de resupinar, señor doctor? —preguntó
la señora, y el cura, sonriéndose, le dijo:

—Que no lo tengan boca arriba.[70]

—Pues tatita, por Dios —siguió la matrona—, hablemos en lengua que nos entendamos como la gente.

A ese tiempo ya la niña había vuelto de su desmayo
y estaba en la conversación; y luego que oyó a su madre, dijo:

65. you, as a good phlebotomist (blood-letter), give him at once a
pair of bleedings of the cava vein (the idea of piercing the cava
vein shows Periquillo's colossal ignorance, for this is one of two
large trunk veins leading directly to the heart)
66. tied his arms and gave him two slashes that looked like dagger
wounds
67. basins, bowls
68. loosen the bindings and close the incisions
69. I had them anoint the man's forehead and wrists with white wine;
comfort his stomach inside with egg-and-corn gruel, outside
with a plaster of oil of roses, wine, coriander, and as many other
meaningless things as I pleased, charging them gravely not to
resupinate him
70. (it means:) you should not lay him on his back

—Sí, señor, mi madre dice muy bien; sepa usted que por eso me privé endenantes,[71] porque como empezó a rezar aquello que los padres les cantan a los muertos cuando los entierran, pensé que ya se había muerto mi padrecito y que usted le cantaba la vigilia.[72]

Rióse el cura de gana por la sencillez de la niña y los demás lo acompañaron, pues ya todos estaban contentos al ver al señor alcabalero fuera de riesgo, tomando su atole y platicando muy sereno[73] como uno de tantos.

Le prescribí su régimen para los días sucesivos, ofreciéndome a continuar su curación hasta que estuviera enteramente bueno.

Me dieron todos las gracias, y al despedirme, la señora me puso en la mano una onza de oro, que yo la juzgué peso en aquel acto,[74] y me daba al diablo de ver mi acierto tan mal pagado, y así se lo iba diciendo a Andrés, el que me dijo:

—No, señor, no puede ser plata, sobre que a mi me dieron cuatro pesos.

—En efecto, dices bien —le contesté, y acelerando el paso llegamos a la casa, donde vi que era una onza de oro amarillo como un azafrán refino.[75]

71. **endenantes** = antes
72. that you were singing the Office of the Dead for him
73. out of danger, taking his corn gruel and chatting serenely
74. a gold **onza**, which at that moment (**en aquel acto**) I reckoned to be a silver peso
75. yellow as pure saffron

[However Periquillo did not always get away. On one ocasion he was badly trapped and was sentenced to eight years of compulsory military service in the Philippines. There he behaved well and having won the confidence of the Colonel stationed in Manila, he put aside a small fortune: "le serví y acompañé ocho años, que eran los de mi condena, y en este tiempo me hice de un razonable capital." And so, full of optimism, he decided to return to Mexico, where he might become a Count —or the Viceroy, but his boat sank and all he could salvage from the shipwreck was his own miserable life. Picked up on the high seas by some fishermen, he was brought to one of the Ladrones Islands, where the Chinese were extremely kind to him. The Tután questions him, and the Tután's commentary to Periquillo's replies constitutes a delightfully sardonic critique of Western civilization. Montesquieu in his *Lettres Persanes* (1721) and José Cadalso in his *Cartas marruecas* (1793) resort to a similiar technique for scrutinizing and criticizing obliquely the West].

Periquillo cuenta su naufragio; el buen acogimiento que tuvo en una isla donde arribó, con otras cosillas curiosas

Fue el caso, que al anochecer del día séptimo de nuestra navegación comenzó a entoldarse el cielo [1] y a obscurecerse el aire con negras y espesas nubes; el nordeste soplaba con fuerza en contra de nuestra dirección; a pocas horas creció la cerrazón,[2] obscureciéndose los horizontes; comenzaron a desgajarse fuertes aguaceros,[3] mezclándose con el agua multitud de rayos que, cruzando por la atmósfera, aterrorizaban los ojos que los veían.

A las seis horas de esta fatiga, se levantó un sudeste furioso; los mares crecían por momentos y hacían unas olas tan grandes, que parecían que cada una de ellas iba a sepultar el navío. Con los fuertes huracanes y repetidos balances,

1. the sky grew overcast
2. cloudiness increased
3. heavy showers began to fall

no quedó un farol encendido;[4] a tientas procuraban maniobrar los marineros; la terrible luz de los relámpagos servía de atemorizarnos más, pues unos a otros veíamos en nuestros pálidos semblantes pintada la imagen de la muerte, que por momentos esperábamos.

En este estado, un golpe de mar rompió el timón; otro el palo del bauprés, y una furiosa sacudida de viento quebró el mastelero del trinquete. Crujía la madera y las jarcias, sin poderse recoger los trapos que ya estaban hechos pedazos, porque no podía la gente detenerse en las vergas.[5]

Como los vientos variaban y carecíamos del timón, bogaba el barco sobre las olas por donde aquéllas lo llevaban; no valió cerrar los escotillones para impedir que se llenara de agua con los golpes de mar, ni podíamos desaguar lo suficiente con el auxilio de las bombas.[6]

Como el navío andaba de acá para allá lo mismo que una pelota, en una de éstas dio contra un arrecife tan fuerte golpe, que estrellándose en él, se abrió como granada desde la popa al combés, haciendo tanta agua,[7] que no quedó más esperanza que encomendarse a Dios y repetir actos de contrición.

El capellán absolvió de montón y todos se conformaron con su suerte a más no poder.

Yo, luego que advertí que el barco se hundía, trepé a la cubierta como gato, y la Divina Providencia me deparó en ella un tablón del que me así con todas mis fuerzas. Me vi sobreaguar, y a la luz macilenta de un relámpago, vi frente de mis ojos acabarse de ir a pique todo el buque.[8]

4. all the lights went out (lit. not a single lamp remained lighted)
5. the sea broke the rudder; snapped the bowsprit mast and a furious gale tore off the foresail topmast. The timbers creaked, and no one could take in the tattered remnants, for no one could any longer stick to the masts.
6. it was no use closing the hatches for we could not keep the sea from filling the ship, nor pump out the water faster than it came in
7. it struck against a reef and split open like a pomegranate from poop to prow, taking in so much water
8. I climbed quick as a cat upon the deck; Divine Providence offered me a plank to which I held with all my strength. (When) I found myself floating, and by the glow of lightning flashes, I saw the boat sink.

Entonces me sobrecogí del más íntimo terror, considerando que todos mis compañeros habían perecido y yo no podía dejar de correr igual funesta suerte.

Sin embargo, el amor de la vida y aquella tenaz esperanza que nos acompaña hasta perderla, alentaron mis desmayadas fuerzas, y afianzado de la tabla, haciendo promesas a millones e invocando a la Virgen de Guadalupe. me anduve sostenido sobre las aguas, llevado a la discreción de las olas y de los vientos.

Como hora y media batallaría yo entre estas ansias mortales sin ninguna humana esperanza de remedio, cuando, disipándose las nubes, sosegándose los mares y aquietándose los vientos, amaneció la aurora.[9]

Aferrado con mi tabla[10] no trataba sino de sobreaguar, temiendo siempre la sorpresa de algún pez carnicero, cuando en esto que oí cerca de mí voces humanas. Alcé la cara, extendí la vista y observé que los que me gritaban eran unos pescadores que bogaban en un bote. Los miré con atención y observé que se acercaban hacia mí. Es imponderable el gusto que sintió mi corazón al ver que aquellos buenos hombres venían volando a mi socorro, y más cuando, abordándose con mi tabla,[11] extendieron los brazos y me pusieron en su bote.

Ya estaba yo enteramente desnudo y casi privado de sentido. En este estado me pusieron boca abajo y me hicieron arrojar porción de agua salada que había tragado. Luego me dieron unas friegas generales con paños de lana y me confortaron con espíritu de cuerno de ciervo[12] que por acaso llevaba uno de ellos, después de lo cual me abrigaron y condujeron al muelle[13] de una isla que estaba muy cerca de nosotros.

Me pusieron bajo un árbol copado[14] que había en el muelle, y luego se juntó alrededor de mí porción de gente,

---

9. when the clouds broke, the sea calmed down, the wind subsided, and the day dawned
10. Clinging to my plank
11. coming alongside my plank
12. deerhorn spirits
13. to the wharf
14. shady (thick-topped) tree

entre la que distinguí algunos europeos. Todos me miraban y me hacían mil preguntas de mera curiosidad; pero ninguno se dedicaba a favorecerme. El que más hizo me dio una pequeña moneda del valor de medio real de nuestra tierra.

Los demás me compadecían con la boca y se retiraban diciendo:

"¡Qué lástima!" "¡Pobrecito!" "Aún es mozo."

Los isleños pobres me veían, se enternecían, no me daban nada, pero me molestaban con preguntas.

Sin embargo de la pobreza de esta gente, uno me llevó una taza de té y un pan, y otro me dio un capisayo roto, que yo agradecí, y me lo encajé con mucho gusto, porque estaba en cueros y muerto de frío.[15]

Tres o cuatro horas haría que estaba yo bajo la sombra del árbol robusto sin saber adónde irme, ni qué hacer en una tierra que reconocía tan extraña, cuando se llegó a mí un hombre, que me pareció isleño por el traje, y rico por lo costoso de él, porque vestía un ropón o túnica de raso azul bordado de oro con vueltas de felpa de marta, ligado con una banda de burato *punzó,* también bordada de oro, que le caía hasta los pies, que apenas se le descubrían, cubiertos con unas sandalias de terciopelo de color de oro.[16] En una mano traía un bastón de caña de China con un puño de oro,[17] y en la otra una pipa del mismo metal. La cabeza la tenía descubierta y con poco pelo; pero en la coronilla o más abajo tenía una porción recogida como los zorongos de nuestras damas,[18] el cual estaba adornado con una sortija de brillantes y una insignia que por entonces no supe lo que era.

Venían con él cuatro criados que le servían con la mayor sumisión, uno de los cuales traía un *payo* de raso carmesí con franjas de oro,[19] y también venía otro que por su traje

15. a worn-out cloak which I thanked him for and put about me with great pleasure, because I was naked and dying of cold
16. for he wore a blue satin gown or tunic, embroidered with gold, hemmed with Marta plush, belted with purple Canton crepe, also worked in gold, which fell down almost hiding his feet in their golden velvet sandals
17. a bamboo cane with a gold handle
18. he had gathered up in loops like the chignons of our women
19. a crimson sunshade with gold fringes

me pareció europeo, como en efecto lo era, y nada menos que el intérprete español.

Luego que se acercó a mí, me miró con una atención muy patética, que manifestaba de a legua interesarse en mis desgracias, y por medio del intérprete me dijo:

—No te acongojes, náufrago infeliz, que los dioses del mar no te han llevado a las islas de las Velas,[20] donde hacen esclavos a los que el mar perdona. Ven a mi casa.

Diciendo esto, mandó a sus criados que me llevaran en hombros. Al instante se suscitó un leve murmullo entre los espectadores que remató un sinnúmero de vivas y exclamaciones.[21]

Inmediatamente advertí que aquél era un personaje distinguido, porque todos le hacían muchas reverencias al pasar.

No me engañé en mi concepto, pues luego que llegué a su casa advertí que era un palacio. Me hizo poner en un cuarto decente; me proveyó de alimentos y vestidos a su uso, pero buenos, y me dejó descansar cuatro días.

Al cabo de ellos, cuando se informó de que yo estaba enteramente restablecido del quebranto que había padecido mi salud en el naufragio, entró en mi cuarto con el intérprete, y me dijo:

—Y bien, español, ¿es mejor mi casa que la mar? ¿Estás contento?

—Señor —le dije—, es muy notable la diferencia que me proponéis; vuestra casa es un palacio, ¿no deberé estar contento en ella y reconocido a vuestra liberalidad y beneficencia?

Desde entonces me trató el isleño con el mayor cariño. Todos los días me visitaba y me puso maestros que me enseñaran su idioma, el que no tardé en aprender imperfectamente, así como él sabía el español, el inglés y francés, porque de todos entendía un poco.

Sin embargo, yo hablaba mejor su idioma que él el mío, porque estaba en su tierra y me era preciso hablar y tratar

20. Islands of the Sails, also known as the Ladrones, is a group of islands in the China Sea, opposite the entrance to the Canton river.
21. ending in cheers and shouts

con sus naturales. Ya se ve, no hay arte más pronto y eficaz para aprender un idioma, que la necesidad de tratar con los que lo hablan naturalmente.

A los dos o tres meses ya sabía yo lo bastante para poder entender al isleño sin intérprete, y entonces me dijo que era hermano del tután o virrey de la provincia, cuya capital era aquella isla llamada Saucheofú; que él era su segundo ayudante, y se llamaba Limahotón. A seguida se informó de mi nombre y de la causa de mi navegación por aquellos mares, como también de cuál era mi patria.

Yo le satisfice a todo, y él mostró condolerse de mi suerte, admirándose igualmente de algunas cosas que le conté del reino de Nueva España.

Al día siguiente a esta conversación me llevó a conocer a su hermano, a quien saludé con aquellas reverencias y ceremonias en que me habían instruido; y el tal tután me hizo bastante aprecio, pero con todo su cariño, me dijo:

—¿Y tú, qué sabes hacer? Porque aunque en esta provincia se usa la hospitalidad con todos los extranjeros pobres, o no pobres, que aportan a nuestras playas,[22] sin embargo, con los que tratan de detenerse en nuestras ciudades no somos muy indulgentes, pasado cierto tiempo, sino que nos informamos de sus habilidades y oficios para ocuparlos en lo que saben hacer, o para aprender de ellos lo que ignoramos. El caso es que aquí nadie come nuestro arroz ni la sabrosa carne de nuestras vacas y peces sin ganarlo con el trabajo de sus manos. De manera, que al que no tiene ningún oficio o habilidad, se lo enseñamos, y dentro de uno o dos años ya se halla en estado de desquitar poco a poco lo que gasta el tesoro del rey en fomentarlo.[23] En esta virtud, dime qué oficio sabes, para que mi hermano te recomiende en un taller donde ganes tu vida.

Sorprendido me quedé con tales avisos, porque no sabía hacer cosa de provecho con mis manos, y así le contesté al tután:

22. who come to port on our shores
23. to repay little by little what is spent out of the King's treasury to support him

—Señor, yo soy noble en mi tierra, y por esto no tengo oficio alguno mecánico, porque es bajeza en los caballeros trabajar corporalmente.

Perdió su gravedad el mesurado mandarín al oir mi disculpa, y comenzó a reir a carcajadas, apretándose la barriga y teniéndose sobre uno y otro cojín de los que tenía a los lados, y cuando se desahogó,[24] me dijo:

—¿Conque en tu tierra es bajeza trabajar con las manos? Luego cada noble en tu tierra será un tután o potentado, y según eso todos los nobles serán muy ricos.

—No, señor —le dije—,. no son príncipes todos los nobles, ni son todos ricos; antes hay innumerables que son pobrísimos, y tanto, que por su pobreza se hallan confundidos con la escoria del pueblo.[25]

—¿De qué sirve uno de éstos, digo, al resto de sus conciudadanos? Seguramente un rico o noble será una carga pesadísima a la república —decía el tután.

—No, señor —le respondí—; a los nobles y a los ricos los dirigen sus padres por las dos carreras ilustres que hay, que son las armas y las letras,. y en cualquiera de ellas son utilísimos a la sociedad.

—Muy bien me parece —dijo el virrey—. ¿Conque a las armas o a las letras está aislada toda la utilidad por venir de tus nobles? Yo no entiendo esas frases. Dime, ¿qué oficios son las armas y las letras?

—Señor —le contesté—, no son oficios sino profesiones, y si tuvieran el nombre de oficios, serían viles y nadie querría dedicarse a ellas. La carrera de las armas es aquella donde los jóvenes ilustres se dedican a aprender el arte de la guerra con el auxilio del estudio de las matemáticas, que les enseña a levantar planos de fortificación, a minar una fortaleza, a dirigir simétricamente los escuadrones, a bombear una ciudad, a disponer un combate naval, y a cosas semejantes, con cuya ciencia se hacen los nobles aptos para ser buenos generales y ser útiles a su patria, defendiéndola de las incursiones de los enemigos.

24. and began to laugh boisterously, holding his belly and stretching out on the cushions at his sides, and when he had recovered
25. they get mixed up with the scum of the earth

—Muy noble y estimable carrera es la del soldado, pero dime: ¿por qué en tu tierra son tan exquisitos los soldados? ¿Qué, no son soldados todos los ciudadanos? Porque aquí no hay uno que no lo sea. Tú mismo, mientras vivas en nuestra compañía, serás soldado y estarás obligado a tomar las armas con todos, en caso de verse acometida la isla por enemigos.

—Señor —le dije—, en mi tierra no es así. Hay porciones de hombres destinados al servicio de las armas, pagados por el rey, que llaman ejército o regimientos; y esta clase de gentes tiene obligación de presentarse sola delante de los enemigos.

—Terrible cosa son los usos de tu tierra —dijo el tután—; ¡pobre rey! ¡pobres soldados, y pobres ciudadanos! ¡Qué gasto tendrá el rey! ¡Qué expuestos se verán los soldados, y qué mal defendidos los ciudadanos por unos brazos alquilados! [26] Mas supuesto que tú eres nobles, dime, ¿eres general?

—No, señor —le dije—, mi carrera la hice por las letras.

—Bien —dijo el asiático—; ¿y qué has aprendido por las letras o las ciencias, que eso querrás decir?

Yo, pensando que aquél era un tonto; según había oído decir que lo eran todos los que no hablaban castellano, le respondí que era teólogo.

—¿Y qué es teólogo? —dijo el tuán.

—Señor —le respondí—, es aquel hombre que hace estudio de la ciencia divina, o que pertenece a Dios.

—¡Hola! —dijo el tután—. ¿Conque tú conoces la esencia de tu Dios a lo menos? ¿Sabes cuáles son sus atributos y perfecciones, y tienes talento y poder para descorrer el velo a sus arcanos? [27] Desde este instante serás para mí el mortal más digno de reverencia. Siéntate a mi lado, y dígnate ser mi consejero.

Me sorprendí otra vez con semejante ironía, y le dije:

—Señor, los teólogos de mi tierra no saben quién es Dios ni son capaces de comprenderlo; mucho menos de tantear [28] el fondo infinito de sus atributos, ni de descubrir sus

26. hired arms (mercenaries)
27. and are able to pull aside the veil of His secrets
28. to estimate

arcanos. Son unos hombres que explican mejor que otros las propiedades de la Deidad y los misterios de la religión.

Viéndome yo tan atacado, y procurando salir de mi ataque a fuerza de mentiras, le dije que era médico también.

—¡Oh! —dijo el virrey—. Esa es gran ciencia, si tú no quieres que la llame oficio. ¡Médico! ¡Buena cosa! Un hombre que alarga la vida de los otros y los arranca de las manos del dolor es un tesoro en donde vive. Aquí están los cajones del rey abiertos para los buenos médicos inventores de algunos específicos que no han conocido los antiguos.[29] Esta no es ciencia en nuestra tierra, sino un oficio liberal, y al que no se dedican sino hombres muy sabios y experimentados. Tal vez tú serás uno de ellos y tendrás tu fortuna en tu habilidad; pero la veremos.

Diciendo esto, mandó traer una hierba de la maceta número diez de su jardín.[30] Trajéronla, y poniéndomela en la mano, me dijo el tután:

—¿Contra qué enfermedad es esa hierba?

Quedéme emabarazado con la pregunta; pues entendía tanto de botánica como de cometas, pero acordándome de mi necio orgullo, tomé la hierba, la vi, la olí, la probé y lleno de satisfacción dije:

—Esta hierba se parece a unas que hay en mi tierra que se llama parietaria[31] o *tianquispepetla,* no me acuerdo bien de ellas, pero ambas son febrífugas.

—¿Y qué son febrífugas? —preguntó el tután, a quien respondí que tenían especial virtud contra la fiebre o calentura.

—Pues me parece —dijo el tután— que tú eres tan médico como teólogo o soldado; porque esta hierba, tan lejos está de ser remedio contra la calentura, que antes es propísima para acarrearla,[32] de suerte que tomadas cinco o seis hojitas

---

29. Here the (money) chests of the King are wide open for good doctors who discover remedies unknown to the ancients
30. he ordered a herb brought from pot number ten in his garden
31. pellitory (its root is used as an irritant)
32. far from being a remedy against fever, is good for encouraging it

en infusión de medio cuartillo de agua, encienden terriblemente en calentura al que las toma.

Descubierta tan vergonzosamente mi ignorancia, no tuve más escape que decir:

—Señor, los médicos de mi tierra no tienen obligación de conocer los caracteres particulares de las hierbas, ni de saber deducir las virtudes de cada una. Básteles tener en la memoria los nombres de quinientas o seiscientas, con la noticia de las virtudes que les atribuyen los autores, para hacer uso de esa tradición a la cabecera de los enfermos.

—·Pues a ti no te será tan fácil —dijo el mandarín— persuadirme a que los médicos de tu tierra son tan generalmente ignorantes en materia del conocimiento de las hierbas, como dices. De los médicos como tú, no lo negaré; pero los que merezcan este nombre sin duda no estarán enterrados en tan grosera estupidez que, a más de deshonrar su profesión, sería causa de infinitos desastres en la sociedad. Lo cierto es que tú no eres médico, ni aun puedes servir para aprendiz de los de acá; y así dí qué otra cosa sabes con que puedes ganar la vida.

Aturdido yo con los aprietos en que me ponía el chino a cada paso, le dije que tal vez sería útil para abogacía.[33]

—¿Abogacía? —dijo él—. ¿Qué cosa es? ¿Es el arte de bogar en los barcos?[34]

—No, señor —le dije—; la abogacía es aquella ciencia a que se dedican muchos hombres para instruirse en las leyes nacionales, y exponer el derecho de sus clientes ante los jueces.

Al oir esto, reclinóse el tután sobre la mesa poniéndose la mano en los ojos y guardando silencio un largo rato, al cabo del cual levantó la cabeza, y me dijo:

—¿Es posible que en tu tierra son tan ignorantes que no saben cuáles son sus derechos, ni las leyes que los condenan o favorecen? No me debían tan bajo concepto los europeos.

—Señor —le dije—, no es fácil que todos se impongan

33. I might be useful in law
34. the art of sailing (or rowing) a boat

en las leyes por ser muchas,[35] ni mucho menos en sus interpretaciones.

—¿Cómo, cómo es eso de interpretaciones? —dijo el asiático—. ¿Pues qué, las leyes no se entienden según la letra del legislador? ¿Aún están sujetas al genio sofístico del intérprete? Si es así, lástima tengo a tus connaturales,[36] y abomino el saber de sus abogados. Pero sea de esto lo que fuere, si tú no sabes más de lo que me has dicho, nada sabes; eres inútil, y es fuerza hacerte útil porque no vivas ocioso en mi patria. Limahotón, pon a este extranjero a que aprenda a cardar seda, a teñirla, a hilarla y a bordar con ella, y cuando me entregue un tapiz de su mano, yo le acomodaré de modo que sea rico.[37] En fin, enséñale algo que le sirva para subsistir en su tierra y en la ajena.

Diciendo esto, se retiró, y yo me fui bien avergonzado con mi protector, pensando cómo aprendería al cabo de la vejez algún oficio en una tierra que no consentía inútiles ni vagos Periquillos.

35. to know about the laws for there are too many
36. Are the laws not understood according to the letter of the legislators? Are they still subject to the sophist talent of an interpreter? I pity your countrymen.
37. Limahotón, put this foreigner to learning to card silk, to dyeing, spinning, and embroidering with it—and when he can show me a tapestry made by his own hand I shall fix him up and make him rich.

MARIANO MELGAR

b. Arequipa, Peru, August 12, 1790
d. Humachiri, Peru, March 12, 1815

Almost as far back as he could remember Mariano Melgar had enjoyed reading and writing as one of the most brilliant students at the school of the Arequipa Convent of Discalced Franciscans. By the age of eight he had become thoroughly grounded in Latin and was assisting his teachers. Shortly thereafter, against his mother's wishes, he decided to become a priest but almost as soon as he entered the Seminario de San Jerónimo he became interested in the liberal arts, devoting his vacations to painting, drawing, and music (he played the guitar and the organ and composed *yaravíes*, or musical laments of Inca origin).

By the time Melgar attained the age of twenty he had taught philosophy, mathematics and stenography, was conversant with the classical languages as well as with Quechua, English, French, and German, and his paintings were hanging from the walls of the Convent of Santa Rosa. By this time, moreover, he had decided that the priesthood was not for him. And so, he returned home, "a su casa, al mundo, donde le espera el dolor y el amor."

A relevant detail connected with his homecoming is that he removed the portrait of the reigning Spanish Monarch, Ferdinand VII, which his father had hung in the living room. Equally revelant is what he told his mother when she was bargaining with some Indian hawkers: "Deles Ud. lo que piden estos pobres indios, y aún más; no son dueños de todo, de la misma tierra que pisamos? y, sin embargo, viven en la desgracia."

Soon after, Mariano fell in love with Manuelita Paredes (the "Melisa" of some of his lyrics) but on learning that she was accustomed to the "incienso quemado por diversas manos," he lost interest. Then he met the thirteen-year old María Santos Corrales (his "Silvia") and fell madly in love with her. He wanted to marry her immediately but her parents made one proviso: he would have to earn a law degree first. He agreed. He traveled to Quilca but just as he was about to take the boat for Lima, he weakened and returned to Arequipa and his Silvia. At Quilca, overlooking the Pacific, he wrote the memorable ode "Al autor del mar," and on his return home, the elegy "¿Por qué a verte volví, Silvia querida?"

Melgar finally settled in Lima and while studying for his law degree discovered the revolutionary, anti-Spanish sentiment that was firing the students to rebellion. On his return to Arequipa, Silvia had changed—it seems that her sister, also in love with Mariano, had turned Silvia against him—and the romance turned to ashes, inspiring in him his "Carta a Silvia," and numerous elegies and *yaravíes*. His despondency at the time may have contributed to his increasing desire to do something worth while. So in 1814 he joined the insurgents at Cuzco headed by Mateo Pumacahua. At the battle of Humachiri, Melgar was captured and executed by the Spaniards.

He was not quite twenty-five. He had lived and died romantically, and an adumbration of true Romanticism is discernible in the sentimental tone of his love lyrics, in the fervor of his patriotic poetry, in his transformation of the Inca *harawi* into melodic *yaravíes*. The agony of his frustrated loves had been romantic, his republican zeal was romantic, and his death fighting for the independence of his beloved Peru was romantic, too.

Regrettably, Mariano's sister, Josefa, burned most of his poems because, as her confessor told her, "hablaban de amores."

EDITIONS: *Antología: Mariano Melgar, Poesía*, edited by Edmundo Cornejo U., Lima, Hora del Hombre, 1948; *Poesías*, Arequipa, Primer Festival de Libro Arequipeño 1958; *Poesías*, con una nota de Luis Nieto, Cuzco, Primer Festival de Libro Sur-Peruano, 1958.

ABOUT MELGAR: *Album del Centenario de Melgar,* Arequipa, La Bolsa, 1891; Edmundo Cornejo U.: "Prólogo," to his edition of *Antología,* Lima, Hora del Hombre, 1948; F. García Calderón: "Introducción," to *Poesías de Don Mariano Melgar,* En los depósitos del autor, 1878, pp. 5-39; Ventura García Calderón: "Introducción" to *Los románticos,* Paris, Biblioteca de Cultura Peruana, 1938, Vol. VIII; Manuel Moscoso Melgar: "Noticias Biográficas" in *Poesías de Don Mariano Melgar,* Lima, En los depósitos del autor, 1878, pp. 43-69; Luis Nieto, "Nota" to his edition of Melgar's *Poesías,* Cuzco, Primer Festival de Libro Sur-Peruano, 1958; Pedro José Rada y Gamio: *Mariano Melgar y apuntes para la historia de Arequipa,* Lima, Imp. Casa Nacional de Moneda, 1950; Evaristo San Cristóval: *Poeta y héroe: Mariano Melgar,* Lima, Cía. de Impresiones y Publicidad, 1944.

YARAVIES

II
POR MAS QUE QUIERO

Por más que quiero
de la memoria
borrar la gloria
que poseí,
por todas partes
cruel me persigue,
siempre me sigue,
siempre. ¡Ay de mí!

Procuro en vano
no dar oído
a aquel sonido
que un día oí,
cuando mi prenda
juró ser mía,[1]
y me decía:
"Seré de tí."

Su voz entonces
fué mi contento;
su juramento
me hizo feliz.
Mas sus recuerdos
me son mortales,
y entre mis males
llego a gemir.

---

1. **when my loved** one swore to be mine

¿Por qué ha perdido
su fiel firmeza,
y su promesa
olvidó ruín?
Cuando yo fino
más la quería,
me borró impía
del pecho vil.[2]

Esta inconsciencia
cruel y severa
calmar debiera
mi frenesí.
Pero sólo hace
que se acreciente
mi llama ardiente,
llama infeliz.

Amor infame,
dime, ¿hasta cuándo
quieres vil mando
tener en mí?
Borra esa ingrata
del pecho mío:
no más impío,
me hagas morir.

2. when I truly **(fino)** was loving her most, she cruelly rubbed me
out of her wicked heart

III
LA PRENDA MIA

La prenda mía,
en quien tenía
puesto mi gusto,
hoy me persigue
con odio injusto.

Ya yo en sus ojos
sólo hallo enojos;
cuando antes era
su vista sola
mi dicha entera.[1]

Ya su voz suave
llenar no sabe
mi triste oído;
sus dulces ecos
ya se han perdido.

Murió el acento
en que contento
tuve cifrado;[2]
ya no me dice:
"Tú eres mi amado."

Si me escuchara,
yo le clamara:
"¡Siempre eres mía!"
y quizá entonces
se apiadaría.[3]

1. the mere sight of her used to be my whole happiness
2. on which I had based my happiness
3. she would be moved to pity

Pero enojada
mi prenda amada,
ni oírme quiere:
ya mi esperanza
del todo muere.

Prenda querida,
por quien la vida
me quita el llanto,
¿por qué me tratas
con rigor tanto? [4]

Daré contento
mi último aliento,
si esto has querido;
pero no pienses
que infiel he sido.

Deme la muerte
tu mano fuerte
con dardo impío, [5]
como al matarme
digas: "¡Es mío!"

Y por divisa
de mi ceniza
pongas delante:
"Bajo esta losa
yace mi amante." [6]

4. so cruelly
5. with pitiless dart
6. at my grave for my epitaph (lit. for the motto or slogan of my
ashes) inscribe these words: Under this tombstone lies my lover

VUELVE, QUE YA NO PUEDO

Vuelve, que ya no puedo
vivir sin tus cariños;
vuelve, mi palomica,
vuelve a tu dulce nido.[1]

Mira que hay cazadores
que con afán maligno
te pondrán en sus redes
mortales atractivos;[2]
y cuando te hayan preso
te darán cruel martirio.
No sea que te cacen,
huye tanto peligro.[3]

Vuelve, mi palomica,
vuelve a tu dulce nido.

Ninguno ha de quererte
como yo te he querido;
te engañas si pretendes
hallar amor más fino.
Habrá otros nidos de oro,
pero no como el mío.
Por ti vertió mi pecho
sus primeros gemidos.

1. my little dove, return to your sweet nest
2. Remember that there are hunters who with wicked intentions
   will set up nets (to trap you in) with death-dealing lures
   (lit. mortal attractions)
3. and when they trap you, they will cruelly martyrize you—so
   flee from so much danger before they catch you

Vuelve, mi palomica,
vuelve a tu dulce nido.

Bien sabes que yo siempre
en tu amor embebido,
jamás toqué tus plumas,
ni ajé tu albor divino;[4]
si otro puede tocarlas
y disipar su brillo,
salva tu mejor prenda,
ven al seguro asilo.

Vuelve, mi palomica,
vuelve a tu dulce nido.

¿Por qué, dime, te alejas?
¿Por qué con odio impío
dejas un dueño amante
por buscar precipicio?
¿Así abandonar quieres
tu asiento tan antiguo?
¿Con que así ha de quererte
el corazón herido?

Vuelve, mi palomica,
vuelve a tu dulce nido.

No pienses que haya entrado
aquí otro pajarillo.
No, palomica mía;
nadie toca este sitio.
Tuyo es mi pecho entero,
tuyo es este albedrío;[5]
y por ti sólo clamo
con amantes suspiros.

4. rapturously in love with you, I never touched your feathers, nor
  did I tarnish your divine whiteness
5. this will

Vuelve, mi palomica,
vuelve a tu dulce nido.

Yo sólo reconozco
tu bello colorido
y sólo sabré darle
su precio merecido,
yo sólo así merezco
gozar de tu cariño;
y tú sólo en mí puedes
gozar días tranquilos.

Vuelve, mi palomica,
vuelve a tu dulce nido.

No seas, pues, tirana;
haz las paces conmigo;
ya de llorar cansado
me tiene tu capricho.
No vueles más, no sigas
tus desviados giros,
tus alitas doradas [6]
vuelve a mí, que ya expiro.

Vuelve, que ya no puedo
vivir sin tus cariños;
vuelve, mi palomica,
vuelve a tu dulce nido.

6. your devious gyrations, your little golden wings

SIN VER TUS OJOS

Sin ver tus ojos
mandas que viva
mi pecho triste;
pero el no verte
y tener vida
es imposible.

Las largas horas
que sin ti paso
son insufribles;[1]
vivo violento,
nada me gusta,
todo me aflige.

El sol me envía
para alegrarme
luz apacible:
mas si no trae
tu imagen bella,
¿de qué me sirve?

En mi retiro
aguardo solo
hasta que viste
de negro luto
el orbe entero
la noche horrible.[2]

1. intolerable
2. until the whole world dresses in mourning in the frightful night

Mientras los astros
van silenciosos
al mar a hundirse,[3]
yo revolviendo [4]
estoy las penas
que el pecho oprimen.

En mi desvelo,
mi amor y pena
suelo decirte;
pero estás lejos,
no oyes mi llanto
ni por mí gimes.

Por largas horas
mi amarga queja
mi alma repite,
hasta que el cielo
para mal mío
de luz se viste.[5]

Entonces veo
ser todavía
más infelice,
porque el desahogo [6]
que me da el llanto
la luz me impide.

¡Ay! Así vivo
dando a mi pena
giros terribles.
Y así muriera
si eterna fuese
la ausencia triste.

3. to sink
4. turning over (in my mind)
5. i.e. sleepless I repeat my bitter complaint until early dawn
6. relief

Hacer tú puedes,
¡ay, vida mía!,
que yo respire,
amando fina[7]
a quien tan sólo
de tu amor vive.

7. loving truly

¿CON QUE AL FIN, TIRANO DUEÑO . . .?

¿Con que al fin, tirano dueño,
tanto amor. clamores tantos,
      tantas fatigas,
no han conseguido en tu pecho
más premio que un duro golpe
      de tiranía?

Tú me intimas que no te ame,[1]
diciendo que no me quieres,
      ¡ay vida mía!
¿Y que una ley tan tirana
tenga que observar perdiendo
      mi triste vida?

Yo procuraré olvidarte,
y moriré bajo el peso
      de mi desdicha;
pero no pienses que el cielo
deje de hacerte sentir
      sus justas iras.

Muerto yo, tú llorarás
el error de haber perdido
      un alma fina;
y aun muerto sabrá vengarse
este mísero viviente
      que hoy tiranizas.[2]

A todas horas mi sombra
llenará de mil horrores
      tu fantasía;
y acabará con tus gustos
el melancólico espectro
      de mis cenizas.[3]

1. you command me not to love you
2. this wretched human being over whom you tyrannize
3. the awesome spectre of (emanating from) my ashes

X I
¡AY, AMOR! DULCE VENENO

¡Ay amor, dulce veneno!
¡Ay tema de mi delirio!
Solicitado martirio,
¡ay!, de males todo lleno.

¡Ay amor, ladrón casero
de la quietud más estable! [1]
¡Ay amor, falso y mudable!
¡Ay, que por tu causa muero!

¡Ay amor, lleno de insultos,
centro de angustias mortales,
donde los bienes son males
y son pesares los gustos.

¡Ay amor, horrible y fiero
y de infernales injurias,
león de feroces furias
disfrazado de cordero! [2]

¡Ay amor . . .! ¡Pero qué digo!,
que sabiendo lo que eres,
huyen de mí los placeres
y soy quien más te persigo.

1. house-thief who steals the most stable tranquillity
2. disguised as a lamb

ELEGIA

I

¿POR QUE A VERTE VOLVI, SILVIA QUERIDA?

¿Por qué a verte volví, Silvia querida?
¿Ay triste, para qué? Para trocarse
Mi dolor en más triste despedida.

Quiere en mi mal mi suerte deleitarse;
Me presenta más dulce el bien que pierdo.
¡Ay! Bien que va tan pronto a disiparse!

¡Oh, memoria infeliz! ¡Triste recuerdo!
Te ví . . . ¡qué gloria! pero, ¡dura pena!
Ya sufro el daño de que no hice acuerdo.

Mi amor ansioso, mi fatal cadena,[1]
A tí me trajo con influjo fuerte.
Dije: "Ya soy feliz, mi dicha es plena".

Pero, ¡ay! de tí me arranca cruda suerte;[2]
Este es mi gran dolor, éste es mi duelo;
En verte busqué vida y hallo muerte.

Mejor hubiera sido que este cielo
No volviera a mirar; y sólo el llanto
Fuese en mi ausencia todo mi consuelo.

Cerca del ancho mar, ya mi quebranto
En lágrimas deshizo el triste pecho;[3]
Ya pené, ya gemí, ya lloré tanto . . .

1. chain
2. rough luck tears me away from you
3. already my sorrow has melted my aching heart into tears

¿Para qué, pues, por verme satisfecho
Vine a hacer más agudos mis dolores,
Y a herir de nuevo el corazón deshecho? [4]

De mi ciego deseo los ardores
Volcánicos crecieron, de manera
Que víctima soy ya de sus furores.

¡Encumbradas montañas, quien me diera
La dicha de que al lado de mi dueño,
Cual vosotras inmóvil subsistiera! [5]

¡Triste de mí! ¡Torrentes, con mal ceño
Romped todos los pasos de la tierra;
Piadosos acabad mi ansioso empeño! [6]

Acaba, bravo mar, tu fuerte guerra;
Islas sin puerto vuelve las ciudades;
Y en una sola a mí con Silvia encierra.

Favor, tinieblas, vientos, tempestades. . . .!
Pero vil globo, profanado suelo,
¿Es imposible que de mí te apiades? [7]

¡Silvia! Silvia, tú dime ¿a quién apelo?
No puede ser cruel quien todo cría:
Pongamos nuestras quejas en el Cielo.

El sólo queda en tan horrible día,
Unico asilo nuestro en tal tormento,
El sólo nos miró sin tiranía.

4. the broken heart
5. Lofty mountains, who would grant me the privilege of existing,
   motionless like you, near my beloved?
6. Torrents, tear down wrathfully all the bridges (and thus) mer-
   cifully bring to an end my painful pledge (i.e. of studying law
   in Lima)
7. Is it impossible for you to pity me?

505

Si es necesario que el fatal momento
Llegue . . . ¡Piadoso Cielo! en mi partida
Benigno mitigad mi sentimiento.[8]

Lloro . . . no puedo más . . . Silvia querida,
Déjame que en torrentes de amargura
Saque del pecho mío el alma herida.

El negro luto[9] de la noche oscura
Sea en mi llanto el solo compañero,
Ya que no resta más a mi ternura.

Tú, Cielo Santo, que mi amor sincero
Miras y mi dolor, dame esperanza
De que veré otra vez el bien que quiero.

En sola tu piedad tiene confianza
Mi perseguido amor . . . Silvia amorosa,
El Cielo nuestras dichas afianza.[10]

Lloro, sí, pero mi alma así llorosa,
Unida a tí con plácida cadena,
En la dulce esperanza se reposa,
Y ya presiente el fin de nuestra pena.[11]

8. at my departure kindly mitigate (appease) my suffering
9. mourning
10. Heavens guarantee our happiness
11. and already foretells the end of our sorrow

ODAS

II

A LA LIBERTAD

Por fin libre y seguro
Puedo cantar. Rompióse el duro freno,[1]
Descubriré mi seno,
Y con lenguaje puro
Mostraré la verdad que en él se anida,[2]
Mi libertad civil bien entendida.

Oid: cese ya el llanto;
Levantad esos rostros abatidos,
Indios que con espanto,
Esclavos oprimidos,
Del cielo y de la tierra sin consuelo,
Cautivos habeis sido en vuestro suelo.

Oid, patriotas sabios,
Cuyas luces nos daban el tormento
De mirar al Talento
Lleno siempre de agravios,
Cuando debiera ser dictador justo,
Apoyo[3] y esplendor del trono augusto.

Oye, mundo ilustrado,
Que viste con escándalo a este mundo,
En tesoros fecundo,[4]
Que recogiendo el oro americano
Te burlaste del precio y del tirano.

1. severe restraint (lit. hard bridle)
2. the truth that nests in it
3. support
4. this world (America) rich in treasures

Despotismo severo,
Horribles siglos, noche tenebrosa,
Huid. La india llorosa,
El sabio despreciado, el orbe entero,
Sepan que expiró el mal; y que hemos dado
El primer paso al bien tan suspirado.[5]

Compatriotas queridos,
Oid; también amigos europeos,
Que en opuestos deseos
Nos visteis divididos,
Oid. Acaba ya la antigua guerra;
Amor, más que tesoros, da esta tierra.

Días ha que a la Iberia
Del Empíreo bajó, de luz rodeada,
La Libertad amada,[6]
A extinguir la miseria
Que en nuestro patrio suelo desdichado
Por tres siglos había dominado.

Casi hasta el firmamento
Levantádose había el despotismo;
Y los pies del coloso en el abismo
Tenían su cimiento.[7]
¿Pero de qué ha servido?
De hacer con su caída mayor ruido.

Pisóle en la cabeza
La Santa Libertad: se ha desplomado:
Se estremeció la tierra;[8] y espantado
Volvió a ver su fiereza
Todo hombre; pero ved que ya no es nada
Su estatua inmensa en polvo disipada.[9]

5. the entire world: let it be known that evil ceased and that we have taken the first step towards the coveted (public) good
6. Days ago, beloved Liberty surrounded with light descended from the Empyrean to Iberia (i.e. to Spain)
7. the feet of the Colossus had the abyss for its foundation
8. Sacred Liberty stepped on its head: it collapsed; the earth shook
9. reduced unto dust

Vieron más los mortales:
El cetro que arrancado al rey había
La Libertad, lo dió a la nación mía,[10]
"Acabad vuestros males:
Resistid al tirano:"
Dijo la Diosa con acento humano.

Sonó en toda la esfera
Voz tan dulce: los polos retumbaron:
El eco derramaron
Sobre la tierra entera;[11]
Y la América toda en el momento
Saltó llena de gozo y de contento.

¿Pero quién ejercita
Este poder? ¿En dónde se comienza
A formar la obra inmensa
Del remedio a que incita
Esta voz celestial? Así decía,
Y empezó mi país desde aquel día.

Ya todo se previene [12]
Para el día inmortal; más del averno [13]
El enemigo eterno
Del hombre, el Error, viene
Arrastrando consigo hacia la tierra
La Discordia feroz, la cruda Guerra

Sobre este monte inmenso
Que a la ciudad domina, se ha sentado:
Sobre ella ha vomitado
Un humo denso y negro.
A todos dejó ciegos la negrura:
¡Cuánto horror presentó su noche oscura!

10. Liberty, having snatched the sceptre from the King, gave it to my country
11. they scattered (lit. poured) the echo over the entire world
12. already everything is being prepared
13. from Avernus (hell)

509

"Siempre seré oprimido",
Pensó el indio infeliz dentro del pecho,
Bajo su pobre techo,
De su triste familia circuido,[14]
Lloró sobre sus hijos su quebranto,
Y la esposa bebió su amargo llanto.

"Triunfe allá la ignorancia"
Dijo el sabio sentado en su retiro,[15]
"Si olvidado me miro,
"Si falta vigilancia
"Sobre la ilustración, ¿por qué me muevo?
"Así fué siempre, no es defecto nuevo."

"Huyamos, grita, huyamos";
Tímido y aterrado el europeo [16]
"Jurar mi ruina veo;
"O diestros elijamos
"A quienes con justicia y con prudencia
"Muden en favor nuestro la sentencia."[17]

"¿Qué haceis? ¡qué! ¿no mirasteis
"Que pacíficos somos, generosos,
"Amantes y obsequiosos?
"Decid: ¿dónde observasteis
"El furor que temeis? Equivocados
"De nuestro amor huís precipitados." [18]

Así dijo el patricio,
Y su voz escuchó la Providencia;
Su invisible presencia
Disipó el negro vicio;
Y cuando el pueblo unido reclamaba,
Ella los electores señalaba.[19]

14. surrounded by his sad family
15. retreat (secluded spot)
16. the European, timid and terrified
17. change the verdict in our favor
18. mistaken about our love (for you) you hasten to flee away
19. she pointed out the electors

Pero calmó con esto
El temor, la aflicción, la desconfianza?
Cobró nueva esperanza,
Nuevo aliento funesto
El Error; y su empeño redoblando
La Discordia a los hombres fué turbando.

Volvió el indio a su pena,
El sabio hollado a su misantropía;[20]
Y el de Iberia creía
Que la grave cadena
De las manos del noble americano
Pasaría a ligar su fuerte mano.

Mas ¡qué! la Paz risueña
Mandó que no salieran del congreso:
Voló por la ciudad, y a su regreso
En publicar se empeña
Que nada se recele, que ha extirpado [21]
La cruel discordia de su pueblo amado.

Volvió al Congreso luego,
Pues se dejó sentir su breve ausencia:
Con su afable presencia
Apagó pronto el fuego.[22]
¿Cómo han de pensar todos igualmente,
Ni dónde un mal cesó tan prontamente?

En tanto que asistían
La Paz y la Virtud al cuerpo sabio,[23]
Al triunfo o a su agravio
Suspensas atendían,[24]
Pisando cada una en su montaña,
Minerva, la India, y la orgullosa España.

20. the wise man depressed by his misanthropy
21. outrooted
22. soon extinguished the fire
23. while Peace and Virtue attended the wise Congress
24. in suspense they waited for victory or defeat

Yo lo ví: en la del medio
Minerva se paró; a su diestro lado
Manco [25] estuvo, rodeado
De indios que su remedio
Esperaban; y allí con el hispano
Esperó Iberia en la siniestra[26] mano.

Ya Febo se apartaba,
Cansado de aguardar, hacia el poniente;[27]
Más suena de repente
La voz que se deseaba:
"El indio, el sabio de la unión amante,
"Os han de gobernar en adelante",

¡Eco plausible! "¡Viva!"
¡"Viva, sí, la elección que nos conserva",
Manco, Iberia y Minerva
Con voz dulce y activa
Clamaron: y los Incas sepultados
Saltaron de su tumba alborozados.[28]

Los sabios se alentaron,[29]
Quedó el hispano en la ciudad seguro;
Y los que "país oscuro"
A mi suelo llamaron,
Mirándole en prodigios tan fecundo,
"Ahora sí es, dijeron, nuevo mundo."

Por el volcán terrible
Se sumergió el Error avergonzado,
De la mortal Discordia acompañado.
¡Oh, día el más plausible!
¡Oh, Arequipa! Teatro afortunado
De una acción en que tanto se ha logrado!

25. Manco Cápac, the Inca Emperor
26. left hand
27. the sun (Febo), tired of waiting, was already withdrawing to
the West (poniente)
28. overjoyed jumped out of their graves
29. were encouraged

¡Oh, sabios magistrados!
Jamás cantar sabré vuestros loores.[30]
Pero, ¿qué más honores?
¿Qué himnos más bellos, más proporcionados
Que el general placer con que mil veces
Se felicita el pueblo por sus jueces?

Compatriotas amados
Que en Ultramar [31] la luz primera visteis:
¿Esto es lo que temisteis?
¿Pensasteis ¡qué engañados!
Que un pueblo Americano
Sería vengativo, cruel, tirano?

No tal: fué nuestro anhelo
Este solo; que al justo magistrado,
Ya por sí penetrado
De amor al patrio suelo,
Le urgiesen [32] a ser fiel en cada punto
Deudos, padre, hijo, esposa, todo junto.

Así, será; y gozosos
Diremos: "Es mi Patria el globo entero:
Hermano soy del Indio y del Ibero;
Y los hombres famosos
Que nos rigen, son padres generales
Que harán triunfar a todos de sus males."

30. praises
31. overseas
32. urged

V
AL SUEÑO

¡Oh sueño deleitoso,
imagen apacible
del eterno reposo! [1]

Por ti un pecho sensible [2]
halla consuelo en medio
de cualquier mal terrible.

En ti el dolor y el tedio
que me asaltan de día
aiene fin y remedio.

Por ti es cuando, impía,
se enoja Silvia hermosa
y mata mi alegría, [3]

mi alma entonces, penosa,
goza por un momento
lo que en vela [4] no goza.

Mil veces mi tormento
así se ha mitigado [5]
y ha huído el mal que siento.

Que Silvia con enfado [6]
me muestre duro ceño
en día desgraciado,

vendrá mi dulce sueño
y el gozo ha de volverme
su semblante risueño.

1. Oh delightful sleep, peaceful image of the eternal rest (death)
2. sensitive heart
3. when, my beautiful Silvia, pitiless, gets angry and kills my joy
4. awake
5. my torment thus has been mitigated (allayed) a thousand times
6. angrily

Que el destino tenerme
procure lejos de ella
por solo entristecerme;

a pesar de mi estrella
mi sueño hará entre tanto
que vea su faz bella.

Despierto será el llanto,
pero por fin, dormido,
gozaré de su encanto.

En vela perseguido
me veré de recelo
de su ira o de su olvido;

y acabado el desvelo[7]
su cariño constante
me volverá el consuelo;

y el dolor penetrante
de su ira despiadada[8]
descansará un instante.

Así no temo nada,
y mi dicha es segura
aunque sea soñada.

Que sintiendo dulzura
no averiguo si es día
o estoy en noche oscura.

7. wakefulness (from lack of sleep)
8. merciless wrath

Con igual alegría
recuerdo el bien soñado
y el que en vela tenía;

y a que un igual enfado⁹
causa el mal en despierto
que en sueño fatigado;

y que en el curso incierto
del bien nada nos queda
sea soñado o cierto.

Con que si el tiempo veda¹⁰
después que el bien se ha ido
que gozársele pueda.

El que, en sueño ha venido
o el que real se presente,
si igualmente es perdido,
gocémosle igualmente.

9. a similar annoyance
10. hinders

SONETO

LA MUJER

No nació la mujer para querida,
Por esquiva, por falsa y por mudable;[1]
Y porque es bella, débil, miserable,
No nació para ser aborrecida.[2]

No nació para verse sometida,
Porque tiene carácter indomable;[3]
Y pues prudencia en ella nunca es dable,[4]
No nació para ser obedecida.

Porque es flaca no puede ser soltera,[5]
Porque es infiel no puede ser casada,
Por mudable no es fácil que bien quiera.

Si no es, pues, para amar o ser amada,
Sola o casada, súbdita o primera,[6]
La mujer no ha nacido para nada.

---

1. Woman was not born to be a mistress, for she is evasive, deceitful and fickle
2. to be hated
3. to be reduced to submission, for she is untamable
4. and since prudence is inconceivable in her
5. because she is weak she is not able to remain single (unmarried)
6. ruled or ruling (lit. subdued or subduing)

FABULAS

III

LAS COTORRAS Y EL ZORRO [1]

Más de cien cotorras
Haciendo gran ruido,
A robar volaban
A cierto sembrío.[2]
El que lo cuidaba
No estaba muy listo;
Pero acudió luego,[3]
Porque oyó los gritos;
Y ni un grano cojen
Los animalitos.
"Si son muy salvajes",
Impaciente dijo
Un zorro que estaba
Por allí escondido:
"Yo robo mis pollos
Pero despacito;
Los gritos despiertan
Al fiero enemigo;
Sólo con silencio
Se logra buen tiro".[4]
Dijo bien el zorro,
Yo también lo digo.

---

1. The Parrots and the Fox
2. sembrío = sembradío, plantation, cultivated grain field
3. was not wide awake but eventually showed up
4. I steal my chickens very, very quietly, for shouts wake up the
   fierce enemy; only quietly can one succeed

V

EL ASNO CORNUDO [1]

Un asno desesperado
Por su carga y sus fatigas,
Llevó al Padre de los Dioses
Un memorial [2] que decía:
"Es un dolor, Señor Jove [3]
Que sólo de mí se diga
"El asno, el asno . . . un buen bruto:
Tiene paciencia"; y me aflijan
Con carga y palos, por verme
Falto de armas ofensivas. [4]
Por cierto que con los toros
Otro tanto [5] no se haría:
¡Qué digo toros! un perro,
Aun la más triste hormiguilla [6]
Tiene armas; y por sólo esto
Con respeto se le mira.
Sólo yo soy el objeto
De la crueldad y la risa:
Con un par de cuernecillos,
Todo se remediaría." [7]

---

1. The Horned Jackass
2. memorial (i.e. a written statement making a petition)
3. Mr. Jove (a rather ridiculous way of addressing Jupiter, the chief divinity of the Romans)
4. and inflict upon me heavy loads (freight) and blows with a stick, since I lack offensive weapons (with which to defend myself)
5. as much
6. the sorriest little ant
7. with a pair of little horns all would be corrected

Júpiter se los concede;
Pero, Señor, ¡qué averías! [8]
Bruto a quien hace un cariño,
Fijo se queda sin tripa.
Aun él queriendo rascarse,
Se rompió media barriga; [9]
Y claro está, él nunca lo hizo
Por matador y suicida,
Sino porque tuvo cuernos
Y el manejo no sabía. [10]

Catástrofe semejante
Me hizo decir, no es mentira,
Ya que Dios ha dado al pueblo
Voto y fuerza la precisa,
Que le den los literatos
Unas cuantas leccioncitas. [11]

---

8. Jupiter grants them (the horns) to him, but O Lord, what havoc followed this!
9. whatever animal he pets is forthwith disemboweled, even he, while scratching himself, ripped open his belly
10. and of course he never did for wanting to kill or commit suicide —he did it because having had no experience with horns, he did not know how to handle them
11. i.e. now that God has given the people right to vote, let the intellectuals (lit. the men of letters) give them a few brief lessons (on how to do it)

JOSE MARIA HEREDIA

b. Santiago de Cuba, December 31, 1803
d. Mexico City, May 7, 1839

It was Heredia's lot to have existed in a period of turbulence and great expectations. He lived during Spanish America's most tumultuous years in the midst of violent transition from colonialism to republicanism. Yet his own country, Cuba, was to remain in bondage some sixty years after his death.

Heredia's Dominican parents had emigrated at the time of Toussaint L'Ouverture's invasion of Santo Domingo (1801), and José María was born in Santiago de Cuba, and he was Cuban in his passionate urge and unremitting struggle for Cuban independence—much more Cuban, indeed, than his celebrated cousin José-María de Hérédia (1842-1905) who wrote in French for the greater glory of France, his adopted country. Our Heredia lived only a few years of his brief existence in his beloved fatherland, for he was hounded by political enemies, by illness, by poverty, and had to keep on the move. He traveled to the United States, Venezuela, and Mexico, which adopted him and in whose friendly earth he found final, anonymous rest.

A prodigious child, Heredia seems to have been in a mad rush to fulfill his destiny: he started to write verse at the age of nine; at ten he read Homer and translated Latin poets; at seventeen, he had signed his name to one of the greatest lyrics in Spanish: "En el teocalli de Cholula;" at eighteen, he received a law degree from the University of Havana; at nineteen, he conspired fearlessly against Spain; and at twenty-three, he became a judge in Mexico.

Heredia's earliest poetical utterance centered on the love theme and evidenced strong classical influences: mythological names and situations, well-controlled rhetoric, and the rest. Soon, however, the theme of nature, which was omnipresent though diluted in his love lyrics, received fuller attention. Witness "En el teocalli de Cholula." Yet this poem is not, as Menéndez Pelayo suggests, just "verdadera poesía de puesta del sol." It is much more. In it moods and postures, frankly Romantic, seem to converge: a twilight, a landscape in harmony with the poet's languor, ruins, night, a moon, a dream, and, most significant, an elegiac meditation wherein past and present are compared—the bloody wars of the old Aztec emperors and the wars of the Mexican emperor Iturbide endeavoring now (1820) to crush the liberal revolution against Spain. Transcending the pictorial sunset ("puesta de sol"), the socially-conscious poet attacks "vile superstition and tyranny" and fulminates against man's egocentrism and destructive selfishness.

"En el teocalli de Cholula" was written in December 1820 as the poet celebrated his seventeenth birthday. In "La tempestad" of September 1822, in true Romantic fashion, he identified himself with a hurricane:

> Al fin, mundo fatal, nos separamos:
> el huracán y yo solos estamos

and in "Niágara" of June 1824 he ecstatically contemplates the falls:

> Yo digno soy de contemplarte

he says, and he really was, for with his well-calibrated language and rhetorical devices and unerring optics he dramatically succeeds in evoking Niagara Falls. But, once again, the sublime spectacle was merely an excuse for the poet to ponder on the human condition: exile, warfare, superstition, fanaticism, man's inhumanity to man, the transitory state of human existence, and, of course, inescapable death. Knowing that he had only a few more years to live, Heredia was nonetheless confident that his verse would survive: visitors to Niagara inevitably associate the falls with their immortal singer.

For a year and a half Heredia resided in New York under rather appalling circumstances, eking out a living by teaching Spanish. There he wrote his "Niágara," in a Brooklyn rooming house and in 1825, published his first book of verse. That same year he was invited to come to Mexico by its first president, Guadalupe Victoria. Heredia accepted and from Mexico he kept up his struggle for Cuban independence. As a reward, a Spanish tribunal in Cuba sentenced him to death *in absentia*.

Heredia gradually adjusted himself to his new environment: he married a Mexican girl, taught history and literature, occupied responsible positions in the judiciary (judge, public prosecutor, Minister of the Audiencia), and became Rector of the Instituto Mexicano. The multiple activities notwithstanding Heredia found time to think things over and he felt extremely disturbed: as it turned out, Mexico was a tremendous disappointment—double-crossing, sycophancy, corruption was writ large. As a republic Mexico had not come up to his expectations and he wondered whether all his fighting for a free Cuba was really worth while.

"Es verdad que ha doce años la independencia de Cuba era el más ferviente de mis votos y que por conseguirla habría sacrificado gustoso toda mi sangre; pero las calamidades y miserias que estoy presenciando hace ocho años han modificado mucho mis opiniones, y vería como un crimen cualquiera tentativa para trasplantar a la feliz y opulenta Cuba los males que afligen al continente americano."

Taking advantage of an amnesty, Heredia visited Cuba (November 4, 1836-March 15, 1837) but was kept under constant surveillance and underwent bitter suffering and humiliation. He finally became convinced that colonialism was truly the worst of all evils. In his *Ultimos versos* the poet is completely out of the burning political arena: their tone is unmistakably religious. In 1839 death shut his eyes at last in Mexico, at the age of thirty-five.

EDITIONS *Obras poéticas,* New York, Ponce de León, 1875, 2 vols.; *Poesías, discursos y cartas,* Havana, Cultural, 1939, 2 vols.; *Poesías completas,* Havana, Municipio de La Habana, 1940-1941, 2 vols.

ABOUT HEREDIA: Amado Alonso & Julio Caillet-Bois: "Heredia como crítico literario," *Revista Cubana* (Havana), XV (January-June 1941), 54-62; José María Chacón y Calvo: *Estudios heredianos,* Havana, Trópico, 1939; José María Chacón y Calvo: "El horacianismo en la poesía de Heredia". *Anales de la Academia Nacional de Artes y Letras* (Havana), XXI (1940), 139-183, also in *Universidad Católica Bolivariana* (Medellín), VI (1941), 233-262; José María Chacón y Calvo: "Proceso de la poesía de Heredia," *Universidad de La Habana* (Havana), No. 38-39 (1941), 134-149; Rafael Esténger: *Heredia, la incomprensión de sí mismo,* Havana, Trópico, 1938; Manuel García Garófalo y Mesa: *Vida de José María Heredia en México, 1825-1839,* México, Editorial Botas, 1945; Francisco González del Valle: *Cronología herediana,* Havana, Publicaciones de la Secretaría de Educación, 1938; Francisco González del Valle: "El *Niágara* de Heredia y el de Brainard," *Lyceum* (Havana), September-December 1939, pp. 6-18; Manuel Pedro González: *José María Heredia, primogénito del romanticismo hispano,* México, El Colegio de México, 1955; Pedro Henríquez Ureña: "La versificación de Heredia," *Revista de Filología Hispánica* (Buenos Aires), IV (April-June 1942), 171-172; Gustavo Adolfo Mejía: *José María Heredia y sus obras,* Havana, Molina & Co., 1941; Alfonso E. Paez: *Recordando a Heredia,* Havana, Cultural, 1939; Nicolás Rangel: "Nuevos datos para la biografía de Heredia," *Revista Bimestre Cubana* (Havana), XXV (May-June 1930), 355-379; Emilio Rodríguez Demorizi: *El cantor del Niágara en Santo Domingo,* Ciudad Trujillo, Editorial Montalvo, 1939; Manuel Toussaint: *Bibliografía mexicana de Heredia,* México, Secretaría de Relaciones Exteriores, 1957; Fray Cipriano de Utrera: *Heredia,* Ciudad Trujillo, Editorial Franciscana, 1939.

EN EL TEOCALLI DE CHOLULA[1]

¡Cuánto es bella la tierra que habitaban
los aztecas valientes! En su seno
en una estrecha zona concentrados
con asombro se ven todos los climas
que hay desde el Polo al Ecuador.[2] Sus llanos
cubren a par de las doradas mieses
las cañas deliciosas. El naranjo
y la piña y el plátano sonante,[3]
hijos del suelo equinoccial,[4] se mezclan
a la frondosa vid, al pino agreste,
y de Minerva al árbol majestuoso.[5]
Nieve eternal corona las cabezas
de Iztaccihual purísimo, Orizaba
y Popocatepec;[6] sin que el invierno
toque jamás con destructora mano
los campos fertilísimos, do ledo[7]
los mira el indio en púrpura ligera

1.—This pyramid-temple (**teocalli**) is in Cholula, some eighty miles
east of Mexico City. It was erected centuries ago to Quetzalcoatl,
the bird-god of the Toltecs. From the **teocalli** Heredia admires
the beautiful valley, reminiscent, in its serene beauty, except
for the snow-covered volcanoes looming in the distance, of As-
sisi (Italy).
2.—Because of Mexico's high altitude and its consequent vertical
zones, plants and fruits belonging to different zones and climates
(**todos los climas que hay desde el Polo al Ecuador**) grow within
a relatively short distance. The poet mentions wheat (**doradas
mieses**), sugar cane (**cañas**), orange trees (**naranjo**), pineapple
(**piña**), banana (**plátano**), grapes (from the **vid frondosa**), pine
trees (**pino agreste**), and olive trees (**el árbol de Minerva**).
3. The big, broad leaves of the banana tree emit sounds when the
wind blows on them, hence the adjective **sonante**, sonant, sounding.
4. the hot lands near the equinox or equator
5. the olive tree which was consecrated to the goddess of wisdom
and the arts, Minerva
6. snow-clad volcanoes seen in the distance; the Orizaba is the
highest peak in Mexico (18,205 feet)
7. where (**do = donde**) cheerfully

y oro teñirse,[8] reflejando el brillo
del sol Occidente, que sereno
en hielo eterno y perennal verdura[9]
a torrentes vertió su luz dorada,
y vió a Naturaleza conmovida
con su dulce calor hervir en vida.

Era la tarde: su ligera brisa
las alas en silencio ya plegaba
y entre la hierba y árboles dormía,
mientras el ancho sol su disco hundía
detrás de Iztaccihual. La nieve eterna,
cual disuelta en mar de oro, semejaba
temblar en torno de él; un arco inmenso
que del empíreo en el cenit finaba[10]
como espléndido pórtico del cielo
de luz vestido y centelleante gloria,
de sus últimos rayos recibía
los colores riquísimos. Su brillo
desfalleciendo fué: la blanca luna
y de Venus la estrella solitaria
en el cielo desierto se veían.
¡Crepúsculo feliz! Hora más bella
que la alma noche o el brillante día,
¡cuánto es dulce tu paz al alma mía! [11]

Hallábame sentado en la famosa
choluteca pirámide.[12] Tendido
el llano inmenso que ante mí yacía,
los ojos a espaciarse convidaba.[13]
¡Qué silencio! ¡Qué paz! ¡Oh ¿Quién diría

8. tinge themselves in light purple and gold
9. eternal ice and perennial (**perennal** = **perenne**) greenness
10. an immense arch stretching out from empyrean to zenith (**where**)
   it ended (**finaba**)
11. a truly Romantic setting: the poet identifies nature with his
   mood — a moonlit evening among the ruins
12. pyramid of Cholula (**choluteca**)
13. the vastness of the plain lying before me invited my eyes to
   expatiate or relax

que en estos bellos campos reina alzada
la bárbara opresión, y que esta tierra
brota mieses tan ricas, abonada
con sangre de hombres, en que fué inundada
por la superstición y por la guerra . . .? [14]

Bajó la noche en tanto. De la esfera
el leve azul, oscuro y más oscuro
se fué tornando: la movible sombra
de las nubes serenas, que volaban
por el espacio en alas de la brisa,
era visible en el tendido llano
Iztaccihual purísimo volvía
del argentado rayo de la luna
el plácido fulgor, y en el Oriente
bien como puntos de oro centellaban [15]
mil estrellas y mil . . . ¡Oh!, yo os saludo,
fuentes de luz, que de la noche umbría
ilumináis el velo,
y sois del firmamento poesía.

Al paso que la luna declinaba,
y al ocaso fulgente descendía
con lentitud, la sombra se extendía
del Popocatepec, y semejaba
fantasma colosal.[16] El arco oscuro
a mí llegó, cubrióme, y su grandeza
fué mayor y mayor, hasta que al cabo
en sombra universal veló [17] la tierra.

Volví los ojos al volcán sublime,
que velado en vapores transparentes,

14. i. e. the soil has been fertilized with human blood because of
superstitions (the Aztec sacrifices) and wars, both past and
present (reference to the clerical-conservative counterrevolution
led by Iturbide which crushed the liberal movement of 1820)
15 twinkled
16. a huge phantom
17. veiled, hid

sus inmensos contornos dibujaba
de Occidente en el cielo.
¡Gigante del Anáhuac! [18] ¿Cómo el vuelo
de las edades rápidas no imprime
alguna huella en tu nevada frente? [19]
Corre el tiempo veloz, arrebatando
años y siglos, como el norte fiero [20]
precipita ante sí la muchedumbre
de las olas del mar. Pueblos y reyes
viste hervir a tus pies, que combatían
cual hora combatimos,[21] y llamaban
eternas sus ciudades, y creían
fatigar a la tierra con su gloria.
Fueron: de ellos no resta ni memoria.[22]
¿Y tú eterno serás? Tal vez un día
de tus profundas bases desquiciado
caerás; abrumará tu gran rüina
al yermo Anáhuac; alzaránse en ella
nuevas generaciones,[23] y orgullosas
que fuiste negarán . . .
　　Todo perece
por ley universal. Aun este mundo
tan bello y tan brillante que habitamos,
es el cadáver pálido y deforme
de otro mundo que fué . . .[24]

---

18. The "giant of the Anahuac" is the extinct volcano Popo-
catepetl (17, 784 feet high) towering over the "Anahuac valley",
as the Aztecs used to call the valley of Mexico. Later "Anahuac"
stood for the entire central plateau.
19. leaves no mark (trace) on your snowy brow
20. fierce north wind
21. you saw nations and kings seething at your feet, fighting then
as we are fighting now (**cual hora = como ahora**)
22. They existed: but they are no more (lit. no memory remains
of them)
23. torn from your deep base you will arise (**alzaránse = se alzarán**)
in it
24. According to universal law, everything that exists must perish.
Even this world we inhabit, so beautiful and resplendent, is but
the pale, deformed corpse of another world that existed (before).
(Heredia's spiritualistic ideas seem to echo certain Oriental
beliefs).

En tal contemplación embebecido
sorprendióme el sopor.[25] Un largo sueño
de glorias engolfadas [26] y perdidas
en la profunda noche de los tiempos
descendió sobre mí. La agreste pompa
de los reyes aztecas desplegóse
a mis ojos atónitos.[27] Veía,
entre la muchedumbre silenciosa
de emplumados caudillos,[28] levantarse
el déspota salvaje en rico trono
de oro, perlas y plumas recamado;[29]
y al son de caracoles belicosos [30]
ir lentamente caminando al templo
la vasta procesión, do la aguardaban
sacerdotes horribles, salpicados [31]
con sangre humana rostros y vestidos.
Con profundo estupor el pueblo esclavo
las bajas frentes en el polvo hundía
y ni mirar a su señor osaba,
de cuyos ojos férvidos brotaba
la saña del poder.[32]
    Tales ya fueron
tus monarcas, Anáhuac, y su orgullo:
su vil superstición y tiranía
en el abismo del no ser se hundieron.[33]
Sí, que la muerte, universal señora,
hiriendo a par al déspota y esclavo,
escribe la igualdad sobre la tumba.

25. Absorbed in the contemplation (of the landscape), I was over-
taken by drowsiness (again, in a truly Romantic fashion the
poet dreams and recaptures the times of the Aztecs)
26. engulfed
27. the savage pomp of the Aztec kings unfolded before my astonished eyes
28. plumed chieftains
29. fretted
30. bellicose conchs (horns made from conch shells (seashells),
sounded at ceremonials and in time of war)
31. bespattered
32. and did not dare look at his lord from whose feverish eyes there
surged the cruelty of power
33. ceased to exist (lit. sank into non-being)

Con su manto benéfico el olvido
tu insensatez oculta y tus furores
a la raza presente y la futura.
Esta inmensa estructura
vió a la superstición más inhumana
en ella entronizarse.[34] Oyó los gritos
de agonizantes víctimas, en tanto
que el sacerdote, sin piedad ni espanto,
les arrancaba el corazón sangriento;
miró el vapor espeso de la sangre
subir caliente al ofendido cielo
y tender en el sol fúnebre velo,[35]
y escuchó los horrendos alaridos [36]
con que los sacerdotes sofocaban
el grito del dolor.

   Muda y desierta
ahora te ves, pirámide. ¡Mas vale
que semanas de siglos yazcas yerma,[37]
y la superstición a quien serviste
en el abismo del infierno duerma!
A nuestros nietos últimos, empero,
sé lección saludable; y hoy al hombre
que, ciego en su saber fútil y vano,
al cielo, cual Titán, truena orgulloso,
sé ejemplo ignominioso
de la demencia y del furor humano.[38]

---

34. enthroned
35. It heard the victims' screams as the priest, merciless and fear-
less, tore out their bleeding hearts; it beheld dense vapors hotly
ascending to the offended sky, covering with a pall the gloomy
sun
36. horrendous screams
37. for many centuries (lit. weeks of centuries) you lay deserted
38. (Today when men are at war in Mexico (1820), resembling the
Titans who wrought the Olympian gods and were defeated), be
an ignominous example to our grandchildren of man's folly and
furor. (It can be readily seen that Heredia's poem centers not
on the landscape but on the human condition. It is essentially
a plea for peace and harmony among men).

A MI CABALLO

Amigo de mis horas de tristeza
ven, alíviame,[1] ven. Por las llanuras
desalado[2] arrebátame, y perdido
en la velocidad de tu carrera,
olvide yo mi desventura fiera.

Huyeron de mi amor las ilusiones
para nunca volver, de paz y dicha,
llevando tras de sí las esperanzas.
Corrióse el velo: desengaño impío
el fin señala del delirio mío.

¡Oh! ¡Cuánto me fatigan los recuerdos
del pasado placer! ¡Cuánto es horrible
el desierto de una alma desolada,
sin flores de esperanza ni frescura!
Ya, ¿qué le resta? ¡Tedio y amargura![3]

Este viento del Sur... ¡ay! me devora.
Si pudiera dormir... En dulce olvido,
en pasajera muerte sepultado,
mi ardor calenturiento se templara,
y mi alma triste su vigor cobrara.[4]

1. soothe me
2. swiftly
3. What remains to it (the soul) now? (Nothing but) boredom and bitterness
4. my feverish ardor would cool down, and my melancholy soul would regain its strength

Caballo, ¡fiel amigo! Yo te imploro.
Volemos, ¡ay! Quebrante la fatiga
mi cuerpo débil; y quizá benigno
sobre la árida frente de tu dueño
sus desmayadas alas tienda el sueño.[5]

Débate yo tan dulce refrigerio...[6]
Mas, otra vez avergonzar me hiciste
de mi insana crueldad y mi delirio,
al contemplar mis pies ensangrentados,
y tus ijares ¡ay! despedazados.[7]

Perdona mi furor: el llanto mira
que se agolpa a mis párpados... Amigo,
cuando mis gritos resonar escuches,
no aguardes, no, la devorante espuela:
la crin sacude, alza la frente, y vuela.[8]

---

5. let fatigue overwhelm my weak body; and perhaps sleep will
   gently spread its faint wings over the arid forehead of your
   master
6. I owe to you this sweet, cool relief
7. (But I was ashamed) on seeing my heels (lit. my feet) stained
   with blood, and your torn flanks (caused by the violent use of
   the spurs)
8. see my (copious) tears streaming down (lit. rushing to my eye-
   lids)... Friend, when you hear me shouting, do not wait for the
   biting spur, (instead) toss your mane, raise your forehead, and
   fly

EN MI CUMPLEAÑOS [1]

Gustavi... paululum mellis, et ecce morior.

Volaron ¡ai! del tiempo arrebatados
Ya diez i nueve abriles desde el día
Que me viera nacer, i en pos volaron
Mi niñez, la delicia i el tormento
De un amor infeliz...[2]
Con mi inocencia
Fui venturoso hasta el fatal momento
En que mis labios trémulos probaron
El beso del amor... ¡beso de muerte!
¡Origen de mi mal i llanto eterno!
Mi corazón entonces inflamaron
Del amor los furores i delicias,
I el terrible huracán de las pasiones[3]
Mudó en infierno mi inocente pecho,
Antes morada de la paz i el gozo.[4]
Aquí empezó la bárbara cadena
De zozobra, inquietudes, amargura,[5]
I dolor inmortal a que la suerte
Me ató después con inclemente mano.
Cinco años ha que entre tormentos vivo,
Cinco años ha que por doquier la arrastro,
Sin que me haya lucido un solo día
De ventura i de paz. Breves instantes

1. Heredia wrote this poem on December 1822, on his **nineteenth** birthday (**cumpleaños**)
2. nineteen years (lit. nineteen Aprils), alas, (**ai** = **ay**), have flown by, snatched away by time... and with it (lit. and behind it = **en pos**) my childhood (**and**) the delight and tortures of an **unhappy** love-affair
3. the awesome hurricane of passions
4. previous (to this) abode of peace and joy
5. here began a barbarous chain of anxiety, disquiet, bitterness

De pérfido placer, no han compensado
El tedio i amargura que rebosa[6]
Mi triste corazón a la manera
Que la luz pasajera
Del relámpago raudo no disipa
El horror de la noche tempestuosa.[7]

El insano dolor nubló[8] mi frente,
Do el sereno candor lucir se veía,
I a mis amigos plácido reía
Marchitando mi faz, en que inocente
Brillaba la expresión que Amor inspira
Al rostro juvenil... Cuán venturoso
Fui yo entonces ¡oh Dios! Pero la suerte
Bárbara me alejó de mi adorada.
¡Despedida fatal! ¡Oh postrer beso!
¡Oh beso del amor Su faz divina
Miré por el dolor desfigurada.
Díjome ¡adiós!: sus ayes
Sonaron por el viento,
I ¡adiós! la dije en furibundo acento[9]

En Anáhuac mi fúnebre destino
Guardábame otro golpe más severo.[10]
Mi padre, ¡oh Dios! mi padre, el más virtuoso
De los mortales . . . ¡Ai! la tumba helada
En su abismo le hundió. ¡Triste recuerdo
Yo ví su frente pálida, nublada
Por la muerte fatal... Oh cuán furioso
Maldije mi existencia,
¡I osé acusar de Dios la Providencia!

De mi adorada en los amantes brazos
Buscando a mi dolor dulce consuelo,
Quise alejarme del funesto cielo

---

6. boredom and bitterness which overflows
7. the light from a swift lightning flash does not dissipate the horror of a stormy night
8. clouded
9. with a frenzied accent (i. e. frantically)
10. In Anahuac (i.e. in Mexico) my funereal fate (adiministered a more severe blow: the death of his father)

Donde perdí a mi padre. Moribundo
Del Anáhuac volé por las llanuras,
I el mar atravesé. Tras él pensaba
Haber dejado el dardo venenoso
Que mi doliente pecho desgarraba;[11]
Mas de mi patria salud! las costas,
I a su arena pisé, i en aquel punto
Le sentí más furioso i ensañado[12]
Entre mi corazón. Hallé perfidia,
I maldad i dolor...
    Desesperado,
De fatal desengaño en los furores
Ansié la muerte. detesté la vida:
Qué es ¡ai! la vida sin virtud ni amores?
Solo, insociable, lúgubre i sombrío,
Como el pájaro triste de la noche,
Por doce lunas el delirio mío
Gimiendo fomenté.[13] Dulce esperanza
Vislumbróme después: nuevos amores,
Nueva inquietud i afán se me siguieron.
Otra hermosura me halagó engañosa,
I otra perfidia vil... Querrá la suerte
Que haya de ser mi pecho candoroso
Víctima de doblez[14] hasta la muerte?
    ¡Mísero yo! i he de vivir por siempre
Ardiendo en mil deseos insensatos,
O en tedio insoportable sumergido?[15]
Ha un lustro que encendido
Busco ventura i paz,[16] i siempre en vano.
Ni en el augusto horror del bosque umbrío
Ni entre las fiestas i pomposos bailes
Que a la loca juventud llenan de gozo,

---

11. I thought I had left behind (in Mexico), the poisoned dart which was tearing my aching heart
12. cruel, merciless
13. during twelve moons, pining away, I encouraged my delirium
14. a victim of double-crossing
15. sunk in unbearable boredom
16. for five years (lustro) I have been seeking happiness and peace

Ni en el silencio de la calma noche,
Al esplendor de la callada luna,
Ni entre el mugir tremendo i estruendoso[17]
De las ondas del mar hallarlas pude.
En las fértiles vegas de mi patria
Ansioso me espacié; salvé el Oceano,
Trepé los montes que de fuego llenos[18]
Brillan de nieve eterna coronados,
Sin que sintiese lleno este vacío
Dentro del corazón. Amor tan solo
Me lo puede llenar: él solo puede
Curar los males que me causa impío.
　　Siempre los corazones más ardientes
Me lo puede llenar: él solo puede
Consigo arrastran el delirio vano
E impotencia cruel de ser dichosos.
El sol terrible de mi ardiente patria
Ha derramado en mi alma borrascosa[19]
Su fuego abrasador: así me agito
En inquietud amarga i dolorosa.
En vano ardiendo, con aguda espuela,[20]
El generoso volador caballo
Por llanuras anchísimas lanzaba,
I su extensión inmensa devoraba,
Por librarme de mí: tan solo al lado
De una mujer amada i que me amase
Disfruté alguna paz.—Lola divina,
El celeste candor de tu alma pura
Con tu tierna piedad templó mis penas,
Me hizo grato el dolor... ¡Ah! vive i goza,
Sé de Cuba la gloria i la delicia;
Pero a mí, qué me resta, desdichado,
Sino solo morir...?

17. the grand, uproarious bellowing (of sea waves)
18. I crossed the Ocean and climbed up to the snow-covered volcanoes (lit. the mountains filled with fire)
19. has poured (its fire) into my stormy soul
20. sharp spur

Doquier[21] que miro
El fortunado amor de dos amantes,
Sus dulces juegos e inocente risa,
La vista aparto, i en feroz envidia
Arde mi corazón. En otro tiempo
Anhelaba lograr infatigable
De Minerva la espléndida corona.[22]
Ya no la precio: amor, amor tan solo
Suspiro sin cesar, i congojado
Mi corazón se oprime... Cruel estado
De un corazón ardiente sin amores!

   ¡Ai! ni mi lira fiel, que en otros días
Mitigaba el rigor de mis dolores,
Me puede consolar. En otro tiempo
Yo con ágiles dedos la pulsaba,[23]
I dulzura i placer en mí sentía,
I dulzura i placer ella soñaba.
En pesares i tedio sumergido
Hoi la recorro en vano,
I sólo vuelve a mi anhelar insano
"Voz de dolor i canto de gemido".

21. wherever
22. in days gone by I craved untiringly to win from Minerva the splendid crown (i.e. to succeed in his studies)
23. in days gone by I would play the lyre with nimble fingers (i.e. write poetry)

EN UNA TEMPESTAD

Huracán, huracán, venir te siento,
y en tu soplo abrasado
respiro entusiasmado
del señor de los aires el aliento.[1]

En alas de los vientos suspendido
vedle rodar por el espacio inmenso,[2]
silencioso, tremendo, irresistible,
como una eternidad. La tierra en calma
funesta, abrasadora,
contempla con pavor su faz terrible.[3]
Al toro contemplad... La tierra escarban
de un insufrible ardor sus pies heridos;
la armada frente al cielo levantando
y en la henchida nariz fuego aspirando,
llama a la tempestad con sus bramidos.[4]

¡Qué nubes! ¡Qué furor!... El sol temblando
vela en triste vapor su faz gloriosa,
y entre sus negras sombras sólo vierte
luz fúnebre y sombría,
que ni es noche ni día,

1. Hurricane, hurricane, I feel you coming, and in your burning
   blast I enthusiastically inhale the breath of the Lord of the winds
2. Suspended on the wings of the wind see it rolling through the
   vastness of space
3. The earth in a sinister, mysterious calm, contemplates, with
   terror, its fearful aspect
4. (The bull) paws the ground with its wounded hoofs (lit. feet)
   with (moved by) insupportable ardor, raising his powerful forehead and breathing fire from his swollen nostrils; (the bull)
   summons the storm with its bellowing

y el mundo tiñe de color de muerte.
Los pajarillos callan y se esconden,
mientras el fiero huracán viene volando,
y en los lejanos montes retumbando[5]
le oyen los bosques, y a su voz responden.

Ya llega ... No le veis? ... ¡Cuál desenvuelve
su manto aterrador y majestuoso! ...[6]
¡Gigante de los aires te saludo!
Ved cómo en confusión vuelan en torno
las orlas de su parda vestidura.
¡Cómo en el horizonte
sus brazos furibundos ya se enarcan,
y tendidos abarcan
cuanto alcanzo a mirar, de monte a monte![7]

¡Oscuridad universal! Su soplo
levanta en torbellinos
el polvo de los campos agitado,
¡Oíd! ... Retumba en las nubes despeñado,[8]
el carro del Señor, y de sus ruedas
brota el rayo veloz, se precipita,
hiere, y aterra el delincuente suelo,
y en su lívida luz inunda el cielo.[9]

<hr />

5. re-echoing
6. How it unrolls its fearful, majestic mantle!
7. See how in confusion (the wind) stirs the fringes of its gray
   vestments. How on the horizon it arches its frantic arms and,
   stretched out, embraces whatever I see from hill to hill.
8. precipitous, dashing
9. falls, strikes and tears the guilty ground and floods the sky with
   its livid light

Qué rumor? ... Es la lluvia? ... Enfurecida
cae a torrentes, y oscurece el mundo,
y todo es confusión y horror profundo.
Cielos, colinas, nubes, caro bosque,[10]
Dónde estáis? Dónde estáis? Os busco en vano,
Desparecisteis ... La tormenta umbría
en los aires revuelve un oceano
que todo lo sepulta ...[11]
Al fin, mundo fatal, nos separamos;
el huracán y yo solos estamos.

¡Sublime tempestad! ¡Como en tu seno,
de tu solemne inspiración henchido,
al mundo vil y miserable olvido,
y alzo la frente de delicia lleno!
Do está el alma cobarde
que teme tu rugir? ... Yo en ti me elevo
al trono del Señor: oigo en las nubes
el eco de su voz: siento a la tierra
escucharle y temblar: ardiente lloro
desciende por mis pálidas mejillas,
y a su alta majestad tiemblo, y le adoro.[12]

10. the beloved woods
11. You vanished (**desparecisteis** = **desaparecisteis**) ... The um-
    brageous storm stirs the air into an ocean that buries everything...
12. fervent tears course down my pale cheeks and I tremble and
    adore His exalted Majesty

A LA ESTRELLA DE VENUS

Estrella de la tarde silenciosa,
Luz apacible y pura
De esperanza y amor, salud te digo.
En el mar de occidente ya reposa
La vasta frente el sol, y tú en la altura
Del firmamento solitaria reinas.[1]
Ya la noche sombría
Quiere tender su diamantado velo,
Y con pálidas tintas baña el suelo
La blanda luz del moribundo día.[2]
¡Hora feliz y plácida cuan bella!
Tú la presides, vespertina estrella.

Yo te amo, astro de paz. Siempre tu aspecto
En la callada soledad me inspira
De virtud y de amor meditaciones.
¡Qué delicioso afecto
Excita en los sensibles corazones
La dulce y melancólica memoria
De su perdido bien y de su gloria!
Tú me la inspiras. ¡Cuántas horas
Viste vibrar serenas
Sobre mi faz[3] en Cuba !... Al asomarse
Tu disco puro y tímido en el cielo,
A mi tierno delirio daba rienda[4]

1. I greet you, silent evening star (**estrella de la tarde, estrella de Venus**), peaceful and pure light of hope and love. On the West (**occidente**) the sun already rests its vast forehead (**frente**) and you, you alone reign (**reinas**) supreme in the firmament
2. already dark night desires to spread out its diamond-studded veil and the dying (**moribundo**) day's soft light covers the earth with pale hues
3. how many serene hours you saw shining over my face
4. when your pure, timid disk appeared in the sky, I would give free rein to my tender rapture

541

En el centro del bosque embalsamado,
Y por tu tibio resplandor guiado
Buscaba en él mi solitaria senda.[5]
   Bajo la copa de la palma amiga,
Trémula, bella en su temor, velada
Con el mágico manto del misterio,
De mi alma la señora me aguardaba.[6]
En sus ojos afables me reía
Ingenuidad y amor: yo la estrechaba,!
A mi pecho encendido,[7]
Y mi rostro feliz al suyo unido,
Su balsámico aliento[8] respiraba.
   ¡Oh goces fugitivos
De placer inefable! ¡Quién pudiera
Del tiempo detener la rueda fiera[9]
Sobre tales instantes . . .
Yo la admiraba estático: a mi oído
Muy más dulce que música sonaba
El eco de su voz, y su sonrisa
Para mi alma era luz. ¡Horas serenas
Cuya memoria cara
A mitigar bastara
De una existencia de dolor las penas![10]
¡Estrella de la tarde! cuántas veces
Junto a mi dulce amiga me mirabas
Saludar tu venida, contemplarte,
Y recibir en tu amorosa lumbre
Paz y serenidad! . . .

---

5. my solitary path
6. Under the foliage of the friendly palm tree, the mistress of my
   soul, tremulous, beautiful in her fear, veiled in the magic mantle
   of mystery, was waiting for me
7. I pressed her to my burning heart (lit. chest)
8. breath
9. stop the cruel wheel of time
10. the dear (cara) remembrance of which would suffice to mitigate
   the suffering of a painful existence

Ahora me miras
Amar también, y amar desesperado.
Huír me ves al objeto desdichado
De una estéril pasión, que es mi tormento
Con su belleza misma;
Y al renunciar su amor, mi alma se abisma
En el solo y eterno pensamiento
De amarla,[11] y de llorar la suerte impía
Que por siempre separa
Su alma del alma mía.

11. on renouncing her love, my soul gives itself up (lit. sinks, **se abisma**) to the one and only, eternal obsession of my love for her

EL DESAMOR[1]

¡Salud, noche apacible! Astro sereno,
bella luna, ¡salud![2] Ya con vosotras
mi triste corazón de penas lleno,
viene a buscar la paz. Del sol ardiente
el fuego me devora;
su luz abrasadora
acabará de marchitar mi frente
Sólo tu luz, ¡oh luna! pura y bella
sabe halagar mi corazón llagado,[3]
cual fresca lluvia el ardoroso prado.
Hora serena en la mitad del cielo
ríes a nuestros campos agostados,[4]
bañando su verdura
con plácida frescura.
Calla toda la tierra embebecida,[5]
en mirar tu carrera silenciosa;
y sólo se oye la canción melosa
del tierno ruiseñor, o el importuno
grito de la cigarra:[6] entre las flores
el céfiro[7] descansa adormecido;
el pomposo naranjo, el mango erguido,
agrupados allá, mi pecho llenan
con el sublime horror que en torno vaga
de sus copas inmóviles.[8] Unidas

1. unlove
2. Hail, peaceful night! Serene heavenly body, beautiful moon, hail!
3. knows how to heal my wounded heart
4. you smile at our parched fields
5. enchanted
6. the honeyed song of the tender nightingale or the harsh chirp of the cicada
7. breeze (lit. zephyr)
8. the pompous orange tree, the tall mango tree, grouped yonder, fill my breast with the sublime horror which wanders around their motionless tops

forman entre ellas bóveda sombrosa,[9]
que la tímida luna con sus rayos,
no puede penetrar. Morada fría
de grato horror y oscuridad sombría
a ti me acojo, y en tu amigo seno,
mi tierno corazón sentiré lleno
de agradable y feliz melancolía.
    Calma serenidad, que enseñoreas
al universo,[10] di, por qué en mi pecho
no reinas ¡ay! también? Por qué, agitado,
y en fuego el rostro pálido abrasado,
en tan profunda paz sólo suspiro?
    Esta llama volcánica y furiosa
que arde en mi corazón, ¡cuán me atormenta
con estéril ardor!... Nunca una hermosa
por fin será su delicioso objeto?
¡Cuán feliz seré entonces! Encendido[11]
la amaré, me amará, y amor y dicha...
¡Engañosa esperanza! Desquerido
gimo triste, anhelante,[12]
y abrasado en amor no tengo amante.
    No la tendré jamás...? ¡Oh, si encontrara
una mujer sensible que me amara
cuanto la amase yo, cómo en sus ojos
y en su blanda sonrisa miraría
mi ventura inmortal! Cuando mi techo
estremeciese la nocturna lluvia[13]
con sus torrentes férvidos, y el rayo
estallara feroz,[14] ¡con qué delirio

9. shadowy dome
10. lords over the universe
11. kindled
12. deceitful hope! I pine away, despondently, yearningly
13. when night rain shakes my roof
14. burst savagely

yo la estrechara en mi agitado pecho
entre la convulsión de la natura,
y con ella partiera[15]
mi exaltado placer y mi locura!
O en la noche serena
las aromas del campo respirando,
en su divino hablar me embebeciera;[16]
en su seno mi frente reclinando,
palpitar dulcemente le sintiera;
y envuelto en languidez abrasadora,
un beso y otro y mil la diera ardiente,
y el agitado seno la estrechara,
mientras la luna en esplendor bañara
con un rayo de luz su tersa frente...
   ¡Oh! sueño engañador y delicioso!
Por qué mi acalorada fantasía[17]
llenas de tu ilusión? La mano impía
de la suerte,[18] cruel negó a mi pecho
la esperanza del bien; sólo amargura
me guarda el mundo ingrato,
y el cáliz del dolor mi labio apura.[19]

15. share
16. I would be entranced by her divine talk
17. excited fantasy
18. fate's cruel hand
19. the cruel world stores up only bitterness for me, and I drain (lit.
my lip drains) the cup of sorrow

NIAGARA

Dadme mi lira, dádmela: que siento
en mi alma estremecida y agitada
arder la inspiración. ¡Oh! ¡Cuánto tiempo
en tinieblas pasó sin que mi frente
brillase con su lúz! ... Niágara undoso,[1]
sólo tu faz sublime ya podría
tornarme el don divino, que ensañada[2]
me robó del dolor la mano impía.[3]

Torrente prodigioso, calma, acalla
tu trueno aterrador: disipa un tanto
las tinieblas que en torno te circundan,[4]
y déjame mirar tu faz serena,
y de entusiasmo ardiente mi alma llena.
Yo digno soy de contemplarte: siempre
lo común y mezquino desdeñando,
ansié por lo terrífico y sublime.[5]
Al despeñarse el huracán furioso,
al retumbar sobre mi frente el rayo,
palpitando gocé: vi al Océano
azotado del austro proceloso,
combatir mi bajel, y ante mis plantas

---

1. Oh, how long have I been left in darkness, since this light last visited my brow!... undulant Niagara
2. restore the heavenly gift, that enraged
3. the cruel hand of sorrow took away (The poet wrote this poem in 1824 and refers here to the fact that the previous year he had been forced out of Cuba because of his activities against the Spanish government. He wrote the poem while living in New York, sick and discouraged).
4. hush your terrifying thunder, cast aside somewhat the darkness that surrounds you
5. forever shunning the common and the sordid, longing (only) for the awesome and sublime

sus abismos abrir,[6] y amé el peligro
y sus iras amé: mas su fiereza
en mi alma no dejara
la profunda impresión que tu grandeza.

Corres sereno y majestuoso, y luego
en ásperos peñascos[7] quebrantado,
te abalanzas[8] violento, arrebatado
como el destino irresistible y ciego.
¿Qué voz humana describir podría
de la sirte rugiente
la aterradora faz?[9] El alma mía
en vagos pensamientos se confunde,
al contemplar la férvida corriente,
que en vano quiere la turbada vista
en su vuelo seguir al borde oscuro
del precipicio altísimo: mil olas,
cual pensamiento rápidas pasando,
chocan y se enfurecen,
y otras mil y otras mil, ya las alcanzan,
y entre espuma y fragor desaparecen.

Mas llegan... saltan... El abismo horrendo
devora los torrentes despeñados;
crúzanse en él mil iris, y asordados
vuelven los bosques el fragor tremendo.[10]
Al golpe violentísimo en las peñas
rómpese el agua, y salta, y una nube
de revueltos vapores
cubre el abismo en remolinos,[11] sube,

6. At the wild rushing of the hurricane, at the bursting of the
thunderbolt above my head, I shook with delight: I saw the Ocean,
lashed by the fierce south wind, fighting my boat; I saw it showing its yawning abyss beneath me (lit. under my soles). (These
lines bring to mind Heredia's "En una tempestad").
7. rocks
8. dash
9. the awesome countenance of the roaring shoal
10. The dreadful abyss devours the precipitous torrents; over it a
thousand rainbows criss-cross, and, deafened, the forest re-
echoes the uproar
11. whirlpools

gira en torno, y al cielo
cual pirámide inmensa se levanta,
y por sobre los bosques que le cercan
al solitario cazador espanta.

Mas, ¿qué en ti busca mi anhelante vista
con inquieto afanar?[12] Por qué no miro
alrededor de tu caverna inmensa
las palmas, ¡ay!, las palmas deliciosas,
que en las llanuras de mi ardiente patria
nacen del sol a la sonrisa, crecen,
y al soplo de las brisas del Océano
bajo un cielo purísimo se mecen?[13]
Este recuerdo a mi pesar me viene...
Nada, ¡oh Niágara!, falta a tu destino,
ni otra corona que el agreste pino
a tu terrible majestad conviene.[14]
La palma y mirto, y delicada rosa,
muelle placer inspiran y ocio blando
en frívolo jardín:[15] a ti la suerte
guarda más digno objeto y más sublime.
El alma libre, generosa y fuerte
viene, te ve, se asombra,
menosprecia los frívolos deleites,[16]
y aun se siente elevar cuando te nombra.

¡Dios, Dios de la verdad! En otros climas
vi monstruos execrables
blasfemando su nombre sacrosanto,
sembrar error y fanatismo impío

12. But what is there in you that my yearning eyes seek with restless zeal?
13. (Heredia expresses here his homesickness for the landscape of his beloved Cuba, "with its palm-trees rocking in the sea-breeze, under a radiant sun." Cf. also "Al Sol" and numerous other poems).
14. the wild pine-tree is a fitting crown for your awesome majesty
15. the palm and myrtle, and delicate rose invite to gentle pleasure and comfortable relaxation in a frivolous garden
16. despise trivial joys

los campos inundar con sangre y llanto,
de hermanos atizar la infanda guerra
y desolar frenéticos la tierra.
Vilos, y el pecho se inflamó a su vista
en grave indignación. Por otra parte
vi mentidos filósofos que osaban
escrutar tus misterios, ultrajarte
y de impiedad al lamentable abismo
a los míseros hombres arrastraban:[17]

Por eso siempre te buscó mi mente
en la sublime soledad: ahora
entera se abre a ti; tu mano siente
en esta inmensidad que me circunda,
y tu profunda voz baja a mi seno
de este raudal en el eterno trueno.[18]

¡Asombroso torrente!
¡Cómo tu vista mi ánimo enajena[19]
y de terror y admiración me llena!
Do tu origen está? Quién fertiliza
por tantos siglos tu inexhausta fuente?[20]
Qué poderosa mano
hace que al recibirte
no rebose[21] en la tierra el Oceano?

17. The poet had in mind the struggle between the reactionary-clerical Spanish rule and the revolutionary-atheistic liberals who were championing the ideology of the French materialists, "mentidos filósofos que osaban escrutar tus misterios" (mistaken philosophers who dared to pry into your mysteries).
18. in the eternal thundering of this torrent
19. How the sight of you enraptures my soul!
20. Where do you come from? (lit. where (do = **dónde**) is your origin?) Who has, for so many centuries, nourished (lit. made fruitful) your inexhaustible source?
21. overflow

Abrió el Señor su mano omnipotente,
cubrió tu faz de nubes agitadas,
dio su voz a tus aguas despeñadas,
y ornó con su arco tu terrible frente.[22]

¡Miro tus aguas que incansables corren,
como el largo torrente de los siglos,
rueda en la eternidad! así del hombre
pasan volando los floridos días,
y despierta el dolor— ¡Ay! ya agotada[23]
siento mi juventud, mi faz marchita[24]
y la profunda pena que me agita
ruga mi frente de dolor nublada.[25]

Nunca tanto sentí como este día
mi mísero aislamiento, mi abandono,
mi lamentable desamor . . . ¿Podría
una alma apasionada y borrascosa
sin amor ser feliz? . . .[26] ¡Oh! Si una hermosa
digna de mí me amase,
y de este abismo al borde turbulento
mi vago pensamiento
y mi andar solitario acompañase![27]
¡Cuál gozara al mirar su faz cubrirse
de leve palidez, y ser más bella
en su dulce terror, y sonreírse
al sostenerla en mis amantes brazos . . .
¡Delirios de virtud! . . . ¡Ay!, desterrado,
sin patria, sin amores,
sólo miro ante mí llanto y dolores.

---

22. adorned with his rainbow your awesome forehead
23. exhausted
24. my face, aged (lit. withered, grown lean)
25. wrinkles (**ruga = arruga**) with grief my beclouded brow
26. my wretched isolation, my forlorn and grievous outcast state (lit. unlove) . . . Could a passionate, tempestuous soul be happy without love?
27. (The poet regrets he has no sweetheart to share his solitude, especially now that he is an exile in a foreign country.)

¡Niágara poderoso!,
oye mi última voz: en pocos años
ya devorado habrá la tumba fría
a tu débil cantor. ¡Duren mis versos
cual tu gloria inmortal! Pueda piadoso
al contemplar tu faz algún viajero
dar un suspiro a la memoria mía.[28]
Y yo al hundirse el sol en Occidente,
vuele gozoso do el Criador me llama,
y al escuchar los ecos de mi fama
alce en las nubes la radiosa frente.

28. May some traveler contemplating your countenance piously

A EMILIA[1]

Desde el suelo fatal de mi destierro,
tu triste amigo, Emilia deliciosa,
te dirige su voz; su voz que un día
en los campos de Cuba florecientes
virtud, amor y plácida esperanza,
cantó felice, de tu bello labio
mereciendo sonrisa aprobadora,
que satisfizo su ambición.[2] Ahora
sólo gemir podrá la triste ausencia
de todo lo que amó, y enfurecido
tronar contra los viles y tiranos
que ajan de nuestra patria desolada
el seno virginal.[3] Su torvo ceño
mostróme el despotismo vengativo,
y en torno de mi frente acumulada
rugió la tempestad.[4] Bajo tu techo
la venganza burlé de los tiranos.[5]
Entonces tu amistad celeste, pura,
mitigaba el horror a los insomnios
de tu amigo proscripto y sus dolores.[6]
Me era dulce admirar tus formas bellas
y atender a tu acento regalado,
cual lo es al miserable encarcelado

1. Heredia's poem is really a letter in verse addressed to a woman
   he dearly loved.
2. deserving an approving smile, which satisfied his ambition
3. wrathfully to thunder against the despicable persons and the
   tyrants who abused the desolate bosom of our desolate country
4. revengeful despotism showed me its grim countenance (lit. brow)
   and round my forehead the gathering storm roared
5. under your roof I eluded the tyrant's revenge
6. mitigated the horror of insomnia and the anguish of your exiled
   friend

el aspecto del cielo y las estrellas.[7]
Horas indefinibles, inmortales,
¡cómo volaron! — Extranjera nave
de angustia tuya y de peligro mío,
arrebatóme por el mar sañudo,[8]
cuyas oscuras, turbulentas olas,
me apartan ya de playas españolas.[9]

Heme libre por fin:[10] heme distante
de tiranos y siervos.[11] Mas, Emilia,
¡qué mudanza cruel! Enfurecido
brama el viento invernal: sobre sus alas
vuela y devora el suelo desecado
el hielo punzador.[12] Espesa niebla
vela el brillo del sol, y cierra el cielo,
que en dudoso horizonte se confunde
con el oscuro mar.[13] Desnudos gimen
por doquiera los árboles la saña
del viento azotador. Ningún ser vivo
se ve en los campos. Soledad inmensa
reina y desolación, y en el mundo yerto
sufre de invierno cruel la tiranía.
¿Y es ésta la mansión que trocar[14] debo
por los campos de luz, el cielo puro,
la verdura inmortal y eternas flores,
y las brisas balsámicas del clima
en que el primero sol brilló a mis ojos
entre dulzura y paz? . . . —Estremecido

---

7. listen to your pleasant utterance (as delightful to me) as the sight of the sky and stars (is) to a wretched prisoner
8. rough sea
9. Spanish shores, i.e. shores under the Spanish dominion, such as Cuba
10. Here I am free at last
11. slaves
12. The wintry wind blusters enraged: on its wings the piercing ice flies and devours the wasted land
13. Dense fog veils the sun's radiance and beclouds the sky, which in a doubtful horizon, merges with the gloomy sea
14. to exchange

me detengo, y agólpanse [15] a mis ojos
lágrimas de furor... ¿Qué importa? Emilia,
mi cuerpo sufre, pero mi alma fiera
con noble orgullo y menosprecio aplaude
su libertad.[16] Mis ojos doloridos
no verán ya mecerse de la palma
la copa gallardísima, dorada
por los rayos del sol en occidente;[17]
ni a la sombra del plátano sonante,
el ardor burlaré del medio día,
inundando mi faz céfiro.[18] Mi oído,
que expira el blando céfiro.[18] Mi oído,
en lugar de tu acento regalado,
o del eco apacible y cariñoso
de mi madre, mi hermana y mis amigas,
tan sólo escucha de extranjero idioma,
los bárbaros sonidos;[19] pero al menos,
no lo fatiga del tirano infame
el clamor insolente, ni el gemido
del esclavo infeliz, ni del azote
el crugir execrable que emponzoñan
la atmósfera de Cuba.[20] ¡Patria mía,
idolatrada patria! tu hermosura
goce el mortal en cuyas torpes venas
gire con lentitud la yerta sangre,[21]
sin alterarse al grito lastimoso
de la opresión. En medio de tus campos

15. se agolpan, gush forth
16. my body suffers but my haughty soul celebrates its freedom (i.e. the body's) with noble pride and scorn
17. my aching eyes will not see the graceful palm trees swinging, their tops gilded by the setting sun (lit. by the rays of the sun in the west)
18. I shall escape the noonday heat, immersing my face in that coolness emitted by soft zephyrs
19. the barbarous sounds of a foreign tongue (Heredia refers to the English language)
20. but at least he is not harassed by the insolent clamor of the infamous tyrant, or the moaning of unfortunate slaves, or the hateful crackling of whips which vitiate Cuba's atmosphere
21. in whose torpid veins cold blood slowly circulates

de luz vestidos y genial belleza,
sentí mi pecho férvido agitado
por el dolor, como el Océano brama
cuando lo azota el norte.²² Por las noches,
cuando la luz de la callada luna
y del limón el delicioso aroma,²³
llevado en alas de la tibia brisa
a voluptuosa calma convidaban,
mil pensamientos de furor y saña
entre mi pecho hirviendo, me nublaban
el congojado espíritu y el sueño
en mi abrasada frente no tendía
sus alas vaporosas.²⁴ De mi patria
bajo el hermoso y desnublado cielo,²⁵
no pude resolverme a ser esclavo,
ni consentir que todo en la natura,
fuese noble y feliz, menos el hombre.
Miraba ansioso al cielo y a los campos
que en derredor callados se tendían,
y en mi lánguida frente se veían
la palidez mortal y la esperanza.

Al brillar mi razón, su amor primero
fué la sublime dignidad del hombre,
y al murmurar de patria el dulce nombre,
me llenaba de horror el extranjero.
¡Pluguiese al cielo, desdichada Cuba,
que tu suelo tan sólo produjese
hierro y soldados! La codicia ibera²⁶
no tentáramos, ¡no! Patria adorada,
de tus bosques el aura embalsamada,
es al valor, a la virtud funesta.

22. when the north wind lashes it
23. the delightful scent of the lemon trees
24. clouded my anguished spirit, and sleep did not spread out its
    tenuous wings over my feverish forehead
25. unclouded sky
26. would that you, unhappy Cuba, make your soil produce only iron
    (weapons) and soldiers! Spanish greed

¿Cómo viendo tu sol radioso, inmenso,
no se inflama en los pechos de tus hijos
generoso valor contra los viles
que te oprimen audaces y devoran? [27]

¡Emilia! ¡dulce Emilia! la esperanza
de inocencia, de paz y de ventura,
acabó para mí ¿Qué gozo resta
al que desde la nave fugitiva
en el triste horizonte de la tarde
hundirse vió los montes de su patria
por la postrera vez? [28] A la mañana
alzóse el sol, y me mostró desiertos
el firmamento y mar . . . ¡Oh! ¡cuán odiosa
me pareció la mísera existencia!
Bramaba en torno la tormenta fiera
y yo sentado en la agitada popa
del náufrago bajel, triste y sombrío,
los torvos ojos en el mar fijando,[29]
meditaba de Cuba en el destino
y en sus tiranos viles, y gemía,
y de rubor y cólera temblaba,
mientras el viento en derredor rugía,
y mis sueltos cabellos agitaba.

¡Ah! también otros mártires . . . ¡Emilia!
doquier me sigue en ademán severo,
del noble Hernández la querida imagen.[30]
¡Eterna paz a tu injuriada sombra,
mi amigo malogrado! Largo tiempo
el gran flujo y reflujo [31] de los años,

27. who arrogantly oppress and devour you
28. for the last time
29. fastening my reproachful eyes upon the sea
30. the dear image of noble Hernández hounds me with all its severity. (Heredia's friend, Hernández, was a martyr to the cause
   of liberation).
31. ebb and flow

por Cuba pasará sin que produzca
otra alma cual la tuya, noble y fiera.
¡Víctima de cobardes y tiranos,
descansa en paz! Si nuestra patria ciega,
su largo sueño sacudiendo, llega
a despertar a libertad y gloria,
honrará, como debe, tu memoria.

¡Presto será que refulgente aurora
de libertad sobre su puro cielo
mire Cuba lucir! [32] Tu amigo, Emilia,
de hierro fiero y de venganza armado,
a verte volverá, y en voz sublime
entonará de triunfo el himno bello.
Mas si en las lides enemiga fuerza
me postra ensangrentado,[33] por lo menos
no obtendrá mi cadáver tierra extraña,
y regado en mi ferétro glorioso
por el llanto de vírgenes y fuertes,
me adormiré.[34] La universal ternura
excitaré dichoso y enlazada
mi lira de dolores con mi espada
coronarán mi noble sepultura.[35]

32. soon (presto) Cuba will see shining over its pure sky the bright
    dawn of liberty
33. but if in battle an adverse force brings me down, blood-stained
34. at least my corpse will not find its way into foreign earth for
    I will go to sleep in my glorious coffin watered by the tears of
    maidens and strong men
35. I will stir up tenderness in the world, and my doleful lyre,
    joined to my sword, shall crown my noble grave

LORD BYRON

Con dulce llanto bañarán gimiendo
El yerto corazón de Childe-Harold
Las vírgenes de Grecia.[1] Su cadáver
Descansará en su patria, circundado
Por los huesos de sabios y de fuertes.[2]
Del tiempo al curso volará ligado
Su canto vencedor, mientras la fama
Contará su ardimiento generoso
En socorrer el suelo más hermoso
Que alumbra el sol;[3] y la piedad augusta
Cubrirá lo demás con velo eterno.[4]

1. Wailing, with sweet tears (in their eyes), Greek maidens will bathe the motionless heart (the death) of Childe Harold. (Childe Harold is, of course, the hero of Lord Byron's narrative poem **Childe Harold** [1812, 1816, 1818]).
2. His body will rest in his fatherland surrounded by the bones of scholars and strong men (i.e. statesmen, generals, etc.) Heredia identifies Childe Harold with Byron himself who died fighting for Greek independence at Missolonghi but was buried in the Hucknall Torkard Church, near Newstead, England.
3. his triumphant songs will fly on (will live on everlastingly), linked to the passing of time (history), while he will remain famous and remembered for his generous courage in helping out the most beautiful country under the sun (Greece)
4. august compassion will overlook the rest (i.e. the unsavory details of his more mundane activities) (covering it up) with an eternal veil (i.e. obliterating it forever)

A FLERIDA

Si es dulce ver en el glorioso estío
Ceñida el alba de purpúreas flores,[1]
Y entre blancas arenas y verdores
Con manso curso deslizarse [2] el río;

Si es dulce al inocente pecho mío
Atisbar [3] de las aves los amores,
Cuando tiernas modulan sus ardores
En la plácida paz del bosque umbrío;

Si es dulce ver cual cobran estos prados
Fresco verdor [4] en la estación florida,
Y al cielo y mar profundo serenados,[5]
Más dulce es verte, Flérida querida,
Darme en tus negros ojos desmayados [6]
Muerte de amor, más grata que la vida.

1. If it is pleasant in glorious summer to watch the dawn girded
   with purple flowers
2. to flow (lit. to glide by)
3. to observe
4. how (**cual** = **como**) the fields put on fresh greenness
5. becalmed
6. languid

MUERTE DEL TORO

Al clavar de los dardos inflamados
y agitación frenética del toro,
la multitud atónita se embebe,
como en el circo la romana plebe
atenta reprobaba o aplaudía
el gesto, el ademán y la mirada
con que sobre la arena ensangrentada
el moribundo gladiador caía.[1]

Suena el clarín, y del sangriento drama
se abre el acto final, cuando a la arena
desciende el matador, y al fiero bruto
osado llama, y su furor provoca.[2]
El, arrojando espuma por la boca,
con la vista devórale, y el suelo
hiere con duro pie; su ardiente cola
azota los ijares, y bramando
se precipita. . .[3] El matador, sereno,
ágil se esquiva,[4] y el agudo estoque
le esconde hasta la cruz dentro del seno.[5]

1. The excited crowd is thrilled when (the bullfighter) sticks the inflamed darts (**banderillas**) into the bull; (is thrilled) with the bull's frantic agitation, just as the Roman crowd used to hiss or applaud at the circus, the grimaces, gestures and glances of the dying gladiator as he fell on the blood-drenched arena
2. when the matador reaches the arena and daringly attracts the fierce animal, provoking its fury
3. frothing away, the bull devours him with its eyes, stamps the ground with its hard hoofs, its ardent tail whipping its flanks, and bellowing, hurls itself headlong
4. dodges
5. sticks to the hilt the sharp sword into the bull's chest

Párase el toro, y su bramido expresa
dolor, profunda rabia y agonía.
En vana lucha con la muerte impía,
quiere vengarse aún; pero la fuerza
con la caliente sangre, que derrama
en gruesos borbotones,[6] le abandona,
y entre el dolor frenético y la ira,
vacila, cae, y rebramando expira.[7]

Sin honor el cadáver arrastrado
es en bárbaro triunfo: yertos, flojos,
vagan los fuertes pies, turbios los ojos
en que ha un momento centellear se veía
tal ardimiento,[8] fuerza y energía,
y por el polvo vil huye arrastrado
el cuello, que tal vez bajo el arado[9]
era de alguna rústica familia
útil sostenedor.[10] En tanto el pueblo,
con tumulto alegrísimo celebra
del gladiador estúpido la hazaña.
¡Espectáculo atroz, mengua de España![11]

6. which spills in abundant gushings
7. expires, bellowing loudly
8. in which, the moment before, sparkled such undaunted courage
9. pulling a plough
10. useful breadwinner to some family of peasants
11. Heinous spectacle, disgrace of Spain!

ATENAS Y PALMIRA

Al contemplar las áticas llanuras
en la serena cumbre del Himeto,
espectáculo espléndido se goza.[1]
Vénse grupos de palmas, que otro tiempo
oyeron de Platón[2] la voz divina,
y entre masas brillantes de verdura
alza el olivo su apacible frente,
cubre la viña el ondulante suelo
de esmeraldas y púrpura,[3] y los valles
en diluvio[4] de luz el sol inunda.
Entre tantas bellezas majestuosa
con marmóreo esplendor domina Atenas.[5]
En sus dóricos templos y columnas
juega la luz rosada,
y con mágica tinta
el contorno fugaz colora y pinta.[6]
¡Cuadro admirable y delicioso! Empero,
goza placer más puro y más sublime
el solitario y pensador viajero
que a la luz del crepúsculo sombrío,
entre un océano de caliente arena,
contempla el esqueleto de Palmira,

1. On beholding from Mount Hymettus's serene summit the valley
   of Athens, one is able to enjoy a magnificent panorama
2. Plato, the Greek philosopher
3. the olive tree stands peacefully (lit. raises its peaceful forehead);
   the grape vines cover the undulating earth with emeralds and
   purple (i.e. with green and red grapes)
4. deluge
5. in its marble splendor Athens stands out
6. the rose-colored light plays over the Doric temples and columns,
   coloring with magic tints the fugacious contours

de alto silencio y soledad cercado.[7]
¡Desolación inmensa! El obelisco,[8]
cual noble anciano, se levanta al cielo
con triste majestad, y el cardo infausto,
brotando en grietas de marmóreo techo,
al viento sirio silba.[9] En los salones
do la elegancia y el poder moraron,
hoy la culebra solitaria gira.[10]
En el suelo de templos quebrantados
crecen los pinos, y en las anchas calles,
que antes hirvieron en rumor y vida,
se mira ondear la hierba silenciosa.[11]
Doquier yacen columnas derribadas [12]
unas sobre otras, y en la gran llanura
incontables parecen los despojos [13]
de la grandeza y del poder pasado.
Arcos, palacios, templos, obeliscos
forman un laberinto pavoroso
en que inmóvil se asienta
el silencioso genio de las ruinas,
y altas verdades, máximas divinas
de su frente el dolor al sabio cuenta.[14]

7. (However with unmistakable Romantic feeling, rather than Athens, Heredia prefers Palmyra, the ruined Biblical city Tamar [130 miles northeast of Damascus]) beholding, in the light of a somber twilight, amid an ocean of hot sand, hedged in by lofty silence and solitude, Palmyra's skeleton offers the solitary, pensive traveler a purer, more sublime pleasure
8. obelisk
9 accursed thistle, sprouting from the cracks in the marble roofs, whistles in the Syrian wind
10. In the halls (do = donde) elegance and power resided, only the snake makes the rounds today
11. which once seethed with life (lit. with noise and life) can be seen but the silent grass waving
12. wherever (doquier = dondequiera) (one goes), i.e. everywhere, (one sees) fallen columns lying about
13. countless seem to be the remains
14. an awesome labyrinth whereon, immobile, the silent tutelary Spirit of the ruins sits and inspires wisemen with lofty truth and divine maxims

PLACERES DE LA MELANCOLIA

Part VI

Patria . . . ¡Nombre cual triste delicioso
al peregrino mísero, que vaga
lejos del suelo que nacer le viera! [1]
¡Ay! ¿Nunca de sus árboles la sombra
refrescará su dolorida frente?
¿Cuándo en la noche el músico ruido
de las palmas y plátanos sonantes
vendrá feliz a regalar mi oído? [2]
¡Cuántas dulzuras ¡ay! se desconocen
hasta perderse! No: nunca los campos
de Cuba parecieron a mis ojos
de más beldad y gentileza ornados,
que hoy a mi congojada fantasía. [3]
¡Recuerdo triste de maldad y llanto!
Cuando esperaba paz el alma mía,
redobló la Fortuna sus rigores,
pasó tronando el borrascoso día. [4]
Desde entonces mis ojos anhelantes
miran a Cuba, y a su nombre sólo
de lágrimas se arrasan. [5] Por la noche,
entre el bronco rugir del viento airado, [6]
suena el himno infeliz del desterrado.
O si el Océano inmóvil se adormece

1. A name as melancholy as it is delightful to the wretched pilgrim who wanders far from his birthplace
2. At what time of night will the rustling of palm trees and the sonant banana tree come joyfully to caress my ears?
3. seen to my anguished fantasy adorned with more beauty (beldad) and gentleness than today
4. Fortune doubled its severity and the stormy day, (fraught) with wrath and persecution, thundered by
5. fill with tears
6. roaring of the wild wind

de junio y julio en las ardientes calmas,[7]
ansioso busco en las distante brisa
la voz de sus arroyos y sus palmas.

¡Oh! No me condenéis a que aquí gima,
como en huerta de escarchas abrasada
se marchita entre vidrios encerrada
la planta estéril de distinto clima.
Mi entusiasmo feliz yace apagado:
en mis manos ¡oh lira! te rompiste.[8]
¿Cuando sopla del Norte el viento triste,
puede algún corazón no estar helado?
¿Dó están las brisas de la fresca noche,
de la mágica luna inspiradora
el tibio resplandor, y del naranjo
y del mango suavísimo el aroma?[9]
¿Dónde las nubecillas que flotando
en el azul sereno de la esfera,
islas de paz y gloria semejaban?
Tiende la noche aquí su oscuro velo:
el mundo se adormece inmóvil, mudo,
y el aire punza y, bajo el filo agudo
del hielo afinador, centella el cielo.[10]
Brillante está a los ojos, pero frío,
frío como la muerte. Yo lo admiro,
mas no lo puedo amar, porque me mata,
y por el sol del trópico suspiro.[11]

Vuela, viento del Norte, y a los campos
de mi patria querida
lleva mi llanto, y a mi madre tierna,
murmura mi dolor.

7. ardent calms (**calm** is used in its nautical sense)
8. as in a garden nipped by frost, the sterile plant from an alien climate withers away shut in in glass (i.e. in a hothouse). My joyful enthusiasm has been extinguished, and in my hands, alas, the lyre broke
9. the tepid radiance, and the very delicate aroma from orange trees and mangos?
10. the wind stings, and under the sharp edge of the whetting ice, the sky flashes (scintillates, sparkles, **centellar** = **centellear**)

566

INDEX OF AUTHORS AND WORKS